Mit allen Wassern gewaschen

Gerd Friederich, aufgewachsen im hohenlohischen Langenburg und schwäbischen Bietigheim an der Enz, studierte in Würzburg fürs Lehramt (Deutsch, Kunst, Geschichte, Geografie) und berufsbegleitend noch zweimal, zunächst in Tübingen (Pädagogik, Philosophie, Psychologie, Landeskunde), wo er mit einer Arbeit zur Schulgeschichte promovierte, und viele Jahre später in Nürnberg (Malerei). Er arbeitete als Lehrer, Heimerzieher, Personalreferent, Schulrat, Lehrerausbilder und veröffentlichte viel Fachliteratur. Jetzt lebt er im Taubertal, schreibt Romane und malt Porträts und Landschaften.

Gerd Friederich

Mit allen Wassern gewaschen

Roman

Bibliographische Information der Deutschen Nationalbibliothek: Die Deutsche Nationalbibliothek verzeichnet diese Publikation in der Deutschen Nationalbibliografie; detaillierte bibliografische Daten sind im Internet über htpp://dnb.d-nb.de abrufbar.

Verlag: BoD – Books on Demand GmbH, In de Tarpen 42, 22848 Norderstedt
Druck: Libri Plureos GmbH, Friedensallee 273, 22763 Hamburg
ISBN 978-3-7597-9662-2

Vorwort

Schwäbisch ist zweifellos eine schöne und kreative Mundart. Damit das auch außerhalb Schwabens bekannt wird, habe ich sie in meiner Enzheim-Trilogie aus *Kälberstrick*, *Sichelhenke* und *Tod dem König* zumindest teilweise verwendet und für nichtschwäbische Leserinnen und Leser eine Wörterliste der Dialektwörter angehängt.

Natürlich deuteten meine schwäbischen Textpassagen die Mundart nur an, denn lautgetreu geschrieben sind sie auch für Schwaben schwer zu entziffern. Vor allem die fürs Schwabenland so charakteristischen Nasal- und Gutturallaute können mit den 26 Buchstaben unseres Alphabets nicht annähernd wiedergegeben werden.

Immer wieder haben mich des Schwäbischen unkundige Leserinnen und Leser darauf hingewiesen, dass ihre Freude an der Lektüre doch arg getrübt wird. Deshalb habe ich mich entschlossen, eine hochdeutsche Variante der drei Romane herauszugeben und dabei den Text zugleich zu kürzen und zu überarbeiten.

Das Städtchen Linnfurt (vormals Enzheim) ist frei erfunden. Auch die handelnden Personen habe ich mir ausgedacht. Aber die Kulisse des Romans entspricht dem, was die landesgeschichtliche Forschung besagt. Die folgenden fünf Seiten beschreiben den exakten historischen Hintergrund der Handlung.

Linnfurt um 1840

Einwohner: 1051 insgesamt, davon 608 weibliche und 443 männliche, darunter 2 katholische und 9 jüdische Familien; der Rest ist evangelisch.

Bebauung: Auf der Gemarkung stehen über 150 Häuser, 1 evangelische Kirche, 1 Rathaus, 1 Schulhaus (neu) mit zwei Volksschulklassen, dazu 1 Lateinschule (mit einer Klasse), 1 Zehntscheuer, 3 Tortürme und Nachtwächterturm.

Wirtschaftliche Verhältnisse: 1800 Morgen Wald: Eichen, Buchen, Eschen, Aspen (Pappeln), Weiden, Birken, Föhren. 1400 Morgen Ackerland: Korn, Dinkel, Gerste, Hafer; Wicken, Erbsen, Linsen, Saubohnen; Kartoffeln, Rüben, Kohl; Flachs, Klee und Vieh-Mangold. Hauptfrucht ist Dinkel (45 %), gefolgt von Gerste (25 %) und Hafer (18 %). Roggen und Weizen spielen eine untergeordnete Rolle. 400 Morgen Wiesen. 500 Morgen Weinberg: 350 000 bis 600 000 Liter Wein jährlich (gerechnet in Fuder; 1 Fuder = 1 Wagenladung ≈ 1000 Liter), nahezu ausschließlich Weißwein. 30 Morgen Krautgarten und 40 Morgen Obstbäume. Entlang der Linn stehen Erlen und Weiden, die von sieben Korbmachern gewerblich genutzt werden. Auf der Gemarkung arbeiten drei Mahlmühlen, alle drei vom Wasser der Linn angetrieben.

Viehzählung: 164 Pferde, 726 Rindvieh, 327 Schafe, 128 Ziegen, 389 Schweine, 1 Zuchteber, 1 Zuchtstier, 72 Bienenstöcke (nach der Wirtschaftsordnung im Königreich Württemberg zählen die Bienen zum Vieh).

Ausgeübte Berufe nach dem Gewerbekataster: 45 Weinbauern, 54 Landwirte (8 große mit 20 und mehr Morgen Land, 15 mittlere mit 10 bis 20 Morgen und 31 kleine mit weniger als 10 Morgen Land; einige haben auch noch Weinberge), 57 Taglöhner, 7 Korbmacher, 3 Holzhändler, 3 Küfer, 3 Schneider, 3 Wagner, 3 Müller, 3 Gastwirte (darunter 1 Weinstube), 3 Schmiede (darunter 1 Nagelschmied), 2 Schuster, 2 Zimmerleute, 2 Viehhändler, 2 Maurer, 2 Schreiner, 2 Weber (Stückweber, auch als Lohnweber auf der Stöhr unterwegs), 2 Bäcker, 1 Glaser, 1 Sattler, 1 Metzger (viele Eigenschlachtungen und 1 Lohnmetzger im Nebenerwerb), 1 Krämer, 1 Fuhrmann, 1 Töpfer und Ziegelmacher.

Weinlagen: Am Schlossberg wächst der Linnfurter Grafenstolz, auf der Lug der Linnfurter Schiller.

Vereine: Männergesangverein Liederkranz, gegründet 1839, Vereinslokal: Linde; gesungen werden vor allem Friedrich Silchers Chorsätze. Turnverein Frischauf, gegründet 1840, Vereinslokal: Ochsen; Zweck des Vereins: „Reinheit der Sitten erstreben und bewahren, vaterländische Gesinnung verbreiten." Geturnt wird an Geräten wie Bock, Pferd, Leiter und Seil. Hinzu kommen Disziplinen wie Laufen, Springen und Werfen. Hauptanliegen ist die Bewahrung der Schuljugend vor

Müßiggang. Die Vereinsfahne hat die Farben schwarz-rot-gold mit vier, jeweils um 90 Grad gedrehten Buchstaben F (für frisch-fromm-fröhlich-frei).

Aufgaben der Gemeinde: Fizinalstraße (Landesstraße) durch den Ort sowie Gassen und Wege im Ort und auf der Gemarkung unterhalten, ebenso Stege und Brücken. Dazuhin Unterhalt der Stadtmauer und der Türme sowie der Zehntscheuer. Mit Gesetz vom Oktober 1836 kann jeder Bürger alle herrschaftlichen Fronen und Dienste mit dem 16-fachen Betrag endgültig ablösen: Jagdfron, Handdienste (Gegenwert für 1 Handdienst pro Tag: 8 Kreuzer), Fuhrfron = Mähne (Gegenwert: 36 Kreuzer), verschiedene Baufronen für Forsthaus, Waschhaus, Zehntscheuer, Tortürme, Stadtmauer. Nur wenige reichere Linnfurter haben bisher ihre Fronpflichten abgelöst. So ergibt sich für Schultes Frank die Möglichkeit, kommunale Frondienste einzufordern. 1840 lässt er zwischen Schulhaus und Kirche einen zweiten Brunnen graben, nachdem ihm der bekannte Brunnenmacher Wöppel aus Gerabronn ein preisgünstiges Angebot unterbreitete. Stadtrat und Kirchenkonvent beschließen, sich die Kosten zu teilen, halb Stadtsäckel, halb Heiligenpflege.

Märkte: jährlich 1 Rossmarkt (16. Januar), 2 Viehmärkte (Mai und August) und 1 Krämermarkt (3. Sonntag im Oktober).

Fleckendienste (kommunale Dienste): Wald- und Feldschütz, Nachtwächter, Wegknechte, Waldknechte,

Farrenhalter, Hebamme, Gemeindeschäfer, Fronmeister, Obsthüter (nur im September und Oktober). Im Gegensatz zu den wenigen *Ämtern* wie Stadtrat oder Kirchenkonventsmitglied, die den Reichen im Ort zustehen, werden die *Dienste* nur an ärmere Einwohner vergeben, um so die örtliche Armenpflege zu entlasten. Alle Dienste werden in der Regel mit örtlichen Bewerbern besetzt und zusätzlich zum Haupterwerb ausgeübt. Die Besoldung besteht aus dem Grundgehalt (Wartgeld), das durch Taggelder und Anteile an Strafgeldern aufgebessert werden kann. So bekommt z.B. der Feldschütz ein Drittel der durch ihn veranlassten Strafgelder.

Ortsarme: Recht zur Holzlese und Ährenlese. Recht zum Haustürbetteln an Gründonnerstag.

Gemeindevermögen: Gebäude: Rathaus, Schule, Volksschule, Lateinschule, Zehntscheuer, 3 Tortürme, Nachtwächterturm, Stadtmauer. Grundbesitz: Wald, Ackerland, Schafweide, Allmende sowie Miete und Pacht aus diesen. Geldverleih: üblicherweise 5 % Zinsen jährlich. Holz für Rathaus, Schule und Lehrerwohnung kommt aus dem Gemeindewald, das die Waldknechte schlagen müssen. Haupteinnahmequelle sind der „Gemeindeschaden“ (Gemeindesteuer), Bürger- und Wohnsteuer sowie Schulgeld. Im Rathaus werden der Dachboden (Kornspeicher) und ein paar Nebenräume verpachtet. Neubürger müssen ein Bürgergeld bezahlen.

Zeitung: Seit Herbst 1829 erscheint das „Intelligenz-Blatt für Linnfurt“. Verlegt wird die Zeitung vom Bäcker Andreas Schmidlin, der sich mit dem Verkauf der Zeitung auch eine Belebung beim Verkauf seiner Backwaren erhofft, was auch eintritt. Anfangs hilft ihm der Lateinlehrer als Redakteur. Aber weil der viel lateinisches Gefasel aufschreibt, kündigt ihm der Bäcker schon bald. Seitdem ist Schmidlin sein eigener Redakteur. Mit dem neuen Provisor hofft er auf einen redaktionellen Mitarbeiter. Die Zeitung erscheint zweimal wöchentlich, jeweils mittwochs und samstags. Jede Ausgabe muss vom Schultheißen vorab geprüft und freigegeben werden. Es herrscht also Zensur. Der Inhalt der Zeitung gliedert sich in zwei Teile: Bekanntmachungen, Privatnachrichten und Anzeigen sowie kurze Erzählungen und Berichte aus aller Welt (zumeist aus anderen Zeitungen abgeschrieben).

Ende August 1841

„Was stinkt denn da so gottserbärmlich?“ Der Schultheiß und Lindenwirt Fritz Frank, den man dienstlich den Schultes und privat den Aberjetza nennt, steht auf, marschiert in seiner leeren Schankstube auf und ab, schnüffelt wie ein Bär auf Honigsuche in alle Ecken und beschnuppert sich. Witternd zieht er die Luft ein.

„Ich riech nix“, bekennt der Scharwächter arglos.

Der Schultes schließt die Fenster. Vielleicht hat draußen jemand geodelt. Er setzt sich und atmet tief durch. „Sapperlott, jetzt stinkt’s noch mehr!“ Schimpfend steht er wieder auf, geht kreuz und quer durch den Saal und folgt mit geblähten Nüstern der irritierenden Duftspur. Neben dem Hilfspolizisten bleibt er stehen und hechelt. „Du bist der Stinker!“ Entsetzt weicht er zurück.

„Kann nicht sein, kann nicht sein!“, braust der Scharwächter auf. Er habe sich heute schon gewaschen. Gottlob Vorderlader, so sein amtlicher Name, war einst Soldat, bis er nach den napoleonischen Kriegen beim Militär ausgemustert wurde. Seitdem ist er Feld- und Wengertschütz sowie Hilfspolizist in einem.

Der Schultes reißt alle Fenster auf und schreit einer Magd.

Obermagd Paula kommt aus der Küche gerannt. „Wo brennt’s?“

„Aberjetza riech mal.“

Paula hält sich sofort die Nase zu. „Gülle und Schnaps“, näselt sie mit erstickender Stimme, torkelt ein paar Schritte, schnappt nach Luft wie ein Fisch auf dem Trockenen und klemmt sich mit Daumen und Zeigefinger die Nase wieder zu. Wortlos deutet sie auf den Scharwächter, rollt die Augen, als falle sie in Ohnmacht, und flüchtet in die Küche.

„Steh auf!“, brüllt der Schultes den verdatterten Scharwächter an.

Der Hilfspolizist gehorcht aufs Wort, aber der Stuhl ist trocken, der Hosenboden auch.

Nach ausgiebigem Gezerf und Gezänk gesteht der Mann im blauen Amtskittel mit den roten Litzen, dass er, weil heute doch Sichelhenke ist, von Scheune zu Scheune gehen musste, um nach dem Rechten zu sehen. Das sei schließlich seine Pflicht als Sicherheitsorgan der Stadt Linnfurt an der Linn.

„Und da haben sie dich mit Schnaps, Wein und Most abgefüllt.“ Der Schultes fragt nicht, er stellt es amtlich fest. Er kennt seine Linnfurter in- und auswendig. Darum kann er bei diesem reichlich geübten Säufer in Uniform den nüchternen vom betrunkenen Zustand unterscheiden.

Den mündlichen Bescheid weist der Scharwächter mit aller Bestimmtheit als böswillige Unterstellung zurück. Er habe bloß elf Schnäpse und fünf Gläser Wein gekriegt. Ja, und dreimal habe er aus einem Mostkrug trinken dürfen. Die Leute würden immer geiziger.

„Hast Gülle gesoffen in deinem Rausch?“

„Nein!“ Der Hilfspolizist fuchtelt mit den Armen und ringt um Worte, weil seine Zunge so schwer im

Gaumen hängt. Mit letzter Kraft bringt er endlich hervor, dass ihn der Geselle vom Küferschorsch absichtlich stolpern ließ. Und dabei sei er versehentlich in die Jauchegrube gefallen. Aber sofort habe er sich am Laufbrunnen auf dem Marktplatz Gesicht und Hände gewaschen, er sei doch ein reinlicher Mensch.

Der Schultes flucht sein ganzes Repertoire an Verwünschungen und Beleidigungen alphabetisch rauf und runter. Aus moralischen Gründen können sie nur auszugsweise wiedergegeben werden: „Allmachtsdackel! Hosenscheißer! Katzenmelker!! Ober-dubbeler!!! Rauschkugel!!!“.

Wütend stößt er die Tür zur Küche auf und erteilt Paula die Weisung, das gesamte Dienstpersonal, das in der Scheune beisammensitzt und Sichelhenke feiert, müsse sofort zum Appell in der Linde antreten. Der Scharwächter werde ausgemistet! Und zwar jetzt! Von den Schweißfüßen bis hinter die dreckigen Ohren. Gefahr im Verzug! Sonst könnte morgen schon in ganz Linnfurt die Seuche ausbrechen.

Die dienstbaren Geister treten vollzählig in der Linde zum Befehlsempfang an, die Gesichter leuchtend rot vom Alkohol und von der immensen Schufterei der letzten fünf Wochen an der frischen Luft. Grinsend halten sich die Mägde und Knechte die Nasen zu und schnappen mit offenem Mund nach Luft, wie ein taubstummer Gesangverein bei der Generalprobe.

„Aberjetza“, der Schultes baut sich vor seiner Mannschaft auf, „machen wir das so.“

Die Mägde erhalten die Order, im Sutrai *[Keller, Untergeschoss]* sofort einen Zuber mit lauwarmem

Wasser sowie Bürsten und Striegel bereitzustellen. Auf unterdrücktes Murren fügt der Schultes an, dass bis morgen Abend um acht, wenn die Linde wieder öffnet, noch genügend Zeit zum Feiern in der Scheune und auf der Linnwiese bleibt.

Zuerst müsse der Rossknecht den Saufkopf dreimal in der Viehtränke untertauchen, damit der Dreck eingeweicht wird.

„Vorwäsche", lacht der Knecht, „kapiert."

Dann soll er ihn splitterfasernackt ausziehen und im Zuber mit der Wurzelbürste abschrubben.

„Soll ich Seife nehmen?"

„Nein, die ist zu teuer. Aberjetza hat meine Frau einen alten Essig, der schon hinüber ist." Sie solle ihm ein starkes Essigwasser herrichten, damit es dem ganzen Lumpenzeug, das auf dem Scharwächter herumkrabbelt, schwindelig wird. Mit diesem scharfen Essig müsse man den Stinkstiefel abbürsten und seine Haare spülen. Es könnte nämlich leicht sein, dass der Herr Hilfspolizist bereits von Flöhen, Läusen und der Krätze befallen ist. Notfalls solle sich der Knecht nicht scheuen, schwarze und braune Krusten mit Scheuersand zu bearbeiten und den Kopf des Scharwächters mit dem Pferdestriegel zu filzen. Und zum Schluss solle er ihn nochmal kräftig in der Viehtränke wässern.

„Soll ich dann die saubere Wäsch zum Trocknen aufhängen und bügeln?", lacht der Knecht.

Der Scharwächter, der bisher nicht wusste, wie ihm geschieht, legt Widerspruch ein. So dürfe man nicht mit ihm umspringen, denn er sei eine Amtsperson.

„Amtsperson?“, höhnt das Stadtoberhaupt, „Quadratsdackel, Saufloddel, Hosenbrunzer!“ Verächtlich winkt er ab. „Wenn‘s Dummsein weh tät, dann müsstest du Tag und Nacht schreien.“

„Paula“, weist der Schultes seine Obermagd an, „du gehst zum Wengerttor.“ Sie solle, wenn der Knecht den Scharwächter entblößt hat, der leidgeprüften Ehefrau die stinkenden und dreckstarrenden Kleider ihres Göttergatten bringen und dafür saubere Wäsche holen.

Der Scharwächter will opponieren, aber der Schultes droht, ihm sein Amt noch heute Abend abzuerkennen, wenn er sich widersetzen sollte.

Linnfurt liegt an der Linn, einem Nebenfluss des Neckars. Es ist ein altes Residenzstädtchen in der ehemaligen Grafschaft Linnfurt-Habsburg-Burgund und das geografische, geschichtliche, politische und kulturelle Zentrum des Königreichs Württemberg.

Unter Friedrich Barbarossa dienten die Herren von Linnfurt als hohe Beamte den mächtigen Staufern. Die Nachfahren Barbarossas balgten sich um diese kleine, aber feine Herrschaft an der Linn, doch den Sieg trugen die Linnfurter davon. Sie jagten ihre Adligen durch die Spieße und kürten selbstherrlich einen Edelmann vom Zürichsee zum Grafen von Linnfurt. Im frühen 16. Jahrhundert schlossen sie einen Vertrag mit den Habsburgern, die Linnfurt dafür zur Stadt und zur Residenz der Grafschaft Linnfurt-Habsburg erhoben. Fünfzig Jahre später erwarb Graf Gottfried VI. von Linnfurt durch Heirat mit Sieglinde von Burgund die Grafschaft Burgund-Bessoin. So kam französische Lebensart an die Linn. 1805 fielen die rechtsrheinischen Teile der Grafschaft im Zuge der napoleonischen Flurbereinigung an Württemberg, die linksrheinischen an Frankreich.

Entstanden ist das Königreich Württemberg am 1. Januar 1806 aus dem Herzogtum Württemberg und zahlreichen Neuerwerbungen. 1840 ist es noch ein reiner Agrarstaat. Achtzig von hundert Württembergern sind Bauern, Weingärtner, Knechte und Mägde. Zwanzig von hundert verdienen als Handwerker, Händler, Soldaten und Dienstboten ihr tägliches Brot. Es ist eines der ärmsten Länder Europas, es hat keine Bodenschätze, und die napoleonischen Kriege haben das Land verwüstet. Zwar fanden die meisten Schlachten nicht auf württembergischem Gebiet statt, aber die ständigen Truppendurchzüge mit Einquartierungen, Beschlagnahmen von Lebensmitteln und Futter bis hin zu Plünderungen und Brandschatzungen raubten das Land und die Bevölkerung aus. Etliche Missernten und die Eruption des Vulkans Tambora gaben den gebeutelten Württembergern den Rest. Im April 1815 war der Vulkan explodiert. Asche- und Schwefelgaswolken verdunkelten zwei Sommer lang den Himmel und verursachten hierzulande eine schreckliche Hungersnot und eine riesige Auswanderungswelle.

König Wilhelm I. von Württemberg bringt das verarmte Land allmählich in Schwung. Er hat das Cannstatter Volksfest als alljährliche Leistungsschau eingeführt, in Hohenheim die erste landwirtschaftliche

Hochschule der Welt sowie ein Ackerbauschule, eine Weinbauschule, eine Forschungsanstalt für Saatzucht und Obstbau und eine Pflugfabrik gegründet. Seit Fritz Frank Schultheiß von Linnfurt ist, pflanzen die Linnfurter neue Rebsorten und setzen viele Obstbäume innerorts und außerorts an den Feldrainen. Jetzt wächst in ihren Weinbergen ein vorzüglicher Rotwein. Jetzt haben sie frisches Obst im Herbst und das ganze Jahr Dörrobst in Hülle und Fülle. Und ihr famoser Apfel-Birnen-Most ist weit und breit konkurrenzlos.

*

Während der Scharwächter Zeter und Mordio schreit, weil der Knecht ihn samt Kleidern mit harter Hand in der Viehtränke eingeweicht und im Sutrai entkleidet hat, eilt die Obermagd durch die menschenleeren Gassen zum Wengerttor. Sie atmet durch den Mund und streckt mit sichtlichem Ekel einen Ferkelkorb weit von sich. Darin liegen Stiefel, Hose, Kittel und Hemd des Badegastes.

Der Weg ist steil und beschwerlich. Aus allen Gehöften dringt das Geschrei der Dienstboten, die unter den aufgehängten Sicheln und Sensen hocken, bechern und das in Linnfurt übliche Schmalzgebäck verputzen. Paula mault vor sich hin: „Aberjetza, aberjetza!“ Gerade dann, wenn auch sie einmal die Hände in den Schoß legen könnte, bruddelt sie, müsse sie in die Oberstadt. Sie stapft wütend die Hauptstraße hinauf, ärgert sich über die gute Laune der Feiernden, streckt am Rathaus dem in der Linde weilenden Schultes die

Zunge raus, knurrt ein saftiges „Leck mich …“ und schnauft die Habsburger Straße hinüber bis zum Wengerttor. Es ist zweigeschossig und hat ein kleines Türmchen mit aufgesetzten Zinnen. Dort oben, wo früher die Musketen abgefeuert wurden, wenn sich der Feind von Norden her näherte, flattert Wäsche im Wind.

Außer Atem klopft sie so lange an die Tür, bis die Scharwächterin aufmacht. Sie ist eine verhärmte Frau im mehrfach geflickten Schaffschurz, barfuß, mit einem Kopftuch, das sie im Nacken verknotet hat. An ihrem Schürzenzipfel hängt ein kleiner Bub, eine Rotzglocke über der Lippe.

„O jegesle“, die Hausfrau schlägt vor Entsetzen fast die Füße über dem Kopf zusammen, „ich seh schon.“ Sie rümpft die Nase. „Ist das alles, was von dem Drecksack übrig ist?“

Bevor sie die Magd hereinbittet, ruft sie ihrer Wilhelmine zu, die auf dem Misthaufen vor dem Nachbarhaus spielt: „Helmle, gleich gehst runter von dem Misthaufen, du Drecksau!“

Paula überkommt Mitleid. Die treue Seele tröstet und berichtet. Sie lässt nichts aus, beschreibt den Suff, das Güllebad, den Gestank, die Vorwäsche, die Hauptwäsche und die Desinfektion.

Die Scharwächterin schüttet der Magd ihr Herz aus. Die ewige Geldnot, die Armut im Haus, die Angst vor der Zukunft bringe sie um den Verstand. Jedes Mal, wenn ihr Gottlob nicht rechtzeitig heimkommt, packe sie das Grausen. Dann sitze sie bibbernd in der Küche und male sich aus, wie sie ihre sieben Sachen packen und mit ihren neun Wuserle *[Kindern]* als Bettlerin von Haus zu Haus ziehen müsse. Eigentlich sei ihr Mann bloß ein Dubbel. Wenn er nüchtern sei, kümmere er sich rührend um die Kinder. Wäre da nicht der regelmäßige Suff, könnte sie gut mit ihm zusammenleben. Habe er jedoch ein paar Schnäpse intus, verwandle er sich in einen Hanswurst und versaubeutele noch den letzten Notgroschen. Wenn der Schultes ihrem Gottlob einmal ein Licht aufstecken würde, wäre sie dem Herrn Stadtvorsteher auf ewig dankbar.

Die Stiefel ihres Mannes werde sie gleich schrubben, trocknen und einfetten, verspricht sie. Er habe aber nur das eine Paar, also müsse er solange barfuß laufen. Dann holt sie geflickte Strümpfe, genäht aus braunem Leintuch, ein langes Nachthemd und einen Stuckblätz *[Flicklappen]*. Auch für die Hose und den Kittel gebe es leider keinen Ersatz. Deshalb solle sich ihr Mann nach dem Bad den Stuckplätz um sein Gemächt wickeln. Für den kurzen Heimweg werde das im Dämmerlicht genügen. Gleich mache sie sich daran, Hose und Amtskittel zu waschen. Denn morgen früh müsse ihr Mann auf den Läpplehof. Die Läpple sei schon zweimal dagewesen. Aus Sorge um ihren Johann, den man seit geschlagenen drei Stunden nirgendwo mehr gesehen habe.

Paula verspricht der Scharwächterin, beim Schultes ein gutes Wort einzulegen und macht sich auf den Rückweg. Als sie in die Hauptstraße einbiegt, sieht sie ihn von weitem vor der Linde stehen und mit sich selber schwätzen.

Der Herr Stadtpräsident sinniert: Heute ist die Linde zu, weil sowieso niemand kommt. Und morgen Abend macht sie wieder auf, aber da läuft vermutlich auch nicht viel. Denn aus allen vier Himmelsrichtungen hört er seine Linnfurter bechern und frohlocken. Diese Feste in den Gassen und Höfen ärgern ihn seit Jahren, weil dann keiner mehr ins Wirtshaus geht. Bevor der Mond scheint, sind am Sichelhenkensamstag viele schon abgefüllt. Leider, leider. Das sei Brauch, sagen sie, gehöre zur Tradition. Kaum ist der letzte Halm gesichelt, rennen sie vom Feld direkt in die Scheunen und saufen im Dreck und Speck, bis es am Himmel und in ihren Köpfen Nacht wird. Sogar die Vögel sind besoffen. Spatzen und Meisen picken an Birnen und Äpfeln, die überall herumliegen und zu gären beginnen. In Schlangenlinien fliegen sie von Baum zu Baum, torkeln von Ast zu Ast und zirpen ihre Sauflieder. Und am Sichelhenkensonntag muss man nach dem Festgottesdienst, so will es der Brauch, den Dienstboten ein festliches Mahl servieren. Erst am Sonntagabend vertragen die ersten wieder ein Bier oder einen Wein in der Linde. Zum Glück ist die Weizen- und Roggenernte noch einigermaßen zufriedenstellend ausgefallen. Auch Äpfel und Birnen gibt es heuer genug. Dafür wird die Weinernte miserabel. Eigentlich sollte man am Montag … . Sein Ärger schlägt in Wehmut und Demut um.

Und wie er so die Lage bedenkt, steht auf einmal die Paula vor ihm, zeigt auf die geringe Ausbeute in ihrem Korb und berichtet.

„Dann kriegt er halt eine alte Hose von mir“, verkündet der Schultes milde. Ein paar aussortierte Schuhe seien vielleicht auch noch da. Keiner in Linnfurt soll sagen können, das Stadtoberhaupt lasse seine Bürger verkommen.

„Minna!“ Er schreit und schreit, aber nichts rührt sich. „Wo scharwenzelt die schon wieder rum?“

Paula zuckt die Achseln. „Vielleicht hockt sie mit dem Frieder bei den Dienstboten in der Scheuer und feiert mit.“ Frieder ist der älteste Sohn des Lindenwirts und für die Landwirtschaft zuständig. Sie verschwindet im Sutrai und liefert die Wäsche ab.

Derweil geht der Schultes in die Scheune, wo sich, außer der Obermagd und dem Rossknecht, alle versammelt haben, die auf sein Kommando hören. Der Scharwächter habe bloß eine Hose und ein Paar Schuhe, sagt der Schultes zu seiner Frau. „Sei so gut und such dem armen Kerl was raus. Vom Großvater sind noch ein paar Sachen da.“

„Armer Kerl?“ Minna Frank giftet. Wenn einer in der Gülle badet und sich auf dem Misthaufen wälzt, sei das eine Drecksau. „Kein einziges Stückle sollte man der Drecksau geben.“ Dennoch steht sie mühsam auf und wackelt auf ihren krummen Beinen zum Scheunentor hinaus.

Kaum ist sie draußen, stößt Paula lachend zur Lindenschar, schnappt sich ein Glas Wein und berichtet, dass der Scharwächter mit seinem langen Nachthemd und dem Stuckplätz zwischen den Beinen wie ein Hosenscheißer aussieht.

„Stuckplätz?“, fragt Hansli Wägeli, den man im Städtle nur den Schweizer nennt, weil er fürs Milchvieh zuständig ist. Dieses Wort sei ihm nicht geläufig.

„Ja“, sagt Paula und erzählt, was sie im Wengerttor gehört und im Sutrai gesehen hat.

„Na und?“ Der Schweizer zuckt die Achseln und bekennt in kehligem Schwyzerdütsch: „Ich habe auch keine Unterhose.“

Ein kurzes, verlegenes Lachen, dann sind sich alle in der Runde schnell einig: Auch in Schwaben brauchen Männer keine Beinlinge unter der Hose. Frauen erst recht nicht, weil sie drei bis fünf bodenlange Röcke übereinander ziehen. Wenn's mal pressiert, sei eine Unterhose nur hinderlich. Nicht alles, was vornehme Franzosen und hochnäsige Offiziere voräffen, müsse man nachmachen. Es genüge vollauf, wenn sich die Männer die Hemdenzipfel zwischen die Beine schieben. Und die Frauen könnten ihr Geschäft nicht mehr im Stehen verrichten, wenn sie eine Unterhose tragen müssten. Auf dieses neumodische Zeug könne man hierzulande also gut verzichten.

In dem Augenblick betritt der Scharwächter die Scheune, flankiert von der Lindenwirtin und dem Rossknecht.

Großes Gelächter. Sogar die Lindenwirtin verzieht das Gesicht zu einem breiten Grinsen, als wolle sie sagen: Schaut her, welch rarer Vogel uns da zugeflogen ist.

Im weißen, mehrfach geflickten Hemd steht der geschniegelte und gebügelte Hilfsgendarm mit blank gebürstetem Gesicht und hängenden Schultern vor ihnen. Abwärts eine stockfleckige Tuchhose, knöchellang, enganliegend, quietschgelb mit besticktem Hosenlatz, zu Napoleons Zeiten durchaus salonwürdig. Aus den Hosentaschen hängen die Strümpfe. Die bloßen, vom Schrubben geröteten Füße stecken in schwarzen, flachen Schuhen mit Zierschleifchen. Salonschleicher sagt man in Linnfurt dazu. In solchen Tretern sind einst die vornehmen Herren übers Parkett geschlichen, gepuderte Perücken voller Maden auf dem Kopf und Rüschen an den Manschetten. Um die nassen Haare hat er den Stuckplätz wie einen Turban gewickelt.

Der Badegast will gerade nach dem Wein greifen und sich in die lachende Runde setzen, da kläfft ihn der Schultes an, er solle sich schleunigst vom Acker machen und auf direktem Weg heimgehen. So sei es mit seiner Frau ausgemacht. Und wenn er heute irgendwo nochmal hängen bleibe und ein Maulvoll trinke, außer Wasser natürlich, dann werde er ihm zeigen, wo der Bartel den Most holt.

Sichelhenke

Im Sonntagsstaat sitzen sie um den Küchentisch. Der Schultes und seine Frau. Ihr ältester Sohn Frieder. Magda, die noch ledige Tochter. Wilhelm, Minnas Nestkegele, dem sie viel durchgehen lässt und das demnächst eine Mechanikerlehre beginnt. Dann der Ober- und Rossknecht Karl, die Obermagd Paula, der Schweizer und elf weitere Dienstboten für diverse Haus-, Feld- und Weinbergarbeiten. Die Eltern beider Wirtsleute, die früher mit am Tisch saßen, sind schon vor Jahren gestorben. Der Schultes hat ihrer, wie's Brauch ist in Linnfurt, gerade beim Tischgebet gedacht.

Die Stimmung ist gedämpft. Die Restsüße gärt noch in den Gedärmen und wattiert die Gedanken. Außerdem lässt man vor dem Frühstück das Erntejahr Revue passieren. Und dabei kommt kaum Freude auf.

Spätestens seit der ersten Heuernte, der Heuete, erinnert der Schultes in seiner kurzen Ansprache, habe jeder gewusst, dass ein schwieriges Jahr bevorsteht. Wegen des langen, harten Winters und der strengen Fröste im Frühjahr sei die Saat zwei bis drei Wochen später aufgegangen als sonst. Das Gras habe sogar erst Mitte Juli zu blühen begonnen. Und weil man für den ersten Grasschnitt warten müsse, bis die Wiesen in voller Blüte stehen, es dann aber oft geregnet hat, sei die Heuete und die Zeit danach eine einzige Flickschusterei gewesen. Statt acht bis neun Wochen, wie in den Vorjahren, seien nur fünf für die Getreideernte übriggeblieben. Denn erst nach Jacobi habe man das erste Gerstenfeld sensen und sicheln können.

„Ja", sagt der Schweizer, der die Sense wie kein anderer schwingen kann, darum seien die Mäher an den trockenen Julitagen schon nachts um drei losmarschiert. Die Sense auf dem Rücken, den Wetzstein am Gürtel, habe man etwa eine Stunde bis zu den weit entfernten Wiesen gehen müssen, etwas später gefolgt von den Mägden und Knechten, die vorher das Vieh versorgten. Während eine Gruppe Nachzügler die frische Mahd zusammenrechte, wendete die andere das am Vortag gemähte und schon welke Gras und setzte es auf Häufen.

Schließlich, ergänzt der Oberknecht, habe man den Wagen umgerüstet, mit Leitern vergrößert, mit Dielen verlängert, damit mehr Heu geladen werden konnte und weniger Fuhren nötig waren. Dafür mussten die Männer nun das Heu hoch hinaufgabeln, über die aufragenden Wagenseiten wuchten, wo es die fleißigen Frauen gleichmäßig luden. Eine staubige und stickige Arbeit. Bei der Heimfahrt gingen die langen Kerle neben dem hochbeladenen Heuwagen und stützten mit Gabeln die schwankende Fracht während der Fahrt. Die kleineren griffen in die Radspeichen, weil die Feldwege löcherig und gefährlich waren.

Der Lindenwirt erhebt sich. „Und das war noch nicht einmal die Hälfte der Schufterei." Während der letzte Heuwagen entladen worden sei, habe der Schweizer die Sicheln und die Kornsensen mit Rechenaufsatz gedengelt. Am nächsten Morgen um drei sei die Schufterei für alle weitergegangen. Wochenlang, bis gestern Nachmittag der letzte Getreidehalm geschnitten, die letzte Garbe in die Scheue gebracht war. Und die Lindenbäuerin, er sieht seine Frau an, während sie verschämt zu Boden schaut, habe seit Mitte August zusammen mit der Justina, die schon das fünfte Jahr am Hof sei, Hanf gerauft, gebündelt, getrocknet, geriffelt und auch noch das erste Leinöl gepresst. Sogar Kirsch- und Träublesaft hätten sie gemacht, Beeren zu Mus und Gelee verarbeitet, Obst-essig hergestellt, Schneidbohnen eingedünstet und Gurken, Perlzwiebeln und Champignons eingelegt.

Er dankt allen für die gute Arbeit, fünf Wochen lang werktäglich sechzehn Stunden. Die Ernte sei heuer zwar nicht besonders gut, aber niemand sei zu Schaden gekommen. Deshalb seien der gestrige Umtrunk in der Scheune, das heutige Festessen nach der Kirche und der Tanz am Nachmittag der verdiente Lohn.

Umständlich nestelt er seine Geldkatz auf. Er weiß, was sich gehört. Dem Oberknecht, dem Schweizer und der Obermagd drückt er einen Extragulden in die schwieligen Hände und sagt ein aufrichtiges Dankschön. Oft erst bei Anbruch der Nacht habe er seine Leute in den Lindenhof torkeln sehen, von der schweren Arbeit und vom langen Weg gezeichnet, kaum noch fähig zu stehen, geschweige denn zu gehen. Dennoch mussten der Oberknecht und der Schweizer im Schein der Petroleumlampen die stumpfen Sensen für den nächsten Tag dengeln und Paula die Mägde zum Füttern, Melken und Misten in den Stall treiben.

Ruhig und voller Hochachtung würdigt der Schultes das Geleistete.

Dann schüttelt er den übrigen Knechten und Mägden die Hand und gibt jedem und jeder einen halben Gulden als Zehrgeld für den Hahnentanz.

Schultes Fritz Frank setzt sich gerührt und wünscht allen einen guten Appetit.

Zunächst gibt es Brotsuppe und Habermark *[gedünstete Haferwurzeln]*. Das füllt den Magen und kann auch von den Älteren, die kaum noch Zähne im Mund haben, unzerkaut geschluckt werden.

Für ein Weilchen hört man nur das Klappern der Löffel, das leise Kauen und Schmatzen der Hungrigen. Dann ein Wispern, ein verhaltenes Kichern, ein erstes Lachen, die eine oder andere nicht ganz ernst gemeinte Bemerkung.

Horch! Es klopft zaghaft an der Küchentür. Alle Köpfe schnellen hoch, die Augen richten sich wie auf Kommando aus. Die Tür öffnet sich sacht. Im Rahmen steht der Scharwächter in weißem Hemd und gelber Hose, die Salonschleicher an den Füßen, die Haare sauber gekämmt.

Großes Gelächter.

„Napoleon ist auferstanden“, spottet der Oberknecht.

„Schwätz keinen Bäbb *[Leim]*!“, wehrt sich der Scharwächter. „Mein Kittel und meine Hos sind noch nicht trocken.“

„O verreck", staunt der Schultes, „du bist ja nüchtern."

Der aufgeräumte Hilfspolizist entschuldigt sich. Die Läpple sei schon wieder dagewesen. Sie vermisse ihren Mann.

Die Knechte und Mägde lachen, kichern, grinsen bis hinter beide Ohren.

„Dann such ihn halt." Der Schultes bleibt ernst.

Mehrfache Zurufe: „Unter alle Heuschober gucken!" – „Fehlt auch eine von seinen Mägden?" – „Keine Sorge, der ist nicht fortgelaufen."

Schon öfter sei der Läpple auf Nachtstreife gewesen, meint der Schultes sachlich. Also bestehe noch lange kein Grund zur Sorge. Nach der Kirche werde er dessen Frau selber befragen.

Der Scharwächter ist von dem Gekichere und Gelächter ganz schalu *[verwirrt]*. Er zieht das Genick ein und tritt den geordneten Rückzug an, begleitet von munteren Sprüchen.

Dann wendet man sich vergnügt wieder dem Frühstück zu. Jetzt gibt es Milch, Kaffee und Most. Dazu Brot, Marmelade, Luckeleskäs *[Quark]* und selbstgemachte Wurst.

Pfarrer Abel ist heute gut in Fahrt. Er predigt seine Linnfurter in Grund und Boden, denn er ist ein erfahrener Hirte. Er weiß, dass seine Schäfchen müde sind von der harten Arbeit und voll des süßen Weines. Also trägt er dick auf, damit sie nicht einduseln.

Der dürre Heinrich, Amtsbote der Stadt Linnfurt und zugleich Schläferschreck mit der pfarramtlichen Dienstbezeichnung Kirchendusler, hinkt in der Kirche umher. Der fadenscheinige schwarze Anzug, den ihm sein Onkel vor zwanzig Jahren vererbt hat, glänzt am Hintern und an den Aufschlägen. Eine lange, dünne Stange mit beiden Händen fest gepackt, Empore und Kirchenschiff im Visier, hinkt er die Bankreihen auf und ab. Mit Adleraugen sieht er, wenn jemand vom Schlaf übermannt wird. Kaum klappt einer die Augenlider zu, schon schnellt der Heinrich vor und rammt dem Hammel die Stangenspitze in die Rippen. Ein triumphierender Blick, ein zufriedenes Lächeln: wieder drei Kreuzer verdient. Das ist der Tarif für einmaliges Duseln [*Schlafen*], zu zahlen gleich nach dem Gottesdienst, direkt an den Stangenheinrich. Aber bei bestimmten Kunden, er kennt sie alle aus Erfahrung, wartet er ein bisschen, ein hämisches Grinsen im Gesicht, bis der Schläfer zu ruseln [*schnarchen*] beginnt. Dann sind sechs Kreuzer fällig. Außerdem gilt an Sichelhenke ein Sondertarif. Wer nochmals duselt, muss weitere sechs Kreuzer blechen, wer zum zweiten Mal ruselt, sogar zwölf Kreuzer. So wird Sichelhenke für den Hinkenden, der nur einen kleinen Garten und keine Wiesen und Felder hat, auch zum Erntefest. Mit zwanzig wurde er Soldat und drei Jahre später am Knie verwundet. Seitdem dient er dem Schultes als Büttel, Bote und Berichterstatter. Er schellt die Bekanntmachungen aus, besorgt die Amtspost, bestellt Säumige und Schuldner aufs Rathaus, treibt Abgaben und Gebühren ein, erledigt alle anfallenden Botengänge und ermittelt auf Weisung von Schultes und Stadtrat alles, was die Verwaltung wissen will.

Mit Hilfe der gewaltigen Worte des Pfarrers und der kräftigen Stupfer des Kirchenduslers ist die Herde zur Predigt wach. Keine lauten Schnarcher lenken ab. Erwartungsvoll schauen alle zur Kanzel hinauf. Dort steht Abel im schwarzen Talar und spricht seinen Bauern aus dem Herzen, aber nicht nur ihnen.

„Sauwetter heuer“, beginnt er. Ein Jahr der Naturextreme sei das bisher gewesen. Zum Jahreswechsel enorm viel Schnee, vier Fuß hoch auf dem Schlossberg. Hochwasser am 18. Jänner. An der Flößerlände der höchste Wasserstand der Linn seit den Franzosenkriegen. Die fortgerissenen Stämme verursachten große Schäden und lösten schwere Überschwemmungen aus, weil sich das Holz verkeilt hatte. Wieder Frost und Schnee bis Anfang Mai, verderblich vor allem für die Winterfrüchte und die Reben. Leinsamen und Sonnenblumenkerne gingen nicht auf, die Wintergerste nur wenig. Dann, Anfang Juli, ein schwerer Orkan. Auf der Lug zerstörte der Sturm die tausend Jahre alte Eiche. Dennoch brachten Weizen und Roggen eine mittelmäßige Ernte. Beeren gab es reichlich. Die bevorstehende Obsternte werde nicht schlecht ausfallen. Auch die Kartoffelernte dürfte passabel werden, die Weinlese dagegen miserabel.

„Aber“, der Prediger hebt mahnend Finger und Stimme, „vergessen wir nicht, dass wir letztes Jahr alles in allem eine sehr gute Ernte hatten, weit über dem langjährigen Durchschnitt. Auch drei Jahre davor, 1837 also, wurden Scheunen und Fässer randvoll. Und

1834 und 1835 hatten wir sogar zwei Rekordernten hintereinander. Wer mit den reichen Erträgen der Vorjahre gut gewirtschaftet hat, der wird auch heuer über die Runden kommen.“

Er wird leise, weil er weiß, dass jetzt alle wach sind und gespannt seine Schlussfolgerung hören wollen.

„Eigentlich haben wir keinen Anlass, über die Ernten in diesem Jahr zu jammern. Und doch, ich seh's euren Augen an, ist in etlichen Familien Schmalhans Küchenmeister. Warum? Allein von Sichelhenke 1840 bis Sichelhenke 1841 sind fünf Familien ausgewandert. Drei nach Amerika, eine mit der Ulmer Schachtel *[Donaufloß]* ins Donaudelta nach Neurussland und eine mit Fuhrleuten ins Oberamt Ravensburg, wo ehemals klösterliche Ländereien seit Jahren brach liegen. Unsere Einwohnerzahl hat sich folglich binnen Jahresfrist von 1084 auf 1051 verringert, trotz der zahlreichen Geburten. Wir werden Jahr für Jahr weniger, weil unsere irdische Ordnung aus den Fugen ist. Reiche werden immer reicher, und Arme werden immer ärmer. Wie soll jemand Rücklagen bilden, wenn er nichts zu ernten hat? Ist es christlich, statt vier Prozent Zinsen zehn zu nehmen und die Verschuldeten gnadenlos in die Gant [*öffentliche Versteigerung*] zu treiben? Darf es sein, dass den Verarmten das Bürgerrecht aberkannt wird, damit sie der Gemeinde nicht auf der Tasche liegen? Ich fordere Sie alle auf, meine lieben Brüder und Schwestern in Christo, Nächstenliebe zu üben. Gemeinsam sind wir stark. Weil wir heuer weniger zu dreschen und zu keltern haben, bleibt viel Zeit, nachzudenken über das, was wir verbessern könnten.

Vielleicht sorgen wir endlich für Sauberkeit auf den Straßen. Das schafft Arbeit und bringt gesünderes Leben in unsere Stadt. Vielleicht sollten wir eine Kasse gründen, die tatkräftigen Mitbürgern Geld zu niederen Zinsen leiht, damit sie etwas Neues wagen können. Ideen gibt es genug. Ich jedenfalls will meinen Beitrag leisten."

Der Schuster, den der Pfarrer gegen Entgelt die Orgel treten lässt, damit er seine elf Kinder über die Runden bringen kann, legt sich ins Zeug. Die Lunge der Orgel ist der lederne Blasebalg, der sich langsam bläht und aus den Nähten seufzt.

Der Unterlehrer zieht das Kornettregister, weil die Orgel dann so schön schallt. Zum schmetternden Trompetenklang singen Kirchenchor und Gemeinde gemeinsam den Choral „Nun danket alle Gott", wie immer in Festgottesdiensten zur Erntezeit.

Die Besucher des Gottesdienstes strömen nach Abkündigung und Schlusssegen dem Ausgang zu. In zwei Reihen. Männlein rechts, Weiblein links. So sitzen sie auch in der Kirche. Fast alle sind schwarz gekleidet; nur ein paar Gockeler plustern sich auf und balzen an heiligem Ort mit farbigem Wams zur gelben Lederhose.

Die meisten Frauen tragen sonntags die Linnfurter Tracht: schwarze Schuhe, weiße Strümpfe, langer, schwarzer Taftrock, weißer, bestickter Goller. Darüber ein vorn offenes, kurzes Büble *[Weste]* aus schwarzem

Samt oder Leinen. Auf dem Kopf eine schwarze Bändelhaube. Die Mägde erkennt man an den schwarzen Kopftüchern, selber gehäkelt oder genäht, meist aus billiger Baumwolle.

Die Männer promenieren in schwarzen Schuhen, weißen Strümpfen und schwarzer, langer Tuchhose oder gelber Kniebund-Lederhose. Dazu ein weißes Hemd, darüber ein rotes, blaues oder schwarzes Wams mit vielen Knöpfen. Und als Überzieher einen schwarzen Kittel. Die Hutmode des herrlichen Geschlechts hat im Gegensatz zu den Frauen in den letzten drei, vier Jahrzehnten ständig gewechselt. Farbenprächtiger Dreispitz, den mancher Linnfurter vom Vater geerbt hat. Zweispitz mit aufgeschlagener Krempe. Breitrandiger Reisehut, in der Kirchenversion allerdings ohne aufgesteckten Federbusch. Neumodischer runder Filzhut, wie ihn der Schultes bevorzugt. Oder, wenn's ganz vornehm sein soll, ein schwarzer Zylinder. Einen Deckel zu tragen ist für alle Linnfurter über vierzehn Pflicht. Natürlich nehmen ihn die Männer ab, so lange sie in der Kirche sind.

Hennendepperle um Hennendepperle schieben sich die Kirchgänger mit hängenden Armen, in der Faust das Opfergeld, zum Opferkasten hin, einer offenen Kiste, die auf dem Boden steht. Den Blick geradeaus, mustern sie das Gewand direkt vor ihrer Nase. Ist es neu? Eine verschwenderische Person! Ist es alt, gar fadenscheinig? Nisten schon die Motten drin? Ein armer Schlucker, der auf der faulen Haut liegt.

Aus den Augenwinkeln registrieren sie, wer auf Armlänge in der Schlange des anderen Geschlechts steht. Und immer wieder ein schneller, ängstlicher Blick in den Kasten. Die Ohren spitzen nach allen Seiten. Was wird gespendet? Wie viele Münzen fallen in den Kasten? Nur eine? Gottlob, ein normaler Mensch. Was, zwei oder drei auf einmal? Pfui! Ein Protz! Hat's wohl nötig. Muss seine Sünden abbüßen.

Wer da spendet, sieht man nicht, weil die Münzen hälinge aus den Fäusten fallen. Aber man hört es. Silbergeld klimpert fröhlich und hell, wenn es aufschlägt. Kupferkreuzer klingen dumpfer. Hosenknöpfe sind auch dabei; die hört man gar nicht.

Vor dem Kasten steht ein Kastenknecht. Er stiert in die Kiste, damit ihm nichts entgeht. Ein Hosenknopf? Er knipst sein Hirn an. Tatsächlich, da liegt es, das harmlose weiße Knöpfle, aus Kuhhorn gestanzt. „Halt!", schreit er, „wer war das?" Er schaut auf. Keine Antwort. Er schluckt. Wer wohl wollte dem Herrgott nur einen Hosenknopf gönnen? Er blickt in lauter fragende, abweisende, ärgerliche, unschuldige Gesichter. Soll er eine Vermutung äußern? Sofort verwirft er den Gedanken. Um Himmels willen! An einem der folgenden Abende bekäme er einen Sack über den Kopf und viele Hiebe auf den Ranzen. Der überlistete Wachmann seufzt brunnentief, läuft rot an vor Zorn und hört die nächsten Münzen im Kasten springen.

Direkt hinter der Tür lauert der Kirchendusler. Er hat ein Gedächtnis wie ein Notizbuch. Darum braucht er keine Buchführung. Er packt die Dusler und Rusler am Arm, zieht sie aus der Schlange und fordert seinen Stupferlohn.

Auf dem Kirchplatz sammeln sich die Linnfurter in Grüppchen. Wie immer am Sonntag, weil hier die wichtigste Nachrichtenbörse des Städtchens ist. Gesehen und gesehen werden. Wer hat den Gottesdienst geschwänzt? Natürlich, der Läpple, wieder einmal. Ist wohl hinter den Weibern her. Kein Wunder sieht seine Frau heute so verhärmt aus. Der Bäcker Schmidlin trägt ein neues Gewand! Macht jedes Jahr die Brötchen kleiner und verdient sich eine goldene Nase mit seinen teigigen Backwaren und dem Linnfurter Intelligenz-Blatt. Die Hämmerle, vulgo Häfnerbäuerin, hat eine neue Bändelkapp aus Samt und Seide. Seit sie im Mai ihren Knecht geheiratet hat, gurrt sie wie ein junges Täubchen.

Ein paar fromme ältere Frauen kreiseln, schauen und raffeln: Wer steht neben wem? Wer redet mit wem? Wer heiratet wen? Wer ist schwanger? Sie hecheln das Neueste durch?

„Je frömmer, je schlechter“, echauffiert sich der Ochsenwirt mit einem scheelen Blick auf die Ratschweiber. „Wo es sogar den Teufel graust, da sind die Klatschweiber dabei.“ Und der Paul Köpfle, dem die Weinstube Rebstöckle gehört, lästert, falls die einmal sterben würden, müsse man deren Gosch extra totschlagen.

Die Schulentlassenen, die nicht verheiratet und noch nicht volljährig sind, verabschieden sich rasch, denn eben stürmt der Unterlehrer aus der Kirche und rennt im Schweinsgalopp hinüber in die Schule.

Eigentlich ist der Schulmeister für die Sonntagsschule zuständig. Doch der kränkelt seit Ostern.

Deshalb hat man auch diese Aufgabe dem Unterlehrer aufgehalst. Dabei muss der schon seit Monaten die beiden Volksschulklassen mit hundertsechzig Kindern unterrichten. Zugleich ist er Ratsschreiber, Dirigent des Gesangvereins und Mitarbeiter des Linnfurter Intelligenzblattes. Zum Glück hat er im Frühjahr das zweite Dienstexamen bestanden und konnte vom Provisor zum Unterlehrer befördert werden. So verdient er jetzt etwas mehr, auch wenn er ständig hetzen muss und ihn die viele Arbeit schier um den Verstand bringt. Jedes Mal, wenn der Knöpfles Paul den armen Lehrer flitzen sieht, sagt er mitleidig: „Der hat keine Zeit mehr zum Spätzlekochen, der frisst den Teig roh.“

Jedenfalls müssen alle Ledigen, die älter als vierzehn sind, bis zum Mittagessen in der Sonntagsschule das Lesen, Schreiben und Rechnen bimsen, damit sie die Kulturtechniken nicht verlernen. Weil die Frommen im Städtle Blut und Wasser schwitzen, die Burschen und Mädchen könnten zusammenschlupfen, sind die Schülerinnen und Schüler sittlich fromm geschieden. Und so hocken die Kerle rotzfrech im Schulsaal im Erdgeschoss und lärmen, statt still zu rechnen, während die Mägdelein kreuzbrav im Obergeschoss schreiben. Nur der Lehrer saust ständig von einem Stockwerk ins andere und wird langsam zum Hirsch.

Die Verheirateten, die Verwitweten und die Hagestolze *[unverheiratete Männer]* sind jetzt auf dem Kirchplatz unter sich. Sie stehen zusammen, zu zweit, zu dritt, zu viert, auch mal zu acht, Männlein und Weiblein gemischt.

Der Schultes schwätzt mit dem Buder, der im letzten Jahr mit dem Stockmachen angefangen hat. Er will wissen, wie sich das Geschäft entwickelt.

Der Neuhandwerker strahlt über beide Ohren. Endlich könne er seine Familie ernähren und im nächsten Jahr sogar beginnen, den Kredit an die Stadtkasse zurückzuzahlen. Spazierstöcke und Peitschenstecken verkauften sich gut. Der Finkenberger, der mit seinem Fuhrwerk täglich auf der Staatsstraße 1 nach Hohenburg, Stuttgart und Heilbronn unterwegs sei, vertreibe die Stöcke und Peitschen gegen Provision. Inzwischen, der Buder reckt sich voller Stolz, stelle er auch Stockpfeifen her; zu Ostern habe er die ersten nach Stuttgart verkauft.

Der Stadtvorsteher hört nachdenklich zu. „Ja, unser Pfarrer hat recht“, meint er endlich, „wir müssen den Leuten zureden, dass sie ein Handwerk oder ein Geschäft anfangen. Meine Linnfurter sind mutlos geworden. Die vielen Missernten seit der großen Hungersnot vor fünfundzwanzig Jahren haben sie trübsinnig und griesgrämig gemacht. Sie jammern von früh bis spät und lassen den Kopf hängen. Auswandern ist für sie der einzige Ausweg aus dem Schlamassel.“

Während er das sagt, sieht er mit einem Auge, wie der Scharwächter die Läpple am Ärmel packt. Sie wehrt sich. Vergeblich. Der Hilfspolizist fasst hart zu und schleppt sie ab.

Und schon stehen beide neben dem Schultes.

„Ihr Mann ist noch nicht daheim“, sagt der Scharwächter.

Andreas Buder lächelt nachsichtig und geht fort.

Die Läpple, eine junge, bildhübsche Frau, kratzt sich verlegen unter der Haube. Sie habe ihren Johann überall gesucht. Keine Spur weit und breit. Trotzig schaut sie dem Schultes ins Gesicht.

Der Statthalter von Linnfurt sinniert. Dabei besichtigt er ausgiebig das Sicherheitsorgan seiner Stadt. Die gestern geerbten Salonschleicher an den Füßen sind noch der vornehmste Teil. Über der löchrigen schwarzen Hose, unter den Achseln mit einer Hanfschnur verknotet, trägt er einen schwarzen, speckigen Kittel. Der ist ihm entschieden zu lang und viel zu weit. Die Kitteltaschen baumeln auf Kniehöhe. Die Schulternähte enden über den Ellbogen. Zweimal sind die Ärmel umgeschlagen.

Der Schultes rollt die Augen. Ihn verdrießt es, wenn ein Diener seiner geliebten Vaterstadt zur Schießbudenfigur verkommt. Wie ein Blitz aus heiterem Himmel legt er los: „Du siehst aus wie eine zugeschlagene Saustalltür!“

„Was gefällt dir jetzt schon wieder nicht?“

Eine Schnapsfahne beschlägt dem Schultes die Pupillen. Ihm schwillt der Kamm. „Wo ist deine Frau?“, kläfft er ihn an. „Hol sie sofort her.“

Die Läpple will sich verdrücken, doch der Schultes befiehlt ihr zu bleiben.

Sie gehorcht, bleibt aber stumm und sieht zu Boden.

Die Scharwächterin eilt herbei, ihr Mann stolpert hinterdrein.

„Wo hat dein Mann den Schnaps her?“

Aus der Wohnung habe sie allen Alkohol verbannt, sagt die arme Frau, die in sauberen, wenn auch geflickten Kleidern dasteht, ein schwarzes Tuch über den blonden Haaren. Aber auf dem Heimweg von der Linde sei ihr Mann beim Nachtwächter vorbei. Der habe ihm eine alte Hose und einen abgelegten Kittel für den Kirchgang geliehen. Ihre Wäsche sei noch nicht trocken, und mit der gelben Hose habe er sich nicht in den Gottesdienst getraut. Der Nachtwächter sei groß und kräftig, deshalb seien die Kleider ihrem Mann leider viel zu weit. Der Herr Bürgermeister möge das entschuldigen.

Sie fängt zu weinen an. „Schultes", sie schluchzt auf, „Schultes, du musst mir helfen. Mein Gottlob versäuft unser letztes Geld." Sie packt den Stadtvorsteher am Ärmel. „Und am Ende vom Geld ist halt noch zu viel Monat übrig."

Den Schultes beutelt es. Am liebsten würde er dem Scharwächter ein paar Ohrfeigen verpassen. Doch er beherrscht sich. Hier ist kirchlicher Boden, seiner kommunalen Gewalt entzogen. Vor allem zerfließt er vor Mitleid. Die verhärmte Frau vor ihm war einmal attraktiv. Alle jungen Männer der Stadt prügelten sich einst um sie. Er auch. Als sie in die Schand kam, hat sie aus Verzweiflung den Gottlob Vorderlader geheiratet. Dass der Schultes diesen Säufer seit Jahren im Amt des Scharwächters bestätigt, trotz Eskapaden und Saufereien, liegt letztlich daran, dass er noch immer eine gewisse Zuneigung zu dieser Frau spürt. Er will sie nicht mit ihren Kindern im Stich lassen.

„Geh heim, Agathe, und guck nach deinen Wuserle“, sagt der Schultes milde. „Dein Mann bleibt heut bei mir.“ Etwas Passables zum Anziehen werde sich finden. Über Mittag sei er sein Gast. Dann habe sie einen Esser weniger am Tisch.

Er wendet sich an ihren Mann: „Und nach dem Essen gehst du mit mir zum Hahnentanz auf die Ruglerwies. Du hast heute Dienst.“

Der Scharwächter, der sich hinter dem Rücken seiner Frau versteckt, zieht einen verdrießlichen Mund.

Der Schultes sieht es. Da packt ihn die Wut. „Aberjetza! Bist du der Hilfsgendarm oder ich? An den Feiertagen hast du Dienst. So ist's seit hundert Jahren. Aber nüchtern! Das weißt du ganz genau. Gnade dir, du Rindvieh, wenn du ab jetzt einen Alkohol bloß anguckst. Dann schlag ich dir deine Füß ab, dass deinen Arsch im Eimer heimtragen musst.“

Und die Läpple fragt er barsch, wo sie ihren Mann schon gesucht habe.

Im Rebstöckle und im Ochsen habe sie ihn gesucht, antwortet sie. Aber da sei er seit vorgestern nicht gewesen.

Dann müsse sie ihm gleich nach dem Mittagessen Bericht erstatten, befiehlt der Schultes, und zwar in der Linde. Höchstpersönlich. Wenn ihr Johann bis dahin nicht zurück sei, werde er ihn suchen lassen.

Das Festessen steht auf dem Tisch, verteilt auf Platten, Schüsseln und Pfannen. Zu jedem Sitzplatz gehört ein

Holzteller, ein Löffel und ein Kupfer- oder Messingbecher. Nur der Hausherr besteht auf seinem bemalten Porzellankrug mit ziseliertem Zinndeckel.

Der Schultes setzt sich an seinen Stammplatz, an der oberen Stirnseite des Tisches, auf einen breiten Stuhl mit Armlehnen. Auf der langen Fensterbank lässt sich der Schweizer nieder, auf der Stuhlreihe der Oberknecht. Dann folgen zu beiden Seiten des Tisches die Knechte, nach Dienstjahren sortiert. Die Lindenwirtin nimmt ihrem Mann gegenüber am unteren Tischende Platz, eingerahmt von ihren Kindern Magda und Wilhelm. Ihr zur Linken hockt die Milchmagd, zur Rechten die Obermagd Paula. Die übrigen Mägde schließen zu den Knechten auf.

Der Schultes spricht das traditionelle Gebet: „Lieber Herr Jesus, sei unser Gast, und segne alles, was du uns bescheret hast."

Die Obermagd spielt den Mundschenk bei den Männern, wie immer an den Festtagen. Sie geht reihum und erfragt die Wünsche: Wein, Bier, Most, frisch gepresster Apfelsaft, Milch oder Wasser? Für die Frauen ist die Milchmagd zuständig.

Als Paula hinter den Scharwächter tritt, blickt der Schultes kurz auf und sagt ruhig, aber bestimmt: „Ab heute kriegt der Scharwächter in meinem Haus keinen Alkohol mehr. Keinen Wein, erst recht keinen Schnaps, kein Bier, keinen Most. Nur noch unvergorenen Saft, Milch oder Wasser. Das ist zu seinem Besten. Wer sich nicht an diese Regel hält, verlässt auf der Stelle meinen Hof."

Eine große Schrecksekunde.

„Im Glas versaufen mehr als im Necker und in der Linn“, erläutert der Schultes seine Weisung.

Erstaunen auf allen Gesichtern, dann hier und da ein verstohlenes Grinsen.

Die beiden Mägde sind fertig und stellen die Krüge auf den Tisch. Wer ausgetrunken hat, muss sich nun selbst bedienen und den Krug, wenn er leer ist, an den Fässern in der Ecke wieder füllen. Nur Bauer und Bäuerin werden weiterhin vom Oberknecht und von der Obermagd umsorgt.

Der Lindenwirt wünscht allseits einen guten Appetit. Die Männer ziehen ihr Messer aus Stiefelschaft oder Hosenbund, während die Frauen nach den ausgelegten Küchenmessern greifen. Die Schlacht um die besten Bratenstücke ist eröffnet.

Jetzt zählt jede Sekunde, denn wie in der Mühle gilt: Wer zuerst kommt, mahlt zuerst. Also schaufeln und schlucken sie, was der Löffel hergibt, damit man auch beim Nachschlag vorn dabei ist.

Dem Scharwächter schmeckt’s nicht. Es hat ihm die Sprache verschlagen. Der Appetit ist ihm vergangen. In der dunkelblauen Joppe, die ihm der Hausherr geliehen hat, und der grauen Hose vom Oberknecht fühlt er sich wohl. Dennoch stiert er lustlos auf seinen Teller. Er will nicht hören und sehen, was um ihn ist. Finstere Zeiten sieht er auf sich zukommen. Die Welt ohne Betäubungsmittel ertragen? Die Not in der eigenen Familie mit wachen Sinnen erdulden? Er seufzt brunnentief. Der Schultes hört es und grinst.

Aber sonst herrscht eitel Sonnenschein am Tisch. Man schmatzt und schwatzt, bechert und lästert. Man lobt das gute und reichliche Essen. Die Soße tropft aus vielen Mündern.

Der Schweinebraten ist zart. Die goldgelben Spätzle, an denen die Bäuerin nicht mit Eiern gespart hat, türmen sich auf drei Platten. Soße gibt es reichlich. Auch Kartoffelschnitz darf man nehmen, so viel man will, dazu Sauerkraut und grünen Salat in rauen Mengen.

Die Löffel schaben im Akkord über die Holzteller. Die Bratenspieße und Schöpfkellen sind schon handwarm, weil sie keine Sekunde liegen bleiben. Die Krüge werden ständig nachgefüllt.

Nach geraumer Zeit schiebt der Schultes seinen Teller von sich und unterbricht das Gerede. Er wischt sich mit dem Handrücken über den Mund, nimmt einen Schluck und räuspert sich.

„Aberjetza, wo hast den Läpple schon gesucht?“, fragt er den Scharwächter.

Erstauntes Aufhorchen.

„Ich?“ Der Angesprochene blickt irritiert auf.

„Ja, wer denn sonst! Ich muss den doch nicht suchen. Und dass die Läpple in den Wirtschaften schon gesucht hat, das hat sie ja selber gesagt.“

„Du weißt doch, dass der immer an den Weibern rumschraubt“, antwortet der Scharwächter verdrießlich.

„Was willst damit sagen?“

„Dass der von allein heimkommt.“

Einhellige Zustimmung am Tisch. Der Läpple sei kein Kind von Traurigkeit. Vergebliche Liebesmüh, den zu suchen.

„Vielleicht nagelt er grad sein elftes Kind“, sagt ein Knecht vorlaut.

„Der hat doch bloß zwei“, korrigiert eine der Mägde.

„Eigene“, spottet es spontan aus der Dienstbotenschar, „aber acht Kuckuckseier.“

Genüsslich werden alle Schandtaten des Aushäusigen aufgezählt. Erst habe sich der Mädelegucker mit dem Heiraten viel Zeit gelassen, dann eine Blutjunge zur Frau genommen, die schöne Anna. Trotzdem sei er immer wieder ausgeflogen, ab und an sogar drei, vier Tage am Stück. Aber das habe bisher niemand gekümmert.

„Langsam! Es könnte ja auch was passiert sein“, beharrt der Hausherr. Dass der Bauer ausgerechnet zur Sichelhenke fehlt, das sei doch wohl neu. Wer anders als der Hausherr soll den Knechten und Mägden für die schwere Erntearbeit danken? Wäre es nicht möglich, dass der Läpple irgendwo liegt und Hilfe braucht.

Betroffene Gesichter.

Vielleicht, schlägt der Ober- und Rossknecht nachdenklich vor, sollte man den Rumtreiber auf seinen Feldern suchen. Denn läge er hilflos irgendwo im Ort, hätte man ihn längst entdeckt. Aus dem Hahnentanz mache er sich nichts mehr, fährt Karl fort, dafür sei er zu alt. Darum sei er bereit, einen Gaul zu satteln und die Felder des Vermissten abzureiten, wenn ihm die Läpple einen Knecht zur Seite stelle, der ihre Äcker und Wiesen kennt.

Auf das Angebot werde er dankbar zurückgreifen, sagt der Lindenwirt, wenn die Läpple keine Entwarnung geben sollte.

Dann servieren vier Mägde unter heftigem Steißgewackel Schüsseln voller Schneeballen. Das süße Naschwerk aus einer Soße von Sahne, Milch, Eigelb, Zucker und Zimt mit den darauf schwimmenden Bergen aus geschlagenem Eiweiß ist die Götterspeise im Hause Frank. Kaum sind die Glasschälchen und Löffelchen verteilt, schon fallen alle über die kühle Köstlichkeit her.

Doch halt! War da nicht ein Klopfen an der Tür? Die Milchmagd springt auf und öffnet.

Draußen ist die Läpple und heult. Nein, sie wolle nicht stören.

Der Schultes steht wortlos auf, geht hinaus und schließt die Tür hinter sich.

„Mein Johann ist noch nicht daheim."

„Aberjetza", versucht der Schultes zu trösten, „suchen wir ihn halt."

Sie schaut ihn unter Tränen groß an.

„Wer kennt eure Felder und Wiesen am besten?"

„Der Oskar."

„Er soll einen Gaul satteln und gleich herkommen. Mein Karl reitet mit ihm zu euren Feldern und Wiesen hinaus und guckt nach dem Johann."

Während sie schluchzend das Haus verlässt, bleibt der Schultes nachdenklich im Flur stehen. Merkwürdig. Er schüttelt den Kopf. Da hat einer alles Glück dieser Welt. Eine hübsche Frau, zwei gesunde Kinder, einen prächtigen Hof und offensichtlich so viel übriges

Geld, dass er es verleihen kann. Sagt man wenigstens. Zu Wucherzinsen, behauptet man allerdings.

„Einen solchen Dackel wie den gibt's nicht zweimal", schimpft der Lindenwirt vor sich hin.

Der Rossknecht kommt aus der Küche und wischt sich den Mund mit der Hand ab.

„Weiß schon", sagt er zu seinem Bauern, „ich sattle den Braunen. In zwei Stunden sind wir wieder da."

*

Schultes und Scharwächter zotteln an den Tischen und Buden vorbei, die vom Linntor abwärts zur Flößerlände aufgeschlagen sind. In ein paar Wochen, zum Erntedankfest, findet hier der größte Krämermarkt der Region statt. Zur heutigen Sichelhenke werden nur Süßigkeiten, Kuchen, Bratwürste und allerlei Krimskrams angeboten. Lauter Kleinigkeiten, die man noch für den Herbst braucht.

Gerade stehen sie vor dem Stand des Seilers, da macht ein gellender Pfiff darauf aufmerksam, dass sich auf der Ruglerwiese etwas tut.

Buben und Mädchen, getrennt nach Schulklassen, sausen barfuß übers Gras. Eltern, Großeltern und Geschwister feuern sie an, belohnen die Sieger mit einem Lächeln und trösten die Verlierer.

Dann sind die unverheirateten Burschen an der Reihe. Zuerst die Vierzehn- bis Siebzehnjährigen, danach die Achtzehn- bis Einundzwanzigjährigen. Dass die schulentlassenen Mädchen jetzt ganz genau hinschauen, ist den Läufern gewiss. Darum legen sich die mächtig ins Zeug. Sie wollen ihrer heimlichen Liebsten ein Zeichen von Kraft und Stärke geben, nur das treibt sie an, denn Preise gibt's nicht zu gewinnen.

Gleich darauf werden Kühe gesattelt. Jeder, der sich traut, eine Kuh zu reiten, darf teilnehmen. Prinzipiell auch Frauen, aber so lange es diese Veranstaltung gibt, hat's noch keine probiert. Denn die sonst so zahmen Tiere sind auf einmal störrisch, bockig, schlagen aus und tun alles, um die Reiter abzuwerfen. Das Publikum kommt in Stimmung und kommentiert lautstark den Kampf der verwirrten Viecher gegen die stärksten Bullen unter den Männern.

In der Zwischenzeit haben ein paar Knechte in der Nähe der Flößerlände eine neun Fuß hohe Stange aufgerichtet. Darauf thront ein gedeckelter Korb, in den ein Hahn gesperrt ist. Unter dem Korb hängt an Schnüren ein Brettchen, auf dem ein Zinnbecher steht, der mit Wasser gefüllt ist.

Die Musikanten stellen sich am Tanzkarree auf. Wieder ist der Unterlehrer im Einsatz. Im letzten Herbst, bevor der Schulmeister ernstlich erkrankte, hat er eine Blaskapelle gegründet, zusammen mit vier Bauern, dem Schneider und dem Maurer. Er selber bläst die erste Trompete und dirigiert eine zweite Trompete, zwei Hörner, zwei Posaunen und eine Tuba. Polka, der neue Tanz aus Polen, ist die Lieblingsmusik des Sextetts. Aber auch Dreher, Hopser, Galopp und den Zwiefachen haben sie drauf.

Der Unterlehrer, die Trompete in der Hand, zählt den Takt vor, und die Musik setzt ein.

Burschen stolzieren mit ihren Mädchen auf die Wiese und beginnen zu tanzen. Dabei versuchen die Paare, unter den Korb zu kommen. Dann muss der Bursche hochspringen, sich auf die Schultern seines Mädchens stützen und versuchen, den Becher mit dem Kopf herunterstoßen. Dabei werden beide natürlich nass. Aber gerade das ergötzt die Zuschauer. Der letztjährige Sieger des Hahnentanzes irrt, als Geißbock verkleidet, zwischen den Tanzenden umher und will ihnen aus einer Gießkanne die Schuhe mit Wasser füllen. Das Paar, das zuerst den aufgehängten Becher dreimal herunterschubst, ist Sieger. Der Bursche erhält den Hahn als Preis, sein Mädchen einen Kuss von ihm und ein buntes Halsband.

Noch ist es keinem Tanzpaar gelungen, den Becher zu kippen, doch die ersten Zuschauer biegen sich schon vor Lachen. Manche johlen und schreien, andere dirigieren und kommentieren. Das erste Paar zieht die Schuhe aus, weil sie vor Nässe triefen.

Der Schultes und der Scharwächter bleiben neben den Polkabläsern stehen. Der Hilfsgendarm ist wieder fast nüchtern, verzieht aber das Gesicht wie eine beleidigte Leberwurst. Die ständige Bewachung behagt ihm offensichtlich nicht. Dafür freut sich der Schultes am Hahnentanz, den er in seiner Jugend einmal gewonnen hat.

Eben fällt der Becher zum ersten Mal, da sieht der Stadtoberste aus den Augenwinkeln, dass es auf der anderen Seite der Tanzwiese unruhig wird. Der Amtsbote winkt herüber.

Der Schultes schaut und beschattet seine Augen mit der Hand. Ist er gemeint? Er eilt auf den Stangenheinrich zu, der ihm entgegenhinkt, Elsa im Schlepptau, die früher in Diensten des Schnellreichs war, der im letzten Jahr der Hehlerei überführt wurde. Jetzt bedient sie in der Weinstube Rebstöckle.

„Was ist, Heinrich?"

„Wir haben einen gefunden, Schultes." Der Amtsbote ist aufgeregt und durcheinander. Er ist nicht in der Lage, einen klaren Satz hervorzubringen.

„Wen?"

„Einen Mann."

„Wo?"

„In den Brennnesseln."

„Mach keine Faxen."

Elsa schiebt sich vor und sagt hastig, sie habe noch vor dem Hahnentanz den Hund vom Knöpfle ausführen müssen. Bei der Foltergasse, wo Steine aus der alten Stadtmauer lagern und viele Brennnesseln wachsen, habe der Köter gejault und sei plötzlich auf und davon. Dann sei er hin und her gerannt, habe sich seltsam aufgeführt und sei immer wieder in den Brennnesseln verschwunden. Ein paar Schritte habe sie dem Hund folgen können. Dann habe sie jemand liegen sehen. Nicht genau, weil sie sich nicht näher hingetraut habe. Aber die Schuhe habe sie ganz genau gesehen. Da sei ihr die Angst ins Genick gefahren, und sie sei auf und davon. An der Wette habe sie den Amtsboten Heinrich getroffen. Der sei mit ihr wieder zurück.

„Und, wer ist's, Heinrich?"

„Ich bin nicht näher hin. Er liegt auf der Seite. Vielleicht ist er bloß besoffen.“

„Bleib da“, sagt der Schultes zur Elsa. „Und du“, er deutet auf den Amtsboten, „gehst mit mir!“ Er winkt dem Scharwächter. Zu dritt machen sie sich auf den Weg.

Der Läpple ohne Käpple

Wenn man der Schlosstorgasse bis zur Foltergasse folgt, dann ist auf der rechten Seite, gleich nach der Abzweigung zum Kuckucksnest, ein Platz, auf dem Steine, Schutt und Holz lagern und die Leute ihr altes Zeug hinschmeißen: durchgerostete Pflugscharen, morsche Wagenräder, zerschlissene Schuhe sowie allerlei Hausrat und Gerätschaften. Alles, was sich nicht mehr reparieren lässt. Die Jahresringe des Lebens eben. Gegen die Nachbargrundstücke, eines gehört dem Läpple, grünen wilde Sträucher. Zur Gasse hin haben sich brusthohe Brennnesseln ausgesamt.

Dorthin führt der Amtsbote seine Begleiter. Sie folgen der niedergetrampelten Brennnesselspur. Da liegt ein Mann in Schaffhose und Kittel, eine grüne Schürze umgebunden. Er liegt auf der Seite, als habe er sich schlafen gelegt und mit Zweigen und Grünzeug gegen die Kälte zugedeckt.

Der Schultes stößt mit dem Fuß an die derben Stiefel des Liegenden und ruft: „Aberjetza, steh auf!"

Kohlmeisen und Spatzen stieben davon, aber der Mann rührt sich nicht.

„Heinrich, tu mal die Äste weg", befiehlt der Schultes.

Der Amtsbote bückt sich und wirft die ersten Zweige beiseite, bückt sich erneut und weicht entsetzt zurück. „Der Läpple“, stößt er hervor und wird kreidebleich.

Der Scharwächter schaut zu. Er rührt keine Hand. „Ich mein, der tut keinen Schnaufer mehr“, stellt er fest.

Der Schultes und der Amtsbote drehen den Läpple auf den Rücken. Auf der Brust ist ein Blutfleck, mitten drin steckt eine Sichel. Offensichtlich ist der Vermisste mit der Sichelspitze erdolcht worden. Direkt ins Herz. Gerade so, als habe man an ihm die Sichel aufgehängt.

Der Schultes zieht vorsichtig die Sichel aus dem Körper. Es blutet nicht nach.

„O, der ist schon lang hin“, stellt er fachmännisch fest und betrachtet die Sichel. Ein ganz normales Werkzeug. Auf dem Griff ist ein großes L eingebrannt. L wie Läpple, zweifellos. „Mit der eigenen Sichel ermordet werden“, sagt er kopfschüttelnd, „das ist kein Vergnügen.“

„Guck, Schultes!“ Der Scharwächer deutet mit langem Finger auf den Kopf des Toten.

Dem Läpple fehlt das linke Ohr.

„Wahrscheinlich abgeschlagen mit der Sichel“, vermutet der Amtsbote.

Er sucht und wird schnell fündig. In den Brennnesseln, nur zwei, drei Fuß vom Kopf entfernt, liegt das Ohr.

„Da haben zwei gestritten“, sagt der Schultes, „der erste Schlag hat sein Ohr erwischt, der zweite mitten ins Herz getroffen.“ Auch die niedergetrampelten Brennnesseln würden darauf hinweisen.

„Der Läpple ohne Käpple, das gibt's doch nicht", stellt Heinrich nach einer andächtigen Pause fest.

„Das tät mich schon interessieren, wer die Kappe hat." Der Schultes reibt sich nachdenklich das Kinn.

„Sollen wir suchen?", fragt der Scharwächter, hofft er doch, dem Stadtregenten bald wieder zu entwischen.

„Später", sagt der Schultes, „ist nicht eilig. Aber guck mal, dem hängt ja seine Taschenuhr mit einem Aufziehschlüssele noch am Kittel."

Der Stadtpolizist bückt sich, zieht dem Toten die silberne Uhr aus der Hosentasche, knöpft die schwere, silberne Uhrenkette aus dem Kittel und überreicht Uhr samt Kette dem Schultes. Der schaut das Schmuckstück von allen Seiten an. Auf der Rückseite ist ein JL eingraviert. Johann Läpple. Der vordere Glasdeckel, der die Zeiger schützt, lässt sich mit dem Fingernagel öffnen. Die Uhr tickt noch. Aus eigener Erfahrung weiß der Schultes, dass solche Uhren etwa einen Tag und eine Nacht laufen, wenn man sie nicht erneut aufzieht.

„Ich will sehen, wann sie stehen bleibt", sagt er und steckt sie sich in die Tasche. „Morgen bring ich sie der Läpple."

*

Der Schultes gibt seinen Begleitern den Auftrag, den Toten wieder mit Ästen abzudecken und hier zu warten. Er informiere Pfarrer Abel und die Läpple. Die werde bestimmt bald kommen und ihren Johann sehen wollen. Zu ihrem Hof seien es ja nur wenige Schritte.

Wenn die Frau dagewesen sei, sollen sie die Leiche so schnell wie möglich zum Läpplehof schaffen.

„Ja bin ich jetzt schon ein Leichenträger?“ Der Scharwächter macht ein trotziges Gesicht.

„Hab ich das behauptet?“ Der Schultes wird ungeduldig. „Einer von euch geht nachher, wenn die Läpple da gewesen ist, hinüber zum Läpplehof und holt zwei Knechte und ein Leintuch.“

„Zu was braucht's ein Tuch?“ Der Scharwächter ist widerborstig.

Der Schultes rollt die Augen und ringt um Fassung. „Zum Rossbollen auflesen, du Allmachtsdackel!“

Der Scharwächter ist beleidigt. Doch Heinrich grinst und flüstert seinem Kollegen zu, der Herr Bürgermeister möchte, dass man die Leiche nicht offen durch die Gegend trägt, sondern zugedeckt: „Pietät, du verstehst?“

Das Stadtoberhaupt wendet sich zum Gehen, dreht sich aber noch einmal um. „Wenn ich von der Läpple höre, dass sie die traurige Nachricht gekriegt hat, bevor der Pfarrer da gewesen ist, dann schlag ich euch so in den Boden, dass euch der Herrgott am jüngsten Tag mit den Ochsen wieder rausziehen muss.“

Dann befiehlt er dem Scharwächter, keinen Schritt von der Seite des Amtsboten zu weichen. Und dem Amtsboten trägt er auf, den hochwohlgeborenen Gottlob Vorderlader nicht aus den Augen zu lassen. Alkohol sei und bleibe verboten. „Heinrich, nach der Kirch um sechs bringst die beleidigte Leberwurst heim zu seiner Frau. Morgen früh um sieben will ich euch zwei in der Linde sehen. Aber nüchtern!“

Zum Pfarrhaus ist es nicht weit. Die Foltergasse hinüber, dann die Luthergasse entlang, nach links die Kirchgasse hinauf. Schon ist man da.

Der Pfarrer dürfte zuhause sein, denn auf der Festwiese hat man ihn nicht gesehen. Abel gönnt den Leuten, die fünf Wochen lang bis zum Umfallen schuften mussten, die Entspannung und den Hahnentanz. Aber er hat schon so oft zugeschaut, dass er sich nichts mehr daraus macht.

Abel öffnet kichernd die Tür. Als er das verdutzte Gesicht des Schultheißen sieht, bricht er in schallendes Gelächter aus. Er bittet den unverhofften Gast ins Studierzimmer und erklärt, er lese gerade den Roman *Münchhausen* von Karl Immermann. Eine putzige Geschichte sei das, urkomisch und schrullig.

Bevor der Schultes auch nur ein Wort sagen kann, nimmt der Pfarrer das aufgeschlagene Buch wieder zur Hand und erzählt, dass auf Schnick-Schnack-Schnurr, einem baufälligen Schloss, der alte Baron von Schnuck-Puckelig-Erbenscheucher lebt, der sein Vermögen verwirtschaftet hat. Bei ihm wohnt seine angejahrte Tochter Emerentia und ein Schulmeister, dem die neue Lehrmethode so den Verstand verwirrt hat, dass er meint, er stamme von den Königen von Sparta ab. In dieses Kleeblatt hirnverbrannter Menschen sei eines Tages der Enkel des berühmten Lügenbarons Münchhausen hineingeschneit und habe wieder Leben ins verstaubte Schloss gebracht.

Abel lacht und lacht über dieses Zerrbild des heruntergekommenen Adels. Der Schultes schweigt und verzieht keine Miene.

„Verzeihung, Herr Bürgermeister“, der Pfarrer wird ernst und sieht seinen Besucher nachdenklich an. „Hat es Ihnen die Petersilie verhagelt?“

„Es ist jemand gestorben, Herr Pfarrer. Wahrscheinlich schon gestern.“

„Wer?“, fragt Abel bestürzt.

„Der Läpple.“ Haarklein berichtet der Schultes, was er gesehen hat und was er vermutet.

„Im Streit ermordet, meinen Sie?“

Das Stadtoberhaupt nickt.

Abel sitzt ein paar Minuten reglos da und schweigt. Er muss seine Erregung dämpfen und seine Gedanken sortieren.

Dann sagt er nachdenklich: „Natürlich muss ich gleich die schreckliche Nachricht der armen Frau Läpple überbringen. Aber was sagen wir der Gemeinde? Und wie sagen wir es? Heute Morgen habe ich auf sechs Uhr abends den zweiten Gottesdienst angekündigt, wie immer an Sichelhenke. Ich denke, den darf ich keinesfalls absagen. Oder sind Sie anderer Meinung?“

Der Schultes beschwört Abel, die Abendvesper zu halten. Sichelhenke sei ja nur Halbzeit zwischen Heuete und Erntedank. Deshalb müssten morgen die Erntearbeiten unbedingt weitergehen. Die Kartoffellese, die Obsternte und die zweite Heuernte seien fällig. Die Weinberge sollte man dringend zum letzten Mal hacken und überschüssiges Laub von den Rebstöcken brechen, damit die wenigen Trauben, die es heuer gibt, gut reifen. Und bald müsse man mosten, schnapsen, keltern, dreschen und schlachten. Das alles solle der

Herr Pfarrer von der Kanzel herab den Leuten sagen, damit sie nicht vor lauter Schreck die Hände in den Schoß legen.

„Und Sie, lieber Herr Bürgermeister, sollten schleunigst zurück zum Hahnentanz. Es ist nicht gut, wenn wir dort nicht vertreten sind. Da reimen sich die Leute allerlei Unsinn zusammen. Ergreifen Sie bitte das Wort nach der Siegerehrung. Teilen Sie mit, dass der Läpple tot ist und die Abendvesper stattfindet. Abgemacht?"

Sie einigen sich auf einen kurzen Bittgottesdienst um sechs. Abel werde den Leuten ins Gewissen reden. Es sei göttliches Gebot, was der Herrgott habe wachsen lassen, in Scheuer und Fass zu ernten. Sonst gäbe es nach dem schlechten Wetter übers Jahr einen Winter, der für die armen Leute eh schon schwierig genug werden könnte. Entsetzen über eine grausame Tat sei das eine, die zuverlässige Ernte etwas anderes. Keine der anstehenden Arbeiten dürfe durch die Missetat versäumt werden.

Wie gerädert wacht der Schultes in aller Herrgottsfrühe auf. Er hat schlecht geträumt und ist längere Zeit wach gelegen. Wo anfangen vor lauter Arbeit? Diese Frage hat ihn ebenso umgetrieben wie die Sorge um den Ruf seines Städtchens.

Vor dem Frühstück diskutiert er mit seiner Frau, seinem ältesten Sohn Frieder, dem Oberknecht, der Obermagd und dem Schweizer die anstehenden

Arbeiten. Sie hätten ja gestern den Pfarrer selber gehört, sagt er ihnen. Als Stadtoberhaupt müsse er sich aber auch um den Mordfall kümmern.

Minna Frank beharrt darauf, dass es im Krautgarten, auf dem Gemüsefeld und in der Küche viel zu tun gibt. Denn nach dem Abräumen der Beete stehe die Hauptarbeit an: Weißkraut hobeln und einstampfen, Rotkraut und Winterrettiche im tiefen Keller unter Stroh lagern, gelbe Rüben und Meerrettich im Sand eingraben, Äpfel, Birnen und Zwetschgen dörren und noch vieles mehr. Darum will die Lindenwirtin zwei Mägde für sich. Dann könnten Magda und die Milchmagd das Vieh versorgen und die Arbeiten im Haus und in der Gaststube erledigen.

Der Schultes hört schweigend zu. Bevor er etwas anordnet, will er die Meinung der anderen hören. Deshalb fragt er seinen Sohn.

Doch ehe Frieder antworten kann, hört man Schritte im Flur. Es klopft, und schon stehen der Scharwächter und der Amtsbote in der Küche. Der Hilfspolizist hat einen Eimer in der Hand.

„Zu was brauchst den?“ Der Schultes ist irritiert. „Willst du Most fassen zum Saufen?“

„Nein, nein. Damit will ich meinen Arsch heimtragen, wenn du mir die Füß abschlägst.“

Das Lindenvolk grinst, der Schultes staunt. „Hockt euch hin, ihr Spitzbuben“, sagt er.

Gerade will er sich wieder seinem Sohn zuwenden, da drückt sich der Scharwächter an ihm vorbei.

„Hauch mich an, du Kasper!“, faucht der Lindenwirt.

Wie beabsichtigt, erschrickt der Hilfsgendarm und verzieht das Gesicht. Mit gespitzten Lippen pustet er dem Hausherrn ins Gesicht.

„Nicht schlecht“, grinst der Schultes und nestelt einen Dreier aus seiner Geldkatz. „Der ist für deine Agathe.“

Gottlieb Vorderlader sieht ihn fassungslos an.

„Deiner Agathe gehört der. Nicht dir! Du versäufst bloß euer ganzes Geld.“ Mit erhobenem Zeigefinger warnt er: „Aber Obacht, Kerle, ich kontrollier dich.“

Frieder, dem der Schultes die Wiesen, Äcker und Felder anvertraut hat, berichtet, das Kraut der Kartoffelstöcke sei schon welk. Er möchte mit einem Knecht und einer Magd mit der Kartoffelernte beginnen. Den Schultes freut das, hat er doch vor Jahren extra auf eine frühere Sorte umgestellt, damit die Kartoffeln vor den Trauben gerodet werden können. So kann er später das gesamte Dienstpersonal zur Traubenlese einteilen und muss nicht, wie viele andere im Städtle, zugleich Rebstöcke abräumen und späte Kartoffeln aus dem Boden buddeln lassen.

„Und zwei Leute müssen auf unsre Baumwiese“, sagt die Bäuerin resolut. Die Lageräpfel seien zwar erst in etwa zwei, drei Wochen pflückreif. Das habe sie mit eigenen Augen gesehen. Aber das Mostobst falle herab. Und die Zwetschgen seien sogar überreif.

Der Schultes widerspricht. Den Wengert auf der Lug hacken und die Trauben von schattigem Laub befreien, das sei auch wichtig. Nur so könne die geringe Traubenernte in den nächsten Wochen noch qualitativ verbessert werden. Dafür wolle er heute mit zwei

Leuten ausrücken, Knechte oder Mägde, das sei ihm egal. Die Arbeit sei dringend und dulde keinen Verzug. Höchste Zeit, ergänzt er, dass der Christian von Oberriexingen heimkommt und den Weinanbau übernimmt.

Er teilt mit dem Zeigefinger sein Personal in Arbeitsgruppen ein. Zum Schweizer aber sagt er: „Du machst die Fässer für den Most, den Wein und den Obstbrand sauber und richtest alles her, dass wir mit dem Mosten, Brennen und Keltern loslegen können."

Minnas Nestkegele kommt verschlafen herein.

„Hast gut geschlafen?", fragt die besorgte Mutter.

„Hunger", stöhnt Wilhelm und reibt sich die Augen. Er setzt sich an seinen Platz am großen Küchentisch.

Während die Dienstboten die Küche füllen und sich zum Frühstück an den Tisch setzen, winkt der Schultes den Scharwächter und den Amtsboten nach draußen in den Flur.

„Aberjetza zu euch." Allen möglichen Schandtaten vorbeugend stellt er sie zuerst in den Senkel, dann erteilt er ihnen den Auftrag: ab sofort täglich von sieben Uhr morgens bis halb sechs Uhr abends auf dem Schlossberg Rätschen, Schießen und Peitschen-knallen. Die hungrigen Vogelscharen sollen sie von den Weinbergen fernhalten. Beschluss des Stadtrats. „Sonst bleibt heuer kein einziges Beerle übrig." Auf dem Weg zum Schlossberg müssten sie Läpples Nachbarn und vor allem die Bewohner in direkter Nähe zum Fundort der Leiche befragen. Und der Läpple sollen sie ankündigen, dass er am Abend gegen sieben komme und alle Dienstboten verhöre. Dem Kirchendusler befiehlt er: „Du guckst danach, dass der Gottlob keinen Tropfen Alkohol erwischt. Du selber auch nicht. Dienst ist Dienst, und Schnaps ist Schnaps. Um sechs will ich euch dann zum Rapport sehen. Verstanden?“

*

Kurz nach fünf kommt der Schultes wieder in die Linde. Er trägt seine übliche Arbeitskleidung.

„Und?“, fragt Magda beim Hereinkommen in die Gaststube. Sie hat, wie am Morgen ausgemacht, diese Woche Dienst im Wirtshaus.

„Die anderen kommen gleich nach dem Abendläuten.“

Sie stellt ihm ungefragt ein Bier hin. Er leert es im Stehen in einem Zug. „Die Wengert haben's bitter nötig. Heuer wird's nicht viel mit dem Wein. Deshalb muss man das bissle Sach halt pflegen.“

Er trinkt ein zweites Glas bis zur Neige, dann wäscht er sich in der Küche am Spülstein und verschwindet im oberen Stock.

Kurz darauf ist er wieder da, jetzt als Stadtvorstand, Lindenwirt und Großbauer gekleidet: Schnallenschuhe, schwarze Langhosen aus Manchestertuch, bestickte Hosenträger, frisches weißes Leinenhemd, darüber das bis zu den Oberschenkeln herabreichende Blauhemd. Man kann es vier Mal wechseln, ohne es zu waschen. Zuerst Vorder- und Rückseite vertauschen, dann das Hemd wenden und nochmals zweimal tragen. Der Schultes trägt das bei Jung und Alt so beliebte

Kleidungsstück allerdings in der vornehmen Ausführung, mit goldbestickten Achseln.

Der Kirchendusler und der Scharwächter schlappen zur Tür herein und berichten. Alle Nachbarn hätten am Samstag bis zum Abendläuten auf dem Feld gearbeitet. Gleich danach sei überall gefeiert worden. Niemand habe Schreie gehört. Ob jemand von dem freien Grundstück weggerannt sei, könne man nicht sagen.

Die verrückte Katharina, ergänzt der Scharwächter, habe von ihrem Hexenhäusle den besten Blick auf den Fundort der Leiche.

Der Schultes lacht. Er kennt die altledige Wäscherin, die immer mit Hut, aber nie im Mantel das Haus verließ, seit seiner frühesten Jugend. Schon damals hatte sie nicht alle Tassen im Schrank. „Hockt die Katharina wieder im Stall und hilft beim Eierausbrüten?"

„Ja", sagt der Amtsbote, „jetzt schläft sie sogar im Hühnerstall und passt auf, dass der Gicker die Hennen in Ruhe lässt."

Der Schultes weist den hinkenden Heinrich an, die verwirrte Katharina aus dem Hühnerstall zu locken und ins Armenhaus zu bringen. „Da gibt's genug Leut, die haben ein Auge auf sie." Aber vorher soll er sie fragen, ob sie etwas gesehen hat.

„Haben wir schon", sagt der Kirchendusler stolz. Der Läpple habe mit jemand geschwätzt, behauptet sie steif und fest. Gesehen habe sie es wegen ihrer schlechten Augen zwar nicht, aber dafür umso besser gehört.

Dem Scharwächter befiehlt der Schultes, umgehend die Gendarmerie zu informieren. Und dem Amtsboten legt er nochmals ans Herz, sich um die wunderliche Katharina zu kümmern. Den Vollzug der Anordnungen hätten sie in der Linde zu melden. „Gnade euch, wenn ihr dann besoffen seid.“

*

Nach dem Abendvespern geht der Schultes durch die Wagnergasse zum Läpplehof. Er hofft, dass sich die Bäuerin etwas beruhigt hat und ihm ein paar Fragen beantworten kann. Auch mit den Knechten und Mägden will er reden.

Die Hausfrau erwartet ihn an der Haustür. Ihre Kinder habe sie schon ins Bett gebracht, sagt sie, und führt ihn in die Küche. Ihr ganzes Dienstpersonal ist versammelt.

Der Schultes kriegt den Ehrenplatz am Tisch, der bisher dem Hausherrn gehörte. Sie setzt sich links neben ihn.

Eine Magd serviert Kaffee und Most, dazu frische Schaumwaffeln.

Zunächst isst und trinkt man schweigend. Nur die ledige Schwester des Ermordeten hört man weinen. Sie wohnt im Haus und hat auf der Fensterbank ihren festen Platz. Dann räuspert sich der Schultes und fragt die Hausherrin, wer ihr die schreckliche Nachricht zuerst überbracht habe.

„Der Herr Pfarrer.“

Der Schultes vernimmt es mit Wohlwollen und fragt: „Hast damit schon gerechnet, gell?“

Sie wischt sich mit der Hand die Augen aus und nickt.

„Warum?“

„Weißt doch selber.“

„Und wer hat ihn zuletzt lebend gesehen?“

Sie schweigt zunächst, dann sagt sie: „Wir alle.“

Er sieht sie fragend an.

Sie alle seien auf dem Acker an der Linn gewesen, erläutert der Ober- und Rossknecht ungefragt. Sie hätten zusammengeholfen, damit die Getreideernte rechtzeitig vor dem Abendläuten fertig wird. Alle seien doch schon voller Vorfreude auf das Ende der fünfwöchigen Strapazen und auf die Sichelhenke gewesen.

Plötzlich, ergänzt die Obermagd, habe der Bauer so gegen vier, halb fünf gesagt, er gehe jetzt heim und nehme die Frieda mit. Denn die müsse alles für den Umtrunk in der Scheuer vorbereiten. Dann könnten alle gleich nach der Heimkehr mit dem Feiern beginnen. Dem Rossknecht habe er aufgetragen, in spätestens einer Stunde nachzukommen und die Rösser von der Koppel in den Stall zu führen.

Der Schultes schaut zur Frieda hinüber, die auf der Fensterbank sitzt. Sie läuft rot an und sieht zu Boden.

„Dann hast du ihn als Letzte gesehen?“

Sie schweigt.

„Hast deine Sichel selber heim?“

„Mh.“

„Was hast gemacht, wie daheim gewesen bist?“

„Was glaubst, was ich gemacht hab?“

„Aberjetza, schwätz!“

„Käs, Wurst, Brot und Schmalzgebackenes hab ich in die Scheuer getragen und alle Sachen zum Trinken hingestellt.“

Unterdrücktes Gelächter.

Auf die Frage, wer zu Beginn der Sichelhenke in der Scheune dabei war, sagt die Bäuerin: „Alle, außer meinem Mann."

„Du auch?" Der Schultes lässt nicht locker.

„Ja."

„Wie lang?"

„Bloß kurz."

„Warum?"

„Kannst dir ja denken."

„Hast mit deinem Mann noch eine Rechnung offen?"

Sie schweigt. Man hätte eine Stecknadel fallen hören. Kein Schnaufer, kein Räuspern, kein Stühlerücken. Nichts. Gespenstische Stille in der Küche. Nicht einmal eine Uhr hört man ticken.

„Hast ihn gesucht?"

Sie schüttelt den Kopf.

„Weil du schon gewusst hast, wo er liegt?"

Sie schaut den Schultes empört an.

„Wann bist zum ersten Mal zum Scharwächter?"

„Wo's bald dunkel worden ist. Aber bloß seine Frau ist da gewesen."

„Hast deinen Mann dann selber gesucht?"

Erneutes, heftiges Kopfschütteln. Knechte und Mägde grinsen sich verstohlen zu. Der Schultes weiß, was sie damit andeuten wollen.

Der Schultes zieht die Taschenuhr des Verstorbenen aus der Hosentasche und legt sie vor die Witwe hin. „Die hat deinem Johann gehört. Jetzt gehört sie dir."

Sie nimmt die Uhr in beide Hände.

„Hat dein Johann da drin Geld gehabt?“

„Nie.“

„Ist sonst etwas drin gewesen?“

„Nicht dass ich wüsste.“

„Dann fehlt nix?“

Sie nickt.

„Und sein Käpple?“

„Das ist auf dem Misthaufen gelegen.“

Der Schultes ist fassungslos. Achtlos oder absichtlich auf den Misthaufen geworfen? In jedem Fall zeugt das nicht von Hochachtung. Zur Sicherheit fragt er nach: „Auf eurem Misthaufen?“

„Mh.“

Er bittet, den Aufgebahrten noch einmal sehen zu dürfen. „Und“, sagt er beim Hinausgehen, „mit der Frieda und der Obermagd will ich nachher noch ein Wörtle schwätzen.“

Die Läpple öffnet die Tür zur Wohnstube, lässt aber dem Schultes den Vortritt.

Als das Stadtoberhaupt die Leichenstätte betritt, faltet er die Hände und wird still. Auf der Truhe liegt der Tote. Die Standuhr ist verhängt; sie steht still. So ist es Brauch in Linnfurt, denn in der Ewigkeit gibt es keine Zeit. Auf dem Tisch brennen drei Kerzen. Davor liegt die aufgeschlagene Bibel. Die Fenster sind abgedunkelt.

Die Bäuerin fängt zu weinen an. Nach einer Weile sagt der Schultes leise: „Bist du dir sicher, dass du mir nichts zu sagen hast?“

Sie schüttelt heftig den Kopf und heult laut auf.

„Lass mich mit der Frieda und der Obermagd allein“, bittet er und geht in die Küche zurück. Die beiden Mägde sitzen auf der Fensterbank und schweigen sich an.

„Aberjetza, geh hinaus“, sagt er zur Obermagd. Als sie die Küche verlassen hat, stellt er Frieda zur Rede: „Hast ihn mit der Sichel erwischt?“

„Wen?“

„Den Läpple.“

Sie stutzt. Sie begreift. Zornig und zugleich voller Angst weist sie die Anschuldigung zurück: „Ich hab den Bauern nicht auf dem Gewissen, wenn du das meinst.“

„Hat er mit dir anbandeln wollen?“

„Wann?“

„Auf dem Heimweg.“

Sie runzelt die Stirn. Ärger steht ihr ins Gesicht geschrieben.

„Hat er in der Scheuer an dir rummachen wollen?“

Sie springt erregt auf und rennt aus der Küche. Über die Achsel schreit sie ihn an: „Du spinnst wohl! Pfui Teufel!“

Die Obermagd steht unter der Tür und fragt: „Soll ich reinkommen?“

Der Schultes seufzt und nickt. Eigentlich, fährt ihm durch den Sinn, sollte man zeitig ins Bett, damit man morgen wieder etwas Gescheites schaffen kann.

Sie setzt sich neben ihn.

„Erzähle!“

Sie platzt, wenn sie ihm nicht gleich alles sagen kann. Darum legt sie sofort los.

Als der Bauer zur Frieda gesagt habe, sie müsse mit ihm früher heim, hätten die Knechte und Mägde gekichert und leise gestichelt, wer da wohl auf wen aufpassen müsse. Die Läpple habe sich das ein Weilchen angehört. Dann habe sie den Rechen hingeschmissen und sei wütend fort.

„Warum?"

Sie habe gewiss sehen wollen, was ihr Mann und die Frieda treiben. Bald nach dem Abendläuten seien alle Knechte und Mägde in der Scheune gewesen, außer dem Läpple, dem Rossknecht und der Frieda. Sie hätten ihre Sicheln und Sensen am Scheunentor aufgehängt. Alles sei schon zum Schmaus hergerichtet gewesen. Kurz danach sei auch der Rossknecht da gewesen, der die Pferde von der Koppel in den Stall führen musste. Dann sei die Läpple in die Scheune gekommen. Sie habe ganz verweinte Augen gehabt. Wortlos habe sie sich zu ihren Dienstboten gesetzt. Gleich darauf habe Frieda frisches Schmalzgebäck aufgetragen. Dann sei die Bäuerin wieder hinaus und nicht mehr zurückgekehrt.

Der Schultes dankt, steht auf und geht noch einmal in die Wohnstube zurück. Er legt der Bäuerin, die neben der Tür auf einem Stuhl sitzt und ein feuchtes Taschentuch zerknüllt, stumm die Hand auf die Schulter.

Keine Regung.

„Brauchst Hilfe für die Leich?"

Sie schüttelt den Kopf.

In sich gekehrt und ratlos verlässt er den Läpplehof. Werde einer aus den Weibern schlau.

*

Nach dem Mittagessen macht der Schultes, bevor er sich in seine Residenz absetzt, einen Kontrollgang durch Küche, Haus und Gastwirtschaft. Tochter Magda und die Milchmagd stehen am Herd.

„Wo ist deine Mutter?“

„Zwetschgen holen.“

„Und was macht ihr zwei für komische Sachen?“ Er tritt näher hinzu, schaut und explodiert. „Ich glaub, ihr spinnt! Mein gutes Papier!“

Beide spannen einen großen Bogen weißes Papier über das offene Herdfeuer, und die Milchmagd träufelt aus einer Schöpfkelle geschmolzenes Wachs drauf.

„Die Mutter hat's gesagt.“

„Was? Dass ihr mein teures Schreibpapier verhunzen dürft?“

„Aber Gsälz *[Marmelade]* magst?“

„Seit wann tut man Papier ins Gsälz?“

„Nicht ins Gsälz, Vater, obendrauf.“ Sie erklärt es ihm. Bald schon bringe die Mutter die ersten Zwetschgen. Die werden entsteint und verkocht. Dann in Gläser gefüllt. Und die heißen Gläser muss man mit Wachspapier oder der Haut einer Schweinsblase abdecken und zubinden. Dann kann man sie mindestens zwei Jahre lang aufbewahren.

„Glaubst du, ich bin ein Halbdackel und weiß das nicht?“, lügt er. Das wäre ja noch schöner, wenn ihn die eigene Tochter vor der Milchmagd blamieren würde. „Billigeres Papier tät‘s genauso.“

„Haben wir nicht. Aber wenn du uns so viele Saublasen bringst, wie wir Gläser mit Zwetschgengsälz füllen, dann…“

Der Schultes winkt ärgerlich ab, schmeißt die Tür hinter sich zu und stapft missmutig die Hauptstraße hinauf zum Rathaus.

Vom Schlossberg her hört er den Amtsboten und den Scharwächter und von der Lug herab zwei Wengertschützen knallen. Mit Rätschen, Peitschen und Pistolen verteidigen sie die kostbaren Trauben gegen hungrige Vogelscharen. Ihre Peitschenschnüre sind etwa fünfzehn Fuß lang. Deshalb ist es eine Kunst, die Peitsche so zu schwingen, dass sie einen ohrenbetäubenden Knall macht, lauter noch als der schärfste Schuss. Bevor er die zwei besonderen Fleckendienste auf den ersten August besetzt, lässt er sich jedes Jahr von den Bewerbern das Peitschenknallen vormachen.

Vor ihm trödeln ein paar Schulkinder auf dem Weg zum Nachmittagsunterricht. Sie kicken Steinchen weg und singen etwas.

Als der Schultes näherkommt, hört er, dass sie einen Zweizeiler skandieren, der sie sehr ergötzt:

„Ohne Ohr und ohne Käpple,
liegt im Lumpenzeug der Läpple.
Ohne Ohr und ohne Käpple,
liegt im Lumpenzeug der Läpple.“

„Ha, ihr seid schon wüste Kerle“, kommentiert der Stadtkommandant.

„Warum?“, widerspricht ihm einer der Buben. „Ist doch wahr, dass du den Läpple im Lumpenzeug gefunden hast. Oder etwa nicht?“

„Und der Herr Pfarrer hat in der Schul gesagt“, ergänzt sein Klassenkamerad, „dass man die Wahrheit sagen darf.“

Der Schultes geht in sich gekehrt weiter. Er weiß wohl, dass die Bevölkerung dem Läpple diesen Tod nicht gewünscht hat. Aber beliebt war der Wichtigtuer keinesfalls. Seine Weibergeschichten und sein heimlicher Geldverleih zu Wucherzinsen haben ihn in Verruf gebracht. Zweifellos war der Ermordete ein Abfuggerer, ein abgeschlagener Siech, ein Prahlhans.

Vor dem Rathaus hockt der Gendarm. Er sieht den starken Mann von Linnfurt kommen. Insgeheim bewundert er den Schultes. Grinsend steht er auf und salutiert.

„Wegtreten!“, sagt der Schultes. Er schließt das Rathaus auf.

Im Dienstzimmer lässt sich der Polizist auf den Stuhl vor dem Schreibtisch des Schultes fallen und legt los, bevor der Hausherr Platz genommen hat.

„Bei dem Wetter den ganzen Tag durchs Oberamt schlappen. Unmöglich! Dreimal bin ich heut schon nass geworden.“

„Kannst nicht reiten?“, fragt der Schultes scheinheilig. Er macht sich über den Polizisten lustig, weiß er doch ganz genau, dass die Gendarmerie in Württemberg nicht beritten ist.

„Wenn du mir einen Gaul schenkst, dann kann ich es.“

Der Schultes wird ernst. „In England, Frankreich und Belgien gibt's schon die Eisenbahn. Sogar in Baden kann man seit letztem Jahr von Mannheim nach Heidelberg mit dem Zug fahren. Dabei ist die erste deutsche Eisenbahngesellschaft vor acht Jahren bei uns in Württemberg gegründet worden." Er holt tief Luft und lässt seinem Ärger freien Lauf: „Unsere Lahmärsche in Stuttgart trödeln und können sich nicht einigen. Und unsere Gendarmen spazieren über Land und fangen Maulwürfe statt Verbrecher."

„Ach was, Schultes, morgen ist auch noch ein Tag."

„Vier Gendarmen fürs ganze Oberamt, und die zu Fuß, das ist einfach ein Witz."

„Mir gefällt's. Immer an der frischen Luft … "

„… und nie hinter den Spitzbuben her. Die ganze Polizei in Württemberg ist ein lahmarschiger Haufen, ein Wanderverein!"

Der Gendarm runzelt die Stirn und zieht einen verdrießlichen Mund. Er ist eingeschnappt. Mit den Fingern schnalzt er über die Kutka, seinen dunkelblauen, bis zu den Knien reichenden Uniformrock, als müsse er sie von Unrat reinigen. Dann zieht er sich den Tschako aus schwarzem Filz vom Kopf und knallt ihn auf den Tisch.

„Aberjetza sagst du mir aufs i-Tüpfele genau, was die Polizei im Mordfall Läpple schon getan hat."

„Mit dem Scharwächter hab ich geschwätzt."

„Weil ich ihn zu dir geschickt habe."

„Ja, riechen kann ich einen Mord auch nicht."

„Also hast nix gemacht. Bloß Löcher in die Luft spaziert.“

„Reg dich ab, Schultes, jetzt bin ich ja da.“

„Und was hast mitgebracht? Beweise? Erklärungen? Auskünfte?“

Der Gendarm schüttelt ärgerlich den Kopf. „Ich bin auf dem Läpplehof gewesen. Bloß eine Magd war da. Alle anderen sind bei der Kartoffelernte. Die Magd hat gesagt, dass du gestern Abend die Leute ausgefragt hast.“

„Wir sind mitten in der Erntezeit. Darum musst du abends mit den Leuten schwätzen.“

„Kann ich nicht. Wie komm ich dann in der Nacht heim? Oder zahlst du mir das Übernachten in Linnfurt?“

Der Schultes lacht schallend, aber mit einem höhnischen Unterton. „Winters, wenn die Bauern den ganzen Tag Zeit haben, kann der Herr Gendarm nicht, weil es früh dunkel wird. Und in der Erntezeit, wenn die Tage lang sind, kann der Herr Gendarm auch nicht, weil er rechtzeitig zuhause sein muss. Deshalb schlage ich ein neues Gesetz vor: Verbrechen nur von November bis Februar tagsüber von 8 Uhr morgens bis 5 Uhr abends erlaubt.“

„Schultes, du bist ein zorniger Kerle. Du weißt ganz genau, dass ich einen Bericht brauche.“

„Schreib ihn doch. Ich sag dir, was ich weiß. Dann gehst heim, bevor es dunkel wird, und schmierst den Bericht selber.“

„Bericht schreiben? Das musst du. So ist die Vorschrift.“

„Verbrechen aufklären? Das musst du. Vorschrift, Herr Polizeioberspazierer.“

Der Gendarm ist genervt. So viel Sturheit ist ihm seit langem nicht mehr begegnet.

Der Schultes kann ein schadenfrohes Grinsen kaum unterdrücken. Er holt tief Luft und unterrichtet den Uniformierten über das Gespräch mit der Läpple und ihren Dienstboten.

„Also sind die Läpple und die Frieda verdächtig“, folgert der Zuhörer messerscharf. „Dann verhafte ich die jetzt und sperr sie hier in den Arrest.“ Er zeigt mit dem Finger zwei Stock tiefer in den Keller.

Der Schultes wehrt energisch ab. Merkwürdig sei das Verhalten der beiden Frauen zwar schon, aber gewiss sei noch gar nichts.

„Ja, wenn das so ist. Dann geh ich wieder.“ Der Gendarm wirft sein Dienstbuch auf den Tisch.

„Aber du schreibst den Bericht selber“, grinst ihn das Stadtoberhaupt an, „sonst schreib ich nix in dein Büchle. Und dann bist du gar nicht hier gewesen.“

„Alter Dickschädel.“

Der Schultes schmunzelt, setzt Tag und Uhrzeit in das kleine Heft, unterschreibt und gibt es lächelnd zurück.

Der Landjäger steckt es ein und setzt sich den Tschako auf.

„Wegtreten“, lacht der Schultes, noch bevor der Polizist salutieren kann.

Immer Ärger über die Regierung

Um halb sieben, also gleich nach Abendläuten und Abendbrot, tagt der Stadtrat, wie jeden zweiten Dienstag im Monat.

Fritz Frank ist bei den Linnfurtern sehr beliebt, gerade weil er als Lindenwirt zu jeder Zeit dienstbereit ist, nicht nur während der üblichen Amtsstunden auf dem Rathaus. Vor allem schätzt man an ihm, dass er die Stadt schuldenfrei regiert, sich etwas gegen die Verarmung der Bevölkerung einfallen lässt und für Wagemutige Kredite zu niederen Zinsen auftreibt.

Zuerst beschäftigen sich die Herren damit, die ausstehenden Feld- und Weinbergarbeiten zu koordinieren. Die sollten bis zur Kirbe, der Linnfurter Kirchweih, fertig sein, die traditionell am dritten Sonntag im Oktober zusammen mit dem Erntedankfest gefeiert wird. Bis dahin sind in aller Regel sowohl die Kartoffel- und Obsternte als auch die Traubenlese vorbei. Tags darauf ist in Linnfurt blauer Montag. Da ruht sich alles von den anstrengenden Festivitäten aus.

„Wird‘s zu Kirchweih warm und mild, ein kalter Winter kommt bestimmt.“ Mit diesem alten Bauernspruch eröffnet der Schultes die Sitzung. Er beschreibt die Ausgangslage: Obst und Kartoffeln müssen geerntet und die Trauben gelesen werden. Dazwischen muss geöhmdet, also die zweite Heuernte eingebracht werden. Dann geht’s ans Mosten, Dreschen, Keltern und

Schlachten. Dafür gibt es in Linnfurt vier Obstpressen sowie drei private und eine kommunale Traubenpresse.

Jedes Jahr legt der Gemeinderat vor Beginn der Lese fest, wer zuerst lesen und keltern darf. Witwen, Wirte und Stadträte haben Vorrecht. Vor zweihundert Jahren wurden die Weinberge in sechs Lesezirkel eingeteilt. Nach dem Leseplan, der jährlich wechselt, bekommt jeder Weinbauer sein Zeitfenster zugeteilt.

„Schreib mit", befiehlt der Schultes dem Unterlehrer, der als Ratsschreiber für das Protokoll zuständig ist. Nach langem Palaver einigen sich die Herren darauf, wer wann mit der Lese dran ist und die kostbaren Gerätschaften nutzen darf. Der Amtsbote wird die vom Lehrer erstellte Liste in den nächsten Tagen wiederholt ausschellen und an die Rathaustür heften. Dann kann jeder selber nachlesen, wann er mosten und keltern darf.

Als Nächstes steht die Sauberkeit in der Stadt auf der Tagesordnung. Der Schultes greift damit ein Anliegen auf, das Pfarrer Abel seit rund zwei Jahren zielstrebig und hartnäckig verfolgt. Dazu bedarf es einer speziellen Gemeindeordnung. Um die zu erlassen, muss die Mehrheit der Ratsmitglieder zustimmen. Aber die ist unsicher, wie sich im Laufe der Diskussion zeigt. Dass man verbieten muss, die Nachthäfen auf den Gassen zu entleeren, das leuchtet allen ein. Aber dass man die Misthäufen ummauern soll, um zu verhindern, dass Gülle in die Kandel läuft, das wollen ein paar Ewiggestrige nicht einsehen.

„Dann vertag ich das Thema", sagt der Schultes. „Ich sprech noch einmal mit dem Pfarrer. Vielleicht kann ich ihn gewinnen, einen Entwurf für eine Verordnung zu verfassen.“ Ein kluger Schachzug, wie er aus Erfahrung weiß, denn die Widerborste ziehen das Genick ein, kaum hat er den Pfarrer ins Spiel gebracht.

Er entnimmt seiner Joppe ein Heft und leitet zum nächsten Punkt über.

„Am vorletzten Donnerstag hat die Post das neue Blättle gebracht.“ Mit spitzen Fingern schlägt er das Regierungsblatt für das Königreich Württemberg auf.

„Gebrauch metallener Gerätschaften für Speisen und Getränke“, liest er vor. Und schon schwillt ihm die Zornesader. Zwei Wochen hat er an sich halten können, aber jetzt muss alles raus, was in ihm gärt. Für die Leute im Sitzungssaal wird klar, warum er in letzter Zeit so ungenießbar war.

„Wenn's bloß einmal in Stuttgart Nägel hageln würde“, poltert er los. „Was diese Leute in ihrem krankhaften Hirn ausbrüten“, er greift sich mit beiden Händen an den Kopf, „das ist ….“

Ihm versagt die Stimme. Verächtlich winkt er ab. Aus reiner Langeweile hätten die Muggenschnapper *[Fliegenfänger]* in der Landeshauptstadt ein neues Spiel erfunden. Weil man die Steuerschraube schon bis zur letzten Windung angezogen habe und den Mostköpfen da oben keine neuen Steuern und Abgaben einfallen würden, versuchten sie es jetzt mit hirnrissigen Strafgeldern. Denn ab sofort werde jeder hart bestraft, der Koch-, Ess- und Trinkgeschirre aus Metall oder Metallgemischen benutzt. Egal, ob er andere tatsächlich schädigt oder bloß in Gefahr bringt.

Die Herren Stadträte schauen sich entgeistert an. Was ist gemeint? Becher aus Weißkupfer und Messing? Kupferne Wasserkessel auf dem Herd? Messinghähne an den Weinfässern? Die noch üblichen Salzschälchen und Essigkännchen aus Zinn? Kupferne Milchkannen, Zinnkrüge und Zinnteller in den Wirtschaften?

Ja, bestätigt der Schultes wütend, das alles und noch mehr müsse so schnell wie möglich aussortiert und durch Holz, Glas, Keramik und Porzellan ersetzt werden. So stehe es in diesem Scheißblättle. Er schmeißt es auf den Tisch. Die Sesselfurzer in Stuttgart hätten keine Ahnung von Ackerbau und Viehzucht, sonst würden sie nicht mitten in der Ernte einen solchen Dreck ins Blättle schreiben. Welcher rechtschaffene Bauer, welcher ehrliche Gastwirt habe bis Weihnachten Zeit, sich mit einem solchen Blödsinn zu befassen?

Der Gipfel aber sei, dass er als Schultheiß diesen Rotz auch noch durchsetzen muss.

„Das darf doch nicht wahr sein, dass die in Stuttgart einen Furz lassen und bei uns stinkt‘s“, erregt sich der Knöpfle vom Rebstöckle.

„Doch, Paul, das geht“, sagt der Schultes, „und stell dir vor, ich muss den Kontrolleur machen. So steht‘s im Gesetz.“ Auch alle Bauern, Handwerker und Händler, die Dienstpersonal haben, müssen das neue Gesetz befolgen. Und zwar sofort. Hält sich jemand nicht daran, sei er als Schultes schuld. Darum solle man sich auf Kontrollen gefasst machen.

Die Stimmung ist versaut. Die Herren Stadträte maulen. Aber Gesetz ist Gesetz, das wissen sie auch.

Dann schnappt der Schultes dreimal nach Luft, bis er sich wieder abgeregt hat und mitteilen kann, dass die neue Aushebung bevorsteht. Die Militärpflichtigen der Altersklasse 1820 sowie die aus der Altersklasse 1819, die zurückgesetzt wurden, müssen samt Eltern, Vormündern und Bevollmächtigten übermorgen, halb acht Uhr morgens, im hiesigen Rathaus erscheinen. Wie üblich würden dann alle für militärtauglich Erklärten losen, wer tatsächlich zu den Soldaten kommt. Von schätzungsweise neuntausend jungen Männern im ganzen Land müssten nächstes Jahr dreitausendfünfhundert einrücken, also etwa jeder dritte. Fernbleiben werde mit einer Strafe von zwanzig Gulden geahndet. Wer nicht zahlen kann, muss sechs Monate im Zucht- und Arbeitshaus brummen.

Das nehmen die Herren gelassen hin. Der Vorgang ist ihnen seit alters her vertraut.

Auf die Frage des Schultes, wer Pfarrer Abel und ihn am 28. September nach Stuttgart begleiten möchte, schauen sich ein paar Stadträte irritiert an.

„Gibt‘s da was umsonst?“

„Nein, Schorsch“, sagt der Schultes zum Küfer, „im Gegenteil, es kostet.“

„Das ist doch ein Dienstag – oder nicht?“ Der Oberschlaule vom Oberhof ist empört. Sein Schnauzer zittert.

Der Schultes nickt.

„Spinnst du. Grad haben wir beschlossen, dass wir mit unserem Sach bis zur Kirbe fertig sein müssen.“

Der Hofbauer vom Linngrund springt dem Oberhofbauern wütend bei: „Dann kommst du daher und …“

„Bevor ihr euch aufregt. Das ist der Tag, an dem König Wilhelm in Stuttgart seinen 60. Geburtstag feiert.“

„Ja no“, gibt der Hannes vom Linngrund klein bei und ist sofort Feuer und Flamme.

Und der Oberschlaule schreit: „Da müssen wir hin. Das ist doch klar.“

Johannes Bierlein, Töpfer und Ziegelbrenner, meint, der gesamte Gemeinderat müsse nach Stuttgart. Das sei Linnfurt seinem König schuldig.

„Langsam, langsam“, kühlt der Schultes das Reisefieber ab. Ein paar müssten wohl zuhause bleiben und, wie beschlossen, die Obst- und Traubenpressen bedienen. Ruhen dürfe die Arbeit im Städtle keinesfalls. Außerdem sei die Reise nach Stuttgart schwieriger als gedacht. Denn erstens müsse Pfarrer Abel am 27. September, einem Montag, um sechs Uhr abends einen Gedenkgottesdienst abhalten. Das sei von oben angeordnet worden, weil das der tatsächliche Geburtstag des Königs ist. Und zweitens beginne am nächsten Tag, also am 28. September, um halb elf Uhr ein Festumzug in Stuttgart. Das Festzugskomitee habe mitgeteilt, dass alle Teilnehmer am Umzug sich schon morgens um neun Uhr sammeln müssen.

Sie beschließen, dass acht Männer, Schultes und Pfarrer eingerechnet, nach Stuttgart fahren dürfen.

Dann erörtern sie, wie sie reisen könnten. Die Extrapost sei am teuersten, weil sie sich nach den

Wünschen der Fahrgäste richte. Die Nachtpost koste nicht ganz so viel, aber mit ihr komme man erst in den frühen Morgenstunden in Stuttgart an. Am billigsten sei die Reise mit dem Finkenberger, der mehrmals wöchentlich Brennholz und Handelswaren von Linnfurt nach Hohenburg und Stuttgart transportiert.

Der Knöpfles Paul vom Rebstöckle findet den Stein der Weisen. Wenn man den Finkenberger in die achtköpfige Abordnung aufnimmt, dann werde der vor Freude einen guten Preis machen. Außerdem könnte man gleich nach dem Abendgottesdienst reisen und sei noch vor Mitternacht in Stuttgart, wenn man vierspännig fahre.

Ganz zum Schluss berichtet der Schultes über den aktuellen Stand im Mordfall Läpple. Bewusst hat er diesen Punkt ans Ende gesetzt, weil er weiß, wie neugierig seine Räte sind und wie gern sie im Kreis herum diskutieren. Aber in Anbetracht der fortgeschrittenen Zeit, es ist gleich acht, müssen sie sich sputen. Um Viertel nach acht ist nämlich Sitzung des Weinbauvereins im Rebstöckle. Außer der Reihe! Die voraussichtlich sehr schlechte Weinernte erfordert Notmaßnahmen. Keiner, der in der Weinbaupolitik der Stadt mitreden will, darf diese Sitzung versäumen.

Also kann sich der Schultes kurzfassen. Er zählt auf, was bisher bekannt ist, bedauert das fehlende Engagement der Polizei und versichert, dass er sich um den Mordfall kümmern wird.

Leichenschmaus

Die Beerdigung ist gegen zwei zu Ende. Der Unterlehrer war an allen Ecken und Enden zu Diensten. Vor dem Begräbnis hat er die Kirche geschmückt. Im Gottesdienst hat er georgelt und in Vertretung für den erkrankten Schulmeister Hartmann den Kirchenchor dirigiert. Und am Grab hat er mit dem Gesangverein den Läpple geehrt, der ab und zu Gast in der Singstunde war. Voller Schmelz und Vibrato in den Stimmen haben die Liederkränzler den Choral *Hier ruhet stumm der Sänger* intoniert.

Später, am besten wenn's dunkelt und ihn keiner sieht, muss er noch das Grab zuschaufeln. Jeder Schulmeister ist von Amts wegen zugleich Mesner, Organist und Leichenbestatter. Also bleibt auch diese Arbeit an ihm hängen. Das alles nimmt der junge Mann für Gotteslohn auf sich in der Hoffnung, den alten Schulmeister irgendwann beerben zu können.

Eine Pause will er sich jedoch gönnen, sonst schläft er heute Abend beim Dirigieren ein. Darum begleitet er den Schultes zum Leichenschmaus in den Ochsen. Serviert werden Nudelsuppe, Rindfleisch mit Meerrettich, Spätzle, Krautsalat und viel Brot.

Kurz nach drei wischt er sich den Mund ab und steht auf. Die Arbeit im Rathaus und auf dem Friedhof warte, sagt er zum Schultes. Doch der nimmt ihn beiseite und verrät ihm, dass er heute nicht den Leichenbestatter spielen muss. Die Läpple wolle, dass zwei ihrer Knechte das Grab schließen. Ein letzter Liebesdienst für ihren verstorbenen Gatten.

„Geh schon ins Rathaus vor, in einer Stunde komm ich nach“, meint der Schultes. „Das Geschäft hab ich dir auf meinen Schreibtisch gelegt, wie wir's ausgemacht haben.“

Ostern vor einem Jahr hat sich der junge Mann für das Amt des Ratsschreibers verpflichtet. Mittwochnachmittags ist keine Schule, darum kann er dem Schultes wöchentlich für einen halben Tag als Schreiber dienen. Gegen Geld natürlich und eine warme Mahlzeit pro Woche in der Linde.

Im Rathaus liegen zwei umfangreiche Verordnungen des Innenministeriums auf dem Tisch. Der Betreff für beide lautet: Verunreinigung von Lebensmitteln. Die eine warnt vor Gefäßen und Geschirr aus Metall und Metallgemischen. Die andere enthält strenge Auflagen für die Herstellung von Branntwein. Der Unterlehrer muss, so will es der Schultes, alles genau studieren und für die nächste Stadtratssitzung aufbereiten. Im Weißkupfer sei Arsenik, liest er. Das zersetze den menschlichen Organismus. Deshalb müsse alles aus Weißkupfer, das mit Speisen und Getränken in Berührung kommen könnte, sofort aus dem Verkehr gezogen werden. Kupfer und Kupfergemische wie Messing, Semilor, Tombak, Krongold, Argentan und Neusilber bildeten Grünspan. Schon eine kleine Portion davon sei giftig. Auch Zinn sei nicht ganz unschädlich. Blei, meist dem Zinngeschirr beigemischt, solle ebenso gemieden werden wie Zink. Alle Gefäße und Geschirre aus diesen Metallen seien sofort zu ersetzen. Sogar verzinkte Dachabdeckungen, Rinnen und Wasserbehälter, mit denen Trinkwasser für Mensch und Tier gesammelt wird, seien gefährlich.

Besonders hart geht die zweite Verordnung mit den Schnapsbrennern ins Gericht. Denn es sei üblich, Geräte aus Kupfer zu verwenden. Bei Strafe sofort verboten! Auch den Apothekern seien Destilliergeräte aus Kupfer untersagt.

Die Verordnungen weisen auch die Oberamtsärzte an, Wirte, Händler, Apotheker und Schnapsbrenner streng zu kontrollieren und jeden Verstoß bei den Schultheißen anzuzeigen, die dann saftige Strafen zu verhängen haben.

Der Lehrer überlegt. Was muss der Stadtrat wissen? Was muss man den Bürgern sagen? Gerade will er einen Aushang fürs Rathaustor schreiben, den auch der Amtsbote ausschellen muss, da betritt der Schultes sein Reich.

Geduldig hört er sich an, was der junge Mann vorschlägt. Er lobt ihn über den grünen Klee und bittet, den Schmidlin nicht zu vergessen. Der brauche eine Abschrift für das Linnfurter Intelligenz-Blatt.

Dann kommt er auf den Mord zu sprechen. Die Läpple rücke nicht mit der Sprache raus. Entweder, meint er, weil sie sich wegen ihres Mannes schämt. Oder weil sie kein astreines Gewissen hat. Und die Frieda verweigere jede Auskunft. Er werde aus dem Weibsbild nicht schlau. Hat sie sich mit dem Läpple eingelassen? Oder hat sie gleich mit der Arbeit in der

Scheune begonnen? Ihren Bauern habe sie nicht ermordet, das jedenfalls behauptet sie stur.

„Die Läpple wär eine gute Partie für dich“, sagt der Schultes und lacht. „Zugegeben, sie ist ein paar Jährchen älter als du. Dafür hat sie einen großen Hof und vermutlich auch viel Geld.“

Der junge Mann schlägt die Hände vors Gesicht.

„Ich hab nur Spaß gemacht. Aber die Frieda wär was für dich. Wie alt sie genau ist, weiß ich nicht. Jedenfalls sehr jung. Übrigens ein nettes Mädle.“ Der Schultes grinst spitzbübisch. „Wenn sie nicht kratzt und beißt. Allerdings arm wie eine Kirchenmaus.“

„Sie ist noch keine achtzehn.“

„Woher weißt du das? Hast sie schon im Visier, gell?“

„Sie geht noch in die Sonntagsschule.“

„Wunderbar. Dann siehst du sie jeden Sonntag nach der Kirch. Also lupf ihr die Zunge.“

Der Schultes verabschiedet sich wieder. Er müsse noch zu Pfarrer Abel. Der Lehrer bleibt verstört zurück.

Mitten auf dem Hof hinter der Gastwirtschaft zur Linde ist die Dreschmaschine aufgebaut. Ein Pferd ist an ein waagrechtes Rad angeschirrt und trottet, von einer Magd geführt, im Kreis und dreht das Rad. Eine Pleuelstange verbindet das waagrechte Rad mit einem senkrechten, das die eisernen Raspeln in der ansonsten hölzernen Maschine antreibt. Ein Knecht und eine Magd werfen Getreidebüschel von oben in die Maschine.

Eine zweite Magd recht unten das leere Stroh weg. Ein zweiter Knecht fängt seitlich das Korn in einem Sack auf. Ein dritter Mann wuchtet sich den vollen Sack auf den Buckel und schleppt den Drusch über den Hof zur Putzmühle, die in einer Ecke aufgebaut ist. Langsam leert er den Sack in den Holztrichter. Wilhelm kurbelt wie narrisch und erzeugt in dem Holzkasten einen starken Wind, der das Korn von Spelzen und Dreck reinigt. Der junge Mann ist begeistert. Alles, was klappert und sich dreht, interessiert ihn. Am liebsten würde er die Nachmittagsschule schwänzen. Aber das lässt seine Mutter nicht zu. Eine Magd steht neben ihm und kehrt ständig den Abfall weg. Ein vierter Knecht füllt das mahlfertige Getreide in Säcke, die er in die Scheune trägt.

Der Schultes hat genug gesehen. Er ist zufrieden und macht sich auf zum Läpplehof. Jetzt sitzt er der Witwe gegenüber und fragt sie aus.

„Hat dein Mann Geld verliehen?"

„Warum?"

„Weil er viel Geld gehabt haben muss, wenn er es sogar verleihen konnte."

„Das frag ich mich schon lang. Aber ich weiß nix davon."

„Hat er dir nie Geld gegeben?"

„Nein. Was wir in der Küche brauchen, das holen wir aus unserem Garten. Zweimal im Jahr schlachten wir. Und das Eiergeld gehört mir auch." Sie denkt nach. „Einmal hat er mir Geld gegeben für einen neuen Stoff."

„Aber er hat doch Geld verliehen."

„So sagen die Leut.“

„Dann muss er doch irgendwo Geld gehabt haben. Oder hat er es fortgeschafft?“

„Wohin?“

„Zum Beispiel nach Stuttgart.“

„Mein Hannes war nie in Stuttgart. Das tät ich wissen.“

„Aber dann muss er doch das Geld im Haus aufbewahrt haben.“

„Ich weiß von nix.“

„Hast dir schon überlegt, wo er es versteckt haben könnte?“

Sie nickt ganz in Gedanken. In der Küche, sagt sie, habe er bestimmt kein Versteck anlegen können. Da sei immer jemand am Kochen oder Backen oder Einmachen.

„Und im Schlafzimmer?“

Sie schüttelt den Kopf und steht auf. „Komm mit!“, sagt sie und führt den Schultes über die steile Holztreppe in den obersten Stock unters spitze Dach. Dort sind die Mägdekammern. Ein paar Strohsäcke, ein einfacher Schrank. Die Mägde sind bei der Kartoffelernte oder sammeln Mostobst. Nirgendwo eine Nische, wo man ein Versteck anlegen könnte.

Im ersten Stock ist das Kinderzimmer. In der einen Ecke ein Bettchen. Darauf liegt eine Puppe. In der anderen eine bemalte Wiege mit leicht geschwungenen Kufen, damit man das Bübchen schaukeln kann. Ein Kinderstuhl mit Topfeinsatz.

Durch das Kinderzimmer hindurch erreicht man das Elternschlafzimmer. Ein recht schmales Doppelbett mit Baldachin. Darauf zwei kupferne Bettflaschen. An der Wand daneben ein Heiligenbild hinter Glas. Auf der anderen Seite ein Waschtisch mit Spiegel.

„Kann man da drin nichts verstecken?"

Sie winkt mit der einen Hand ab und öffnet mit der anderen das niedere Schränkchen, auf dem eine weiß lasierte, irdene Waschschüssel steht. Ein Wasserkrug, Handtücher und Nachtwäsche kommen zum Vorschein. In der Schublade liegen eine Seifenschale mit Deckel und eine Dose mit dem Rasierzeug ihres Mannes.

In diesen Räumen hätte ihr Mann nie etwas versteckt, weil sie da zuhause sei. Gegenüber steht ein bemalter, breiter Kleiderkasten, gezimmert für ein ganzes Menschenleben. Am Schrank hängen Nachtgewänder aus Leinen.

Die Hausfrau öffnet den Kasten und zeigt ihre Aussteuer. Der Schultes schaut hinein, klopft mit den Knöcheln von außen und innen dagegen. Kein Hohlraum. Auch die Truhe enthält nur Bettwäsche. Auf dem Wandbrett darüber liegen die Bibel und das Gesangbuch.

Es wäre ihr aufgefallen, sagt sie, wenn er tagsüber in die Schlafkammer hinaufgestiegen wäre.

Die kleine Kammer daneben ist der ganze Stolz der Hausfrau. In der Mitte steht ein kleiner Webstuhl, an dem sie sich ihre Träume erfüllt. Ein Spinnrad und ein Bügelofen gehören dazu. Auf der Truhe liegen ein paar Bücher. In der Truhe hat sie ihr Handarbeitszeug: Stoffe, gefärbte Wollknäuel, farbige Garne zum

Sticken. Der Schultes liest ihr an den leuchtenden Augen ab, dass sie hier zuhause ist.

Das letzte Zimmer auf diesem Stock bewohnt die ledige Schwester des Verstorbenen. Sie ist mit den beiden Kindern auf der Obstwiese. Bloß zum Zuschauen, betont die Mutter, damit die Kleinen sehen und mit der Zeit verstehen, was die Großen tun.

Im Erdgeschoss kommt allenfalls noch die gute Stube für ein Versteck in Frage. Ein mächtiger Schrank, eine bemalte Truhe, ein Büffet mit Butzenscheiben, ein quadratischer Tisch vor einer gepolsterten Eckbank und auf den beiden anderen Seiten vier Stühle. Über dem Tisch hängt an drei filigranen Eisenketten eine Petroleumlampe mit einem breiten Schirm aus weißem Glas. Dem Tisch gegenüber steht in der Ecke ein gusseiserner Ofen auf einem behauenen Steinsockel, wegen der Brandgefahr. Die Ofenplatten illustrieren ein paar Szenen aus dem Neuen Testament. Gerahmte Stiche hängen an den Wänden. Auf dem Fenstersims liegt die Uhr des Verstorbenen. Alles strahlt Wohlstand und Behaglichkeit aus. Eine solche Einrichtung würde man eher in einer herrschaftlichen Stadtwohnung als in einem Bauernhaus vermuten.

Die Läpple lehnt sich ans Fensterbrett und schaut dem Schultes schweigend zu. Der geht im Zimmer hin und her, greift mal da hin, trommelt mal dort mit den Fingern dagegen. Ratlos sieht er die Bäuerin an.

Sie führt ihn in den Sutrai und in den Keller. Mit Sicherheit, sagt sie, während er in alle Ecken schnüffelt, könne man hier nichts verstecken. Außer ein paar Stellagen mit Wasch- und Kochgeschirr, Vorratsbehältern, Einmachgläsern, Kraut- und Gurkenfass gibt's hier nichts zu prüfen.

„Und wo schlafen die Knechte?"

Sie geht mit ihm wortlos über den Hof in die Scheune. Auf der linken Seite sind, eine abenteuerliche Treppe hinauf, im Obergeschoss vier enge Kammern, alle kärglich eingerichtet. Nur dem Oberknecht gehört eine Fidel, er hat sie übers Bett gehängt. Wird wohl ein lustiger Bursch sein, denkt der Schultes. Genau kennt er die Dienstboten vom Läpplehof nicht, weil die sich meistens nur für ein Jahr verdingen und dann weiterziehen. Ansonsten ist die Scheune gut gefüllt mit dem, was man übers Jahr geerntet hat. In der Einfahrt stehen Pflug, Egge und Wagen.

Ratlos dreht sich der Schultes auf dem Hof im Kreis: Haus, Scheune, Stall, Gemüsegarten, Bauerngarten. Zwischen Scheune und Stall sieht man hinüber zu den Brennnesseln, die auf dem verwahrlosten Nachbargrundstück wuchern. Dort hat man den Bauern gefunden.

Der Schultes steigt über allerlei Abfall bis zu der Stelle und zählt dabei die Schritte. Fünfzig. Warum ist der Läpple überhaupt dorthin? Hat er im Gerümpel etwas versteckt? Eigentlich völlig ausgeschlossen. Könnte doch jeder finden.

Als der Schultes kehrt macht und zur Läpple hinübersieht, die verloren auf ihrem Hof steht, entdeckt er, dass einige der Brennnesseln zum Fundort der Leiche hin geknickt sind. Der Läpple war also auf seinem Hof und ist dann zwischen Scheune und Stall hindurch aufs Nachbargrundstück. Aber warum?

Er schlendert gedankenschwer auf den Hof zurück. Ist er in einen Hinterhalt gelockt worden? Von einer Frau? Oder ist er vor jemandem geflüchtet? Dann muss das ein kräftiger Mann gewesen sein, der es mit dem Läpple aufnehmen konnte.

„Seid ihr oft da hinüber?“, fragt er die Frau, als er wieder auf dem Hof steht.

„Nein, nie.“ Sie hat ihre Arme verschränkt, als wolle sie sich vor irgendetwas schützen.

„Könnte dein Mann da ein Versteck gehabt haben?“

„Nie im Leben, Schultes. Der ist nie da hinüber.“ Sie fängt zu weinen an. „Ich weiß doch nicht, wo mein Mann sein Geld hat. Aber eines weiß ich bestimmt: Ich hab‘s nicht. Und wenn ich es nicht bald finde, dann weiß ich nicht, wie ich an Martini die Mägde und Knechte auszahlen soll.“

Der Schultes zieht die Augenbrauen hoch. Entweder lügt sie, oder der Läpple hat sie tatsächlich so knappgehalten, dass sie ohne ihn keinen Schritt tun konnte. Aber wie feststellen, ob sie die Wahrheit sagt?

Da kommt ihm ein Gedanke. „Und wie hast du gestern den Pfarrer und den Lehrer für die Leich bezahlt?“

„Das Eiergeld hab ich dem Pfarrer gegeben. Aber es ist zu wenig. Ich bin ihm etwas schuldig geblieben. Und dem Lehrer hab ich gesagt, er muss warten, bis ich Geld hab.“

„Und den Leichenschmaus?“

Ihr Mann sei mit dem Wirt vom Ochsen gut bekannt gewesen. Der Otto habe ihr gesagt, er könne auf sein Geld warten. Denn der Läpplehof sei so sicher wie die Fuggerbank in Augsburg.

Der Schultes verabschiedet sich. Wie beim letzten Mal macht er sich kopfschüttelnd auf den Heimweg.

*

Er will es wissen. Er muss es wissen. Jetzt. Deshalb stapft er die Luthergasse entlang, steigt am Friedhof die Stäffele hinauf zur Kirchgasse und strebt dem Ochsen zu.

Die Postkutsche steht vor dem Lokal. Der Postillion trägt die Post hinein. Abels Zugehfrau wartet schon auf ihn, denn der Herr Pfarrer verzwatzelt schier, weil er sein heiliges Blättle, den Schwäbischen Merkur, noch nicht gekriegt hat.

Am Schanktisch lehnt der Ochsenwirt und spricht auf zwei Männer ein. Der eine ist ein Gerber, der bei den Bauern die Felle der geschlachteten Tiere aufkauft. Der andere ist ein fahrender Apotheker, der alle paar Monate in Linnfurt von Haus zu Haus wetzt und den Hausfrauen seine sündhaft teuren Pillen und Salben aufschwatzt.

„Awa, nie!“, erregt sich gerade Otto Schäfer, der Postwirt und der Gegenschwieger vom Schultes ist. „Da kommt grad der Schultes. Der muss das wissen.“

„Was muss ich wissen?“ Der Schultes gesellt sich zu den drei Diskutanten.

„Der Apotheker meint, ich tät neues Geschirr brauchen. Und neue Becher auch.“ Der Posthalter und

Ochsenwirt fuchtelt wild in der Gegend herum. Einen solchen Blödsinn hat er noch nie gehört.

„Doch“, beharrt der Apotheker, „ist auch im Schwäbischen Merkur gestanden.“

„Ich hab keine Zeit für das Pfarrersblättle.“

„Alles Geschirr und alle Trinkgefäße aus Kupfer und aus verschiedenen Metallverbindungen sind in Gaststuben nicht mehr erlaubt. Auch ich muss mir neue Gerätschaften besorgen. Sogar der Herr Bürgermeister muss für die Linde neues Geschirr anschaffen.“

„Fritz, jetzt schwätz du auch was,“ wettert der Ochsenwirt, „einen solchen Blödsinn hör ich mir nicht länger an!!“ Er sieht seinen Gegenschwieger hilfesuchend an.

Der Schultes holt tief Luft, denn er muss sich erst selber beruhigen. Nur ein kleiner Funken, schon würde auch er explodieren. Diese überzwerchen Hennenmelker in Stuttgart müsste man … .

Der Apotheker gibt keine Ruhe: „Ich habe doch recht, Herr Bürgermeister, nicht wahr?“

Der Schultes rollt die Augen, schließt sie und nickt gottergeben.

„Awa, ich glaub‘s nicht! Ja, spinnen jetzt alle?“ Der Ochsenwirt speit Gift und Galle.

„Es ist ein neues Gesetz da, Otto. Ich kann‘s auch nicht aufhalten.“

„Der Stadtrat muss doch dagegen etwas machen können.“

„Nein, Otto, wir haben das vorgestern im Stadtrat schon diskutiert. Das kann keiner mehr aufhalten.“

Der Apotheker grinst überlegen und stelzt davon. Kraftlos lässt sich der Ochsenwirt auf einen Stuhl fallen. Es hat ihm die Sprache verschlagen. Fassungslos greift er im Sitzen nach einer Flasche auf dem Schanktisch und schenkt sich einen Schnaps ein. Er zögert, dann füllt er ein zweites Gläsle und schiebt es dem Schultes hin.

Der kippt es im Stehen, legt dem Postwirt begütigend die Hand auf die Schulter und versichert, dass er sich schon seit zwei Wochen über die Herren in Stuttgart maßlos ärgere. Darum habe er die neue Vorschrift auch erst vorgestern im Stadtrat bekannt gegeben. Der Paul Knöpfle vom Rebstöckle sei genauso fassungslos. Wie schändlich die Regierung mit den Wirten umspringe, zeige sich daran, dass der Oberamtsarzt demnächst zur Kontrolle kommt. Unangemeldet! Wer bis dahin seine Gerätschaften aus Kupfer und anderen Metallverbindungen nicht aussortiere, werde angezeigt und komme vor Gericht.

Der Ochsenwirt braucht noch einen Schnaps. In seinem Kopf fängt es an zu rattern. Das sieht man an seinen Händen. Die Lider geschlossen, schlägt er mit dem rechten Zeigefinger gegen die fünf Finger seiner linken Hand. Offensichtlich rechnet er. Dann öffnet er die Augen und verkündet, diese Drecksäcke in Stuttgart würden ihm den Verdienst von vier Monaten stehlen. So mir nichts, dir nichts. Aber versteuern müsse er die Einnahmen trotzdem, die er jetzt für neues Geschirr dransetze. Wenn er die Kerle erwische, werde er sie in der Güllegrube ersäufen und unterm Misthaufen verscharren.

Wir Wirte müssen zusammenhalten, meint der Schultes, und gemeinsam neues Geschirr und neue Trinkgefäße kaufen. Dann könne man bestimmt den Preis drücken. Zögere man, werde man angezeigt und müsse auch noch Strafe zahlen. Fünfzig bis hundert Gulden mindestens pro Wirt.

Dem Ochsenwirt fällt der Kiefer herunter; er kann es nicht fassen. Aber der Schultes macht ihm klar, dass ein junger Mann, der die Auslosung für die Aushebung versäumt, zwanzig Gulden berappen muss. Also würde man einem angesehenen Wirt mindestens das Drei- bis Fünffache aufbrummen.

Der Schultes bittet den Ochsenwirt um Nachsicht, dass der Apotheker ihm zuvorgekommen ist. Eigentlich habe er die schlechte Nachricht überbringen wollen. Er rege nun an, dass sich die drei Wirte morgen in der Linde zusammensetzen und den Bedarf an Geschirr und Gefäßen ermitteln. Gleich eile er ins Rebstöckle und lade auch den Paul Knöpfle ein.

Der Ochsenwirt ist immer noch nicht bei sich. Er sieht den Schultes mit großen Augen an, bis ihm der einen Klaps auf den Rücken gibt. Ganz in Gedanken streckt er dem Kollegen die Hand hin und nickt. „Wann?“

„Um zwei?“

„Gilt.“

Der Schultes wendet sich zur Tür, dreht sich jedoch noch einmal um. „Hat die Läpple den Leichenschmaus schon bezahlt?“

„Warum?“

„Ich weiß nicht, ob sie Geld hat.“

„Nein, hat sie nicht. Aber der Läpple hat Geld gehabt. Viel Geld. Da bin ich mir sicher. Ich krieg mein Geld.“

*

„Was haben Sie mit dem Scharwächter gemacht?“ Pfarrer Abel will es genau wissen. Zusammen mit Schultes Frank sitzt er in seiner Amtsstube im Pfarrhaus. Sie warten auf Unterlehrer Wilhelm, der am Glockenseil hängt, wie das Abendläuten dem ganzen Städtle verkündet.

„Warum?“

„Weil er seit Tagen kreuzbrav ist, nüchtern dazu und sauber gewaschen und gekleidet.“

„Ich hab ihm gesagt, dass ich ihm die Füß abschlag, wenn er bis Martini auch nur ein einziges Mal Alkohol trinkt. Außerdem muss ihn der Amtsbote zweimal am Tag überwachen und jedem verbieten, ihm etwas Alkoholisches zu geben.“

„Sehr gut, Herr Bürgermeister. Seine Frau lobt Sie über den grünen Klee.“

„Jeden Samstag kommt die Agathe zu mir in die Linde und holt seinen Wochenlohn ab.“

Der Unterlehrer stürzt herein.

„Bin ich zu spät?“ Er blickt gehetzt um sich. „Ich bitte ergebenst um Verzeihung.“

Die drei Männer haben sich kurzfristig verabredet. Erstens, weil Schulmeister Hartmann am Samstag gestorben ist. Und zweitens, weil im Mordfall Läpple nichts vorangeht.

Hartmanns Tod hat die Linnfurter zwar nicht überrascht, aber er kam dann doch plötzlich und traf die Gemeinde unvorbereitet. Seit Jahr und Tag litt der alte Schulmeister am Steckfluss *[Asthma]*. Eine hartnäckige Verstopfung der Lungen machte das Atemholen beschwerlich. Vor zwei Jahren kam die Andreaskrankheit *[Arthritis]* hinzu. Er konnte kaum noch die Kreide halten; meist bat er ein Mädchen aus der achten Klasse, für ihn an die Tafel zu schreiben. Am Donnerstagabend hat er ein Schlägle gekriegt, und am übernächsten Morgen ist er verschieden, ohne noch einmal das Bewusstsein erlangt zu haben.

Der Unterlehrer hat seine beiden Vorgesetzten um diese Unterredung gebeten. „In der Schule kann ich gar nicht mehr ans Lernen der Kinder denken“, beklagt er. „Die große Schülerzahl und die räumliche Enge im Schulhaus machen einen geordneten Unterricht unmöglich.“

Seit Schulmeister Hartmann im Frühsommer bettlägerig geworden ist, habe er alle hundertsechzig Volksschüler am Hals. In keinem der beiden Schulsäle sei Platz für so viele Kinder. Darum blieben die Oberstufenschüler in ihrem Klassenzimmer im ersten Stock und die Erst- bis Viertklässler im Erdgeschoss. Aber alle paar Minuten müsse er im Schulhaus auf und ab flitzen. Viel Zeit gehe dadurch verloren, und die Kinder seien unruhig.

„Und das ist noch lange nicht alles.“ Der Lehrer ist völlig aufgelöst. „Die Nebenämter des Verstorbenen habe ich auch übernehmen müssen. Das Mesneramt in der Kirche, auf dem Kirchplatz und auf dem Friedhof.

Den Organistendienst. Die Sonntagsschule. Die Pflege der Kirchturmuhr. Das alltägliche Glockenläuten." Er nimmt die Finger zu Hilfe und zählt weiter auf: „Hilfsdienste bei Taufen, Hochzeiten, Beerdigungen, Kirchenfesten. Nicht zu vergessen die Leitung des Kirchenchors." Er wischt sich nervös die Stirn. „Dann meine eigenen Aufgaben als Unterlehrer in der Schule, im Gesangverein, als Ratsschreiber, fürs Linnfurter Intelligenz-Blatt." Er holt tief Luft. „Ich bin am Ende."

So sieht er auch aus: abgemagert, müde, abgekämpft, bettreif. Ein Bild des Jammers. Schlimmer noch als im Lied vom armen Dorfschulmeisterlein besungen.

Pfarrer Abel hat ein Einsehen. Nein, er hatte es schon längst.

„In aller Stille", sagt er, „habe ich vor der Sommervakanz Herrn Direktor Riecke vom Esslinger Lehrerseminar geschrieben und um einen Absolventen für Linnfurt gebeten. In Württemberg gebe es viel zu wenige Junglehrer, hat mir Riecke geantwortet, aber im Großherzogtum Baden seien etliche Provisoren ohne Arbeit. Darum habe ich mich an die Kirchenbehörde in Karlsruhe gewandt. Nächste Woche tritt ein junger Mann namens Anton Baumeister hier an."

Der Schultes ist sprachlos. „Respekt, Herr Pfarrer", bringt er mühsam hervor.

Der Unterlehrer staunt seinen Pfarrer und Schulleiter mit offenem Mund an.

Abel lächelt. „Bis Samstag müssen Sie noch durchhalten, lieber Herr Lehrer. Aber für den Rest der Woche dürfen sie den Unterricht halbieren. Vormittags zwei volle Stunden für die Unterstufe und zwei für die Oberstufe. Nachmittags eine Stunde für die Kleinen und zwei für die Großen. Einverstanden?“

Der Lehrer atmet erleichtert auf und sieht Abel dankbar an. „Natürlich, Herr Pfarrer. Danke.“

„Und am Sonntag“, Abel wendet sich an den Schultes, „müssen wir eine gemeinsame Sitzung von Kirchenkonvent und Ortsschulrat abhalten. Nicht war, Herr Bürgermeister?“

Der Schultes seufzt, denn er weiß, dass er die nicht schwänzen darf.

„Ist alles für die Beerdigung unseres lieben Verstorbenen vorbereitet?“, wendet sich der Pfarrer an den Lehrer.

„Von meiner Seite schon, verehrter Herr Pfarrer. Kirchenchor und Liederkranz werde ich dirigieren. Lieder und Choräle sind eingeübt.“

„Dann zum Mord.“ Abel runzelt die Stirn. „Die Menschen sind beunruhigt, weil sie ahnen, dass einer unter uns ist, der den Läpple auf dem Gewissen hat.“ Er sieht den Schultes besorgt an. „Diese Ungewissheit kann die Gemeinde nur kurze Zeit ertragen, ohne an ihren Vorderleuten zu zweifeln. Sie, Herr Bürgermeister, und ich, wir beide stehen in der Pflicht.“

Der Schultes breitet hilflos die Arme aus. „Aber was kann ich noch tun? Der Gendarm hat gemeint, ich soll die Läpple und ihre Magd so lange ins Loch sperren, bis eine der beiden singt.“

„Dummes Zeug. Das riecht ja nach Hexenjagd. Die Hände in den Schoß legen dürfen wir jedoch auch nicht.“

Der Schultes nickt. Dann erzählt er haarklein, was er inzwischen herausgefunden hat. „Der Läpple ist am Sichelhenkensamstag gegen vier, halb fünf nach Hause. Die Frieda war bei ihm. Was er zuhause gemacht hat, weiß ich nicht. Jedenfalls muss er noch vor sechs zwischen Scheune und Stall aufs verlotterte Nachbarstückle gegangen sein."

„Woher wissen Sie das, Herr Bürgermeister?" Der Lehrer, dem eine Zentnerlast von der Seele genommen ist, will mithelfen, das Geheimnis auf dem Läpplehof zu lüften.

„Weil alle gleich nach dem Sechuhrläuten in der Scheune waren, außer dem Läpple."

Abel schüttelt den Kopf. „Vielleicht war der Läpple bei einem Nachbarn und ist vor sechs auf dem Weg zur Scheune von seinem Mörder gestellt worden."

„Aber der Läpple ist von seinem Hof aufs Nachbargrundstück hinüber. Zwischen Scheune und Stall hindurch", widerspricht der Schultes. „Das ist eindeutig. Niemand hat ihn schreien gehört, als er von der Sichel getroffen wurde."

„Wenn die Sichelhenke beginnt, freuen sich alle und schwätzen und lachen durcheinander", erwidert der Pfarrer, „da kann man leicht etwas überhören oder übersehen. Außerdem ist für mich nicht ausgemacht, dass der Läpple überhaupt geschrien hat. Vielleicht kam der erste Streich gegen sein Ohr so überraschend, dass er entsetzt an seinen Kopf greifen wollte. Und schon sauste die Sichel zum zweiten Mal nieder. Mitten ins Herz. Da macht es nur noch pfft."

Der Schultes schüttelt genervt den Kopf. „Bei mir dreht sich alles im Kreis. Ich weiß nicht mehr, was ich glauben soll.“

„Nehmen wir einmal an“, sagt Abel, „jemand hatte es auf Läpples Geld abgesehen. Dann gibt es zwei Möglichkeiten. Entweder hat der Mörder schon das Geld. Oder er hat es noch nicht.“

Der Lehrer schaut sich um, nimmt einen Zettel und einen Bleistift von Abels Schreibtisch und fängt zu rechnen an.

Das verwirrt den Schultes noch mehr.

Doch der Pfarrer fährt ungerührt fort: „Und warum hat er es noch nicht? Weil er es nicht gefunden hat. Also ist es am alten Platz. Aber wo?“

„Ich habe ausgerechnet“, meldet sich der Lehrer zu Wort, „dass vierundzwanzig Guldenstücke etwa ein Pfund wiegen. Sollte der Läpple fünfhundert Gulden gehabt haben, dann wären das mehr als fünfzehn Pfund in Silber. Im Hosensack kann man das nicht herumtragen.“

„Was du alles weißt“, staunt der Schultes.

Abel lacht. „Sehr gut, Herr Lehrer. Damit dürfte feststehen, dass der Läpple ein größeres Versteck hatte. Tausend Gulden und mehr muss er bestimmt besessen haben, wenn er Geld verleihen konnte. Das ist eine ganze Menge. Die braucht Platz und ist schwer.“

„Ein ganzer Schmalzhafen voller Gulden.“ Der Lehrer kriegt rote Bäckchen und glänzende Augen.

„Viel mehr.“ Der Pfarrer lacht. Er macht sich nicht viel aus Gold und Silber. „Da braucht‘s schon mindestens drei Schmalzhäfen.“

Der Schultes ist skeptisch. „Wenn‘s Raubmord war, dann hat der Mörder das Versteck gekannt und geleert. Sonst hätte er ihn doch nicht umgebracht.“

„Oder er hat ihn über den Jordan geschickt, weil er glaubte, das Versteck rasch finden zu können. Und jetzt sucht er es immer noch“, wirft der Lehrer pfiffig ein.

„So oder so“, sagt Abel, „wir müssen das Versteck finden, auch wenn es möglicherweise leer ist.“

Heiße Spur?

„Dem Pfarrer vertrauen die meisten Männer mehr an als ihrer eigenen Frau.“ Abel lacht. Er hat zur erneuten Beratung eingeladen. „Ich habe mit ein paar gesprochen, die in der Klemme waren und Geld geliehen haben.“

„Und bei allen hat‘s der Läpple so gemacht?“ Der Lehrer legt die Stirn in Falten. Er denkt angestrengt nach. „Das heißt doch …“

„Genau. Alles muss in seinem Buch stehen.“

Der Schultes trinkt aus. Abel schenkt ihm ungefragt nach.

„Schmeckt Ihnen Ihr Wein, Herr Bürgermeister?“

„Weil’s Wetter heuer so schlecht gewesen ist, Herr Pfarrer, wird der Einundvierziger kein so guter Wein. Also bewahren Sie den alten Jahrgang auf.“ Er hält das Gläsle gegen das Licht und genießt mit geschlossenen Augen seinen Linnfurter Grafenstolz.

In Linnfurt zahlt jeder Wengerter einen Teil seiner Kirchensteuer mit Gefällwein. Wer mit dem Pfarrer über Kreuz ist, der liefert seinen größten Sauerampfer ab. Der Schultes dagegen wählt stets seinen besten Tropfen aus, weil er Abel schätzt und ein gutes Verhältnis zu ihm hat. So darf er sich jedes Mal, wenn er im Pfarramt sitzt, an seinem eigenen Wein erfreuen.

„Hat er viel verliehen?“

„Ich weiß es nicht, Herr Lehrer, aber ich schätze, mehr als wir ahnen."

„Immer zu zehn Prozent?"

„Mindestens."

„Jetzt könnte man einen Zwiebelkuchen vertragen." Dem Schultes läuft sichtlich das Wasser im Mund zusammen, denn er schluckt heftig.

„Auch bei armen Leuten?"

„Ja, Herr Lehrer, ohne Mitleid."

„Und über alles hat er Buch geführt?"

„Muss er wohl, denn er hat kein Geld ohne schriftliches Schuldbekenntnis herausgerückt. So hat man mir gesagt."

Die drei Herren sitzen im Pfarrgarten in der Sonne. Goldgelbe Quitten und rotbackige Äpfel glänzen zu ihnen herüber. Die Blumenrabatten strahlen in allen Farben. Drüben auf dem Kirchplatz schmeißen ein paar Buben mit Ästen nach den Kastanien.

„Seit der Leich vom Schulmeister am Dienstag ist schönes Wetter. Das hätten wir im Frühsommer brauchen können." Die Wärme hat den Schultes schläfrig gemacht. Den ganzen Tag musste er in seinem Wengert schuften. „Schad, dass wir die Sonne noch nicht eindünsten können", sagt er abwesend und blinzelt hinüber zu den Spatzen und Meisen, die in den Sonnenblumen hängen.

„Geht's Ihnen gut, Herr Bürgermeister?" Abel zwinkert dem Lehrer zu.

„Ah. … Diese himmlische Ruhe." Der Schultes streckt die Füße weit von sich und verschränkt die Arme hinter dem Kopf.

„Haben Sie's gefunden?" Abel lächelt nachsichtig.

„Was?" Der Schultes schreckt hoch.

„Das Buch vom Läpple."

Der Schultes zermartert sich das Hirn. „Welches Buch, Herr Pfarrer?"

„Darüber reden wir doch die ganze Zeit." Abel lacht verzeihend. „Der Läpple hat Buch geführt."

„Sie meinen, der Läpple hat aufgeschrieben, wem er Geld verliehen hat?"

„Ja. Alle, mit denen ich gestern und vorgestern sprach, berichten von einem Buch mit Wachstuchumschlag. Der Läpple hat den Namen und den Betrag notiert und vermerkt, wie viel der Zins beträgt. Nie weniger als zehn Prozent. Und dann hat er das Datum fixiert, bis zu dem man das Geld samt Zinsen zurückzahlen musste. Erst wenn man unterschrieben hatte, holte er bei kleineren Beträgen seine Geldkatze aus dem Hosensack und zählte das Geld bar auf die Hand. Größere Summen besorgte er in wenigen Minuten. Immer Silbergulden. Nie Dukaten *[Goldmünzen]*."

Der Schultes kratzt sich am Kopf. Es ist ihm peinlich. Er hatte von einem Stück Schinkenwurst und einem Zwiebelkuchen geträumt.

„Sie wollten doch noch einmal bei der Läpple nachsehen, ob irgendwo auf ihrem Hof etwas versteckt sein könnte."

„Ja, ja, ich war gestern bei der Läpple." Sie wisse nicht, ob und wo ihr Mann Geld versteckt haben könnte. Sie sei pleite und lasse überall anschreiben. Er habe das Dachgebälk genau inspiziert, auch die Holzvertäfelungen im Hausflur. Nichts, kein Hohlraum, in den man Geld oder ein Buch hineinstopfen könnte. Auch in der Wohnstube habe er nichts gefunden. „Ich meine, Herr Pfarrer, der Läpple hatte sein Versteck anderswo."

„Hatte er in Linnfurt weiteren Grundbesitz? Oder hatte er einen Lagerraum gepachtet?"

„Als Schultes", er schüttelt den Kopf, „müsste ich das wissen."

„Dann bleiben nur Haus und Hof als Versteck. Die Männer, die mich ins Vertrauen gezogen haben, berichten übereinstimmend, dass der Läpple binnen weniger Minuten auch größere Geldwünsche befriedigen konnte."

Der Schultes wird nachdenklich. Vor der Hochzeit, sagt er, habe sich der Läpple auf Rechnung seines Schwiegervaters Möbel machen lassen. Nicht beim Gäbele in der Betnoppelgasse, sondern bei einem Möbelschreiner in Hohenburg, der für bessere Herrschaften arbeite. Einen Tisch, sechs geschnitzte Stühle, eine bemalte Truhe, eine Standuhr und einen reich verzierten, großen Schrank. Wirklich schöne Möbel seien das. Anfangs habe er gedacht, der Läpple könnte vielleicht in einem der kostbaren Stücke ein Versteck haben. Alles habe er abgeklopft, von innen und außen, aber ein Versteck habe er nicht gefunden. Deshalb müssten das Geld und das Buch irgendwo auf dem Dachboden oder im Sutrai in einem verborgenen Hohlraum stecken.

*

„Verzeihung, Herr Pfarrer, aber ich hab kein Geld.“ Die Läpple steht mit hängenden Schultern an der Tür und fängt zu weinen an.

„Deshalb bin ich ja gekommen. Bezahlen Sie die Beerdigungskosten doch erst im neuen Jahr.“

Sie bittet ihn ins Haus und geht in die Wohnstube voraus.

„Darf ich Ihnen ein Gläsle Wein anbieten? Einen frischen Zwiebelkuchen hab ich auch.“

Sie komplimentiert ihn aufs Sofa und rennt in die Küche. Gleich darauf drückt sie ihrem Gast ein Glas Wein in die rechte Hand und ein großes Stück Zwiebelkuchen in die linke. Sie selber begnügt sich mit einem Tässchen Kamillentee.

„Hab ich selber gesammelt“, sagt sie bescheiden und rührt Kandiszucker in ihren Tee. „Lassen Sie sich‘s schmecken, Herr Pfarrer.“

Abel kennt die Gebräuche in Linnfurt. Nur die Torte isst man mit einem Löffelchen vom Teller. Für den Kuchen benutzt man die Vatersgabel, wie man hier sagt, die Hand. Der Zwiebelkuchen ist nicht teigig, der Boden ist locker und doch fest genug, um den Zwiebeln Halt und geschmacklichen Kontrast zu geben.

Die Läpple erstaunt ihn immer mehr. Er kennt sie ja kaum. Vor etlichen Jahren hat sie in den Läpplehof eingeheiratet. Sie stammt von irgendeinem Dorf aus dem Stromberggebiet, einer Wein-Wald-Region um Bönnigheim, Brackenheim und Cleebronn. In Linnfurt hat sie sich bisher bescheiden im Hintergrund gehalten. Ihr Mann hätte wohl nichts anderes geduldet.

Dass sie Kamillen sammelt und im ersten Stock eine eigene Kammer mit Webstuhl und allerlei Handarbeitszeug hat, wie der Schultheiß berichtete, deutet wohl auf eine stille Seele hin. Laut sagt der Pfarrer: „Schöne Möbel haben Sie.“

Ja, bestätigt sie, die habe ihr Mann in Hohenburg schreinern lassen. Dieses Zimmer sei sein Heiligtum gewesen. Nur besondere Gäste durften es betreten. Knechte und Mägde habe er hier nicht geduldet, und die meisten anderen Linnfurter auch nicht. Aber das werde sie ändern.

Abel kaut genüsslich und sieht sich in der Stube um: Schrank, Truhe, Büffet, Tisch, Polsterstühle, Sofa, Standuhr, Lampe und ein paar gerahmte Bilder an der Wand. Kein anderes Wohnzimmer in Linnfurt könnte mit diesem mithalten. Sein eigenes auch nicht.

„Und wie war Ihr Mann zu Ihnen?“

Sie zuckt die Achseln. „O jemine, Herr Pfarrer“, sagt sie, „aber ich darf nicht jammern. Mein Johann ist eigen gewesen. Schon mein Vater hat mich vor ihm gewarnt. Anna, hat er gesagt, der Johann ist eine Lodderfall *[Wackelgestell]*. Ein Tag so, den andern Tag anders. Ein Schlawiner, hat mein Vater gesagt.“ Sie schluchzt. „Aber meine Mutter hat wollen, dass ich ihn heirate. Dann bist du versorgt, hat sie gemeint.“

„Hilft Ihnen Ihr Vater nicht aus der Klemme?“ Abel schluckt den letzten Bissen hinunter und leckt sich die Finger ab.

„Ich trau mich nicht zu fragen. Bevor ich das Geld vom Johann nicht gefunden hab, geh ich nicht heim zu meinen Eltern.“

Der Pfarrer zieht seine Geldkatz heraus.

Die Läpple reißt die Augen auf; sie ist so verblüfft, dass sie nichts sagen kann.

Abel legt zehn silberne Gulden neben sich aufs Sofa. „Stecken Sie's weg. Und bitte zu niemandem ein Wort. Versprochen?"

Ihr laufen die Augen über. Sie schnäuzt sich und nickt eifrig. Dann steht sie auf, streicht die Gulden in ihre Hand und lässt sie in ihrer Schürzentasche verschwinden. „Dank schön, Herr Pfarrer. Das denkt mir ewig, dass Sie mir helfen."

„Erst wenn Sie das Geld Ihres Mannes gefunden haben, müssen Sie's mir zurückgeben. Aber das bleibt unter uns. Einverstanden?"

Sie nickt wieder.

„Zinsen will ich nicht."

„Ich weiß, Herr Pfarrer, was Sie sagen wollen. Mein Johann soll Wucherzinsen genommen haben. So schwätzen die Leut. Aber wenn ich seine Sachen finden tät, dann tät ich das gern ausbügeln wollen."

„Wie?"

„Dann tät ich bloß das Geld behalten, das mir zusteht."

Jetzt hält Abel die Zeit gekommen, der Läpple die heikelste Frage zu stellen: „Wo waren eigentlich Sie, als Ihre Dienstboten in der Scheune Sichelhenke feierten?"

Sie wird rot im Gesicht, schaut zu Boden und schweigt.

„Haben Sie ihn gesucht?"

Sie vergräbt ihre Hände in den Schürzentaschen.

„Sind Sie ihm noch einmal begegnet?“

Sie schüttelt den Kopf.

„Wollen Sie nicht darüber reden?“

Sie nickt.

„Weil Sie wissen, wer Ihren Mann umgebracht hat?“

Erneutes Kopfschütteln. Sie schaut immer noch zu Boden, das Kinn sinkt ihr auf die Brust. Wie ein Häufchen Elend steht sie vor ihm.

„Ich bin …“ Sie stockt.

„Ja?“

„Ich bin … in meiner Stub droben gewesen.“ Sie zeigt mit dem Finger in den ersten Stock hinauf.

„Und die Kinder? Wer hat Ihre Kinder zu Bett gebracht?“

„Meine Schwägerin. Sie haben an die Tür geklopft, als sie ins Bett sind. Aber ich hab nicht aufgemacht."

„Warum?“

„Ich hab mich geschämt wegen meinem Mann.“

*

Um zwei Uhr tagen Ortsschulrat und Kirchenkonvent gemeinsam. Insgesamt acht Männer sitzen um den großen Tisch im Pfarrhaus.

Der Kirchenkonvent, zuständig für Recht und Sitte in der Gemeinde, besteht aus dem Pfarrer, dem Schultes, dem Kastenpfleger und zwei Stadträten. Normalerweise kommen die obersten Sittenwächter der Stadt jeden ersten Sonntagnachmittag im Monat zusammen, um Fluchen, liederlichen Lebenswandel, Schulversäumnisse und wiederholtes Gottesdienstschwänzen abzustrafen.

Auch der Ortsschulrat hat sechs Mitglieder. Der Pfarrer, der Schultes, der inzwischen verstorbene Schulmeister und drei gewählte Elternvertreter. Dieser Rat wird vom Pfarrer nach Bedarf einberufen und überwacht den regelmäßigen Schulbesuch der Kinder, befindet über den Schulfonds, also die Ausstattung der Schule, verfasst eine Stellenbeschreibung, wenn ein neuer Schulmeister gewählt werden muss, und führt die Schulmeisterwahl durch.

Zunächst gedenkt Pfarrer Abel des toten Schulmeisters. Er sei leider lange krank gewesen und habe in den letzten Monaten nicht mehr unterrichten können. Fast vierzig Jahre lang habe Hermann Hartmann der Kirchengemeinde treu gedient. Als Pfarrer sei er dem Verstorbenen für gute Mesnerdienste dankbar, und als Schulleiter könne er bestätigen, dass der Bezirksschulinspektor mit Hartmanns Unterricht zufrieden war.

Dann zitiert Abel das Schulgesetz von 1836. Artikel 61 bis 71 regelten die Unterstützung der Witwen und Waisen eines Volksschullehrers. Danach erhalte Frau Hartmann ein Witwengeld. Das sei alles bis ins kleinste Detail im Schulgesetz und in der Satzung der Volksschullehrer-Witwenkasse geregelt.

„Aber“, er schlägt das Gesetz auf, „in Artikel 65 ist festgeschrieben, dass der Witwe der – ich zitiere – *Fortgenuss der Dienstwohnung zusteht*.“

„Soll das heißen, dass die Hartmann in ihrer Wohnung bleibt?“ Korbmacher Schöpflein, in den Ortsschulrat gewählter Elternvertreter, ist verärgert.

Abel nickt und runzelt die Stirn. Er hält Schöpfleins Ton für despektierlich. Aber er will nicht alles auf die Goldwaage legen. Nicht jeder im Städtle hat so viel sprachliches Feingefühl, dass er taktvoll ausdrücken kann, was er meint. Die Schärfe im Ton zeugt oft, wie er aus langer Erfahrung weiß, nur von Unsicherheit.

„Dann brauchen wir ja noch eine Dienstwohnung … für den neuen Schulmeister."

„Richtig, Herr Schöpflein. Oder wollen Sie Frau Hartmann auf ihre alten Tage aus der Wohnung jagen?"

„Wenn ich sterbe", erregt sich Stadtrat Köhler, „kriegt dann meine Frau auch eine Dienstwohnung?" Jeder am Tisch weiß, dass er als Nagelschmied kaum noch ein Auskommen hat, seit es Nägel aus der Fabrik gibt.

Der Schultes kennt das zur Genüge. In jeder Stadtratssitzung muss er sich die Sprüche und den Griesgram des abgewirtschafteten Handwerkers anhören. Dem Motzer gehört endlich mal das Maul zugebunden, denkt er sich und grinst vor sich hin.

„Eine Dienstwohnung ist nicht kostenlos. Selbstverständlich muss Frau Hartmann Miete zahlen. Übrigens genau so viel wie zu Lebzeiten ihres Mannes, obwohl sie jetzt allein wohnt. Sie könnte das sogar als ungerecht empfinden, zumal sie nur eine geringe Witwenrente bekommt."

Dann erläutert der Pfarrer das Verfahren zur Wiederbesetzung der Schulmeisterstelle, wie es amtlich geregelt ist. Erstens müsse der Kirchenkonvent die Schulmeisterstelle beschreiben: Größe der Schule, Zahl der

Schüler, Zahl der Klassen und wöchentliche Unterrichtsverpflichtung. Zweitens sei eine Einkommensliste für den neuen Schulmeister beizufügen: Bargeld (aufs ganze Jahr bezogen), Naturalien (Getreide, Gefällwein, Brennholz, Stroh, Brot), Gütergenuss (Kraut- und Gemüsegarten, Felder, Wiesen, einschließlich der Grasmenge auf dem Friedhof), Emolumente (ortsübliche Gaben bei Taufen, Hochzeiten, Leichen). Drittens müsse aufgelistet werden, wie viel vom Einkommen einzubehalten ist: für Miete der Dienstwohnung, für Kost und Logis des Provisors sowie für ortsübliche Taxen und Abgaben.

„Sie sehen, meine Herren, das ist ein Saugeschäft. Einen ganzen Tag muss ich dransetzen, bis ich alle Unterlagen fertig habe und nach Stuttgart schicken kann. Wenn alles glatt läuft, wird die Stellenausschreibung in etwa drei bis vier Wochen veröffentlicht. Vier Wochen später ist Bewerberschluss. Dann werde ich die Bewerber im Gottesdienst vorstellen. Und in frühestens zehn Wochen können wir den neuen Schulmeister wählen. Ich schlage den zweiten Advent als Wahltermin vor. Das ist der 5. Dezember. Einverstanden?“

Alle nicken eifrig und ducken sich weg. Wer nicht einverstanden ist, das wissen sie aus leidvoller Erfahrung, muss es besser machen und selber im Pfarrhaus die Unterlagen fertigen. Umso engagierter diskutieren sie den folgenden Punkt: Wie soll die Stelle ausgeschrieben werden?

Einer fragt: „Will sich unser Unterlehrer auch bewerben, Herr Pfarrer?“

„Ich habe ihn noch nicht gefragt.“

Ein anderer meint: „Wenn sich der bewerben tät, wär das ein Segen für Linnfurt. Gell, Herr Pfarrer?“

„Was wollen Sie damit sagen?“

„Dass wir in die Stellenausschreibung hineinschreiben sollten, dass ein geeigneter Bewerber vorhanden ist.“

Abel weist das Ansinnen sofort zurück. „Genau das geht nicht. In der Verordnung steht, dass fähige Kandidaten nicht von der Bewerbung abgehalten werden dürfen.“

Korbmacher Schöpflein will wissen, was passiert, wenn der neue Schulmeister bald nach Dienstantritt heiratet und stirbt. Wenn dessen Witwe auch in der Dienstwohnung bleiben darf, dann bräuchten sie für den übernächsten Schulmeister eine dritte Dienstwohnung. „Und wer zahlt's?“, fragt er empört und gibt sich selbst die Antwort: „Unser König bestimmt nicht. Das zahlen wir. Ich mag aber nicht mehr zahlen.“

„Wie willst du das verhindern?“, meldet sich der Schultes erstmals zu Wort.

„Wie's etliche Gemeinden linnabwärts auch schon gemacht haben.“ Und dann trägt der Schöpflein einen abenteuerlichen Plan vor.

Man könnte die Stelle mit dem Zusatz ausschreiben, der neue Schulmeister müsse die Witwe seines Amtsvorgängers heiraten. Damit würde man mehrere Fliegen mit einer Klappe schlagen. Eine zweite Dienstwohnung sei nicht nötig. Man könnte das Witwengeld sparen. Außerdem sei der junge Schulmeister kräftig genug, die Äcker und Wiesen der Witwe zu bewirtschaften. Damit fiele die Hartmann der Gemeinde nicht zur Last. So würde Linnfurt in diesen grausigen Zeiten viel Geld sparen.

Pfarrer Abel bleibt die Spucke weg. Fassungslos schaut er in die Runde und schluckt ein paar Mal. Dann sagt er so ruhig wie möglich: „Das können wir einem jungen Mann schwerlich zumuten."

Stadtrat Köhler hält dagegen: „Einem jungen Stier tät's vor einer alten Kuh auch nicht grausen."

Der Schultes schlägt sich vehement auf die Seite des Pfarrers. Wenn man so die Stelle ausschreibt, bekomme man zwar eine sparsame Lösung, aber bestimmt eine schlechte. „Welcher junge Mann, der etwas kann, lässt sich darauf ein, eine dreißig oder vierzig Jahre ältere Frau zu heiraten? Zumal er ja dann keine eigenen Kinder erwarten kann?"

Das Argument überzeugt. Die Fortschrittlichen siegen über die Entenklemmer. Die Stellenausschreibung wird ohne Heiratsauflage beschlossen.

Um vier ist der Schultes wieder in der Linde. Die Leute sitzen im Schankraum wie die Gurken im Fass. In jeder Waschküche ist die Luft klarer als hier. An allen Tischen wird gepafft und laut geschwätzt. Die Stammtischbrüder nähern sich dem eigenen Eichstrich. Sechs harte Arbeitstage liegen hinter ihnen, da wollen sie endlich das sagen, was sie die ganze Woche bloß gedacht haben.

Der Schultes reißt alle Fenster auf, dann krempelt er die Ärmel hoch und hilft seiner Magda beim Ausschenken.

Eben füllt er ein paar Gläschen mit Schnaps, da kommt der Amtsdiener herein und salutiert: „Ich muss dir was sagen.“ Der hinkende Heinrich ist aufgeregt.

„Hock dich nüber in mein Büro“, sagt der Lindenwirt und serviert noch rasch den bestellten Schnaps. Dann setzt er sich zum wartenden Amtsboten an den Tisch.

„Heute haben sie mich ins Armenhaus einbestellt. Die Katharina tät jede Nacht Reißaus nehmen.“

„Nachtwandelt sie?“

„Nein, sie schläft im Stall.“

„Im Hühnerstall? Muss sie wieder die Hennen vor dem Gicker in Schutz nehmen?“

„Nein, jetzt im Kuhstall neben dem Armenhaus. Auf der Streu.“

„Aberjetza, spinnt sie total?“

„Nachts tät ein grünes Männle kommen, sagt sie. Und das grüne Männle tät jede Nacht zu ihr sagen, sie tät jetzt Durchfall kriegen.“

Der Amtsbote sieht den Schultes fragend an, doch der winkt ab: „Ich kann‘s auch nicht verheben. Lieber glücklich auf der Streu als versaut im Bett.“

Der Heinrich schüttelt den Kopf. „Die ist so verwirrt im Kopf. Jetzt behauptet sie, der Scharwächter habe den Läpple gemeuchelt.“

„Warum?“

„Sie meint, der Scharwächter habe mit dem Läpple gestritten.“

„Hat sie ihn gesehen?“

„Nein.“

„Hat sie ihn gehört?“

„Der Läpple habe getobt: Verschwind, du Tagdieb, auf der Stell aus meinen Augen. Pack deine Sachen und verschwind!“

„Aberjetza, Heinrich, reg dich ab. Solange das Hemd nicht brennt, ist nicht Not am Mann.“

Damit sei doch endgültig bewiesen, dass die Alte spinnt, meint der Amtsbote. Denn der Hilfspolizist sei an jenem Tag besoffen von Scheune zu Scheune getorkelt und könne dem Läpple gar nicht begegnet sein.

Der Schultes fällt ins Sinnieren. „Ganz meine Meinung, Heinrich. Aber wenn etwas dran ist, dann muss der Läpple seinen Mörder gekannt haben.“

Der Amtsbote guckt seinen Herrn entgeistert an und salutiert, so erschrocken ist er. „Schultes, fehlt dir was?“

Keine Antwort. Dem Schultes muss irgendein Hintergedanke zu schaffen machen. Er schlägt sich an die Stirn. In seinem Gesicht wetterleuchtet es. „Sie hat einen Mann mit dem Läpple streiten hören.“ Er schaut auf und ist wieder der Alte: „Verstehst? Einen Mann hat sie gehört, keine Frau!“

„Ich war‘s aber nicht! Und der Scharwächter kann‘s auch nicht gewesen sein.“

„Glaub ich dir, Heinrich. Aber ein Mann aus unserem Städtle, der so tief schwätzt wie der Scharwächter.“

„Die Katharina spinnt doch! Oder glaubst du an das grüne Männle?“

„Schon recht, Heinrich. Die Dummen sind unserem Herrgott die liebsten Kinder. Und manchmal schwätzen die Dummen gescheit raus.“

Jahrhundertfest

Um halb sechs, zu gänzlich ungewohnter Zeit, läutet eine Glocke. Jetzt kapiert auch der allerletzte: Heute ist ein besonderer Tag. Die Leute waschen sich Gesicht und Hände. Dann schlüpfen sie in ihr Sonntagsgewand.

Kurz vor sechs mahnt das volle Geläut: Höchste Zeit! Ab in die Kirche, und zwar plötzlich! Denn wer heute fehlt, den verdonnert der Kirchenkonvent zu einer saftigen Strafe. Unter sechs Kreuzern kommt niemand davon. Wer schon öfter geschwänzt hat, für den können es leicht zehn Kreuzer und mehr werden. So hat's der Büttel dreimal ausgeschellt.

Nur Fuhrmann Finkenberger polstert seelenruhig seinen leichten Reisewagen aus, legt Decken für die Fahrgäste zurecht. Es könnte später kühl werden, auch wenn die Sonne tagsüber noch kräftig heizt. Dann schirrt er seine vier besten Pferde an. Pfarrer Abel persönlich hat ihn von der Andacht befreit. Gleich nach dem Gottesdienst geht's ab nach Stuttgart zum großen Fest.

Drei große Buben hängen im Glockenturm an den Seilen und ziehen nach Leibeskräften, kaum berühren ihre Füße den Boden. Der zum Unterlehrer beförderte Provisor steht daneben und gibt den Takt vor. „Sauber läuten, Buben, sauber läuten. Dann freut sich unser König."

Punkt sechs stellt er eine große Sanduhr auf den Boden und schreit seinen Schülern ins Ohr, sie müssten weitermachen, bis der Sand durchgerieselt ist. Er selbst schlüpft durch eine Nebentür in die Kirche und steigt hinauf zur Orgel. Kaum hat er auf der Orgelbank Platz genommen, springt der Schuster aufs Pedal des Blasebalgs und beginnt zu treten. Heute braucht die Orgel viel Luft, hat ihm der Lehrer schon gestern angekündigt.

Pfarrer Abel kommt aus der Sakristei, nickt aufmunternd zur Orgel hinauf und setzt sich auf einen Stuhl neben dem Altar. Der Lehrer zieht das Kornettregister, weil dann die himmlische Musik so schön durch die Kirche hallt und die frohe Botschaft verkündet: Unser König Wilhelm wird heute sechzig.

Die Glocken verklingen. Schon jubilieren die kleinen, dünnen Orgelpfeifen bis in die höchsten Töne hinauf, und die dicken Pfeifen dröhnen in den tiefsten Bässen. Die Luft bebt. Die Kirchenbänke vibrieren. Die Hintern zittern. Vom Gesäß bis hinunter in die kleinen Zehen und hinauf bis in die Haarspitzen pulsiert der Wohlklang. Das weckt auch die letzten Schläfer. Erhebet euch, befiehlt die Orgel, erweiset eurem König die Ehre! Der Lehrer zappelt mit den Füßen über die Pedale. Mit den Händen fegt er über die Tasten. Die Gemeinde ist entzückt. Stehend jauchzen die Frauen zur Linken, die Männer zur Rechten, der Gesangverein auf der Empore und der Kirchenchor vor dem Altar: *Lobe den Herren, den mächtigen König der Ehren.*

Die Gemeinde sinkt erschöpft auf die Bänke nieder. Der Kirchenchor geht auf Zehenspitzen zu den vorderen Sitzreihen.

Atemlose Stille.

Gemessenen Schrittes schreitet der Pfarrer zum Altar, dreht sich um, die Bibel in den Händen, und verharrt auf der ersten Stufe.

„Zu Ehren unseres Königs Wilhelm“, Abel schaut prüfend ins Kirchenschiff, ob auch alle da sind, „haben wir uns heute hier versammelt. Aus freien Stücken“, oh, Graf Heinrich fehlt, stellt er fest, „auch wenn es von den drei obersten Kirchenbehörden, dem evangelischen Konsistorium, dem katholischen Oberkirchenrat und dem israelitischen Oberrabbinat, angeordnet worden ist.“ Abel grinst in sich hinein; seine gräfliche Eminenz kann nämlich, wie oft genug betont, den König nicht leiden. „In allen Kirchen und Synagogen unseres Landes hören alle Württemberger in dieser Stunde die Worte des einundzwanzigsten Psalms: „Herr, der König freut sich in deiner Kraft, und wie sehr fröhlich ist er über deine Hilfe! Du gibst ihm seines Herzens Wunsch und verweigerst nicht, was sein Mund bittet. Du überschüttest ihn mit gutem Segen; du setzest eine goldene Krone auf sein Haupt. Er bittet Leben von dir; so gibst du ihm langes Leben immer und ewiglich.“

Nach dem nächsten Lied erinnert Abel von der Kanzel herab an die vergangenen fünfundzwanzig Jahre. Am 31. Oktober 1816, dem Tag, an dem König Wilhelm den Thron bestieg, war Württemberg noch von den Schrecken der napoleonischen Kriege gezeichnet. Das Land lag verwüstet da, ausgeplündert, verarmt. Die Menschen waren mutlos. Bald darauf plagten schreckliche Missernten und bittere Hungersnöte. Doch allmählich wandte sich alles zum Besseren. Bauern, Handwerker und Kaufleute schöpften neuen Mut. Dank der Klugheit des neuen Königs wurden die Steuern gesenkt. Man dachte wieder an die Zukunft und baute den Wilhelmskanal; der Neckar wurde schiffbar bis Cannstatt. Neue Straßen wurden geschottert, alte ausgebaut. Erste Pläne für eine Eisenbahn quer durch Württemberg entstanden.

„Vor vier Jahren“, Abels Gesicht glänzt vor Begeisterung, „ist unser König Wilhelm sogar nach England gereist. Er wollte sich dort ein Bild machen von den Fortschritten in Technik und Handel. Heute kann sich unser Land sehen lassen. Wir sind wieder wer. Und das verdanken wir unserem Herrgott und Seiner Majestät.“

Die Ansprache ist kurz und kräftig. Noch ein Lied, dann ist die Festandacht nach nur fünfundzwanzig Minuten vorbei. Das Volk liebt kurze Predigten und lange Feste. Also fliegen dem Pfarrer die Herzen zu. Nur der hinkende Heinrich sitzt beleidigt in der ersten Bank. Keiner ist eingeduselt, keiner hat geruselt. Heute hat er mit seiner Stange kein Geld verdient.

Alles wartet auf den Schlusssegen. Da ruft der Pfarrer einen jungen Mann vor den Altar.

„Das ist unser neuer Provisor. Er heißt Anton Baumeister, kommt aus dem Badischen und wird ab morgen die Unterklasse unterrichten. Dafür übernimmt Unterlehrer Wilhelm von unserem verstorbenen Herrn Hartmann die Oberklasse, bis ein neuer Schulmeister gewählt ist. Provisor Baumeister hat im Lehrerseminar auch das Dirigieren gelernt. Damit das Durcheinander in dieser Zeit des Übergangs nicht zu groß wird, habe ich entschieden, dass Herr Baumeister ab sofort den Kirchenchor dirigiert. Dann kann sich Lehrer Wilhelm weiterhin dem Liederkranz widmen. Den Mesnerdienst übernehmen beide Lehrer zu gleichen Teilen, und zwar in folgender Weise: Körperliche Züchtigungen auf Anordnung des Pfarrers oder des Kirchenkonvents hat Unterlehrer Wilhelm auszuführen. Beim Kantoren- und Organistendienst sowie im Hochzeits- und Leichensingen wechseln sich beide Herren ab. Herr Wilhelm kann jederzeit, je nach Arbeitsanfall, seinen Kollegen mit weiteren Aufgaben betrauen. Die Sonntagsschule hält weiterhin der Unterlehrer. Das Läuten und Warten der Kirchturmuhr besorgt der Provisor. Die Arbeiten des Totengräbers erledigt bis zur Wahl des neuen Schulmeisters ein Tagelöhner, den unser Herr Bürgermeister noch bestimmen wird.“

*

Lange hatte sich Fuhrmann Finkenberger mit der Fahrt nach Stuttgart beschäftigt. Am Dienstagfrüh um neun Uhr, sagte ihm der Schultes, müssten sich die Reiter und Gespanne in Stuttgart rund um den Charlottenplatz zum Festzug aufstellen.

„Wann willst in Stuttgart sein?“, hatte er das Stadtoberhaupt gefragt.

„Spätestens um Mitternacht.“

Die Nachtkutsche hatten die Herren abgelehnt. Die fahre erst um Mitternacht ab und sei allerfrühestens gegen vier Uhr morgens am Ziel. Außerdem koste die Nachtpost sehr viel, weil zu den schon hohen Normaltarifen saftige Nachtzuschläge hinzukämen. Auch müssten auf den nächtlichen Postkutschen Gendarmen auf dem Kutschbock mitfahren, was die Fahrt nochmals verteuere.

Darum hat der Stadtrat den Finkenberger mit der ehrenvollen Aufgabe betraut, das Linnfurter Festkomitee in die Landeshauptstadt zu kutschieren. Der Fuhrmann fühlt sich geschmeichelt, hat man ihm doch versprochen, er dürfe auch im Festumzug mitfahren.

Seit der Gründung seines Fuhrunternehmens ist der Finkenberger täglich auf der Staatsstraße Nummer 1 von Linnfurt nach Stuttgart unterwegs. Jeden Numerostutzen [*Meilenstein*], jede Brücke, jede Abzweigung kennt er im Schlaf. Er ist die Strecke auch öfters nachts gefahren, allerdings nur dann, wenn es hell genug war. Doch heute Nacht wird es hell sein, da ist er sich sicher. Übermorgen ist Vollmond und der Himmel sternenklar. Das Wetter ist seit Tagen schön, nachts zwar kühl, aber tags sonnig und warm. Es sei doch Erntemond, hat er dem Stadtrat gesagt, als der ihm zwei Reiter stellen wollte. Früher habe man die Ernte oft im Mondlicht eingebracht. Darum brauche er keine voraustrabenden Fackelreiter.

Finkenberger hat sich von einem Händler in Ludwigsburg einen leichten Reisewagen geliehen. Sollte sich das Gefährt bewähren, so will er es auf Kredit kaufen und eine regelmäßige Omnibuslinie nach Ludwigsburg, Stuttgart und Heilbronn einrichten. Andernorts in Deutschland gibt es schon private Konkurrenz zu den teuren Postkutschen. Auf der wichtigsten Reiseroute des Königreichs, der Staatsstraße 1, sollten sich genug Reiselustige finden, die Geld sparen und bequem reisen wollen. Davon ist er felsenfest überzeugt. Dass er mit den Herren Stadträten eine Probefahrt für sein neues Geschäft wagt, das hat er ihnen natürlich verschwiegen. Aber wenn alles zu deren Zufriedenheit ausfällt, dann ist ein guter Anfang gemacht, so hofft er.

Seine Pferde stehen gut im Futter und sind längere Strecken gewöhnt. Wenn sie die wenigen Steigungen im Schritt nehmen, ansonsten streckenweise traben, so hat er überlegt, dann könnte er vierspännig in längstens drei Stunden Stuttgart erreichen, eine Pause in Kornwestheim eingerechnet.

Gegen dreiviertel sieben besteigen die Reisenden den Wagen. Sie sind kreuzfidel, weil sie sich auf die Tage in der Landeshauptstadt freuen.

Auf den Kutschbock neben dem Finkenberger setzt sich der Willy, der neue Häfnerbauer. Im Frühjahr hat die Karlene ihn geheiratet. Ihr erster Mann wurde im letzten Jahr an Palmsonntag tot aufgefunden. Bis dahin war Willy Rossknecht auf dem Häfnerhof. Für den verstorbenen Häfnerbauern ist er in den Stadtrat nachgerückt.

Die anderen klettern von hinten in den geräumigen Reisewagen. Zuerst helfen Sie Pfarrer Abel hinauf. Er trägt einen schwarzen, wadenlangen Übermantel, schwarze, an den Knien etwas abgeschabte Beinkleider, derbe Stiefel und ein schwarzes Käppchen auf dem silbergrauen Haar. Dann folgen vier Mitreisende, gekleidet wie der Häfnerbauer. Kurze Schaftstiefel, weiße Strümpfe und gelblederne Kniebundhosen. Dazu ein rotes Wams über dem weißen Leinenhemd, einen leichten, blauen Mantel, der bis zu den Knien reicht, und einen Zylinder, an dem ein Sträußchen wippt. Linnfurter Wengertertracht. Schließlich wuchtet sich der Schultes ächzend hinauf. Er ist im vornehmen schwarzen Dreiteiler mit Zylinder.

Die Bänke sind in Fahrtrichtung seitlich befestigt. So sitzen sich die Fahrgäste gegenüber und können miteinander plaudern. Der Pfarrer besteht darauf, dass der Schultes neben ihm Platz nimmt.

Jeder hat sein Rasierzeug und ein frisches Hemd in ein Tuch verknotet, das er unter den Sitz legt. Ansonsten haben die Herren nichts dabei, außer ein paar Fläschle Wein, etliche Laib Brot und eine Auswahl an Würsten. Aber das zählt ja nicht zum Gepäck, sondern ist Wegzehrung. Man kann in Stuttgart doch nicht hungrig ankommen.

Finkenberger verteilt erst Decken, dann Gläser, die in die Löcher in den Sitzbänken passen. „Dann müssen wir nicht aus der Flasche trinken." Schließlich zurrt er die Plane fest, damit die Herren im Trockenen und nicht in der Zugluft sitzen.

Die Fahrgäste sind sprachlos. Der Schultes findet als erster die Worte wieder: „Nobel, wie bei Fürsten." Auch Pfarrer Abel lobt den Komfort des Reisewagens.

Finkenberger löst die Bremse und knallt mit der Peitsche. Die Rösser ziehen an. Mit großem Hallo geht's durch das Schlosstor hinaus zur alten Flößerstraße und von da auf die Staatsstraße Nummer 1.

Während sich ihr Wagen auf der Hauptstraße Württembergs, von Obstbäumen, dann von Pappeln und Platanen gesäumt, rasch der Residenzstadt nähert, vespern die Herren nach Herzenslust. Dabei schwätzen sie über dies und das, bis der Rebstöckle-Wirt vom Schultes wissen will, ob die Sache mit dem Läpple vorangeht. Von da an beschäftigt sie nur noch der Mord in Linnfurt.

Von der Gendarmerie sei keine Hilfe zu erwarten, räumt der Schultes offen ein. Also bleibe die ganze Aufklärungsarbeit an ihm, Pfarrer Abel und dem Unterlehrer hängen.

„Kein Wunder bist du immer so grätig", spottet der Knöpfle.

„Aberjetza, ich hab nicht so große Stiefel wie du, mit denen ich dem Geschäft davonlaufen kann", gibt der Schultes zurück. Mit dem Knöpfle streitet er öfters, weil sie, was den Wein betrifft, unterschiedlicher Auffassung sind. Während der Schultes auf den neuen Weinbau schwört, die sortenreinen Rebkulturen, lästert der Wirt vom Rebstöckle bei jeder sich bietenden Gelegenheit, das sei Unsinn, Blödsinn, ja Widersinn, der viel Geld kostet und nichts bringt. Er schenkt nur Wein aus, der aus allen Rebsorten gemischt ist.

Pfarrer Abel bleibt es vorbehalten, das Stadtoberhaupt zu verteidigen und seine persönliche Sicht des Mordfalls darzulegen: „Meine Herren, ich muss doch bitten. Unser Bürgermeister bemüht sich sehr, allen Pflichten gerecht zu werden." Er stellt sein Glas in die

Halterung. „Der Mordfall ist allerdings sehr verzwickt. Darum würde mich Ihre Meinung interessieren."

Die Gefragten sind fidel. Der Wein, die Vorfreude auf morgen, die angenehme Gesellschaft lösen ihre Zungen. Frank und frei sagen sie, was sie von der Sache halten.

„Ich täte meinen, dass der Läpple ein Lump gewesen ist."

„Ganz richtig. Das ist auch meine Meinung. Er ist ein saures Früchtle, ein Profitmichel. Sogar Nackten hat er in die Tasche gelangt."

„Dass den einmal einer hinmacht, ist doch normal. Nur wenn ein anständiger Mensch hingemacht wird, dann ist das nicht normal."

„Aber eine hübsche Frau hat er. Wenn man die jetzt einen Kopf kürzer machen tät, das wär nicht schön."

„Nie! Die Läpple kann das gar nicht gewesen sein, weil sie jetzt kein Geld hat und überall anschreiben lässt."

„Es gibt nur zwei Möglichkeiten. Entweder hat ihn ein Weibsbild hin gemacht. Der Läpple hat nämlich schon viele sitzen lassen. Oder ein Mann hat ihn auf dem Gewissen, einer, der bei ihm Schulden hat."

Der Mond steht über den redseligen Herren und schickt seinen hellsten Schein hinab. Sie kutschieren schon auf Kornwestheim zu.

Nur der Schultes mampft und schweigt, schneidet sich noch einen Bollen Schinkenwurst ab und nimmt einen großen Schluck. Dabei blinzelt er dem Pfarrer zu.

Abel lächelt zurück, dann wendet er sich an die anderen Mitfahrer: „Das alles weiß unser Herr Bürgermeister auch. Aber wie wollen Sie das eine vom anderen unterscheiden?“

„Was? Dass die Läpple ihren Mann nicht hingemacht hat?“

Der Pfarrer nickt. „Ja, und warum eher ein Mann als Mörder in Frage kommt.“

„Das ist doch sonnenklar, Herr Pfarrer. Meine Nachbarin hat gesehen, wie der Läpple mit der Frieda die Schlosstorgass hinauf ist. Die haben Streit gehabt. Dann ist die Frieda auf und davon. Ins Kuckucksnest hinein. Und der Läpple ist auf dem geraden Weg heim. Der Läpple ist wütig gewesen, weil er gleich nachher mit einem Mann Krach gehabt hat. Sagt meine Nachbarin.“

„O verreck! Und wer ist das gewesen?“

„Brrr!“

Die Herren horchen auf.

Der Wagen hält.

Sie stehen vor dem Hof eines Fuhrmanns. Der Finkenberger steigt vom Kutschbock und geht nach hinten: „Kurze Rast, meine Herren.“ Dann hängt er seinen Gäulen die Hafer- und Heusäcke vors Maul und holt Wasser für sie.

Das Festkomitee klettert aus dem Wagen und stellt sich in Reih und Glied an den dampfenden Misthaufen, der neben der Hofeinfahrt ist. Derweil sprechen sie weiter über den Mord am Läpple.

Kaum rollt der Wagen wieder, schon sind sich die Herren einig, dass nur ein Mann für die Tat in Frage kommt. Eine Frau würde hälinge [*heimlich, leise*] morden, wie man immer wieder hört. Mit Gift im Essen. Oder mit einem kleinen Schubs durch die Heuluke. Oder mit einem Sofakissen, wenn er besoffen schnarcht. Für einen Sichel- oder Sensenmord fehle den Frauen die Kraft. Da ist die Reisegesellschaft einer Meinung.

„Ja“, sagt der Schultes und schenkt reihum seinen besten Wein aus, „wenn das so ist, dann trinken wir auf das Wohl von unserem König.“ Bevor sie anstoßen, reicht er dem Häfnerbauern und dem Finkenberger Wein, Brot und Schinkenwurst auf den Kutschbock hinauf.

Dann schallt ein dreifaches „Hoch!“ aus dem Wagen, der sich bereits Stuttgart nähert.

Der Finkenberger strahlt wie ein Maikäfer und lässt die Peitsche knallen.

Seit acht Uhr ist der Teufel los. Fünf Mal mehr Besucher als Stuttgart Einwohner hat, wollen den Festzug sehen. Über zweihunderttausend Menschen säumen die Esslinger Straße, die Hauptstätter Straße, die Tübinger Straße und die Königstraße bis hin zum Schlossplatz. Jeder neunte Württemberger sei in die Landeshauptstadt gekommen, berichten später die Zeitungen.

Zehntausend Männer und tausend Frauen stellen sich seit acht Uhr rund um den Charlottenplatz auf. Dazu fast siebenhundert Reiter und dreiundzwanzig

Pferde- und Ochsengespanne. Aber nur ein Viererzug ist dabei, der vom Finkenberger.

Schon früh am Morgen hat er seine schwarzen Rösser gewaschen und gestriegelt, die Hufe mit Stiefelwichse geschwärzt, die Kummete geölt, den Gäulen die bestickten Ohrenschützer und Stirnbänder übergezogen, die Scheuklappen aufgesetzt, das Zaumzeug poliert und mit Bändern und Blumen geschmückt. Dann hat er den Wagen gewienert, Girlanden rundum aufgehängt, Kränze angebracht. Vorn verkündet jetzt eine große Tafel: Schnellbus Stuttgart – Ludwigsburg – Linnfurt. Auf beiden Seiten steht auf Bändern: Linnfurt grüßt seine Majestät! Hinten wirbt ein Schild: Linnfurt, das Paradies im Diesseits.

Der Finkenberger ist in den Linnfurter Stadtfarben schwarz-rot gekleidet. Er trägt schwarze Reitstiefel, eine schwarze Reithose und ein rotes Wams über dem weißen Hemd. Dazu einen roten Zylinder mit schwarzem Rand.

Auf dem Kutschbock neben ihm hockt jetzt der Schultes in schwarzer Hose, schwarzem Kittel, rotem Wams und schwarzem Zylinder, auf dem rote Blumen wippen.

Die vier Linnfurter im hinteren Wagen sind schon in bester Stimmung, bevor sich der Festzug in Bewegung setzt. Sie prosten der jubelnden Menge zu, gönnen auch mal einem durstigen Zuschauer einen Schluck und singen die Lieder rauf und runter, die ihnen der Unterlehrer im Liederkranz beigebracht hat. Der Knöpfle hat schon eine schwere Zunge und fragt mit glasigen Augen, wo denn die vielen Leute herkämen.

Der Häfnerbauer ist nicht dabei. Er sitzt auf einem geliehenen Gaul ganz vorn bei den Fahnenträgern, in der zweiten Abteilung des Festzugs. Pfarrer Abel hat sich weiter hinten in die neunte Abteilung einreihen müssen, bei der Geistlichkeit des Landes. Verdrießlich hat er dreingeschaut, als er sich von seinen Reisegefährten verabschiedete. Ausgerechnet die Pfarrer werden nicht gefahren, sondern müssen die ganze Strecke zu Fuß zurücklegen. „Das hat uns die Regierung eingebrockt“, schimpft er, „weil wir ihr immer wieder den Spiegel vorhalten.“

Um halb elf befehlen drei Kanonenschüsse: Abmarsch! Der Zug setzt sich in Bewegung. Erst Richtung Königstraße, dann hinunter zum Schloss. Genau um elf Uhr erreichen die ersten siebzig Pferde den äußeren Schlossplatz. Die Glocken aller Kirchen der Stadt beginnen zu läuten. Sie beglückwünschen Ihro Majestät zum gestrigen 60. Geburtstag und zum bevorstehenden 25-jährigen Thronjubiläum.

Vor dem Mittelbau des Schlosses steht der König. An seiner Seite der Thronfolger, Kronprinz Karl, achtzehn Jahre alt und Student in Berlin. Erwartungsvoll sehen sie den Zug nahen, der vom äußeren Schlosshof in den inneren einbiegt und an der neu errichteten, hölzernen Festsäule wieder zur Königstraße zurückführt.

An der Spitze des Zuges reitet die Bürgergarde der königlichen Residenzstadt in Paradeuniform. Es folgen drei berittene Herolde. Dann vierundzwanzig Trompeter, auch sie hoch zu Ross.

Die zweite Abteilung bilden die Flaggenträger. Der erste Reiter präsentiert die originale Landesfahne, die König Wilhelm bei seinem Regierungsantritt selbst entworfen hat. Ihn eskortiert die Fahnenwache. Es folgen die Flaggen der vier Regierungsbezirke, dann die der sieben guten Städte, wie es in der traditionsreichen württembergischen Verfassung heißt: Stuttgart, Tübingen, Ludwigsburg, Ulm, Heilbronn, Reutlingen und Ellwangen. Schließlich die Flaggen der übrigen Städte des Landes: Esslingen, Vaihingen, Calw, Neuenbürg, Wildbad, Nürtingen, Rottenburg, Rottweil, Gmünd, Hall, Heidenheim, Biberach, Göppingen, Kirchheim und Ravensburg. An letzter Stelle reitet der Häfnerbauer. Er schwingt die schwarz-rote Linnfurter Flagge mit aufgesticktem Stadtwappen: rote Trauben auf schwarzem Grund, darüber ein weißes Feld mit einem schwarzen Kreuz. Dass er den Schluss dieser Abteilung zieren darf, wurde dem Häfner von höchster Stelle anbefohlen, weil die Linnfurter Stadtfarben mit den württembergischen Landesfarben übereinstimmen.

In der dritten Abteilung ziehen Veteranen der Napoleonkriege und Soldaten der württembergischen Armee mit Trommeln und Pfeifen vorbei. In der vierten marschieren zweihundert Ehrenjungfrauen vorweg, gefolgt von den gewählten Abgeordneten des Landtags. Die Abteilungen fünf bis zwölf präsentieren die Land- und Forstwirtschaft, das Gewerbe, den Handel, die Schulen und Hochschulen, die Geistlichkeit, die Mitglieder der Ständekammer, den königlichen Hofstaat und schließlich die Vereine: Liederkränze, Schützengesellschaften und Turnvereine.

Gegen zwölf biegt der Vierspänner unter dem Applaus von etlichen zehntausend Menschen auf den inneren Schlossplatz ein. Er führt die Weinbaudelegationen im Festzug an.

Der Adjutant flüstert seinem König ins Ohr: „Euer Majestät, das sind die Linnfurter. Der Dicke auf dem Kutschbock“, der Lakai deutet mit dem Finger, „der mit den roten Blumen auf dem Zylinder, das ist der Schultheiß Frank.“

Wilhelm I., vom langen Stehen und dem ständigen Grüßen und Winken reichlich ermattet, strafft sich. Das prächtige Gespann, das auf ihn zufährt, imponiert ihm. „Heidenei, die Linnfurter schießen mal wieder den Vogel ab“, sagt er anerkennend.

Der geschmückte Wagen hält. Der Schultes, drei gefüllte Gläschen in der Hand, steigt vorsichtig vom Bock. Der Finkenberger windet die Zügel um die Handbremse, dann folgt er dem Stadtoberhaupt mit einem schweren Korb voller Linnfurter Spezialitäten: Wein, Schinken, frische Walnüsse, zuckrige Trauben, goldgelbe Äpfel und saftige Birnen. Es hat sich bis nach Linnfurt herumgesprochen, dass der König Nüsse zum Wein liebt und frisches Obst.

„Aberjetza, Majestät, haben wir dir was Gutes mitgebracht!“ Das Stadtoberhaupt von Linnfurt überreicht mit einem artigen Diener, soweit es sein Bauchumfang zulässt, dem König ein Gläschen. Dann dem Thronfolger. Der Finkenberger drückt derweil dem miesepetrigen Adjutanten den Korb in die Hand.

„Gell, dazu könnte man jetzt einen Apfelkuchen vertragen“, sagt der Thronfolger zum Schultes und prostet ihm und seinem Vater zu.

Der König beißt und schlürft genießerisch. „Awa, der ist saugut, Schultes“, lobt er seinen Untertanen.

Der Schultes nutzt die Gelegenheit, sozusagen von Stadtoberhaupt zu Staatsoberhaupt, ein ernstes Wörtchen zu wagen: „Wenn Deine Minister einen anderen Termin für das Festle rausgesucht hätten, dann wären wir Linnfurter heute mit tausend Mann da.“

„Ja, ist der heutige Termin so schlecht?“ Der König dreht sich erstaunt zu seinem Adjutanten um.

„Wir müssen ja auch noch was schaffen, Majestät. Mitten im Obsten und Öhmden kann man nicht fortlaufen. Und nächste oder übernächste Woche fangen wir mit der Traubenlese an. Ende Oktober wär der Umzug grad recht gewesen.“

„Dass du trotzdem gekommen bist, Schultes, das freut mich. Aber etwas musst du mir noch versprechen.“

„Was?“

„Dass ihr morgen mit eurem schönen Wagen auch auf dem Cannstatter Wasen dabei seid.“

Der König sieht die Sorgenfalten im Gesicht seines Untertanen. Deshalb sagt er, mit einem kurzen Seitenblick zu seinem Adjutanten: „Die Kosten für den Wagen und für deine Leute übernehmen wir.“ Grinsend fragt er die Linnfurter Delegation: „Recht so?“

Was bleibt dem Schultes anderes übrig, als ja zu sagen, zumal seine Mitfahrer auf dem Wagen, weinselig gestimmt und in bester Laune, ihrem König bereits zugejubelt haben. Aber er stellt eine Bedingung: „Dann musst du uns im schönen Linnfurt auch mal besuchen. Wir hängen die Füß in die Linn, gucken den Fischen zu und schlotzen ein paar Schoppen. Dann musst du dir nicht das Geseiere von deinen Ministern anhören." Er rollt die Augen und deutet kurz mit dem Kopf kurz in Richtung des Adjutanten. „Aber kommst ohne deine Lackaffen."

Der König nickt und schmunzelt, der Thronfolger lacht. Nur der Adjutant verzieht das Gesicht, als habe er eine Flasche Essig auf einen Zug leeren müssen.

Noch ein kurzes Zuprosten, dann wird wieder aufgesessen. Mit Peitschenknall geht's weiter, vom König und dessen Sohn huldvoll applaudiert.

Um halb eins verstummen die Glocken und Kanonen. Die letzte Abteilung ist auf dem Schlossplatz angekommen. Über siebzig Gesangvereine aus dem ganzen Land nehmen Aufstellung. Tausendstimmig tragen sie das eigens für diese Feier gedichtete und komponierte Festlied vor.

Dann spricht der Stadtschultheiß von Stuttgart ein kurzes Dankeswort und bringt ein Lebehoch auf den geliebten Landesvater aus. Zehntausendfach schallt es über den Platz: „Lang lebe unser König!"

Sichtlich gerührt nimmt König Wilhelm die Ehrung entgegen. Zum Schluss singen die Chöre und die Menschenmenge den Choral *Nun danket alle Gott*.

Gleich danach ziehen die Abteilungen in ihre Quartiere davon. In den geschmückten und beflaggten Straßen Stuttgarts hört man aber noch lange den Ruf „Es lebe unser König!"

*

Schultes und Pfarrer, mit Sauerkraut und Bratwürsten frisch gestärkt, schlendern durch die festlich dekorierte Innenstadt. Eigentlich sind beide rechtschaffen müde nach dem Umzug. Der eine vom vielen Grüßen und Saufen. Der andere vom vielen Gehen und Stehen. Außerdem hat Abel bereits die Stände und Lauben mit ihrem reichhaltigen Warenangebot besichtigt.

Der Pfarrer zerfließt vor Selbstmitleid. Er jammert die ganze Zeit, weil ihm die Füße wehtun. Überdies ärgert ihn der Gestank: „Überall Rossbollen und Pferdeurin. Dagegen duftet ein Kuhstall wie eine ganze Flasche Parfüm.“ Dem Schultes ist das egal. Stallgeruch ist ihm ebenso vertraut wie Gaststube, Misthaufen und Natur. Er nickt abwesend und malt sich aus, wie er den König in Linnfurt empfangen könnte.

Vor der Sonnewaldschen Buchhandlung bleibt der Pfarrer stehen. Das Festbuch *König Wilhelm und sein Volk* sticht ihm ins Auge. Er betritt das Geschäft und bittet den Ladner, einen Blick in das Buch werfen zu dürfen. Ein kurzes Studium des Inhaltsverzeichnisses, ein schnelles Durchblättern, schon zückt er die Geldkatz. Das sei ein wunderbares Erinnerungsstück an den heutigen Tag, sagt er zum Schultes, es sei ihm die achtundvierzig Kreuzer wert.

Der Schultes hat’s nicht so mit dem Lesen. Darum kauft er sich für sechsunddreißig Kreuzer den reich bebilderten *Jubiläums-Courier,* in dem nur ganz wenig Text ist. Und seiner Frau nimmt er zwei kupferfreie Dosen als Reisemitbringsel mit, die mit dem Bild des

Königs verziert sind. Sie stammen aus der königlich privilegierten Dosenfabrik, versichert der Verkäufer; die Scharniere seien garantiert lange haltbar.

Sie machen kehrt, weil sie vom Schlossplatz das Feuerwerk anschauen wollen. Dabei kommen sie an einem Gebäude vorbei, in dessen Fenstern *Württembergische Spar-Casse* geschrieben steht.

Abel schaut am Haus hinauf: „Darüber habe ich schon im Merkur gelesen. Die hat unser König bald nach seinem Regierungsbeginn gegründet."

Er winkt dem Schultes: „Kommen Sie. Das interessiert mich."

Sie betreten die Bank und lassen sich erklären, wie das Geschäft funktioniert. Bringt man zum ersten Mal Geld, dann bekomme man ein Einlagen-Buch. Der Bankier, der sie berät, holt eines. Es ist ein Heftchen mit wenigen Seiten, in dem zwei Männer der Bank auf vorgedruckten Zeilen und Spalten eintragen und mit Unterschrift bestätigen müssen, wie viel Geld sie an welchem Tag entgegengenommen haben. Wenn man wieder etwas einzahlt oder von seinem Guthaben etwas zurückhaben will, dann wird das auch im Heftchen vermerkt. Für das Guthaben bekommt man am Jahresende zwei Prozent Zinsen. Möchte man von der Bank Geld leihen, muss man einen Schuldschein unterschreiben und vier Prozent Schuldzinsen zahlen.

Der Pfarrer ist begeistert, und der Schultes wird nachdenklich. So etwas in Linnfurt, das wär's.

„Dann könnten wir solchen Malefizaffen wie dem Läpple das Wasser abgraben", sagt der Schultes. Abel stimmt ihm sofort zu. „Wenn wir nicht schnell handeln, wird es schon bald einen neuen Läpple geben, der Geld zu Wucherzinsen verleiht."

Sie schlendern plaudernd weiter, vertiefen das Gesehene, bis sich ein Gedanke bei ihnen festsetzt: Eine Bank, von ehrlichen Leuten geführt, zum Beispiel von Männern des Armenkastens, wäre ein Segen für ganz Linnfurt.

Auf dem Schlossplatz genießen sie inmitten jubelnder Menschen das erste Feuerwerk ihres Lebens. Es wird zwar auf der Prag abgebrannt, ist aber von hier aus gut zu sehen. Auf allen Höhen über Stuttgart lodern Feuer. Sie tauchen die Stadt in ein rötliches Licht, das den warmen Herbstabend verzaubert. Ein Gesangverein steht an der hölzernen Siegessäule und singt patriotische Lieder.

Danach fühlen sich beide Herren matt und schläfrig. Es ist ja auch schon spät. Sie machen sich auf *Zum König von Württemberg.* In diesem Gasthaus logiert die Linnfurter Delegation, weil der Schultes den Besitzer gut kennt. Zum heutigen Tag hat Eduard Schildknecht, wie viele Stuttgarter Gastronomen, sämtliche Zimmer weißeln und seinen Festsaal mit Wandbildern aus der württembergischen Geschichte ausmalen lassen.

Die Linnfurter Reisegenossen sind schon da. Sie bechern im Schanksaal, sprechen mit schwerer Zunge und sind heilfroh, dass sie nachher nicht mehr die Treppe hinaufmüssen. Gleich unter der Stiege können sie sich, voll des süßen Weines, auf Strohsäcke fallen lassen. Weil es in der ganzen Stadt kein freies Bett mehr gibt, hält Schildknecht, wie andere Stuttgarter

Wirte auch, Strohsäcke bereit, die er nach der Sperrstunde in der Schankstube und im Festsaal auslegen lässt.

In der einen Ecke des Saales ist ein kleines Podest. Dort sitzen fünf Männer und machen Harmoniemusik. Auch beim König geht es bestimmt nicht fideler zu. Vielleicht hat man bei Hofe acht oder neun Musiker, aber hier genügen eine Posaune, eine Trompete, eine Oboe, eine Klarinette und ein Fagott, um den Gästen ordentlich die Ohren vollzublasen.

Abel verzichtet aufs Nachtmahl und zieht sich sofort in seine kleine Kammer im Dachgeschoss zurück.

Der Schultes nächtigt in Schildknechts Privatwohnung im zweiten Stock. Vor dem Zubettgehen sitzt er mit seinem Wirtskollegen noch auf einen Schoppen direkt vor dem Schanktisch. Der Gastgeber schwärmt vom Festzug und vom Cannstatter Wasen. Der Schultes hört zunächst zu. Dann kommt er auf den Mordfall in Linnfurt zu sprechen und auf die vergebliche Suche nach einem Versteck. Alles habe er durchstöbert und abgeklopft, sagt der Schultes, die Dachbalken ebenso wie die Wandverkleidung. Nichts. Keine Spur von dem vielen Geld.

Da suche er an der falschen Stelle, lacht der Schildknecht. Türchen in der Wand oder auf dem Dach seien viel zu auffällig. Sogar gut getarnt hätte jeder Beobachter im Haus bald heraus, wo etwas verborgen ist. Das häufige Herumschleichen um solche Stellen falle mit der Zeit sogar einem Blinden auf. Nein, nein, winkt er ab, da gebe es elegantere Möglichkeiten.

Der Schultes kneift die Augen zusammen. „Welche denn?"

In viele Möbel könne man Geheimfächer einbauen lassen. Das würden viele Stuttgarter bevorzugen, die etwas verstecken und nicht zur Bank tragen wollen.

Dann beauftragt der Wirt eine Schankmagd, ihn für eine Viertelstunde zu vertreten. Er führt den Schultes in seine Wohnung hinauf. In der Wohnstube ist auf dem Sofa ein Gästebett hergerichtet.

„So, Fritz", sagt der Schildknecht und grinst, „jetzt such mal, wo was versteckt sein könnte."

Der Schultes beäugt die Möbel, klopft sie mit den Knöcheln ab. Nichts.

Sein Stuttgarter Kollege lacht. „Ich geb dir einen Rat. Guck dir die Siedel genau an."

Die Truhe ist etwa hüfthoch, zwei Schritt lang, hat oben einen Deckel und ist außen rundum bemalt. „Ist ein doppelter Boden drin?"

„Kalt! Aber nicht schlecht. Könnte man auch machen."

Der Schultes klappt den Deckel hoch. Wäsche ist drin. Er beklopft die Wände außen und innen.

„Kalt."

„Ich seh aber nix!"

Der Schildknecht greift unter den Deckelrand und zieht ein Brett heraus. Eigentlich ist es eher eine dünne Schublade. Sie ist leer. Viele Leute verstecken da ihr Geld, erklärt er, und Wilderer ihr Pulver und Blei.

„Und in dem Schrank hast auch ein Versteck?"

„Im Tisch und im Schrank."

Der Schultes reißt Mund und Augen auf. Er ist wieder hellwach. Ächzend bückt er sich und kriecht unter den Tisch. Vier schräg stehende, breite Beine aus Eichenholz, die in der Mitte zusammengeleimt sind. Sonst nichts. Er besieht und betastet alle Kanten, ob sich aus der Tischplatte eine Lade herausziehen lässt. Auch nicht. Kopfschüttelnd steht er wieder auf und bestaunt das Wunderwerk.

„Guck! Ganz einfach." Der Schildknecht packt den Tisch mit beiden Händen an einer Seite und zieht die Platte zu sich heran. Da, wo die vier Beine zusammenlaufen, wird ein geräumiges Fach sichtbar. Papiere liegen drin, auch ein Buch und ein paar Schmuckstücke. Die nimmt der Hausherr heraus und hält sie dem Schultes hin. Eine Brosche, ein Ring, ein Armband und ein Halsband. Alles aus Gold.

„Solche Tisch gibt's haufenweise in Tirol. Manche Leut haben ihr Geld da drin, andre ihre Würste. Wieder andere, wie ich auch, die wichtigsten Papiere und die Erbstücke von meiner Mutter."

„Aberjetza, Eduard, zeig mir noch, wie das beim Schrank geht."

Da gebe es, je nach Bauart, viele Möglichkeiten, sagt Schildknecht und stellt sich vor seinen Schrank. Manche hätten einen doppelten Boden oder doppelten Deckel, so wie bei der Truhe. Andere, sein Schrank auch, besäßen eine doppelte Rückwand. Er öffnet beide Schranktüren, bückt sich, tastet mit dem Finger unter einem Einlegebrett herum, schon springt eine Klappe heraus und öffnet ein Fach an der Rückwand.

„Ein paar hundert Gulden könnte man schon verstecken“, sagt er stolz.

„Schlag mich‘s Blechle“. Der Schultes muss sich setzen. Er ist fix und fertig. So etwas hätte er nicht vermutet.

*

Kurz nach dem Abendläuten kommt der Pferdeomnibus vor dem Rebstöckle an. Der Knöpfle hat die Mitreisenden zur Nachfeier in seine Weinstube eingeladen. Drei Tage zum Schwanzen fort, nicht nur mitten in der Erntezeit, sondern auch unter der Woche, das muss begossen werden. So etwas hat es seit Jahrhunderten nicht mehr in ihrer Stadt gegeben.

Wären da nicht das Lob des Königs über ihren glanzvollen Auftritt in der Landeshauptstadt und das königliche Versprechen, bald zu Besuch zu kommen, die Festzügler wären auf Jahre hinaus bei den Linnfurtern untendurch. Aber so werden sie wie Weltumsegler gefeiert und können die eingewurzelten Schluckspechte im Rebstöckle mit allerlei Schnurren und Anekdoten beglücken, die sich in Windeseile im Ort verbreiten.

Besonders der Wasen, das Cannstatter Volksfest, ist für die Zuhörer eine große Gaude: Pferderennen, Wettpflügen, Prämierung der schönsten Kühe, Ochsen und Pferde, Seiltänzer, Moritatensänger, Kasperletheater, Mastbaumklettern, Wurst- und Sauerkrautstände, Zwerge und Riesen, wilde Tiere, Musikanten und Drehorgelmänner. Auch das große Stuttgarter Schloss, der Schlossplatz, die Königstraße, die schönen Geschäfte rufen viele Ahs und Ohs hervor.

„Da wollen wir auch hin!", ist der erste Satz, den einer aus dem Publikum nach langem Staunen stammeln kann.

„Und zwar gleich!"

„Morgen!"

„Ihr spinnt ja!" Der Schultes wird ärgerlich. Immerhin sei noch Erntezeit. Da könne man doch nicht davonlaufen. Sonst verfaule das Obst, vergammele die Öhmd, übernähmen die Vögel die Traubenlese.

Heftiger Widerspruch. So etwas ist dem Stadtoberhaupt schon lange nicht mehr widerfahren.

Selber auf Lustreise, aber anderen ein bisschen Vergnügen verwehren wollen, maulen die Weinzähne. „Wir wollen auch einmal etwas sehen."

Sie beschwören den Finkenberger, eine regelmäßige Linie nach Stuttgart einzurichten. Wann er das nächste Mal nach Stuttgart fahre, löchern sie ihn, wie viel es kostet, und … ?

Der Schultes steht leise auf und schleicht sich davon. Er muss noch heute Abend Gewissheit haben.

Missmutig stapft er durch die Krumme Gasse, dann das Wuselgässle hinauf, die Paul-Gerhard-Straße entlang, überquert die Jakobsgasse und biegt in die Foltergasse ein. Im Läpplehof brennt noch Licht in der Küche. Er klopft ans Fenster. „Anna, mach auf!"

Die Läpple steht unter der Tür, ihren Jüngsten auf dem Arm, und hört sich an, was der Schultes zu sagen hat. Dann bittet sie ihn in die gute Stube, entschuldigt sich für einen Augenblick, denn sie wolle das Kind zur Schwägerin in die Küche bringen.

Gemeinsam untersuchen sie die Einrichtung der Wohnstube. Die anderen Möbel im Haus kämen nicht in Frage, meint die Läpple, zu alt seien die, außerdem ständig im Blick des Gesindes, wie zum Beispiel in der Küche. Oder sie stünden an so abgelegenen Stellen, dass es schon sehr aufgefallen wäre, wenn sich ihr Mann da öfters aufgehalten hätte.

Der Tisch hat kein Geheimfach unter der Platte, das haben sie schnell heraus. Beim Schrank brauchen sie eine Weile, bis sie alle Möglichkeiten ausprobiert haben. Keine schmale Lade im Boden oder im Deckel, auch kein Fach in der Rückwand. Auf Herz und Nieren haben sie den Schrank untersucht. Nirgendwo eine Feder, ein Knopf oder eine Auskerbung, womit sich ein Versteck öffnen ließe.

In der Truhe werden sie allerdings fündig. Wie beim Schildknecht ist unter dem Deckelrand ein kleiner Knubbel, an dem sich ein ausgehöhltes Brett herausziehen lässt. Goldmünzen! Zwanzig Stück!!

Die Läpple weint vor Glück. Aber der Schultes will von einem Erfolg nichts wissen. Das könne nur ein kleiner Teil des Vermögens sein. Wer Geld von ihrem Mann wollte, habe ausschließlich Silbergulden bekommen. Das Gold in der Lade sei vielleicht eine Art eiserne Reserve. Oder Brautgeld vom Schwiegervater?

Nein, nein, wehrt die Läpple ab. Ihr Vater habe die ganze Aussteuer, die neuen Möbel und etliche Gerätschaften für Haus und Hof bezahlt, aber nur wenig Silbergeld dazu gegeben.

Wo noch suchen?

Sie drehen die Stühle um. Sie nehmen die Bilder von der Wand. Sie räumen das Büffet aus und zerlegen es in alle Einzelteile.

Nichts. Kein Silbergeld. Auch kein Schuldnerbuch.

„Aberjetza, wenn dein Vater die Möbel bezahlt hat, dann hast du vielleicht noch die Rechnung?“

„Die hat mein Vater. Er hat alles bezahlt. Aber ich weiß noch, wie der Schreiner heißt: Höfele. Gleich am Marktplatz in Hohenburg soll er sein.“

„Weißt, Anna, ich denk so: Da muss was in den neuen Möbeln sein. Du hast ja selber gesagt, dass dein Johann keine Leute in seine Wohnstube gelassen hat.“

„Schultes, was sollen wir jetzt machen?“

„Den Schreiner fragen. Etwas anderes bleibt uns ja nicht übrig.“

„Aber dann weißt du immer noch nicht, wer meinen Johann gemeuchelt hat.“

Der Schultes kratzt sich verlegen am Kopf. Er nickt nachdenklich.

„Aber das Geld muss aus dem Haus.“

„Warum?“

„Das bringt Unglück. Nur das, was mir wirklich gehört, behalte ich.“

Er fragt, ob sie Papier und Schreibzeug hat. Sie öffnet das Büffet und zeigt ihm Tintenfass, Federkiel und ein paar Zettel, die auf der Rückseite unbedruckt sind. Er setzt sich wortlos an den Tisch, schreibt einen Schuldschein über zwanzig Goldmünzen und dreißig

Silbergulden, gibt ihr den Schein und zählt ihr dreißig Gulden in die Tasche ihrer Kittelschürze.

„Was soll ich damit?"

Er legt den Zeigefinger auf die Lippen und verpflichtet sie zum Schweigen. Nur Pfarrer Abel werde er einweihen. Sie solle weiterhin behaupten, die Barschaft ihres Mannes sei unauffindbar. Sogar der Pfarrer und der Schultes hätten vergeblich danach gesucht. Was sie unbedingt zahlen müsse, könne sie von den Silbergulden bestreiten. Das sei geliehenes Geld, solle sie auf Nachfrage sagen. Von wem sie es habe, sei allein ihre Sache.

Er steckt die zwanzig Goldstücke in seine Hosentasche und wendet sich zum Gehen, doch sie hält ihn zurück. Sie müsse ihm noch etwas sagen.

„Gestern ist die Agathe da gewesen."

„Dem Scharwächter seine Agathe?"

„Ja! Sie müsse mir etwas beichten." Und dann erzählt sie, der Scharwächter habe von ihrem Mann fünfzig Gulden geliehen. Ultimo September sei die Rückzahlung fällig. Dazu fünf Gulden für Zins. Aber weil der Johann inzwischen tot ist, müsse sie wohl ihr das Geld geben. Unter Tränen habe die Agathe gefleht, die Summe zu stunden und keine Anzeige zu machen. Wer sorge für ihre Kinder, wenn ihr Mann ins Gefängnis käme?

Der Schultes wird kreidebleich und verabschiedet sich schnell.

*

Keine zehn Minuten später sitzt das Stadtoberhaupt beim Scharwächter in der Küche. Wäsche hängt über dem Herd. Am Fenster grünt der letzte Peterling *[Petersilie]*. Auf dem Boden steht ein kleiner Zuber. Der Hilfspolizist hat seine Füße gebadet. Er ist stocknüchtern, macht aber ein besorgtes Gesicht. Seine Frau und seine Kinder hat er vorsorglich ins Nebenzimmer gesperrt, als er durchs Fenster gesehen hat, wer ihn besuchen kommt. Dass ihn der Schultes beehrt, kann nichts Gutes bedeuten. Ängstlich und nervös hockt er am Tisch. Er erwartet ein Unwetter. Trotzdem versucht er es mit Galgenhumor.

„Soll ich gleich einen Eimer holen?“, fragt er und sieht seinen Besucher treuherzig an.

Der Schultes stutzt. Er kapiert nicht.

Ja, meint der Scharwächter treuherzig, der Herr Stadtpräsident sei gewiss gekommen, um ihm die Füß abzuschlagen. Dann müsse er doch irgendwo seinen Allerwertesten hintun. Da würde so ein Eimer praktische Dienste leisten.

Beim Schultes blitzt ein leichtes Grinsen auf. „Bist heut wieder gut drauf?“ Aber er will diesem Kerl da Respekt abnötigen. Also zwingt er sich zu einem bärbeißigen Gesicht. „Hanswurst, blöder!“, eröffnet er das Verhör, und zwar laut und streng, will er doch seinem Gegenüber gleich den Schneid abkaufen.

Der Aushilfsgendarm zieht das Genick ein. Er hat verstanden. Ein schweres Gewitter naht mit Hagel, Blitz und Donner.

„Aberjetza, raus mit der Sprache.“

„Ich versteh nicht.“

„Du weißt genau, was ich wissen will."

„Lass mich raten: Du willst gucken, ob ich besoffen bin." Der Beschuldigte grinst verlegen. „Bin ich aber nicht! Kannst meine Frau fragen."

Der Schultes winkt ab. „Du bist doch nicht ganz gebacken!" Das Maß sei endgültig voll. Noch ein Rausch, und er suche sich einen neuen Hilfspolizisten. In puncto Alkohol kenne er keinen Pardon mehr. Weder heute noch in Zukunft. „Tu nicht so, als ob du nicht wüsstest, dass ich wegen dem Läpple da bin, du Scherenschleifer!"

Der Uniformierte kratzt sich verlegen am Kopf. „Ich weiß nicht, Herr Bürgermeister, was Sie von mir wollen."

„Affendackel, Oberdibbel, Allmachtsbachel! Denk nach!"

Der Beschuldigte schaut seinen Vorgesetzten scheu an, als könne er kein Wässerchen trüben.

„Wann hast du den Läpple zum letzten Mal gesehen?"

„Wie er in den Brennnesseln gelegen ist."

„Zum Donnerwetter! Lüg mich nicht an!"

„Ich schwör's. Das ist die Wahrheit. Die ganze Wahrheit und nichts als die reine Wahrheit."

Der Schultes schlägt ärgerlich mit der Hand an seiner Nasenspitze vorbei, als ob er sieben Fliegen auf einen Streich erlegen muss. „Vorher, du Hennenmelker!!"

Der Scharwächter macht gottergeben die Augen zu. Er spielt auf Zeit und tut so, als müsse er nachdenken. Dann schaut er den Gast unsicher an: „Ich weiß es nicht mehr. Das muss zu jener Zeit gewesen sein, als ich nicht immer ganz bei mir war.“

„Dann hast du also im Suff fünfzig Gulden vom Läpple geliehen?“

Dem Scharwächter fallen fast die Augen aus dem Kopf. Er wird blass. „Woher …?“

„Ja oder nein?“

Der Gescholtene windet sich wie ein Aal. Er sieht zur Tür, hinter der seine Frau steht. Das spürt er. Hat sie vielleicht etwas verraten?

„Aberjetza mach’s Maul auf!“

„Da musst du meine Frau fragen.“

„Hast du das Geld geliehen oder deine Frau?“

„Ich hab kein Geld gebraucht.“

Dem Schultes wird es zu dumm. Hier kann und will er den Scharwächter nicht in den Senkel stellen. Die Kinder nebenan könnten es hören. Darum steht er auf und ordnet an, dass der Scharwächter morgen früh um Viertel nach sieben in die Linde kommen muss. Gewaschen, rasiert und nüchtern. Seine Frau solle er mitbringen.

*

Am nächsten Morgen, Viertel nach sieben. „Ihr wartet hier!“ Der Schultes reibt sich mit der Hand das Gesicht, als sei ihm die Sache zuwider. Dann verlässt er wortlos den Raum und lässt den Scharwächter samt Gattin allein. Er will die zwei piesacken und weichkochen. Also lässt er sie zappeln. Noch einmal werden sie ihn nicht zum Narren halten.

In der Küche hockt er sich an den Tisch und sieht seiner Frau und seiner Tochter beim Karottenputzen zu.

„Schaff was, du fauler Stinker“, sagt Minna, steht auf, drückt ihm ein Messer in die Hand und stellt ihm eine Schüssel voller Kartoffeln hin. „Äbira schälen!“ Sie rollt die Augen und seufzt: „Das kannst doch hoffentlich.“

Er tut so, als bemerke er die scheelen Blicke nicht. Die Zunge zwischen den Zähnen, fängt er an, eine Kartoffel zu schälen. Immer im Kreis herum schnitzt er ein Stückchen ab, bis ein Würfelchen übrigbleibt. Das betrachtet er von allen Seiten, schneidet da noch etwas weg, bohrt dort mit der Messerspitze ein Äuglein hinein. Dann nimmt er Maß und wirft es gekonnt in den bereitstehenden Kochtopf. Das Wasser spritzt auf.

Magda kichert vor sich hin. Ihre Mutter grinst bis hinter die Ohren, weil sie ihren Fritz zum ersten Mal in ihrem Leben Kartoffeln schälen sieht.

„Was soll das werden, Vater?“

„Kunst.“ Er sagt es mit einem spitzen –st.

„Wir brauchen keine Kunst, wir wollen Äbire mit Spätzle“, faucht ihn seine Frau an.

Der Schultes lässt sich nicht davon abhalten, pfeifend drei weitere Kunstwerke herzustellen. Als er beim fünften ist, klopft es an der Tür.

Die Lindenwirtin öffnet mit dem Ellbogen, denn sie hat mehlige Hände. Der Unterlehrer steht draußen. Die Wirtstochter strahlt übers ganze Gesicht, als habe sie eben ein achtbeiniges Wunderpferd geschaut. Sie wird rot, streicht sich die Haare glatt und wirft dem jungen Mann feurige Blicke zu.

Der Schultes lässt das Messer fallen und steht auf. „Aberjetza leckt mich am Arsch“, sagt er, wischt sich die Hände am Hosenboden ab, schiebt den Unterlehrer wieder durch die Tür und schmeißt sie hinter sich zu.

Im Büro muss sich der Lehrer an den Schreibtisch setzen. Der Schultes nimmt neben ihm Platz. Die Besucher müssen stehen. Vor dem Richter sei das auch so, hat er einmal gehört.

„Unser Herr Lehrer muss ein Protokoll machen und aufschreiben, was ich frag und was ihr sagt“, wendet er sich an den Scharwächter und dessen Frau. „In einer halben Stund fängt die Schule an. Also macht keine Fisimatenten. Sonst raucht's.“

Der Lehrer holt Schreibzeug und einen neuen Kanzleibogen aus der Schublade. Dann nickt er dem Stadtoberhaupt zu.

„Aberjetza, wie war das mit dem Läpple?“

Der Scharwächter druckst herum. Schließlich sagt er: „Ich hab kein Geld gebraucht.“

„Wer dann?“

„Schultes, i han …“, will sich die Scharwächterin rechtfertigen.

„Hochdeutsch, Agathe, dein Lettengeschwätz kann der Herr Lehrer nicht aufschreiben.“

„Ich hab ein Gärtle kaufen wollen aus der Gant von einer ausgewanderten Familie. Da hab ich mein Krautgärtle machen wollen.“

„Und dann ist meine Agathe zum Läpple und hat gesagt, dass sie fünfzig Gulden braucht.“

„Lass mich schwätzen, Gottlob.“ Sie strafft sich und gibt sich einen Ruck. „Dann bin ich zum Läpple und hab gesagt, dass er mir Geld geben muss.“

„Warum?“

„Weil er mir noch was schuldig ist.“

„Der Läpple? Dir etwas schuldig?“

Der Scharwächter rutscht auf seinem Stuhl hin und her. Dann fasst er sich ein Herz. „Der Saukerl ist ja an allem schuld.“

„An was?“

„Dass meine Agathe in die Schand gekommen ist.“

Dem Lehrer stockt die Feder. Der Schultes greift sich an die Stirn und schluckt trocken. Der Läpple und die Agathe? Alles hätte er sich vorstellen können, aber das?

Sie weint und zieht die Nase hinauf. „Er hat bloß gelacht.“

Der Scharwächter sieht seine Frau mitleidig an. „Dann bin ich zum Läpple und hab ihm gesagt, dass ich ein paar Sachen wissen tät, die auch die Gendarmen interessieren.“

„Und dann hast unterschrieben?“

Beide nicken.

„Fünfzig Gulden und fünf Gulden Zins“, sagt der Hilfspolizist mit betrübtem Gesicht. „Bis Ultimo September.“

Der Unterlehrer lässt vor Schreck den Federhalter fallen. Tinte spritzt über das Papier. „Bei einer Laufzeit von vier Monaten sind das ja überschlägig dreißig Prozent Zins!“ Hastig reißt er die Schublade auf. „Kein

Löschpapier, Herr Bürgermeister?“ Er sucht und findet: „Ah, eine Streusandbüchse.“

Der Schultes wendet sich wieder beiden zu. „Ihr wisst doch ganz genau, dass das Wucherzins ist.“ Er schüttelt den Kopf. „Warum seid ihr nicht zu mir gekommen?“

„Weißt, Schultes“, gesteht sie unter Tränen, „mein Gottlob hat gesagt: Geh nicht zum Fürst, wenn du nicht gerufen wirst.“

„Du heiliger Strohsack! Ihr hättet doch niemals fünfundfünfzig Gulden auftreiben können.“

Sie schauen den Schultes bockig an.

Der Schultes begreift. „Also habt ihr Geld geliehen mit der Absicht, es niemals zurückzuzahlen.“

„Der ist mir noch was schuldig“, sagt die Scharwächterin unter Tränen, aber trotzig.

„Ich bin kein Advokat. Aber das riecht doch nach Betrug oder Erpressung.“

Sie wird wild. „Das ist mir scheißegal, Schultes!“ Ihre Augen funkeln wie bei einer Katze in der Nacht. „Ich bin auch wer!“ Erregt, laut und schrill: „Glaubst du, dass der alles machen darf, bloß weil er Geld hat? Der hat mir alles versprochen. Und wo das Kindle da gewesen ist, hat nix mehr gegolten.“ Grimmig fragt sie: „Und was ist dann das?“ Sie stampft auf. Zorn blitzt aus ihren Augen. „Betrug, tät ich sagen!! Vergiften hätt ich den Scheißkerle sollen.“

„Dass der Haderlump jetzt hin ist, das geschieht ihm ganz recht!“, steht der Scharwächter seiner Frau bei. „Dass man so einen Lumpen irgendwann mal erwischt und hinmacht, das ist doch normal!“ Jetzt kocht er vor Wut. „So ein Drecksack, verreckter!! Bringt alle Leut um ihr bissle Leben und lacht einem auch noch frech ins Gesicht! Pfui Teufel!“ Er spuckt auf den Boden. „Der hat doch die Leut schon beschissen, bevor er hat laufen und schwätzen können! Der Sappermenter, der wurmstichige!“

Der Schultes hat den Hilfspolizisten noch nie so wütend gesehen. Ruhig fragt er ihn: „Und was hast du mit seinem Tod zu tun?“

„Nix!!“ Der Scharwächter stampft zweimal auf.

„Die Katharina hat dich aber mit dem Läpple gehört.“

„Die hat doch ein paar Dachsparren offen! Die soll ihre Eier ausbrüten und ihr Maul halten, die dumme Kuh, die verschissene!“

„Sie hat gesagt, dass du mit ihm gestritten hast.“

„Wann?“ Der Scharwächter beruhigt sich langsam, weil ihn seine Frau an der Hand fasst und bettelt: „Komm Gottlob, reg dich nicht so auf.“

„Als der Läpple gemeuchelt worden ist.“

„Kann nicht sein, Schultes!“

„Aberjetza, wo bist du am Sichelhenkensamstag um sechs gewesen?“

„Weiß ich nimmer. Und jetzt lass mich in Ruh.“

„Vielleicht in der Nähe vom Läpple?“

„Ich sag nix mehr.“

*

Um acht stiefelt der Schultes unter dem Wengertturm hindurch zum Städtle hinaus. Es ist hohe Zeit, dass er in seinen Weinberg auf dem Schlossberg kommt.

Er trägt wieder seine abgeschabte, gelblederne Kniehose mit Knieriemen, das geflickte Leinenhemd, den alten, wasserdichten Zwilchkittel, einen blauen Schurz und seine vom Schweiß speckig gewordene blaue Schildkappe mit lackiertem Lederschild.

Auf der langen Treppe zum Schloss muss er schnaufen wie ein Ross. Die steile Lage am Schlossberg ist prächtig für den Weinbau; sie liegt genau nach Süden. Aber sie kostet viel Kraft und Schweiß. Kreuzlahm wird man dabei. Erst die endlosen Treppen, bis man überhaupt in den Wengert kommt. Dann die vielen Stäffele zwischen den Schrannen. Immer treppauf treppab. Beim Schneiden, beim Binden, beim Hacken, beim Lesen, beim Pfählen. Im Herbst zieht man die Pfähle aus dem Boden und deckt die Reben mit Stroh und Erde zu. Im Frühjahr muss man neu pfählen, die Reben aufrichten, anbinden, schneiden, die Schrannen mehrmals hacken und die Trockenmauern ausbessern.

Zum Glück kommt am Jahresende der Christian heim. Der versteht inzwischen mehr vom Weinbau als jeder andere im Städtle, weil er seit zwei Jahren beim Schwager, dem Bruder der Lindenwirtin, in Oberriexingen lernt. Zudem hilft er Pfarrer Steeb, der in dem kleinen Ort einen Versuchsweinberg betreibt. Steeb ist für seine modernen Weinbaumethoden berühmt, weit über die Landesgrenzen hinaus.

Der Schultes lässt sich auf halber Höhe erschöpft auf ein Mäuerle fallen und schaut auf sein geliebtes

Linnfurt hinab. Von oben ist es ein friedliches Städtchen. Über hundertfünfzig Wohnhäuser mit Scheunen, Ställen und Werkstätten. Eine Kirche. Ein Rathaus. Eine Volksschule mit zwei Klassen und eine einklassige, verwahrloste Lateinschule. Eine alte Zehntscheuer, drei Tortürme und ein Nachtwächterturm. Das und noch mehr hat der Unterlehrer im Frühjahr auf Geheiß der Regierung zählen müssen. Neunundneunzig Bauern leben hier, davon fast die Hälfte Weinbauern. Dazu etwa fünfzig Handwerker, drei Gastwirte und ein Viehhändler. Schließlich noch die ansässigen Tagelöhner und viele Knechte und Mägde auf Zeit, die an Martini kommen und gehen. Alles in Butter da unten, könnte man meinen. Auf den ersten Blick.

Doch sogleich fällt dem Schultes ein, wie es in den Häusern drinnen aussieht. Man könnte weinen, wenn man an das Elend und die Bosheit, die Raufhändel und die Armut denkt. Auch Wucherer, Beutelschneider und Brunnenvergifter treiben in dem unschuldigen Städtle ihr Unwesen. Aber wie denen das Handwerk legen? Zu allem Übel jetzt noch der Mord am Läpple. Aber warum? Und wer?

Hilft alles nichts. Er muss weiter. Heute hat die Lese begonnen. Da will er dabei sein. Christian hat am Montag geschrieben, Pfarrer Steeb schneide in dieser Woche die ersten Trauben ab. Zuerst die Reben am Berggipfel lesen, lasse Steeb ausrichten, dann die am Bergfuß und schließlich die in der Bergmitte, aber immer nur reife Beeren ernten. Viele Reben um Linnfurt herum sind Anfang Mai erfroren. Zudem war es in den Sommermonaten kalt und regnerisch. Darum müsse man heuer darauf achten, nur reife Trauben zu keltern. Die nachgetriebenen Trauben und die Geiztrauben, die erst nach dem Maifrost ausgetrieben haben, werden wohl noch zwei Wochen bis zur Reife brauchen.

Der Schultes ist stolz auf seinen Christian. Mit jedem Schritt und Schnaufer, den er seinem Wengert näherkommt, wächst der Respekt vor seinem Zweitältesten. Man müsse die Weinstöcke heuer mehrmals durchsehen, hat er geschrieben. Jede Woche ein- bis zweimal. Und immer nur die reifen und süßen Trauben herausschneiden. Dann könne man aus den wenigen Trauben einen guten Wein machen und so über den Preis den Mengenverlust etwas ausgleichen.

Als der Schultes unten an seinem Wengert ankommt, sieht er seine Leute am Hang über sich arbeiten. Ganz oben, dort, wo der Fahrweg ist, steht der Wagen mit dem großen Kübel. Die Pferde sind ausgeschirrt und grasen am Wegrand.

In aller Herrgottsfrühe hat der Schultes seine Leute eingewiesen. Faule Beeren auf den Boden! Unreife stehen lassen! Die werden nächste oder übernächste Woche gelesen. Ganz was Neues, hat eine Magd gemault, aber der hat er gleich den Marsch geblasen.

Seine Frau Minna ist mit Frieder und dessen Mannschaft auf die Lug gefahren. Oberknecht Karl und der Schweizer lesen mit ihrer Gruppe hier am Schlossberg.

Der Schultes steigt bis zur obersten Schranne hinauf. „Wie geht's Hänsli?"

„Heute Morgen ist es a bitzeli kalt." Der Fachmann fürs Vieh, der aus der Schweiz stammt und schon lange auf dem Lindenhof lebt, kennt sich inzwischen auf allen Gebieten der Landwirtschaft gut aus. Er zeigt seine Hände vor. Die Finger sind schwarz und klebrig vom Rebensaft und von der Erde. „Eine mühsame Arbeit ist das, Schultes. Wir schneiden bloß heraus, was reif ist. Was noch ein paar Tage Sonne vertragen kann, lassen wir bis nächste Woche hängen."

„Sehr gut, Hänsli! Der Sommer war schlimm. Aber dieser schöne und milde Herbst versöhnt a bitzeli. Oder?"

Der Schweizer lacht gutmütig. Er mag seinen Bauern, der nach der Devise handelt: Leben und leben lassen, immer im Respekt vor anderen Leuten.

„Aber du weißt, Hänsli, wenn der erste Nachtfrost kommt, muss alles gelesen sein."

„Weiß schon. Der Frieder, der Karl und ich passen auf das Wetter auf."

Der Schultes ist zufrieden. Er kann sich auf seine Leute verlassen.

Der Schweizer und drei Mägde suchen gerade auf der zweitobersten Schranne die Rebstöcke ab. Sie schauen unter den Blättern nach den reifen Trauben, schneiden sie ab und werfen sie in Eimer. Sind diese voll, schütten sie die Beeren in die Butte. Dabei läuft Saft aus und tropft dem Karl ins Genick. Der hockt auf der Schrannenmauer und hat die Butte auf dem Rücken. Alle paar Minuten steht er auf, ächzt und stöhnt die Stäffele aufwärts, kraxelt am oberen Fahrweg über die schwankende Leiter den Wagen hinauf, bückt sich und leert, die Butte zur Seite gekippt, Beeren samt Traubensaft über die Schulter in den großen Zuber. Die Magd, die in dem großen Bottich steht und mit bloßen

Füßen die Trauben zertritt, schreit auf, wenn der Most aufschwappt.

Die schwere Arbeit, der süßliche Geruch und die wärmende Sonne machen hungrig. Das Morgenessen ist ja schon lange her. Um halb fünf sind alle aufgestanden, und die Knechte und Mägde haben noch vor dem Aufbruch das Vieh im Stall versorgt.

Darum macht der Schultes ein Kartoffelfeuer. Er zündelt gern. Das hat er schon als Bub gemocht. Mit ein paar Zweigen wedelt er den Flammen Luft zu und schmeißt altes Rebholz hinein. Dann holt er zwei Körbe vom Wagen. Im einen sind Brot, Wurst, Käse, Rettiche und Zwiebeln, im anderen Becher, Messer, Wein und Most.

„Vesperpause!" schreit er die Schrannen hinunter. Gleich kommen seine Leute herauf, waschen sich in einem Eimer die Hände und hocken sich ums Feuer. Die Obermagd putzt dem Karl, der sich über den Eimer beugt, die klebrige Brühe aus dem Genick. Der Schweizer zieht die Glut auseinander, dass die Funken stieben und die Mägde kreischen. Dann holt er Kartoffeln vom Wagen und legt sie ins Rotglühende.

Sie essen und trinken, wärmen sich am Feuer und erzählen. Wie's früher bei der Lese war. Was für schlechte Zeiten es damals gab, und dass man kaum zu essen hatte. Doch nach kurzer Zeit sind sie beim wichtigsten Thema in Linnfurt, dem Mord. Sie berichten, was im Städtle getratscht wird. Sie rätseln, was den Mörder zur Tat getrieben haben könnte. Sie malen in schreienden Farben aus, wie der Läpple wohl gestorben ist. Sie sind sich einig. Einer oder eine aus dem Städtle war's. Die Knechte behaupten, nur ein Mann könne den stämmigen Läpple so hingerichtet haben. Die Mägde bezweifeln das. Wenn eine Frau eine Stinkwut habe, dann sei ihr alles zuzutrauen.

Der Schultes hört, sieht und schweigt. Er weiß ja auch nicht viel mehr. Das verdrießt ihn. Laut sagt er: „Ich geh heut Abend eine Stunde früher wegen dem Läpple." Die Leute sollen denken, er wüsste etwas.

Bis um fünf reiht er sich in die Arbeit seiner Knechte und Mägde ein, spricht nicht viel und schuftet, bis der Schweizer zu ihm sagt: „Du schaffst heut für zwei, Schultes."

„Stellen Sie sich vor, Herr Bürgermeister, heute Nachmittag bin ich in meinem Garten in der warmen Sonne eingedöst. Da war mir, als säße ich auf dem Mond und schaute mit meinem neuen Fernrohr auf die Erde herab. Merkwürdiges habe ich gesehen." Abel trinkt einen Schluck. „Vierfüßler, die um Häuser springen. Pferde, Rindviecher, Schafe, Ziegen, Schweine, Hunde. Dazwischen ein paar armselige Kreaturen, die auf zwei Beinen herumwackeln und mit den Vorderfüßen in der Luft wedeln, damit sie nicht umfallen. Jedenfalls", er muss lachen, „hatte ich ganz deutlich den Eindruck, wir Menschen sind doch nicht die Krone der Schöpfung."

Er schiebt dem Schultes noch ein paar Rädchen Wurst auf den Teller. Dann prostet er seinem Gast zu.

Er habe am Morgen in seinen Weinberg am Schloss hinaufmüssen, berichtet der Schultes. Unterwegs sei ihm der Schnaufer ausgegangen. „Da hab ich mich auf ein Mäuerle an der Schlossbergstaffel gehockt." Er nimmt einen Schluck. „Schön hat's ausgeschaut, unser Linnfurt. Von oben! Geglänzt hat es in der Sonne, als wär alles wunderbar. Aber dann hab ich denken müssen, dass es in den Häusern Lug und Trug gibt, Streit und sogar Mord. Da hab ich gewusst, ich muss mit Ihnen nochmal wegen dem Läpple reden. Die Leute zerreißen sich schon das Maul, weil der Mörder immer noch frei herumläuft."

„Also ich für meinen Teil", Abel kaut und schluckt, „bin mir ganz sicher, dass seine Frau nichts mit dem Mord zu tun hat. Offensichtlich hat ein Kampf auf Leben und Tod stattgefunden. Anders kann man sich diese scheußliche Tat doch nicht erklären."

„Dann halten Sie auch die Frieda nicht für verdächtig?"

„Nein. Sie ist dem Läpple kräftemäßig weit unterlegen. Vielleicht hat sie ihm die Zähne gezeigt. Mehr bestimmt nicht. Wie ich höre, wollte sie sowieso an Martini weg und sich anderswo eine neue Stelle suchen. Selbst wenn ihr der Läpple vier Wochen vor der Zeit gekündigt hätte, wäre sie nicht in Verlegenheit gekommen. In der Erntezeit braucht man jede helfende Hand."

„Und warum schweigt sie?"

„Vielleicht hat sie etwas gesehen oder gehört. Möglicherweise fürchtet sie, in etwas hineingezogen zu werden."

„Der Läpple", erinnert sich der Schultes, „ist einer von hier. Wann er geboren ist, weiß ich nicht genau.

Jedenfalls ist er mindestens zehn Jahre jünger als ich. Nach der Schule hat er gleich auf dem elterlichen Hof angefangen. Und als sein Vater verunglückt ist, hat er alles geerbt. Er war ja der einzige Sohn."

„Mir wurde vor Jahren zugetragen, dass es nach dem Unfall Gerüchte gegeben haben soll."

„Ja, Herr Pfarrer, der Jakob ist durch die Heuluke gefallen und war gleich tot. Der Johann soll zu der Zeit im Stall gewesen sein und nichts mitbekommen haben."

Abel zieht die Nase kraus und sieht seinen Gast nachdenklich an.

„Jedenfalls war der Johann von heut auf morgen der Bauer. Schon in der Schule war er ein jähzorniges und herrisches Bürschle. Aber als Bauer hat er versucht, mit den Leuten Katz und Maus zu spielen. Scham, Demut, Mitgefühl hat der Johann nicht gekannt. Rücksichtslos hat er seinen Vorteil gesucht. Deshalb war er in Linnfurt unbeliebt. Er wurde zum Außenseiter. Keiner von den alteingesessenen Bauern hätte ihm seine Tochter zur Frau gegeben. Darum hat er sich eine Auswärtige nehmen müssen. Aber keine Magd im Städtle war vor ihm sicher."

„Sie zeichnen kein gutes Bild von ihm, Herr Bürgermeister."

„Aber so war er, Herr Pfarrer. Großkotzig und herrisch. Sie werden im Städtle nichts anderes über den Kerl hören."

„Wie ist er zu seinem Geld gekommen?"

„Vom Vater hat er wohl einiges geerbt. Mit Wucherei hat er es in zehn Jahren vervielfacht."

„Wenn er vielleicht doch Freunde hatte, könnten wir die befragen."

„Freunde?" Der Schultes denkt lange nach. Er schüttelt den Kopf. „Nein!" Und nach einer kleinen Pause. „Aber genug Feinde."

„Wegen der Frauengeschichten?"

„Auch. Hätte der etwas mit meiner Tochter angefangen, wär ich mit einem Prügel dazwischen. Auf den anderen Höfen wär's ihm genauso ergangen. Nur an die Mägde hat er sich herangetraut. Darum könnte er allenfalls einem Knecht ins Gehege gekommen sein."

„Oder seine Wucherei ist ihm zum Verhängnis geworden."

„Oder das, Herr Pfarrer."

„Also", sagt Abel und prostet seinem Gast erneut zu, „dann wissen wir ja schon eine ganze Menge. Erstens ist der Läpple wohl von einem Mann ermordet worden. Zweitens vielleicht von einem Knecht, dem der Läpple die Freundin ausspannen wollte. Oder drittens von einem Hungerleider, der seine Schulden nicht zahlen konnte."

„Dass ein Kampf stattgefunden hat, das zeigen die Spuren", ergänzt der Schultes. „Der Täter muss kräftig sein. Wir müssen endlich Gewissheit haben, ob das Geld und das Buch noch da sind. Wahrscheinlich ist das unsere einzige Möglichkeit, den Mörder zu überführen."

Abel macht eine zustimmende Geste. „Vielleicht weiß der Schreiner in Hohenburg noch, ob er ein Geheimfach eingebaut hat."

„Wir sind mitten in der Traubenernte, Herr Pfarrer. Ich kann nicht nach Hohenburg.“

Abel denkt ein Weilchen nach. „Dann machen wir’s ganz unauffällig. Der Unterlehrer soll am nächsten Mittwoch mit der Postkutsche reisen und abends mit dem Finkenberger zurückkommen.“

*

Kurz nach zwölf, die Schule ist gerade aus, rennt der Unterlehrer die paar Schritte hinüber zum Ochsen, wo die Postkutsche abfahrbereit steht. Er müsse im Auftrag des Pfarrers etwas in Hohenburg besorgen, sagt er dem Ochsenwirt und den Mitreisenden. Weil nachmittags keine Schule sei und der neue Provisor den Mesnerdienst versehe, könne er ausnahmsweise auch mal fort. Abends um halb sechs warte der Finkenberger in Hohenburg am unteren Schlosstor auf ihn und nehme ihn wieder nach Linnfurt zurück.

Die Kutsche ist schnell, die Mitfahrt teuer. Doch das stört den Lehrer heute nicht, weil ihm der Pfarrer Fahr- und Zehrgeld in die Hand gedrückt hat.

Kurz nach eins hält die Post in Hohenburg. Als der Lehrer aus der Kutsche klettert, kommt er aus dem Staunen nicht heraus. Er steht auf einem riesigen, fast quadratischen Platz. Das sei der Marktplatz, sagt ihm ein Passant, der sich über den perplexen jungen Mann amüsiert. Der dreht sich im Kreis und schaut mit offenem Mund. Dann lehnt er sich in der Mitte des Platzes an den eisernen Brunnen, auf dem Herzog Eberhard Ludwig sein Volk grüßt, den Marschallstab zum

Kommando erhoben. Das Marktkarree ist außen von Arkadenhäusern gesäumt. Zwei Kirchen stehen sich spiegelbildlich gegenüber.

Eine so prächtige Stadt hat er noch nie gesehen. Hier Schulmeister werden, das wär ein Traum. Aber heute ist keine Zeit für Hirngespinste. Wo hat der Schreiner Höfele seine Werkstatt? Gleich beim Marktplatz, hat der Pfarrer gesagt.

Er fragt einen vorbeieilenden Bäckerburschen. „In der Bärengasse!“ Der Junge deutet auf eine der beiden Kirchen. Rechts vorbei, dann die Eberhardstraße schräg überqueren.

Schreinermeister Höfele steht in seiner Werkstatt vor der Hobelbank. Dahinter ist ein großes, zweiflügeliges Sprossenfenster. Rechts daneben hängen allerlei Werkzeuge an der Wand. Hobel aller Größen, Handsägen, diverse Schraubzwingen, Stechbeitel, Raspeln und Feilen. Darunter lehnt eine Bügelsäge. In der Mitte des Raumes steht ein gusseiserner Ofen mit einer großen Herdplatte und einem langen Ofenrohr, das aufsteigt, dann eine Holzablage umwindet und durch die Decke verschwindet. Auf dem Herd köchelt ein Topf mit Leim und summt eine Wasserkanne. An der Decke trocknen Bretter auf einer Stellage. Der Hobelbank gegenüber steht ein großer Blechkasten auf zwei Holzböcken. Darin werden Latten im heißen Wasser biegsam gemacht.

Der Meister hört aufmerksam an, was der junge Mann zu sagen hat.

„Wie lang ist das her?“

„Zehn Jahre.“

„O je, das weiß ich nicht mehr.“

„Aber Pfarrer Abel muss es wissen“, bettelt der Lehrer.

„Dann müssen wir halt in mein Büchle gucken.“ Er wischt sich die klebrigen Hände an seinem Schurz ab und öffnet ein kleines Hängeschränkchen. Offensichtlich sein Büro. Ein paar Bücher sind drin, auch ein verschraubtes Tintenfass, eine Gänsefeder und etwas Papier.

Er nimmt ein blau gebundenes Buch heraus. *1825 bis 1835* steht vorne drauf. Mit dem Zeigefinger, den er auf der Zunge befeuchtet, blättert er andächtig in seinen alten Aufschrieben. Dabei summt er vor sich hin.

„Nein, nix. Einunddreißig hab ich nix für einen Läpple aus Linnfurt geschreinert.“

„Bitte schauen Sie im Jahr davor nach. Bitte! Für meinen Pfarrer ist es sehr wichtig.“

Der Schreiner zieht die Augenbrauen hoch und schaut den jungen Bittsteller lange an. Dann befeuchtet er nochmal seinen Finger und blättert zurück, liest, blättert weiter. „Jetzt schlag mich's Blechle.“ Er deutet auf einen Eintrag. „Da ist er ja.“

Er murmelt etwas vor sich hin. Offensichtlich liest er seine alten Notizen. Laut sagt er: „Einen Schrank. Au, der war aber groß. … Einen Tisch, vier Stühle, eine Truhe und einen Uhrenkasten.“

„Es geht darum, dass Pfarrer Abel der Frau Läpple helfen will, die Papiere und Urkunden ihres Mannes aufzuspüren. Wegen dem Erbe, Sie verstehen? Der Läpple ist nämlich leider gestorben.“

Der Schreiner kratzt sich am Kopf. „Au, das ist heikel“, er denkt nach, „hast ein Papier von deinem Pfarrer dabei?“

„Wozu?“

„Dass ich dir das sagen darf.“

Der junge Mann schüttelt betrübt den Kopf.

„Ich glaub dir ja. Aber da gibt es Vorschriften. Ich darf niemand etwas sagen, sonst wär’s ja kein Geheimfach mehr. Du könntest ja auch ein Spitzbub sein.“

Der Lehrer sieht den Handwerker entsetzt an.

„Eines darf ich verraten. Drei Fächer hab ich gemacht.“

„Drei Geheimfächer?“

Der Schreiner nickt.

„Und jetzt, Herr Höfele?“

„Lauf nüber zum Vogel. Das ist der Schlosser in der Alten Gasse. Der hat die Schlösser eingebaut.“

Der Meister geht mit seinem Besucher vors Haus und zeigt ihm den Weg. Die Bärengasse wieder vor bis zur Eberhardstraße. Diese an der Rückseite der Kirche entlang. Und am nächsten Abzweig rechts rein, das sei die Alte Gasse. Dort finde er den Schlossermeister Vogel.

Der Schlosser fertigt den Besucher rasch ab. Ja, er habe in die Möbel vor der Auslieferung etwas eingebaut. Was und wie, das dürfe er nicht sagen. Berufsgeheimnis. Alle seine Kunden, er bediene die nobelsten Herrschaften in und um Hohenburg, würden ihm wegen seiner Verschwiegenheit heikle und knifflige Aufträge anvertrauen. Darum werde er nur etwas sagen, wenn man ihm eine schriftliche Aufforderung der Gendarmerie vorlegt.

Dass diese Antwort den jungen Mann reichlich enttäuscht, sieht man ihm deutlich an.

Darum fragt Meister Vogel eine Spur freundlicher: „Habt ihr wenigstens das Schlüssele gefunden?“

Der Lehrer schüttelt den Kopf. Dabei schaut er wohl etwas dumm aus der Wäsche. Er ahnt ja nicht, dass ihn der Schlosser prüfen will.

„Jetzt da guck her“, erregt sich der Handwerksmeister. „Hast mich reinlegen wollen, Bürschle? Du hast ja von nix eine Ahnung. Brauchst gar nimmer kommen. Dir verrat ich auf keinen Fall irgendwas. Und deinem Pfarrer sagst, ich will ein Papier von den Gendarmen sehen.“

Enttäuscht und wütend rennt der Lehrer aus der Schlosserei. Was wird wohl Pfarrer Abel sagen? Wird der Schultheiß ihm diesen Misserfolg verübeln? Zu allem Unglück findet bereits im Dezember die Schulmeisterwahl statt. Aus der Traum, Meister Hartmann beerben zu können.

Kopflos läuft er im Kreis; zweimal kommt er an der Kirche vorbei. Dann reißt er sich zusammen und geht durch die Altstadt hinunter zum Schloss.

Wie ein Häufchen Elend hockt er sich neben dem unteren Eingang auf ein Mäuerchen.

Wenn man mir einen neuen Schulmeister vor die Nase setzt, schimpft er vor sich hin, dann muss ich weg von Linnfurt. Ein gewählter Schulmeister sitzt in der

Regel dreißig oder vierzig Jahre auf der Schulstelle. Und so lange nur den Handlanger spielen? Den Hanswurst, der nach der Pfeife des Neuen tanzen muss? Der die niedrigsten Arbeiten verrichten muss, aber nichts verdient? Dann kann ich ja nie heiraten und eine eigene Familie gründen. Nein, nicht mit mir. Er stampft auf.

Aber wohin? Hierher nach Hohenburg? Wär nicht schlecht. Da verdient man als Unterlehrer bestimmt viel mehr als im Städtle an der Linn. Aber das Leben in einer so großen Stadt wird wohl teuer sein. Und ob man so schöne Nebenämtchen wie in Linnfurt bekommen würde? Also doch lieber als Unterlehrer in eine kleinere Gemeinde, wo der Schulmeister schon alt und das Nachrücken auf seine Stelle wenigstens in Reichweite ist.

Langsam kommt er zur Ruhe. Er bummelt bergauf, an der Schlossmauer entlang, und späht immer wieder durch die schmiedeeisernen Gitterstäbe hindurch aufs Schloss und den Park. Dann biegt die Mauer rechtwinklig nach links ab. Er folgt ihr noch ein Stück, bis er auf der gegenüberliegenden Straßenseite das Tor zum berühmten Zucht- und Arbeitshaus sieht.

Über das Leben in der Anstalt gibt es viele Gerüchte. Die einen sagen, die Häftlinge führten ein herrliches Leben auf Staatskosten. Die anderen behaupten, die Gefangenen seien nachts angekettet und müssten tags zwölf Stunden und mehr schuften, um sich ihr Wasser und Brot zu verdienen.

Es läuft ihm eiskalt den Buckel runter, als er an den Gefängnismauern vorbeigeht. Nichts wie weg!

*

Um halb acht sitzt der Lehrer in Abels Amtsstube. Zerknirscht und niedergeschlagen beichtet er seinen Misserfolg.

„Nein, nein, mein Lieber“, versucht ihn der Pfarrer aufzurichten, „Sie haben zwar weniger erreicht, als ich in meinen kühnsten Träumen erhoffte, aber mehr als ich schlimmstenfalls befürchtete. Es hätte ja auch sein können, dass Sie ohne jede Erkenntnis heimkommen.“

„Aber ich habe doch nichts in Erfahrung bringen können, Herr Pfarrer.“

„Gemach, mein Sohn, ganz langsam. Immerhin wissen wir jetzt, dass es drei Geheimfächer in Läpples Möbeln geben muss. Außerdem hat der Schreiner verraten, dass Meister Vogel in die Geheimfächer Schlösser eingebaut hat. Sprach der Schlosser nicht auch von einem Schlüsselchen?“

„Aber Sie haben doch die Möbel inspiziert. Der Herr Bürgermeister sogar zweimal, wenn ich’s recht weiß. Ein Schlüssel braucht ein Schlüsselloch. Das kann man doch nicht übersehen. Nein, Herr Pfarrer, so wie die mich abgefertigt haben, bin ich eher der Meinung, die haben mich hinters Licht führen wollen.“

Abel lächelt milde. „Im Gegenteil, junger Mann. Ich habe schon viel von verborgenen Schätzen in Möbeln gehört. Daran geglaubt habe ich bisher nicht. Schmale Schubfächer in Tischen, Truhen und Schränken? Ja, das war mir bekannt. Vielleicht passen da ein paar Münzen hinein. Niemals jedoch etliche hundert

Gulden oder gar ganze Bücher. Hingegen eröffnet das, was Sie berichten, eine ganz neue Perspektive."

Im Lehrer keimt wieder Hoffnung. Er strafft sich. „Meinen Sie, Herr Pfarrer?"

„Aber ja doch! Gerade weil beide Handwerker die Auskunft verweigert haben, scheint mir an der Sache etwas dran zu sein. Würden die nämlich jedem, der bei ihnen anfragt, bereitwillig erklären, wo solche Behältnisse versteckt sind und wie sie funktionieren, dann wären es ja keine Geheimfächer mehr."

Abel hebt warnend den Finger. „Sie müssen mir allerdings versprechen, dass Sie das, was Sie in Hohenburg erfahren haben, für sich behalten. Nur den Herrn Bürgermeister werde ich einweihen."

Der junge Mann nickt eifrig. Er ist erleichtert.

„Darum danke ich Ihnen, dass Sie mir die Bücher und das Schreibzeug besorgt haben."

Der Lehrer schaut Abel entgeistert an. Doch der schmunzelt, bis seinem Gast ein Licht aufgeht. „Verstehe, Herr Pfarrer", er schlägt sich an die Stirn, „offiziell habe ich ja für Sie ein paar Besorgungen in Hohenburg machen müssen." Er holt zwei Drei-Kreuzer-Münzen aus der Hosentasche. „Das Rausgeld, Herr Pfarrer."

„Sie haben sich keinen Imbiss in Hohenburg gegönnt?"

„Mir war nicht danach."

„Dann behalten Sie's als Schweigegeld."

„Danke, Herr Pfarrer. Und was machen wir jetzt?"

„Ich muss unseren Bürgermeister konsultieren."

„Schlossermeister Vogel wird auch dem Herrn Bürgermeister nichts verraten."

„Gemach, junger Freund. Wenn wir eine Bescheinigung des Gendarmeriekommandanten vorlegen, dann werden die Herren Handwerksmeister in Hohenburg sich fügen müssen."

„Wir, Herr Pfarrer? Verstehe ich Sie richtig, dass Sie sich selbst bemühen wollen."

„Mit dem Gendarmeriekommandanten muss sich der Herr Bürgermeister auseinandersetzen. Aber auf die Fahrt nach Hohenburg möchte ich nicht verzichten. Wollen wir einmal sehen, ob mir die Handwerker die Auskunft verweigern, wenn ich das geforderte Papier vorlege. Ich will jetzt wissen, wie so ein Geheimfach funktioniert. Außerdem hat mir die Reise in unsere Landeshauptstadt gutgetan. Warum sollte ich mir nicht hin und wieder ein Ausflügle gönnen, nachdem der Finkenberger seine Pferdebuslinie eingerichtet hat?"

*

Wie mit der Läpple tags zuvor verabredet, ist der Schultes um halb sieben am Abend bei ihr. Sie empfängt ihn freundlich und bedankt sich, dass Pfarrer und Bürgermeister um sie besorgt sind. So viel Wohlwollen habe sie in Linnfurt noch nie erlebt.

Sie bietet ihm ein Stück Nusskuchen an. Aus neuen, frisch gemahlenen Haselnüssen hergestellt und mit einer Schokoladenglasur überzogen, sagt sie stolz.

Der Schultes kommt aus dem Staunen nicht heraus. Diese Frau, die er bisher kaum beachtet hat und die im

Städtle nie aufgefallen ist, zeigt Qualitäten, die ihm bis jetzt verborgen waren. Sie kann vorzüglich backen, besser als seine Minna mit ihrem ewigen Hefezopf. Sie kennt sich in den Handarbeiten aus. Und sie liest. Welch ein Kontrast zum Läpple, dem Grobian und selbstverliebten Gockeler.

„Ich habe“, sagt der Schultes, „mit dem Pfarrer über dich gesprochen. Ich will ganz ehrlich sein, Anna. Unser Pfarrer meint, dass du unschuldig bist. Ich habe ihm nicht widersprochen. Aber ein bisschen beunruhigt es mich doch, dass du mir bisher nicht alles gesagt hast. Was ist vor vier Wochen geschehen?“

„Ich kann dich schon verstehen, Schultes“, sagt die Läpple und weicht seinem Blick nicht aus. „Dann frag halt, was du wissen willst.“

„Aberjetza, hat dich dein Mann geschlagen?“

„Manchmal. Er hat sich halt immer aufspielen müssen. Und wenn ich gesagt hab, Johann, ein kleines bissele netter könntest schon sein, dann war er gleich beleidigt.“

„Geld hat er nie bei sich gehabt?“

Sie überlegt nicht lang. „Doch, ein oder zwei Gulden, selten mehr.“

„Und dir hat er wirklich nie Geld gegeben?“

„Frauen können nicht mit Geld umgehen, hat er oft gesagt. Du hast ja Geld von deinen Hühnern.“

„Seine Weibergeschichten haben dich bestimmt arg geplagt, oder?“

Sie nickt und fängt zu weinen an.

Er lässt ihr Zeit, sich wieder zu beruhigen.

Noch ein paar Schluchzer, dann sagt sie: „Was hätt ich denn tun sollen? Ich hab doch niemand zum Schwätzen gehabt.“

„Hast du dir manchmal seinen Tod gewünscht?“

Sie schaut ihn ruhig an, dann senkt sie den Blick. „Wenn's schlimmer geworden wäre, dann wäre ich fortgelaufen.“

„Würdest du beim Pfarrer einen Eid auf die Bibel schwören, dass du deinen Mann nicht auf dem Gewissen hast?“

In ihren Augen liest er zunächst so etwas wie Überraschung, dann eine gewisse Freude. „Gleich“, sagt sie erleichtert, „dann wär endlich raus, dass ich das nie tun könnte. Dann tätest du mir endlich glauben.“

„Und die Frieda?“

„Das ist ein armes Mädle. Ich glaub nicht, dass sie ein Luder ist. Da ist mein Mann schuld.“

„Könnte sie deinen Johann …“

„Nein, nie, Schultes!“ Sie widerspricht energisch. Die Frieda könne keiner Fliege etwas zuleide tun. Wäre ihr Mann nicht hinter dem Mädchen her gewesen, hätte sie die Frieda auch künftig gern um sich gehabt. Die Frieda verstehe sich gut mit ihren beiden Kindern. Aber das arme Ding wolle weg. Vielleicht wegen eines Mannes. Manchmal habe das Mädchen so ein Glitzern in den Augen, wenn es sagt, an Martini sei Schluss. Die arme Magd freue sich richtig auf den 11. November.

Der Schultes verputzt den Kuchen im Galopp. Als die Läpple ein zweites Stück anbietet, verschlingt er auch das in kürzester Zeit. „Nicht schlecht“, sagt er anerkennend, weil er nach der Devise lebt und handelt: Nicht geschimpft ist genug gelobt.

Dann steht er auf und tritt vors Fenster. Wie beiläufig nimmt er die Uhr, die immer noch auf dem Sims liegt, in die Hand. „Ein schönes Stück. Für eine Taschenuhr überraschend groß, dick und schwer.“ Sie hat ein weiß emailliertes Zifferblatt mit römischen Ziffern und zwei goldenen Zeigern. Auffällig ist ein dritter Zeiger. Er ist lang und schwarz. Ganz außen um das Zifferblatt herum sind Striche. Er zählt. Genau sechzig. Das müssen Sekunden sein. Also wird der lange Zeiger, der auf diese Striche zeigt, ein Sekundenzeiger sein. Fürs Pulsmessen hätten manche modernen Ärzte Chronometer mit Sekundenzeiger, hat ihm einmal ein Wundarzt erzählt. Genau über der römischen Zahl XII ist die Krone angeschraubt. An ihr hängt der Ring für die Uhrenkette.

Er lässt die schwere Silberkette durch die Finger gleiten. Das kleine Schlüsselchen, an einem filigranen Kettchen befestigt, betrachtet er von allen Seiten. „Darf ich die Uhr aufmachen?“

„Willst sie haben?“

„Ja, würdest du sie verkaufen?“

„Klar. Taschenuhren sind was für Männer.“

„Ich überleg’s mir.“

Mit dem Fingernagel drückt er auf den kleinen Knubbel neben der Krone. Der hintere Uhrendeckel springt auf. Dem Scharnier gegenüber, genau da, wo die Krone ansetzt, sind zwei Löcher. Kreisförmig sind vier Wörter eingraviert. „Sapperlot! Kann ich nicht lesen.“

„Das ist ein englisches Ührle, hat mein Johann gesagt.“

Sie nimmt ihm die Uhr aus der Hand. „Komische Sache stehen da.“ Sie buchstabiert: „*w-i-n-d u-p*. Weißt du, Schultes, was das heißt?“

„Das Schlüssele tät passen. Soll ich's mal probieren? “

„Probier's halt. Wenn's Ührle hin ist, ist's halt hin.“

Er steckt das Schlüsselchen hinein und dreht. Das Uhrwerk schnurrt. Die Uhr läuft wieder. *Wind-up* bedeutet offensichtlich so etwas wie *aufziehen*. Um das andere Loch steht *set hands*. Das kann dann nur *Zeiger drehen* heißen.

„Passt das Schlüssele auch wo anders hinein?“

„Nicht dass ich wüsste.“ Sie geht von einem Möbelstück zum anderen und bleibt vor der Standuhr stehen. Sie hängt das schwarze Tuch ab. Die Uhr steht. Großer und kleiner Zeiger zeigen auf die Zwölf, das Zeichen für die Ewigkeit.

Das sei ein teures Stück, sagt sie. Ihr Johann habe es in Hohenburg erstanden, vermutlich auch beim Höfele, aber genau wisse sie das nicht mehr.

Der eichene Uhrenkasten ist dreigeteilt. Unten ein etwas breiter ausgestellter Sockel. Darüber der schmälere Kasten für das Gangwerk. Oben der eigentliche Uhrenkasten, auf dem ein Schnitzwerk aufgesetzt ist. Der Perpendikelkasten hat eine Tür mit eingesetzter Scheibe. Durch das Glas sieht man die Uhrgewichte an Ketten hängen, dahinter das Perpendikel.

Die Uhr regelmäßig aufziehen sei ihre Aufgabe, sagt die Läpple. Jeden Samstag öffne sie die Glastür und ziehe die beiden Gewichte nach oben. Sie macht es vor und stößt das Perpendikel an. Die Uhr tickt wieder.

Der Schultes betrachtet das seltene Stück von allen Seiten. „Und wie richtest du jetzt die Zeiger?“ Er hat festgestellt, dass der dreigeteilte Uhrenkasten, außer an der Glastür, nirgendwo zu öffnen ist und kein Schlüsselloch hat.

Das sei ganz einfach, wenn auch ungewöhnlich, meint sie. Jedenfalls von zuhause kenne sie so etwas nicht. Sie holt einen Stuhl und steigt hinauf. Dann zieht sie das oberste Gehäuse samt Schnitzwerk nach vorn ab und reicht es dem Schultes. Zifferblatt und Räderwerk der Uhr stehen jetzt ohne Schutzhülle auf dem hohen Perpendikelkasten. Mit dem Finger dreht sie die Zeiger auf Viertel vor sieben.

Auch der Schultes holt sich einen Stuhl, denn er will aus nächster Nähe prüfen, ob ein Schlüsselloch oder sonst eine Erhebung oder Vertiefung auf einen verdeckten Schließmechanismus im mittleren oder unteren Kasten hindeuten. Aber da sind nur Zifferblatt, Uhrwerk und Schlagwerk. Ein kleines Hämmerchen schlägt jede volle Stunde auf eine kleine Glocke.

Er steigt wieder vom Stuhl und klopft den Perpendikelkasten auf allen Seiten ab, auch den Boden und den Deckel. Er rüttelt da, drückt dort. Kein Geheimfach.

Auf Knien betatscht er den Sockel rundum. Vier verleimte Brettchen, kein Scharnier, kein Spalt, den man aufdrücken könnte.

Es ist wie verhext. Der Uhrenkasten birgt kein Geheimnis.

„Du hast gesagt, dass dein Johann selten Leute in die Wohnstube hereingelassen hat."

Ja, sagt sie, für Knechte und Mägde sei das Zimmer verboten gewesen. Nicht einmal zum Saubermachen habe er hier eine Magd geduldet. Das habe sie selber machen müssen. Wahrscheinlich aus Angst, man würde mit seinen kostbaren Sachen nicht sorgsam genug umgehen, habe er das von ihr verlangt. Er selber habe sich dann zum Zeitunglesen an den Tisch gesetzt. Als sie einmal hineinwollte, um etwas zu holen, habe sie die Tür nicht öffnen können. Er hatte einen Stuhl unter die Türklinke geschoben, weil er ungestört sein wollte.

„Das alles hast du dir gefallen lassen?"

„Ha, du hast leicht schwätzen. Du kennst ihn doch von früher. Dann musst doch wissen, wie mein Johann gewesen ist."

Neue Sparkasse, neue Gemeindeverordnung

Abel beugt sich über die Brüstung der Kanzel und liest seinen Schäflein von oben herab die Leviten. Er predigt über die Sauberkeit der Stadt und die Reinheit der Gedanken.

„Noch in späteren Zeiten“, donnert er, „wird man erkennen, ob das jetzt lebende Geschlecht sittsam und reinlich war. Was helfen die schönsten Häuser in unserer Stadt, wenn die Straßen und Plätze stinken? Was bewirken die herrlichsten Blumen in den Gärten, wenn die Seelen der Linnfurter nicht rein sind?“

Die ganze Stadt sei in Unruhe. Ein Mensch hat gemordet. Warum? Weil er in Not war. Und warum war er in Not? Weil ihm niemand geholfen hat. Darum hat er keinen anderen Ausweg gesehen, als sich an einen Wucherer zu wenden, wohl wissend, dass er dann unter die Räuber fällt.

„Ich frage euch, liebe Brüder und Schwestern in Christo: Ist einer, der zehn Prozent Zins und mehr verlangt, noch ein Christ? Ist einer, der diesem Treiben zusieht und nichts tut, noch ein Christ? Also werfe keiner von uns den ersten Stein.“

Vielmehr müsse man die Gemeinschaft so gestalten, dass ein jeder seinen Platz darin findet. Das wiederum sei nur möglich, wenn das Bibelwort gilt: Einer trage der anderen Last! Das müsse Richtschnur und Ansporn zugleich sein, einiges in Linnfurt zu ändern.

„Es kann nicht sein“, wettert Abel, „dass eine ganze Stadt ein paar Halsabschneidern wehrlos ausgeliefert ist. Es darf nicht sein, dass eine Familie nach der anderen keinen anderen Ausweg sieht als auszuwandern. Es ist höchste Zeit zu handeln.“

Der Kirchendusler hockt in der ersten Bank, seinen langen Stupfer zwischen den Knien, die Augen fest auf den Boden gerichtet. Er ist hin und her gerissen. Den einen Moment möchte er am liebsten aufspringen und Beifall klatschen. Den anderen knirscht er mit den Zähnen. Keiner duselt, keiner ruselt. Kein Stupferlohn heute. Er braucht sich gar nicht umzuschauen; das spürt er aufgrund seiner langen Erfahrung. Der Pfarrer rechnet mit den Beutelschneidern ab, auch wenn er sie nicht beim Namen nennt. Das gefällt dem Heinrich so sehr, dass er, ganz in Gedanken, mit seiner Stange auf den Boden haut, erschrickt und ein entschuldigendes Achselzucken zur Kanzel hinauf sendet.

Am Nachmittag tage der Kirchenkonvent, sagt der Pfarrer mit erhobenem Zeigefinger. Der werde sich Gedanken machen. Aber eines stehe für ihn fest: Stadt und Kirchengemeinde werden Mittel und Wege finden, Familien in Not zu helfen und mutigen Männern günstige Kredite für die Gründung eines Gewerbes zu bieten. Dem Schlangen- und Otterngezücht, das sich nur vom Geld ernährt, werde man jedenfalls in Linnfurt den Kampf ansagen.

Der Schultes grinst wie ein Maikäfer. Ui, diese Predigt läuft ihm runter wie Öl. Je älter der Pfarrer wird, desto größer werden seine Hörner, stellt er verwundert fest. Der räumt heute auf und rammt die größten Hammel in Grund und Boden.

„Rosen, Tulpen, Nelken, alle Blumen welken“, fährt Abel fort, „auch die Sonnenblumen, die Lilien und die Stiefmütterchen. Und was dann? Alles auf den Mist! Aber ausmisten? Schaut euch doch um“, ruft er den Linnfurtern zu, „wie's in der kalten Jahreszeit bei uns aussieht. Haltet euch nicht die Nase zu! Atmet tief ein! Und was riechen wir? Unseren eigenen Gestank!“

Er hält ihnen vor: „Die ganze Stadt stinkt zum Himmel. Die Güllegruben stinken, die Misthäufen stinken, die Straßen und Gassen stinken, die Plätze stinken. In den Häusern stinkt es. Ja, sogar die Menschen stinken. Und die größten Stinker sind die, denen das alles gleichgültig ist und die nichts ändern wollen.“

Hygiene heiße das neue Zauberwort. Es bedeute Gesundheit. Gesund könne nur der bleiben, der sich selbst regelmäßig wäscht und seine Umgebung sauber hält. Also müsse man endlich auch die Brunnen sauber halten und die Straßen und Wege vom Dreck befreien, den man im Lauf der letzten Jahre angehäuft habe. Nur in einem gesunden Körper wohne ein gesunder Geist. Die Voraussetzung für einen gesunden Körper aber seien gesunde Speisen und Getränke.

„Ich kann nicht länger gelten lassen“, schimpft Abel, „dass die Linnfurter so viel Wein und Most trinken müssen, nur weil das Wasser verunreinigt ist. *Saufet euch nicht voll Wein*, heißt es schon im Epheserbrief. Also müssen wir unser Wasser so sauber halten, dass wir es jederzeit trinken können. Darum müssen wir endlich alle Verunreinigungen von unserem Trinkwasser fernhalten. Wer Wasser verschmutzt, schadet sich und anderen Menschen. Das können wir nicht länger dulden. Deshalb dürfen weder Unrat noch Mist und Gülle in der Nähe unserer Wasserläufe und Brunnen sein. Wer dagegen verstößt, handelt gegen Gottes Gebot. *Waschet euch, reiniget euch!* So heißt es in der Bibel. Vom Stinken steht da nichts drin. *Gott hat uns nicht berufen zur Unreinheit*, lesen wir im zweiten Thessalonicher. Darum sind Reinheit und Sauberkeit göttliche Pflichten. Amen.“

Um zwei tagt der Kirchenkonvent, zuständig für Recht und Sitte in der Gemeinde. Pfarrer Abel eröffnet als Vorsitzender die Beratung und begrüßt den Schultes, den Kastenpfleger und die Stadträte Bierlein und Schöpflein. Heute geht es nicht um Fluchen, liederlichen Lebenswandel, Schulversäumnisse und Gottesdienstschwänzen, wie sonst am Sonntagnachmittag. Heute steht ein einziger Punkt auf der Tagesordnung: Kampf gegen die Wucherei in Linnfurt! Die neue Verordnung für die Sauberkeit in der Stadt fällt dagegen nicht in die Zuständigkeit des Kirchenkonvents, sondern ist Sache des Stadtrats.

Der Schultes meldet sich als Erster zu Wort. Das hat er mit dem Pfarrer ausgemacht. Anschaulich schildert er, wie Abel und er am Nachmittag nach dem Festzug durch Stuttgart gebummelt und rein zufällig zur *Württembergischen Spar-Casse* gekommen seien. Ein

Fachmann habe ihnen genau erklärt, wie das Bankgeschäft funktioniert.

„Jetzt schwätz nicht im Viereck rum“, ereifert sich Korbmacher Schöpflein.

„Gemach“, Pfarrer Abel hebt beruhigend die Hand, „eine solche Sache muss wohl bedacht sein. Nicht dass später einer im Städtle erzählt, die Herren vom Kirchenkonvent hätten vom Bankgeschäft keine Ahnung.“

„Jeder, der Geld auf der hohen Kante hat“, erläutert der Schultes, „kann es der Bank geben. Die bewahrt es auf und zahlt dafür sogar Zinsen. Und wenn jemand Geld leihen will, gegen Sicherheiten natürlich, bekommt er es auch von der Bank, gegen Zinsen selbstverständlich.“

„Und dann schleift einer mein sauer verdientes Geld umeinander?“ Der Schöpflein kann es nicht fassen. „Das geht mir kolossal über meine Hutschnur!“

Abel schnauft tief durch, damit ihm kein unflätiges Wort entschlüpft. „Bitte holen Sie sechzig Gulden und etwas Kleingeld aus dem Kasten“, sagt er zum Kastenpfleger, der für das Kirchenvermögen zuständig ist.

Während der Mann im Nebenraum verschwindet, versucht der Schultes, den Schöpflein zu beruhigen. „Guck, Adam, wenn du hundert Gulden im Schrank hast, …“

„Hab ich aber nicht!“

„Pfeifst du schon aus dem letzten Loch?“ Der Schultes grinst. „Gell, du hast dein Geld im Sparstrumpf unter der Matratze.“

„Ich hab überhaupt keine hundert Gulden.“

„Aberjetza, Adam, gib endlich Ruhe!“ Der Schultes richtet genervte Blicke himmelwärts. Dann erzählt er mit einem feinen Grinsen im Gesicht das Märchen vom sparsamen Handwerker: „Es war einmal ein armer Korbmacher. Der hatte fünfzig Gulden. Die wollte er nicht im Haus aufbewahren. Was tat er also, der kluge Mann? Er trug sie nicht bei Tag und Nacht im Hosensack spazieren, nein, er brachte sie zur Bank. Dort kriegte er ein Sparbüchle. Und in dem wurde mit Stempel und Unterschrift vermerkt, dass er jetzt fünfzig Gulden guthat. Die kann er jederzeit wieder abholen. Wenn er sie aber das ganze Jahr der Bank überlässt, dann kriegt er nach einem Jahr zwei Prozent Zins dazu.“

„Ist das viel Geld?“, will der Bierlein wissen. Als Töpfer und Ziegelbrenner sollte er eigentlich die Zinsrechnung beherrschen. Aber als er vor rund vierzig Jahren die Volksschule besuchte, war Rechnen noch kein ordentliches Schulfach. Darum hat er mit der Zeit nur notdürftig die Grundrechenarten gelernt.

„Zwei Prozent Zins von fünfzig Gulden sind ein Gulden.“ Abel hat längst erkannt, dass er heute viel Geduld braucht. „Und wenn Sie hundert Gulden bei der Bank sparen, dann bekommen Sie nach einem Jahr zwei Gulden Zins. Zwei Prozent heißt zwei von hundert.“

Er dankt dem Kastenpfleger, der ihm eine Geldkatze überreicht, schüttet das Geld auf den Tisch, während er seelenruhig erklärt: „Nehmen wir an, zuerst kommt Herr Bierlein zur Bank und bringt dreißig Gulden.“ Er fingert die Summe aus dem Haufen und stapelt sie in drei Münzsäulen zu je zehn Gulden. „Dann trägt unser Herr Bürgermeister zwanzig Gulden zur Bank."

„Was? Bloß zwanzig?" Der Schöpflein lacht. „Das ist doch ein Geldsack, unser Schultes."

Der Pfarrer runzelt die Stirn, sagt aber nichts, sondern setzt zwei weitere Geldsäulen neben die drei anderen. „Und jetzt kommt Herr Schöpflein zur Bank, weil er dringend Geld braucht." Er sieht mit einem heimlichen Schmunzeln, wie der vorlaute Stadtrat zusammenzuckt. Abel schiebt die fünf Säulen zum Schöpflein hin.

„Nach einem Jahr zahlt Herr Schöpflein die fünfzig Gulden zurück und noch vier Prozent Zins fürs Ausleihen dazu. Vier Prozent sind vier von hundert Gulden. Bei fünfzig Gulden ist das die Hälfte von vier, also zwei Gulden."

Abel zieht die fünf Säulen wieder zu sich heran und legt zwei Gulden daneben. „Nehmen wir an, die habe Herr Schöpflein bezahlt." Der Angesprochene macht ein stoisches Gesicht.

„Zugleich wollen Herr Bierlein und unser Herr Bürgermeister ihr Geld wieder zurückhaben, einschließlich zwei Prozent Zins fürs Sparen." Er schiebt die zwei und drei Säulen von sich weg, wechselt die eingenommenen zwei Zinsgulden in Kleingeld um. Dann legt er neben die dreißig Gulden sechsunddreißig Kreuzer Zins und neben die zwanzig Gulden vierundzwanzig Kreuzer. In der Hand hat er noch einen ganzen Gulden übrig.

„Und wem gehört der übrige Gulden?" Der Schöpflein ist neugierig geworden.

„Dem Linnfurter Sparverein."

„Und wer ist das."

„Das sind wir alle. Der Linnfurter Sparverein ist unsere gemeinsame Bank."

Die Herren sind begeistert. Mit ein bisschen Geldverschieben einen ganzen Gulden verdient! Ohne Arbeit! Ohne sich die Finger zu verstauchen!

„Und wenn einer unserem Sparverein das ganze Geld klaut?" Der Schöpflein ist immer noch nicht vollständig überzeugt.

„Dann bekommt er sein Geld trotzdem. Der Verein hat ja mit Stempel und zwei Unterschriften garantiert, dass er fremdes Geld zurückzahlen muss."

Nur noch strahlende Gesichter. Einzige Frage: Wann eröffnen wir den Sparverein? Halt, nein, noch eine Frage: Wem muss man das Geld bringen?

„Ganz einfach", sagt Abel, „jeden Samstagnachmittag bin ich in meiner Amtsstube. Der Kastenpfleger arbeitet zur gleichen Zeit im Nebenzimmer. Er wird Geld entgegennehmen und ausleihen. Seit etlichen Jahren verwaltet er das Kirchengeld, zur vollen Zufriedenheit aller Linnfurter. Er ist der beste Mann für diese Arbeit. Ich selbst werde jeden eingenommenen und ausgegebenen Betrag gegenzeichnen." Er mustert die Runde. „Heute in einer Woche kann es losgehen, wenn Sie einverstanden sind."

Und ob die Herren einverstanden sind.

Euphorisch machen sie sich auf den Heimweg.

*

Gegen fünf klopft es an die Pfarrhaustür. Abel schaut aus dem Fenster und sieht die Läpple draußen stehen. Er öffnet und führt sie in seine Amtsstube.

„Sie müssen mir helfen, Herr Pfarrer." Sie fängt zu weinen an. Die Predigt vom Vormittag treibe sie um, denn schon seit Wochen träume sie schlecht. Bereits vor dem gewaltsamen Ende ihres Mannes habe sie geahnt, dass er vom rechten Weg abgekommen ist. Aber auf ihre Fragen habe er nur gelacht. Das gehe sie einen feuchten Dreck an, habe er gesagt.

„Und wie kann ich Ihnen helfen?"

„Ich möcht wieder gutmachen, was mein Mann Schlechtes getan hat."

„Wie wollen Sie das anstellen?"

Sie hat einen abenteuerlichen Plan. Jedem, der bei ihrem Mann Geld geliehen hat, will sie den überhöhten Zins zurückzahlen.

Abel denkt eine Weile nach. Dann muss er sie enttäuschen. Ihr Plan sei nicht realisierbar, erklärt er ihr. Leider. Er habe ein paar Schuldner befragt. Von denen wisse er, dass sich ihr Johann vor allem an den vielen Ausgewanderten bereichert hat.

Aber die, wendet sie ein, die noch in Linnfurt wohnen, könnte sie doch entschädigen.

Nicht jeder Schuldner möchte sich zu seiner Geldnot bekennen, auch nachträglich nicht, gibt Abel zu bedenken. Ferner könnte ihr der eine oder andere im Städtle nur vortäuschen, Schuldner ihres Mannes gewesen zu sein. Wie sie eine berechtigte Forderung von einer unberechtigten unterscheiden wolle, sei ihm schleierhaft.

Die Läpple ist verzweifelt. „Das bringt mich noch ins Grab, Herr Pfarrer.“ Sie bricht in heftiges Schluchzen aus.

Abel legt das Gesicht in die Hände und überlegt hin und her. „Und wie wär’s, wenn Sie den Teil des Geldes, das ihr Mann durch Wucherzins eingenommen hat, dem Armenkasten und der Gemeinde spenden würden?“

Was dann mit dem Geld geschieht, will sie wissen.

„Nun, mit der einen Hälfte, die Sie dem Armenkasten spenden, würden wir die Armen im Armenhaus unterstützen, armen Kindern das Schulgeld zahlen und für die Schule einiges anschaffen.“

„Und was wird mit der anderen Hälfte?“

„Sie könnten bestimmen, dass dieses Geld nur dafür verwendet werden darf, Arbeit für Arme zu beschaffen. Vielleicht würde die Summe sogar ausreichen, mutigen Männern und Frauen, die ein eigenes Geschäft gründen wollen, zinsgünstiges Geld zu leihen.“

Sie trocknet ihre Tränen mit der Schürze. Die Idee gefällt ihr.

„Aber Sie müssen schon warten, bis wir das Geld Ihres Mannes gefunden haben.“

„Nein, Herr Pfarrer, das muss heut noch sein.“

Abel will sie vertrösten. Er möchte verhindern, dass die Frau im Überschwang ihrer Gefühle ihr ganzes Vermögen verschenkt und womöglich ihren eigenen Hof ruiniert.

Aber sie meint resolut: „Einen Teil für den Armenkasten, einen Teil für die Stadtkasse und einen Teil für mich.“ Sie nickt vor sich hin. „Ja, so machen wir’s.“

*

Um halb sieben tagt der Stadtrat. Der Schultes eröffnet die Sitzung und bittet die Herren, sich von ihren Plätzen zu erheben. Dann verliest er die Verlautbarung „An mein Volk“, die König Wilhelm I. zum bevorstehenden 25-jährigen Regierungsjubiläum am 31. Oktober eigenhändig formuliert hat:

„Liebe Getreue! In dem allgemeinen und begeisterten Anteil, welchen Mein Volk durch Abgeordnete aus allen Ständen und Klassen desselben aus allen Oberämtern und Gemeinden des Königreichs an der Feier Meines sechzigsten Geburtstages und Meines fünfundzwanzigjährigen Regierungs-Jubiläums genommen, habe Ich mit freudiger Rührung neue sprechende Beweise seiner Mir stets bewährten Treue, Liebe und Anhänglichkeit erhalten. Ich folge daher gerne dem Drange Meines Herzens, indem Ich Meinen sämtlichen geliebten Untertanen, und insbesondere denjenigen, welche bei dieser Feier persönlich mitgewirkt haben, Meinen gnädigen Dank und zugleich Mein allerhöchstes Wohlgefallen über den Sinn für Anstand und Ordnung, welcher diese Feste auszeichnete, hiermit öffentlich ausdrücke. Ich erteile hierbei mit wahrem Vergnügen Meinen getreuen Untertanen die Versicherung, dass Ich in ihren dankbaren Gefühlen und Gesinnungen den schönsten Lohn für dasjenige finde,

was Ich im Laufe Meiner fünfundzwanzigjährigen Regierung für ihr wahres Wohl zu wirken bestrebt gewesen bin, dass ihr Glück und ihre Wohlfahrt auch ferner das einzige Ziel Meiner landesväterlichen Bemühungen sein werde, und dass Ich die allgütige Vorsehung mit gerührtem Danke für ihren bisherigen Beistand anflehe, auch in Zukunft diese Meine Bemühungen mit ihrem göttlichen Segen zu begleiten. Hiernächst verbleibe Ich allen Meinen getreuen Untertanen mit Meiner Königlichen Huld und Gnade zugetan. Wilhelm."

Der Schultes muss sich vor lauter Rührung erst einmal schnäuzen. Dann bringt er ein dreifaches Hoch auf den König aus.

Sobald die Herren wieder sitzen, gibt der Schultes bekannt: „Die Tollwut verbreitet sich unter den Hunden rasend schnell. Im ganzen Land. Auch bei uns."

„Hat das Jubiläum vielleicht etwas mit der Tollwut zu tun?" Der Knöpfle von der Weinstube Rebstöckle macht ein Gesicht, als könne er kein Wässerchen trüben.

„Also in unmittelbarer Nähe von Linnfurt wütet die Tollwut", nimmt der Schultes, milde lächelnd, den Faden wieder auf. „Darum hat das Innenministerium die Gendarmerie angewiesen, alle bösartigen Hunde zu erschießen, die gereizt sind oder schon Menschen angefallen haben. Dabei darf auf das Ansehen des Hundebesitzers keine Rücksicht genommen werden. Außerdem ist es ab sofort untersagt, Hunde frei herumlaufen zu lassen. Große Hunde wie Bullenbeißer, Metzger- und Schäferhunde müssen ab sofort einen Maulkorb tragen. Amtsdiener und Scharwächter haben alle freilaufenden Hunde einzufangen. Wenn der Besitzer seine Hunde nicht binnen zweimal vierundzwanzig Stunden gegen eine Gebühr von einem Gulden auslöst, sind die Tiere entweder zum Wohl der Ortskasse zu verkaufen oder zu töten.“

Einige Stadträte können ihren Unmut nicht verbergen. So dürfe man mit Tieren nicht umspringen. Andere halten dagegen. Wenn in Linnfurt der erste Mensch an Tollwut stirbt, werde die Bevölkerung vor Wut kochen. Also sei Vorbeugung das Gebot der Stunde.

Man einigt sich. Der Unterlehrer muss noch heute Abend eine Warnung an alle Hundebesitzer verfassen. Der Amtsbote wird sie morgen früh an die Rathaustür und an die drei Stadttore nageln und eine Woche lang jeden Abend nach dem Glockenläuten ausschellen.

„Die von mir in der letzten Sitzung angekündigte Liste der neuen Rekruten wird unser Ratsschreiber bis morgen erstellen. Befehl von oben“, fährt der Schultes fort. „Die Eltern oder die Rekruten selber müssen sich an den beiden kommenden Mittwochnachmittagen auf dem Rathaus in diese Liste eintragen. Wer sich nicht erfassen lässt, der muss Reisepass und Wanderbuch abgeben. Auch verliert er das Recht, im Königreich Württemberg zu wohnen, wird verhaftet und ohne Losverfahren in jedem Fall zu den Soldaten eingezogen.“

Schließlich kommt der heikelste Punkt der Sitzung: die Sauberkeit im Städtchen. Zum Glück hat Pfarrer Abel mit seiner Predigt die ärgsten Gegner schon eingeschüchtert. Aber ein leichtes Grummeln nimmt der Schultes doch noch wahr, als der Unterlehrer in seiner Funktion als Ratsschreiber den recht gemäßigten Vorschlag für eine Linnfurter Sauberkeitsverordnung vorliest.

„Dass man den Nachthafen nicht mehr auf die Gass leeren darf, das kann ich noch verstehen“, mault der Schöpflein. „Aber was geht das andere Leut an, wie weit mein Misthaufen von der Kandel weg ist?“

„Weil deine Scheißbrüh die Kandel hinabläuft und bei mir in den Hof, du Hamballe“, erregt sich der Küfer Schorsch. „Ständig muss ich in meiner Werkstatt in deinem Gestank schaffen.“

„Ist schon einer beim Schaffen verstunken?“, gibt der Schöpflein zurück.

Erstens gehe es nicht nur um den Dreck und den Gestank auf den Straßen, führt der Bierlein die Debatte wieder auf ein sachliches Niveau zurück, sondern zweitens auch um sauberes Wasser. Oft sei das Trinkwasser in den letzten Jahren durch Gülle verunreinigt gewesen. Zu Recht habe Pfarrer Abel in seiner Predigt darauf hingewiesen, dass unser Wasser ungenießbar ist. Darum würden viele, die eigentlich Wasser trinken wollten, zu alkoholischen Getränken gezwungen. Die seien teuer und ungesund.

Die Mehrheit der Gemeinderäte ringt die paar Widerborste nieder und beschließt, dass Mist und Jauche in ausgemauerten oder mit Ton ausgeschlagenen Gruben gelagert und mit Brettern abgedeckt werden müssen.

Bleibt ein letzter Punkt. Die berühmte Kehrwoche, die andernorts bereits gilt. Jeden Samstag solle vor dem Haus und anteilig auch die Straße gekehrt werden.

Den stadtbekannten Streithähnen schwillt sofort der Kamm. Sie können das Maul nicht halten und bringen lauter Scheinargumente vor. Der Schultes hört eine Weile zu, dann gibt er dem Ratsschreiber einen Wink. Der Unterlehrer liest die geplante Verordnung abschnittweise vor. Nach jedem Abschnitt wird abgestimmt. So tritt endlich die Verordnung zum Zwecke der Sauberkeit in Kraft. Sie wird an der Rathaustür angeschlagen, vom Amtsboten bis auf weiteres jeden Freitagabend ausgeschellt und mehrfach im Linnfurter Intelligenzblatt veröffentlicht:

„Alle Fahrten aus den Höfen sind so einzurichten, dass die Straßenkandeln nicht beschädigt werden und das Wasser abfließen kann, ohne auf die Straße zu laufen.

Alle Misthäufen und Jauchegruben, die nicht ganz von der Straßenseite entfernt werden können, müssen mindestens sechs Fuß von der Kandel weg sein. Sie müssen in einer ausgemauerten oder mit Ton ausgeschlagenen Grube angelegt und mit Brettern abgedeckt werden. Ab dem 1. November dieses Jahres darf keine Jauche in die Kandel fließen.

Das Entleeren von Nachthäfen auf Gassen und Straßen ist ab sofort strengstens untersagt.

Jeden Samstag ist die Straße vor dem Haus zu reinigen. Das Pflaster ist zu kehren. Der Kot muss abgezogen und weggeschafft werden.

Unterlassung oder Zuwiderhandlung gegen diese Anordnung wird für jeden Einzelfall mit einer Strafe von acht Kreuzern bis zu fünf Gulden geahndet, je nach Vermögen des Betreffenden.“

Des Schultes Töchterlein bockt

In der Lindenküche hockt das Gesinde und isst zu Mittag. Bis Freitag, schätzt der Frieder, könnte alles gedroschen sein. Die Traubenlese in Etappen und das Keltern nach Lage der Rebstöcke verursache zusätzliche Arbeit. Noch zwei Wochen mindestens. Doch wenn so ein besserer Wein und ein höherer Preis erzielt würden, dann werde sich der große Aufwand lohnen.

Auch die Schankstube ist bis auf den letzten Platz gefüllt. Etliche Bauern sind schon mit dem Dreschen und Mosten fertig, manche sogar mit dem Keltern. Sie warten auf das Erntedankfest und gönnen sich einen Vorlauf auf den Umtrunk am kommenden Wochenende. Dabei kriegt der eine oder andere Appetit und vergisst das Heimgehen. Was die Lindenwirtin heute zu Mittag gekocht hat, ist gar zu verlockend: Kartoffelsuppe, geröstete Dampfnudeln mit Schweinebraten und Krautsalat.

In Küche und Schankstube ist der Mord am Läpple immer noch Mittelpunkt der Gespräche. Die Leute sind beunruhigt, weil der Mörder nach wie vor frei herumläuft. Die Spekulationen schießen ins Kraut.

Magda, des Schultheißen Töchterlein, plagt offensichtlich etwas ganz anderes. Sie ist patzig. Sie kratzt und beißt, schmollt und randaliert. Sie schmeißt mit dem Besteck, haut die vollen Krüge auf die Tische, dass das Bier zur Decke spritzt. Sie lümmelt sich hinter der Theke und streckt auch mal dem einen oder anderen Gast die Zunge raus.

Der Schultes will sich ein Bier holen und betritt die Schankstube durch die Küchentür. So hört und sieht er seine Tochter fauchen und fuhrwerken.

„Aberjetza, fehlt dir was?“

„Das geht dich einen Scheißdreck an!!“, keift sie mit funkelnden Augen und explodiert.

Er zieht sich beleidigt in die Küche zurück und fragt seine Minna, was denn mit dem Mädle los sei.

„Guten Morgen, Herr Stadtpräsident“, höhnt sie und schneidet ihm eine Fratze. „Ausgeschlafen?“

„Ja spinnen heut alle?“ Er ärgert sich gewaltig, will aufbrausen. Doch sie lässt ihm die Luft ab und faltet ihn zusammen: „Den ganzen Tag in der Gegend rumlaufen, wenn andere Leut schaffen müssen. Das ist doch seit vier Wochen so.“

„Was?“

„Dass die Magda rallig ist.“

Er macht eine wegwerfende Handbewegung. „Das vergeht auch wieder.“

„Bloß dass wir dann neues Mobiliar brauchen. Jeden Tag patscht sie Fenster und Türen, dass unser ganzes Haus wackelt. Aber der Herr Stadtobersimpel ist ja immer unterwegs.“

Der Schultes schaltet auf sanftmütig. Was denn in sein geliebtes Töchterlein gefahren sei, will er wissen.

Da gerät er bei ihr aber an die Falsche. „Töchterlein?“, höhnt sie. Das habe man davon, wenn man eine Blindschleiche zum Stadtschultheißen wählt. „Es schwätzt keiner gescheiter raus als wie er ist!“, ranzt sic ihn an. Er solle sich gefälligst auf die Suche nach dem Mörder machen. Hintenrum würden die Leute schon über ihn lästern.

Als er sie verdattert ansieht, schnauzt sie ihn an: „Hast keine Augen im Kopf?“ Sie schmeißt ihn aus der Küche und orakelt, er solle sich eine halbe Stunde in die Gaststube hocken und seine verschlafenen Glotzer aufmachen. Dann wisse er, was mit der Magda los ist.

Er schlurft missmutig in die Wirtschaft zurück und setzt sich an seinen Stammplatz vor dem Schanktisch.

Magda schmeißt den Putzlappen in die Spülschüssel. Dann füllt sie ungefragt einen Bierkrug und klatscht ihn vor ihren Vater hin. Dabei würdigt sie ihn keines Blickes.

In dem Augenblick öffnet sich die Tür. Der Unterlehrer kommt herein.

Der Schultes winkt ihn an seinen Tisch. Welche der gestrigen Stadtratsbeschlüsse schon erledigt seien, will er wissen.

„Alle, Herr Bürgermeister.“

„Was? Auch die Rekrutierungsliste?“

Magda wieselt herbei. „Nehmen Sie doch bitte Platz, Herr Lehrer. Was möchten Sie trinken?“

„Seit wann kannst du so vornehm schwätzen?“ Der Schultes ist platt.

Sie gebietet ihm mit erhobener Nase und knapper Handbewegung zu schweigen. Mit einer eleganten Geste nötigt sie den Lehrer, sich in ihre Nähe zu setzen.

Der Schultes runzelt die Stirn.

„Darf ich Ihnen ein gutes Weinle bringen, Herr Lehrer?“ Sie zerfließt vor Anmut und streichelt ihn mit sanften Augen.

Verlegen schaut der schüchterne junge Mann den Schultes an. Ausgemacht ist, dass ihm für sein Ratsschreiberamt wöchentlich ein Essen und ein Glas Bier auf Spesen zustehen.

„Jetzt trink halt einen Wein“, beruhigt ihn der Lindenwirt. „Musst ja auch in dieser Woch mehr als sonst fürs Rathaus schaffen.“

Kaum hat er das gesagt, schon flitzt das Fräulein hinter den Schanktisch, sucht den schönsten Pokal heraus, wienert ihn, bis er funkelt. Dann nimmt sie die beste Flasche ihres Vaters aus dem Schrank und serviert den rubinroten Wein mit einem honigsüßen Lächeln. Gleich darauf trägt sie das auf Hochglanz polierte Besteck herbei. Nicht in der Hand, wie sonst. Nein, auf einem Tablett, wie es bei seiner Eminenz Graf Heinrich zu Linnfurt üblich sein soll.

Der Schultes kriegt den Mund nicht zu. Er guckt, schluckt und eilt in die Küche.

Was denn mit der Magda los sei, fragt er seine Minna. Das Mädle sei übergeschnappt. Auf einmal überschlage sie sich vor lauter Höflichkeit.

Sie lacht. Verliebt sei Magda. Sonst nichts. Heut sei doch Mittwoch. Und mittwochs komme der Lehrer zum Essen, mal mittags, mal abends vor der Singstunde. Magda sei in den Kreidefresser verschossen. Sie lebe nur noch für den Moment, bis die Tür aufspringt und der Buchstabierfritze hereinspaziert. Könne sie aber den armen Schlucker nicht mit ihrer inwendigen Hitze wärmen, dann schlage ihr das überschüssige Feuer zu den Ohren hinaus. Die Liebe sei halt eine Himmelsmacht.

Der Schultes schüttelt den Kopf. Es will ihm nicht in den Kopf, was sein Mädle an dem dürren Zaunstecken findet. Blöd ist er ja nicht, aber ein Langweiler.

„Der ist bloß vernagelt“, grinst die Minna. „Da kenn ich noch einen. Der ist vor etlichen Jahren auch so ein Einfaltspinsel gewesen. Wenn ich den damals nicht verschüttelt hätt, dann wär der nie zu sich gekommen.“

Der Schultes versteht nicht. Das macht ihn langsam wütend. Er fühlt sich verschaukelt.

„Damals.“ Sie geht mit dem Kochlöffel auf ihn los: „Weißt noch?“

Er zuckt die Schultern.

Sie drückt ihm den Löffel auf die Brust und schiebt ihn vor sich her. „Weißt nicht mehr?“

Er winkt ab. „Ich weiß bloß noch, dass du gemeint hast, die Kinder täten von den roten Rüben kommen.“

Sie nagelt ihn mit dem Kochlöffel an der Küchentür fest. „Wenn ich dir die Hose nicht runter hätt, dann hätten wir heut noch keine Kinder.“

Er stößt den Löffel zurück. „Aberjetza! Hör auf mit den alten Fürzen. Sag mir lieber, ob dir der Lehrer als Tochtermann gefallen tät.“

„Schief ist er nicht. Schepps auch nicht. Halt ein bisschen überzwerch. Dafür hat er keine falsch eingeschraubten Füß wie du. Und so blöd wie du ist er auch nicht.“

„Dann nehmen wir den Hungerleider?“

„Musst ihn halt zum Schulmeister machen.“

*

Der Schultes stapft durch die Hauptstraße zum Rathaus hinauf. Mittwochnachmittag ist Amtszeit und Sprechstunde. Unterwegs sinniert er. Den Lehrer als Tochtermann annehmen oder ablehnen?

Er hat es in der Hand. Zugegeben, nicht allein. Stimmt er bei der Schulmeisterwahl für einen anderen Bewerber, dann kratzt ihm seine Magda die Augen aus, weil der Unterlehrer in dem Fall davonlaufen könnte. Magda würde zwar noch ein Weilchen toben, aber vier Wochen später wäre auch das überstanden. Aus den Augen, aus dem Sinn. Einer Ehe, nur auf Liebe gebaut, fehlt die innere Mitte. Davon ist der Schultes felsenfest überzeugt. Liebe kommt, Liebe geht, aber die Ehe bleibt. Deshalb braucht es mehr als ein bisschen inwendige Hitze. Nämlich auch die Liebe zu all jenen Sachen, womit man sein Leben bestreiten muss.

Abel wird wohl für den Unterlehrer stimmen. Der zählt auf den jungen Mann. Zugegeben, fleißig, zuverlässig und pünktlich ist das Paukerlein. Außerdem angenehm im Wesen. Und er kann was, gerade als Ratsschreiber. Sein Abgang wäre für Linnfurt gewiss ein Verlust, zumal nicht klar wäre, ob der neue Schulmeister all die Ämtchen, die mit dem hiesigen Schuldienst verbundenen sind, übernehmen könnte. Selbst wenn er es tun würde, wäre noch lange nicht sicher, dass er es so gut macht wie der Unterlehrer.

Wenn der Kinderbändiger bloß kein Hungerleider wäre. Hat nichts. Angeblich nicht einmal Eltern und Geschwister. Ein Waisenkind, wie so viele Lehrer in Württemberg, hat er einmal in einer stillen Stunde gestanden. In Beuggen im Südbadischen sei er in der Armenschule gewesen, im Schloss der Barmherzigkeit von Pfarrer Zeller. Saublöd! Hätte sich das Mädle nicht einen reichen Bauern oder Handwerker aussuchen können?

Während ihn diese Gedanken beschäftigen, steigt er im Rathaus in seine Amtsstube hinauf und lässt sich auf den Stuhl hinter dem Schreibtisch fallen. Im Grunde genommen, fällt ihm ein, als er lustlos auf die gegenüberliegende Wand starrt, ist heute der erste Tag der kommenden fünftausend Jahre. Er grinst vor sich hin. Würde er heute die Füße auf den Tisch legen und das Regieren auf morgen verschieben, dann blieben immer noch 4999 Tage zum Schaffen übrig.

Er seufzt. Ihm schießt durch den Kopf, dass die hohen Herren in Stuttgart keine Ruhe geben würden. Schon zweimal hat das statistisch-topografische Büro der Regierung die Übersicht über den Viehbestand in Linnfurt angemahnt. Meldung auf einem Vordruck bis spätestens 1. November!

Zum Glück hat der Unterlehrer schon gezählt, wie ein Zettel auf dem Schreibtisch belegt: 164 Pferde, 1 Zuchtstier, 726 Stück Rindvieh, 327 Schafe, 128 Ziegen, 1 Zuchteber, 389 Schweine.

„Respekt!“, nuschelt der Schultes vor sich hin. Erstaunlich, was der junge Mann jede Woche wegschafft. Nur zweierlei muss man noch korrigieren.

Erstens zählen Zuchtstier und Zuchteber zum Kirchenpersonal. Sie stehen zwar im Farrenstall, aber der gehört zum Pfarramt. Das ist in Linnfurt seit Menschengedenken so. Allerdings berappen die Bauern die Farrengebühren seit einigen Jahren nicht mehr im Pfarramt, sondern auf dem Rathaus. Das muss der Lehrer noch mit einer Fußnote erläutern.

Zweitens fehlen die Bienenstöcke auf der Liste. Mit geschultem Verwaltungsblick ist das dem Schultes sofort ins Auge gestochen. Wer sich wohl in Stuttgart in die hirnverbrannte Idee verrannt hat, die Bienen zum Vieh zu rechnen? Er schüttelt den Kopf über die trübsinnigen Allmachtsdackel an höchster Stelle. Wissen die nicht, dass alle Viecher vier Beine haben, nicht fliegen können, Heu fressen und furzen? Oder gibt es in Stuttgart vierbeinige Bienen, die man melken kann?

In dem Moment hört der Schultes zwei Personen ins Rathaus kommen. Den Schritten nach ein Mann und eine Frau. Da wird wohl ein Pärchen um Heiratserlaubnis nachsuchen. Er legt die Liste zur Seite und bereitet sich auf den Besuch vor.

Und schon steht seine Magda vor dem Schreibtisch. Sie hat es offensichtlich eilig, denn sie überfällt ihn mit dem Satz: „Vater, ich muss mit dir schwätzen."

Er sieht sie an. Eine leichte Zornfalte bildet sich zwischen seinen Augenbrauen.

Sie weicht seinem Blick nicht aus, aber setzt eine bockige Miene auf.

„Ha, du bist mir eine rechte Gurke. Vor einer Stund hättest mit mir in der Linde schwätzen können."

„Aber da hat der Albert noch nicht gewusst, dass er mich heiraten will.“

Dem Schultes verschlägt es die Sprache. Entgeistert stiert er seine Tochter an.

„Ich hab den Albert gefragt, und er hat nicht nein gesagt.”

Er überlegt hin und her. Wer ist Albert?

„Dann hab ich die Mutter gefragt, und die hat auch nicht nein gesagt. Aber dich muss ich fragen, hat sie gesagt. Weil ich ein Heiratspapier brauch von dir, Vater. Und der Albert vom Pfarrer, weil er ein Waisenkindle gewesen ist.“

Da scheppert es bei ihm im Kopf. Waisenkindle? Albert? Das muss der Unterlehrer sein! Und doch kann er immer noch nicht fassen, was ihm seine Tochter da an den Kopf geworfen hat.

„Weißt, Vater, der Albert hat gesagt, wenn er Schulmeister werden tät, dann muss er sowieso heiraten. So ist’s vorgeschrieben. Dann könnt er auch gleich mich heiraten.“

„Und da hast du den Albert gefragt, ob er …?“

„Die Mutter hat gesagt, du warst ein Einfaltspinsel. Darum hätt sie dich auch fragen müssen. Du wärst nie auf die Idee gekommen.“

„Da gehst du seelenruhig ins Rathaus und willst was schaffen. Und ein paar Minuten später wirst du Großvater. Ich glaub, ich spinn.“

Ihr kullern Tränen herab, sie stampft auf und flennt.

Er beginnt zu wanken und weich zu werden. Seiner weinenden Tochter hat er noch nie etwas abschlagen können.

Sie legt nach: „Wenn du jetzt nicht ja sagst, dann geh ich an Martini aus dem Haus. Dass du's bloß weißt. Dann bist du schuld, wenn's mir mal dreckig geht."

Er fährt sich mit der Hand übers Gesicht, weil er feststellen will, ob er wach ist oder träumt. „Da hat der Albert aber Glück gehabt, dass du ihn überhaupt gefragt hast." Er sieht sich um. „Ja, wo ist er denn, der Glückliche?"

„Im Sutrai. Er traut sich nicht."

„Dann hol ihn her. Ich muss ihm noch was wegen der Viehzählung sagen. Aber eines merkst dir: Sein Hosenladen bleibt zu bis nach der Hochzeit!!"

Erntedankfest

Der Gottesdienst ist wie immer an Erntedank. Schlicht und ernst. Ohne Firlefanz und Brimborium, ohne Kirchenchor und Gesangverein. Für Chorproben war nämlich noch keine Zeit. Erst wenn die letzten Trauben gelesen und gekeltert sind, wird die Arbeit weniger. Dann besucht man auch wieder die Singstunde.

Pfarrer Abel blickt von der Kanzel herab auf seine müden Schäflein und zählt die Herausforderungen der letzten Monate auf. Das macht er jedes Jahr. Darum droht seine Herde einzuschlafen. Nur der Bibeltext wechselt. Heuer legt Abel den hundertsechsundzwanzigsten Psalm aus: *Die mit Tränen säen, werden mit Freuden ernten. Sie gehen hin und weinen und tragen edlen Samen und kommen mit Freuden und bringen ihre Garben.*

Am Vorabend sind die Hammel seiner Herde schon reichlich zur Tränke geführt worden. Jetzt wird heftig gerülpst und gefurzt. Das verdrießt den Pfarrer, aber freut den Kirchendusler. Seine dürre Stange trägt heute reichlich Früchte, denn bis zum Duseln und Ruseln ist es für viele nicht mehr weit. Wie immer im Erntedankgottesdienst.

Er habe im *Schwäbischen Merkur* gelesen, sagt der Pfarrer, wie die schlechte Ernte die Preise nach oben treibt. Zum Beispiel habe die Stuttgarter Kornhaus-Inspektion festgestellt, dass das Simri *[altes Hohlmaß, etwa 15 Liter]* Weizen innerhalb eines Monats um einen dreiviertel Gulden teurer geworden ist. Das lasse für den Winter nichts Gutes ahnen. Sparen sei angesagt, wieder einmal. Zum Glück habe der Kirchenkonvent den Sparverein auf Gegenseitigkeit beschlossen. Jeder, der Geld hat, solle es zum Kastenpfleger bringen. Dort sei es sicher und bringe sogar noch Zinsen. Rathaus und Kirche bürgten dafür. Je mehr Linnfurter ihr Geld dem Sparverein anvertrauten, desto mehr Kredite könne man an unverschuldet in Not Geratene vergeben. Wucher werde es ab sofort nicht mehr in Linnfurt geben. Einer trage der anderen Last. So stehe es in der Bibel, und das gelte ab jetzt.

Eine kurze Predigt ohne besondere Höhepunkte. Dennoch endet der Gottesdienst mit einem Knall, der in die Annalen der Stadt eingeht. Pfarrer Abel stellt sich vor die erste Reihe, direkt vor den Schultes, und verliest ein Schriftstück: „Seine königliche Majestät haben aus Anlass seines Thronjubiläums eine Reihe verdienstvoller Persönlichkeiten des Landes geehrt und vermöge höchster Entschließung vom 30. September 1841 dem Schultheißen Fritz Frank aus Linnfurt in gnädigster Anerkennung seiner tätigen und erfolgreichen Wirksamkeit geruht, die goldene Verdienst-Medaille zu verleihen und zugleich angeordnet, ihn wegen seiner Verdienste um die Gestaltung seiner Stadt öffentlich zu beloben.“

Die Gemeinde ist zunächst sprachlos. Dann wird es, entgegen sonstiger Gepflogenheit, laut in der Kirche.

Der Schultes läuft rot an und schnappt nach Luft. Minna, die in der ersten Bank auf der linken Kirchenseite sitzt, schaut besorgt zu ihm hinüber. Eben steht sie auf und will zu ihrem Mann eilen, doch sie besinnt sich und setzt sich wieder.

Abel tritt einen Schritt vor und streckt dem Schultes die Hand hin. Der erhebt sich zögernd. Verwirrt sieht er den Pfarrer an. Offensichtlich hat er noch nicht kapiert, was die ganze Gemeinde längst begriffen hat.

„Ich gratuliere Ihnen von ganzem Herzen, Herr Bürgermeister“, sagt Abel, „Sie haben es wahrlich verdient.“

Erst jetzt ergreift der Schultes die ausgestreckte Hand. Vor lauter Rührung bringt er keinen Ton heraus. Darum beschränkt er sich darauf, voller Dankbarkeit zu nicken und sich zu schnäuzen.

Der Pfarrer tritt wieder einen Schritt zurück und hält eine kurze Ansprache. Wenn sogar der König im fernen Stuttgart die gute Arbeit des Bürgermeisters von Linnfurt anerkenne und dazu auffordere, das Stadtoberhaupt öffentlich zu loben, wie viel mehr müssten die Bewohner dieser Stadt ihrem Schultheißen dankbar sein. Denn mit der Ehre für das Oberhaupt der Stadt würdige Seine Majestät ganz Linnfurt. Jeder dürfe sich heute geehrt fühlen. Das Königreich Württemberg blicke heute voller Bewunderung auf die schöne Stadt an der Linn. Das wiederum verdanke man dem unermüdlichen Schaffen des Bürgermeisters. Der König habe in einem Anschreiben ausrichten lassen, dass die Ehrung voraussichtlich Ende November im Schloss zu Stuttgart stattfinden werde. Aus Respekt vor den noch nicht abgeschlossenen Erntearbeiten sei das so beschlossen worden. Der genaue Termin werde dem Herrn Bürgermeister rechtzeitig vom Hofamt mitgeteilt.

Etwas Ungeheures, noch nie Dagewesenes in der Kirchengeschichte Linnfurts tritt nun ein. Die Gemeinde erhebt sich. Beifall brandet auf. Händeklatschen in der Kirche! Und vorn auf den Stufen zum Altar steht Pfarrer Abel und applaudiert mit.

Gleich nach dem Mittagessen strömen die Linnfurter nahezu vollzählig zur Ruglerwiese vor dem Linntor. Der Krämermarkt am Erntedankfest ist traditionell die größte Warenschau in der ehemaligen Grafschaft Linnfurt. Darum eilen auch viele Neugierige aus den Nachbardörfern herbei.

Seit halb eins sind die Stände und Buden umlagert. Nicht nur entlang der Stadtmauer zu beiden Seiten des äußeren Linntores. Auch rund um die Flößerlände. Ein süßer und zugleich würziger Duft hängt in der Luft. Die Kinder jauchzen. Ihnen läuft das Wasser im Mund zusammen. Sie drängeln und quengeln ihre Eltern zu den Schleckereien hin. Die Erwachsenen dagegen lassen sich treiben, von einem Händler zum nächsten, von Auslage zu Auslage. Dahin ein Grüßgott, dorthin ein schnelles Wort. Und immer wieder ein Schwätzchen. Aber das Ziel ist klar. Ein Bier, einen Wein, eine Brezel, eine Wurst, ein Schüsselchen Sauerkraut, ein Brot mit Griebenschmalz, das und vielleicht noch mehr muss es heute schon sein.

Bonbons und Schokolade gibt's gleich am Linntor. Die kleinen und großen Leckermäuler umlagern den Zuckerbäcker und verstopfen immer wieder den Zugang zum Markt. Aber heute hat man Zeit. Nur ein paar Verdurstende schieben die Kinder zur Seite und pressen sich rücksichtslos durch die Menge. Sie müssen auf dem schnellsten Weg hinunter zur Flößerlände, ans Ende der Auslagen, dorthin, wo es Bier und Wein im Überfluss gibt und allerlei zu essen.

Neben dem Zuckerbäcker stellt ein Messerschmied seine scharfen Klingen aus: Taschen- und Klappmesser, Dolche, Küchenmesser, Bratenspieße, Rasiermesser, Scheren, Sensen und Sicheln. Gegenüber preist Seilermeister Häberle Seile und Stricke an. Am nächsten Tisch verkauft ein Beutler und Gürtler aus Hohenburg modische Lederwaren, Beutel, Taschen, Gürtel, Koppeln, Gurte, Riemen, Hosenträger und Handschuhe.

Ein Häfner aus Haslach krakeelt über die Zuschauer hinweg. Er schreit seinen Ärger hinaus. Billige Massenware mache seinem ehrbaren Handwerk schwer zu schaffen. Seine Kannen, Krüge, Teller, Töpfe, Schüsseln und Kacheln seien viel besser als das lieblos gegossene und gepresste Fabrikzeug. Steingut habe er im Angebot, aber auch lasiertes Steinzeug, hart gebrannt und für Flüssiges das ideale Geschirr. Sogar der Herr Oberamtsarzt lobe sein Geschirr über den Schellenkönig, weil es gesund ist.

Teure Kerzen aus Bienenwachs und billige aus Rindertalg gibt's am nächsten Tisch. Darüber ist der hiesige Metzger jedes Jahr aufs Neue erbost, hat er doch preiswerte Kerzen das ganze Jahr. Nebenan kräht ein Kammmacher. Sein Kropf schwillt an wie bei einem Kauder *[Truthahn]*: „Hast du einen Kamm aus Horn, bist du wie Hochwohlgeborn." Jeder Besucherin, die vor seinem Tisch stehen bleibt, hält er zuerst seine Luxuskämme aus Elfenbein und Schildplatt unter die Nase, bevor er sich auf die billigeren Hornkämme herablässt. In der nächsten Bude hockt ein Knopfmacher. Tisch und Wände sind über und über mit Knöpfen aus Horn, Schildpatt und Holz, aus Blech und Silber bedeckt. Manche sind sogar mit Seide oder buntem Stoff überzogen. Beim Bürstenbinder nebenan liegen Bürsten und Besen aus Schweineborsten und Pferdehaaren aus. Die ganz weichen, teuren Pinsel sind aus Dachshaaren und aus den Schwanzhärchen von Eichhörnchen gemacht.

Mitten durch die Menge wühlt sich der stämmige Schultes. Durch die von ihm geschlagene Schneise hinkt der klapperdürre Amtsbote. Heute Morgen hat er als Kirchendusler fette Beute gemacht. Jetzt ist er als Büttel gekleidet. Letzte Woche hat ihm der Schneider auf Kosten der Stadt einen neuen Amtskittel genäht. Außerdem trägt er eine blaue Schirmmütze mit rotem Band und weiß-rotem Kokon. Er strahlt wie ein Honigpferd und hüpft um den Schultes herum. Wieder und wieder versucht er, seinen Glückwunsch loszuwerden. Doch das Stadtoberhaupt muss leutselig in alle Richtungen grüßen. Huldvoll nach allen Seiten die Hand reichen. Anerkennende Schläge auf die Schulter erdulden. Da ein Schnäpsle zwitschern. Dort einen hochprozentigen Glückwunsch kippen. Der Hut hängt schon im

Genick. Die Schritte werden von Stand zu Stand weicher und schwankender. Der Hochgeehrte ist wie gerädert. Aber er steht seinen Mann und schleppt sich weiter.

Beim Nagelschmied drängen sich die jungen Burschen. Klar, verschiedene Nagelsorten und rollenweise Draht gibt es zu bestaunen. Aber verlockender ist, dass man gegen Geld lange Nägel in einen Balken donnern darf. Wer weniger als drei Schläge braucht, kriegt ein paar Nägel umsonst. Die nimmt man natürlich mit. Aber die Hauptsache ist die Kraftprotzerei. Wer ist der Stärkste?

Gläser aller Art werden auf dem Nachbartisch feilgeboten. Glatte Tischgläser, teure Kristallgläser und geschliffene Pokale. Dazu Humpen und Kelche, Schalen und Vasen. Die nächste Bude ist über und über mit den neuesten Damen- und Herrenhüten aus Wolle oder Hasen-, Kaninchen-, Otter- oder Biberfell behängt. Die prächtigen Deckel sind mit Bändern, Federn und Bommeln aufgeputzt. Auf der Seite, wo ein Spiegel hängt und viel Platz für die Kauflustigen ist, stapeln sich schwarze und blaue Hauben, aus Tuch oder Seide, mit und ohne Stickarbeiten. Dazu passende Kopf- und Halstücher hängen in großer Auswahl über der Auslage.

Nebenan erklingen Silcherlieder. Ein Mann in Schwarzwäldertracht, umringt von vielen Menschen, kurbelt vertraute Weisen auf einer Drehorgel, dem letzten Schrei auf den Jahrmärkten. Der Schultes strahlt aus allen Knopflöchern. Er ist dem Instrumentenmacher beim Festzug in Stuttgart begegnet und hat ihn höchstpersönlich für den Linnfurter Kirbemarkt engagiert. Herzlich begrüßt er den Musikus und seine Frau mit Handschlag. Während der Drehorgler Musik macht, sitzt seine Frau in Tracht und mit Bommelhut zwischen ausgelegten und aufgehängten Gitarren, Mandolinen, Zittern, Drehleiern, Fideln, Flöten und Tamburinen mit und ohne Schellen.

Ein Brillenmacher aus dem Neckartal stellt Sehhilfen aus und beschwatzt die Marktbummler. Die neumodischen Ohrenbrillen mit Ohrbügeln drückten kaum noch auf die Nase. Sogar die bewährten Zwicker mit Federbügeln aus Eisen oder Kupfer könne er nun den empfindlichen Nasen empfehlen, weil die Druckstellen mit Leder gepolstert seien. Und für die feinen Pinkel gäbe es herrliche und preiswerte Monokel. Die klemme man, er macht es schnittig vor, zwischen Wange und Oberlid. Nach Gebrauch lasse man das Sehglas an einer feinen Silberkette oder edlen Seidenschnur elegant in die Westentasche gleiten. Und schon streitet sich die Kundschaft um die fünf Stühle, die vor einer Tafel stehen. Wer einen Platz ergattert hat, dem setzt der Brillenmacher Augengläser auf, durch die man Zahlen und Buchstaben von einer Tafel ablesen muss.

Auch Uhrmachermeister Brunnarius aus Stuttgart ist angereist, wie mit dem Schultes in Stuttgart vereinbart. Er verkauft Tisch-, Büffet- und Wanduhren, Spieldosen und Taschenuhren sowie die bei Damen so beliebten Halsuhren. Der letzte Schrei der Schwarzwälder Uhrenindustrie ist das Uhrenmännchen. Auf einem Holzsockel steht eine bunt bemalte Metallfigur.

Sie trägt im Arm eine kleine Büffetuhr mit Pendel, auf dem Rücken ein zweites Ührchen.

Durch die bunte Menge huscht der Papageienmann und sucht ein neues Opfer. Blitzschnell setzt er einem Burschen oder Mädchen seinen Papagei auf Kopf oder Schulter. Zum Vergnügen der Passanten begrüßt der bunte Vogel die Umstehenden mit „ade!“ oder beschimpft sie mit einem lauten „Drecksack!“. Wer den Vogel hat, muss einen halben Kreuzer zahlen.

Hinter Büschen, wo’s etwas ruhiger ist, steht ein Kasperletheater. Für einen kupfernen Viertelkreuzer dürfen die Kleinen zugucken. Gleich daneben sind Stände und Lauben voller Spielsachen. Pferde, Ochsen und andere Tiere, auch wilde, aus Holz oder bemalter Pappe. Bauernhäuser, Pferdeställe, Burgen und Schlösser aus Spanholz. Wagen und Schiffe. Baukästen, Puppenstuben mit gedrechselter Einrichtung. Komplette Stadt- und Landszenen in Spanschachteln. Vielerlei Zinnfiguren, nicht nur Soldaten, sondern auch Löwen, Tiger und Elefanten. Trommeln und Pfeifchen, Säbel und Patronentaschen. Getöpferte Vögel zum Hineinblasen. Spielkarten, Legespiele, Bilderbücher, Kugelspiele, Kreisel und – als Attraktion – ein bunt bemaltes Schaukelpferd, das man gegen einen Viertelkreuzer reiten darf. Den Kindern hüpft das Herz im Leib. Ihre Augen können sich nicht satt sehen. Am liebsten würden sie alles einsacken.

Ein Nürnberger Lebzelter, der hier seit Jahr und Tag seinen Stand hat, verkauft von den teuren Elisenlebkuchen nur wenige. Dafür umso mehr von den herzförmigen Lebkuchen, die man an einem roten Band um den Hals hängen kann. Sie sind mit bunten Märchenbildern beklebt oder mit farbigem Zuckerguss beschriftet. Ledige Burschen wollen rote Herzen, die vor der Brust baumeln, damit jedes Mädchen sofort sieht, wer noch zu haben ist.

Neben der Auslage eines Perlendrehers bleiben der Schultes und sein Amtsbote stehen. Vor den Schachteln voller Glas- und Holzperlen fädelt sich Frieda eine bunte Kette auf. Der Scharwächter, auch er von der Stadt mit einem neuen Uniformkittel ausgestattet, schaut ihr gebannt über die Schulter.

„So, so", sagt der Schultes, und der Polizeidiener erschrickt zu Tode, weil er nur Augen für Frieda hat, „wie lang willst mir noch aus dem Weg gehen?"

„Ich geh niemand aus dem Weg."

„Komm mal auf die Seite."

Der Scharwächter gehorcht aufs Wort.

Neben der Bude macht der Schultes dem Uniformierten Vorhaltungen. „Komisch, dass du ausgerechnet mit der Frieda unterwegs bist."

„Bin ich nicht. Ich hab sie zufällig getroffen."

„Gell, willst wissen, ob sie dich mit dem Läpple zusammen gesehen hat?"

„Ich hab dir schon fünfmal gesagt, dass ich den Läpple nicht auf dem Gewissen hab."

„Und warum ist deine Agathe mit deinen Wuserle nicht da?"

„Weil ich im Dienst bin."

Der Schultes lässt den Scharwächter stehen und trödelt mit dem dürren Heinrich weiter, der endlich seine Glückwünsche anbringen kann. Während sie von

Tisch zu Tisch schlendern und die ausgelegten Warcn betrachten, fragt er ihn aus, was der Scharwächter beim gemeinsamen Schützendienst auf dem Schlossberg erzählt hat.

Mit keinem Wort sei der Gottlob auf den Mord eingegangen, versichert der Amtsbote. Vielmehr habe er den Eindruck, dass der arme Mann gerade eine schwere Zeit durchleidet. Seine Frau mache ihm die Hölle heiß. Jeden Kreuzer müsse er zuhause abliefern. Wenn er noch einmal besoffen heimkomme, könne er sofort ausziehen, habe ihm seine Frau gedroht. Auch fürchte er um sein Amt.

Dann verabschiedet sich der Büttel. Er muss bei den Händlern Standgeld kassieren. Er ist Ansprechpartner für alle umherziehenden Gaukler, Künstler, Krämer und Handwerker. Er weist ihnen vor dem Kirchgang die Plätze für Stände und Lauben zu. Dass ihm dabei fürs Entgegenkommen ein Handgeld oder allerlei Krimskrams in die Tasche geschoben wird, versteht sich von selbst. Der Wirtschaftskreislauf muss geschmiert werden, sonst läuft er nicht rund.

Schultes Fritz Frank fährt gegen neun mit seinem Einspänner zum Oberamt. Dort latscht er, ohne anzuklopfen, ins Dienstzimmer der Gendarmerie.

Der oberste Polizist des Bezirks steht am Fenster, die Hände auf dem Rücken. Kommandant Hornschuch schaut den Spatzen zu, die sich um ein paar Samenkörner streiten. Die dunkelblaue, zweireihige Uniformjacke mit schwarzem Kragen und schwarzen Ärmelaufschlägen spannt. Die graue Hose klemmt im Schritt. Eminenz haben einen saumäßigen Ranzen. Der schwarze Tschako liegt auf dem Schreibtisch. An der Brust baumelt die silberne Militär-Verdienstmedaille des Landes.

Der Schnauzbärtige ist ungnädig und raubauzig. Erstens ärgert er sich, dass er in seiner himmlischen Ruhe gestört wird. Zweitens sind ihm die kümmerlichen Kommunalgrößen im Allgemeinen verhasst, weil er sich selbst als Diener Seiner Allerhöchsten Majestät sieht. Und drittens hat er im Speziellen schon lange einen heiligen Zorn auf den Schultheißen von Linnfurt an der Linn. Der tituliert ihn nicht korrekt. Vermutlich missachtet und verspottet er ihn sogar. Wie sonst ließe sich erklären, dass in den Linnfurter Briefen ans Oberamt immer von Gendarmen gesprochen wird.

Statt eines Grußwortes ranzt er den Eintretenden an, der Dorfschultheiß von Entenheim solle sich endlich hinter die ungewaschenen Ohren schreiben, dass die Gendarmen schon 1823 zu Landjägern geworden sind. Auch seinen Entenheimern müsse er schleunigst beibringen, dass der Gendarm kein Gendarm ist, sondern ein Landjäger.

„Darum“, schnauzt Hornschuch den Gast an, „bin ich nicht Gendarmeriekommandant, wie Sie mich immer titulieren, sondern Kommandant des Landjägerkorps. Außerdem“, jetzt schlägt Feuer aus seinen Augen, „hat mir einer meiner Männer berichtet, dass Sie sich abfällig über meine Truppe geäußert haben. Als Gurkentruppe hätten sie uns beschimpft.“

„Nicht ganz“, gesteht der Schultes und kann ein Grinsen nur mit Mühe unterdrücken, „ich hab gesagt, dass die Gendarmen durch Entenheim spazieren und Maulwürfe fangen statt Verbrecher.“

Der Dekorierte speit Verachtung. Bei jedem Wort versprüht er einen feinen Nieselregen, weil er große Zahnlücken im Unterkiefer hat. Selbstverliebt spielt er mit der Medaille an seiner Uniform, aber so aufdringlich, dass jeder sofort weiß, wes Geistes Kind der Herr Kommandant ist. Als sei er in Gedanken, dreht Hornschuch den Silberorden um und um, schaut mal verträumt auf ihn herab, wischt mal mit dem Ärmel über ihn hinweg, damit er glänzt und gleißt. Dabei linst er aus den Augenwinkeln zum Gast hinüber, ob sein Orden die erhoffte Beachtung findet.

Der Schultes hat längst erkannt, dass auf der Vorderseite das Konterfei des Königs drauf ist und auf der Rückseite der Spruch *Für Tapferkeit und Treue*. Spitzbübisch sieht er den Dekorierten an. „Unser Feldschütz hat auch so ein Blechle am Kragen, sonst täten ihn die Landstreicher ja gar nicht als Respektsperson erkennen.“

Der Aufgeblasene läuft rot an. Gleich explodiert er. Doch der Schultes sticht ihm mit einem schnellen Satz die Luft ab: „Ich hab auch so ein Abzeichen.“

Eminenz fällt der Kiefer herunter.

Der Schultes legt nach. „Nicht in Silber.“ Nach einer kleinen Pause. „In Gold.“ Schließlich der Volltreffer: „Von Seiner Majestät höchstpersönlich verliehen.“

Der Lackaffe schluckt trocken. Er weiß nicht, was er sagen soll.

Diese Sprachlosigkeit macht sich der Schultes zunutze. Das Mobiliar des ermordeten Läpple müsse untersucht werden, sagt er. Dazu brauche er eine schriftliche Weisung an zwei Hohenburger Handwerksmeister, die sich weigerten, über den Einbau von Geheimfächern Auskunft zu geben. Auch müsse eventuell ein Zweitschlüssel gefertigt werden.

Der Kommandant eilt an sein Pult und schreibt einen Befehl an Schlosser Vogel und Schreiner Höfele heraus. Ob der Herr Bürgermeister bei der Durchsuchung der Möbel Hilfe benötige, fragt Hornschuch.

Der Schultes dankt. Sein Amtsdiener und sein Feldschütz seien in der Lage, das Schließfach zu öffnen. Dazu müsse nicht extra ein Gendarm bis nach Entenheim spazieren.

Reformationstag

Das Städtchen ist wie leergefegt. Die Linnfurter bibbern und schlottern in der Kirche. Sie hocken zusammengekauert, den Hals eingezogen. Die Hände unters Gesäß geschoben, versuchen sie, sich auf den Gottesdienst zu besinnen. Heute wird ein doppeltes Fest gefeiert. Reformationstag und König Wilhelms Thronbesteigung vor genau fünfundzwanzig Jahren.

Im Kirchenschiff muffelt es. Die Schäflein drängen sich dicht an dicht, sortiert nach Männlein und Weiblein. Im Schweinsgalopp haben sie die Wintersachen aus den Truhen gerissen. Zum Auslüften blieb keine Zeit. Zu plötzlich kam der Kälteeinbruch. Ein Duft nach Salbei, Kampfer, Spiritus, Terpentin und Naphthalin, was halt ein jeder gegen die Motten zwischen die Kleider gelegt hat, macht das Atmen schwer.

Seit gestern ist es frostig an der Linn. Heute Morgen sahen die Bäume und Gärten wie gezuckert aus. Die Straßen und Gassen waren rutschig. Jetzt liegt ein brenzliger Geruch über dem Städtle, denn aus allen Dächern steigen Rauchfahnen auf. Überall glühen die Öfen. Nur in der Kirche ist es saukalt.

Der neue Provisor hat Magengrimmen. Wie ein Häufchen Elend windet er sich auf der vordersten Bank. Sein erster öffentlicher Auftritt als Dirigent steht unmittelbar bevor. Mit dem Kirchenchor hat er zwei Psalmgesänge eigens für diesen Gottesdienst einstudiert: *Nun danket alle Gott mit Herzen, Mund und Händen* und *Lobe den Herren, den mächtigen König der Ehren.* Nervös zupft sich der junge Mann ständig am Ohr oder kratzt sich am Kopf. Abel, der schräg vor ihm auf einem Stuhl sitzt, sieht es und wirft ihm aufmunternde Blicke zu.

Während der Schullehrling vor Angst schlottert, hockt der erfahrene Schulgeselle, der Unterlehrer, auf dem Orgelbock und bringt die Kirche zum Beben. Das Kornettregister gezogen, das so viel Luft braucht, fegt er mit fliegenden Haaren über die Tasten, bis die Orgel aus dem letzten Loch pfeift. Weil beiden die Luft ausgeht, dem Schuster auf dem Blasebalg und dem himmlischen Instrument auf der Empore, ächzen und seufzen sie zusammen wie ein altes Mühlrad, wenn das Wasser ausbleibt. Mit hängender Zunge holt der Schuster das Letzte aus seinem ausgemergelten Leib heraus. Doch die Orgelpfeifen japsen schon und fangen zu husten an.

Kaum hat die Musik ausgestottert, steht Abel im Talar vor dem Altar und verliest eine Erklärung: „Unser König, christlich getauft, hat in seiner Eigenschaft als Bischof von Württemberg höchstpersönlich verfügt, dass in allen Kirchen und Synagogen des Landes heute über den 85. Psalm, Vers 10 bis 12, gepredigt werden muss: *Doch ist ja seine Hilfe nahe denen, die ihn fürchten, dass in unserm Lande Ehre wohne; dass Güte und Treue einander begegnen, Gerechtigkeit und Friede sich küssen, dass Treue auf der Erde wachse und Gerechtigkeit vom Himmel schaue.* Dieses Psalmwort hat er ausgewählt, weil es für Christen und Juden gleichermaßen gilt und in Kirchen und Synagogen ausgelegt werden kann."

Himmel hilf, jetzt ist es soweit. Der Provisor springt auf und stolpert über die eigenen Füße. Abel grinst. Ein paar jüngere Frauen lachen. Derweil nimmt der Kirchenchor Aufstellung auf den Altarstufen.

Die Leute recken die Hälse. „Wie heißt der Neue?", flüstert es in den Bänken. „Soso, Anton Baumeister." „Was! Ein Gelbfüßler *[Badener]*? Und der kann dirigieren?"

Und ob er kann. Die Bauersfrauen und die alten Knaben, denn die jüngeren jauchzen im Gesangverein, reißen den Mund auf und kriegen einen roten Kopf. Die meisten haben nur noch wenige Zähne. Darum gurgelt, pfeift, zischt und spuckt es rund um den Altar, dass es eine wahre Pracht ist. Es hört sich an wie ein Harmonium, das einen Riss hat. Insgesamt klingt's aber nicht schlecht, weil es dem jungen Mann pressiert. Er dirigiert mit seinem Lampenfieber um die Wette. Also keine Musik zum Einschlafen, wie noch unter dem alten Schulmeister, sondern ein frischer Gesang mit ein paar interessanten Nebengeräuschen.

„Heiliges Donnerwetter! Der kann's!" Die Leute nicken sich anerkennend zu.

Der Pfarrer steht auf der Kanzel, schaut und schaut. Alle sind sie gekommen. Sogar die Stundenleute, die Kulleaner und die Hahnschen Pietisten. Der Ehrung ihres weltlichen Königs fern zu bleiben, das trauen sie sich nicht. Nur Graf Heinrich fehlt. Das war zu erwarten. Die Frieda sitzt neben der Läpple. Gleich dahinter blitzt das Kopftuch der Scharwächterin auf. Ihr Mann hockt, in sich versunken, auf der anderen Seite in der hintersten Bank.

Abel beginnt, den Psalm auszulegen. *Güte* und *Wahrheit* treffen sich, *Frieden* und *Gerechtigkeit* küssen oder bekämpfen sich. So steht es im 85. Psalm. Ohne diese vier Grundwerte ist menschliches Leben nicht möglich. Aber nicht nur Güte und Wahrheit oder Frieden und Gerechtigkeit gehören zusammen. Auch Gerechtigkeit und Güte, Wahrheit und Frieden, Güte und Frieden und Wahrheit und Gerechtigkeit sind aufeinander angewiesen. Keiner der vier Werte kann ohne die anderen drei auskommen.

Im selben Augenblick, in dem er das verkündet, bemerkt Abel, dass die Scharwächterin zu weinen beginnt und ihr Mann versteinert vor sich hin stiert.

Abel erschrickt. Aber schnell fasst er sich wieder. Alles, was er jetzt sagt, das spürt er ganz genau, ist für einige da unten nicht bloß Schall und Rauch. Ihr ganzes weiteres Leben hängt davon ab. Darum schiebt er den vorbereiteten Text zur Seite und predigt frei, frisch von der Leber weg. Weil er seine Predigten nicht abschreibt, sie auch nicht abliest, traut er sich das zu. Er denkt sie sich selber aus, entwickelt sie aus dem Stegreif. Das kann nicht jeder. Aber so haben‘s seine Linnfurter am liebsten. Nie langweilt ihr Pfarrer, salbadert auch nicht von der Kanzel herab. Gewiss, manchmal riffelt er sie. Selten faltet er sie auch zusammen. Aber meist baut er sie auf.

Beide Hände auf den Rand der Kanzel gestützt, wendet sich Abel an die Ängstlichen und Ratsuchenden.

Eine nur gerechte Welt, sagt er freundlich, wäre eine kalte Welt und sollte niemals Wirklichkeit werden. Denn die Gerechtigkeit fällt ihr Urteil allzu häufig ohne Ansehen der Person. Darum muss zur Gerechtigkeit immer die Güte hinzukommen, die nach der Wärme der menschlichen Beziehung fragt. Zuweilen, Abel holt tief Luft, sei es sogar geboten, für einen gebeutelten Sünder Partei zu ergreifen. Jeder, der Schuld auf sich geladen hat, müsse die Wahrheit sagen. Dann dürfe er auf Güte hoffen. Nur so ließen sich die inneren Seelenqualen bändigen.

Der Scharwächter schlägt die Hände vors Gesicht. Abel sieht es von da oben. Und die Frau des um Fassung Ringenden nickt heftig und bindet das Kopftuch fester.

Fast hätte Abel vergessen, dass heute das Thronjubiläum ist. So beeilt er sich zu betonen, König Wilhelm anerkenne die genannten Grundwerte für sich und die Regierung als Maßstab des Handelns. Sonst hätte Seine Majestät nicht ausgerechnet diese Bibelstelle gewählt.

„Wir alle“, schließt der Pfarrer die Predigt, „sind unserem König für fünfundzwanzig Jahre in Frieden dankbar. Wir wünschen ihm ein langes Leben voller Güte und Wahrheit, Frieden und Gerechtigkeit zum Wohle unseres Landes. Amen.“

Der Pferdeomnibus ist voll besetzt. Finkenberger hat mit den regelmäßigen Fahrten nach Hohenburg und Stuttgart die Sehnsüchte der Menschen geweckt und ihren Geschmack getroffen. Es gibt halt nichts Besseres als eine Idee, deren Zeit gekommen ist. Bei Sonnenaufgang sammeln sich die Reiselustigen vor dem Ochsen, und mit Sonnenuntergang sind sie wieder daheim. Bequemer geht es nicht.

Im Zucht- und Arbeitshaus in Hohenburg werden heute preisgünstige Stoffe versteigert. Eine Quantum Leinen, wie im Linnfurter Intelligenz-Blatt zu lesen war, gebleicht und ungebleicht. Sowie einige Schock Zwilch, besonders geeignet zur leichten Sommerbekleidung. Der Meistbietende erhält den Zuschlag. Die Versteigerung beginnt um eins im Geschäftszimmer der Anstalt. Kauflustige können vorher die Qualität der Stoffe begutachten.

Darum haben sich fünf resolute Bäuerinnen entschlossen, erst im Zuchthaus preiswert einzukaufen und dann ein kleines bissele Residenzluft zu schnuppern. Die Frau vom Schultes ist auch dabei. Der Winter sei lang, sagt sie beim Einsteigen entschuldigend zum Pfarrer. Bis dahin lasse sich leicht das eine oder andere Blüsle oder Röckle oder Schürzle für den nächsten Sommer nähen. Auf dem Kutschbock neben dem Finkenberger fährt der Ochsenwirt mit. Er will in Stuttgart noch vor dem Winter, wenn sein Gasthaus wieder rappelvoll ist, Gläser kaufen. Sagt er. Aber in Wahrheit lockt ihn die Hauptstadt. „So lang man noch gesund ist und gute Schuhe hat, muss man ab und zu der Arbeit davonlaufen“, hat der Knöpfle vom Rebstöckle zu ihm gesagt und ihm empfohlen, auch einmal zum Schwanzen nach Stuttgart zu fahren.

Das Quintett im Fond des Wagens schwätzt Hochwürden die Ohrlappen weg. Es sei eine Schande mit den Männern. Im Zuchthaus könnten sie wunderbare Stoffe machen, aber in Freiheit seien sie dazu entweder zu faul oder zu blöd. Dafür würden sie beim Essen und Trinken hinlangen wie die Holzfäller. Und wer müsse die guten Sachen auf den Tisch zaubern? Nicht die Mannsbilder. Mit ihren dicken Bäuchen und gelben Lederhosen seien sie viel zu ungeschickt dazu. Ohne Frauen sei die Welt bald am Ende. Darum habe die linke Bankreihe in der Kirche genau zugehört, während die rechte geruselt und geduselt habe. Der Herr Pfarrer habe mit seinen Reformvorschlägen für Linnfurt die Herzen der Frauen angerührt. Die meisten seiner Ideen ließen sich leicht und schnell verwirklichen, wenn … .

„So lang die Mannsbilder das Sagen haben, kann das nix werden", weiß eine Bäuerin aus der Küfergasse. „Kein Gockel kann's leiden, wenn ein andrer auf seinem Misthaufen scharrt."

„Man sollte alle Männer ins Zuchthaus einsperren, dann wird das anders."

„Vier Wochen lang darf man halt die Stadträte nicht an den Brotkorb lassen, dann werden sie lammfromm."

„Oder wie wär's, wenn eine von uns Stadträtin werden tät?"

Abel hört zu und grinst vor sich hin.

„Das mit der Bank in Linnfurt, das ist nicht schlecht, Herr Pfarrer", sagt eine Resolute und rückt das Kopftuch zurecht.

„Sparverein auf Gegenseitigkeit, bitte“, verbessert Abel.

„Von mir aus auch das. Aber das Beste ist gewesen, als Sie gesagt haben, dass man in Stuttgart einen Laden hat, wo man jeden Tag Zucker und Salz kaufen kann. Nicht bloß wie bei uns einmal im Jahr auf dem Jahrmarkt.“

„Ja, ich habe in Stuttgart Stände und Lauben gesehen, die Köstlichkeiten aus der ganzen Welt feilbieten. Und zwar an sechs von sieben Wochentagen.“

„Bitte, bitte“, fleht eine Reisende, während die anderen Vier vor Neugier schier verzwatzeln, „erzählen Sie, Herr Pfarrer, was noch.“

„Salz und Zucker. Kaffee, Tee, Kakao und seltene Gewürze. Auch Reis und Zitronen.“ Abel besinnt sich. „Dazu Stoffe, Putzmittel, verschiedene Seifen sowie allerlei Haushaltswaren.“

„Haushaltswaren? Was ist das, Herr Pfarrer?“

„Messer, Gabeln, Löffel, Geschirr, Pfannen, Töpfe und so weiter.“

„Bis wann?“

„Ich verstehe nicht.“

„Bis wann gibt‘s bei uns auch so was?“

Die Lindenwirtin ist verstummt. In ihr gärt es. Wenn Magdas Hochzeit und die Wahl ihres Schwiegersohns zum Schulmeister amtlich sind, will sie ihrem Mann die Hölle heiß machen. So ein Laden muss her. Genau das richtige Geschäft für ihre Magda.

„Das liegt nicht in meinen Händen, meine Damen. Aber im nächsten Frühjahr könnten wir in Linnfurt so einen Laden einrichten. Ich werde den Herrn Bürgermeister fragen.“ Abel wirft der Lindenwirtin einen auffordernden Blick zu.

„Ich sag‘s ihm“, sagt die Gemeinte. Dabei hat sie längst beschlossen, noch vor Weihnachten die erste Linnfurter Viktualienbude zu eröffnen.

Schon ist der Omnibus auf dem Hohenburger Marktplatz angekommen. Die fünf Frauen und Pfarrer Abel steigen aus. Nur der Ochsenwirt bleibt auf dem Kutschbock hocken. Sechs neue Passagiere steigen zu.

Der Unterlehrer hat den Weg zu Schreinermeister Höfele in der Bärengasse genau beschrieben. Darum steht Pfarrer Abel keine fünf Minuten später in der Werkstatt, zückt das Schreiben des Landjägerkorps und erfährt alles, was er wissen muss. Auch Schlossermeister Vogel macht keine Fisimatenten. Gegen Quittung händigt er ein Ersatzschlüsselchen aus und erklärt genau, wie es zu gebrauchen ist.

So bleibt Abel bis zur Rückfahrt genügend Zeit für einen Streifzug durch Straßen und Läden der Residenzstadt und für ein opulentes Mahl in einem Gasthaus am Marktplatz.

Zu dritt beratschlagen sie erneut, der Pfarrer, der Schultes und der Lehrer. Wieder hat sich die Lage verändert. Abel hat endlich den Schlüssel. Und er weiß, wo die Geheimfächer sind und wie man sie öffnet.

„Wenn wir Läpples Geld finden, steht für mich fest, dass der Mord aus Rache begangen wurde. Denn dann hatte es der Täter nicht aufs Geld abgesehen“, sagt der Unterlehrer aufgeregt.

„Himmel hilf!“ Der Schultes ist bestürzt. „Dann ist der Scharwächter vielleicht schuldig.“ Bedrückt sieht er vor sich hin.

„Wir drei werden in dem Fall vor Gericht bezeugen, dass unser Herr Vorderlader volltrunken und nicht bei Sinnen war.“ Abel ist ruhig und gelassen, wie immer.

„Und dass der Läpple den Scharwächter bis aufs Blut gereizt hat“, fügt der Lehrer an.

Abel nickt. „Wenn wir uns für den armen Sünder vor Gericht einsetzen, wird er etliche Jahre im Zuchthaus in Hohenburg einsitzen müssen. Vor dem Blutgericht werden wir ihn aber mit Sicherheit retten können.“

Der Schultes atmet befreit auf, denn eine Hinrichtung in Linnfurt will er auf jeden Fall verhindern.

Dann verabreden sie, wie sie vorgehen wollen. Der Pfarrer und der Schultes sollen am folgenden Abend das Personal im Läpplehof nochmals befragen. Gleich zu Beginn soll der Lehrer hereinplatzen und ganz aufgeregt sagen, er müsse den Herrn Pfarrer sofort sprechen. Die Läpple werde bestimmt ihre Wohnstube zum Gespräch unter vier Augen anbieten. So kann der Schultes die Läpple, die Knechte und Mägde in der Küche hinhalten, während Hochwürden und der Lehrer die Geheimfächer leeren.

*

Der Pfarrer und der Schultes sitzen in der Küche vom Läpplehof, zwischen ihnen die Bäuerin. Ihren Zweijährigen hat sie auf dem Schoß. Ihr gegenüber spielt die Schwägerin mit dem kleinen Mädchen und streicht ihm öfters übers Haar. An den beiden Längsseiten des Tisches haben sich die vier Knechte und sechs Mägde niedergelassen.

Sie seien gekommen, sagt der Pfarrer, weil in einer Woche Martini ist. Da werde ja der Jahreslohn fällig. Weil aber die Hausherrin kein Bargeld hat, werde der neu gegründete Linnfurter Sparverein einspringen und ihr das Geld leihen. Außerdem sei sie als Frau nicht geschäftsfähig, obwohl ihr jetzt der Hof allein gehört. Darum werde der Herr Bürgermeister, bis eine andere Lösung gefunden ist, die Interessen der Hausherrin wahrnehmen und sie rechtlich vertreten.

„Haben Sie das verstanden?“, fragt Abel in die Runde.

„Das heißt, dass die Bäuerin kein Geld hat“, vergewissert sich Oskar, der Rossknecht, „und Sie uns trotzdem Geld geben?“

„Genauso ist es.“ Abel sieht den Oskar lange an. In seinem Kopf arbeitet es. Dann wendet er sich noch einmal an den Knecht: „Frau Läpple hat in der Tat kein Geld. Aber sie lässt sich vom Sparverein helfen. Sind Sie damit nicht einverstanden?"

Oskar grinst, Pfarrer und Schultes lauschen. „Geld ist Geld. Von wem‘s kommt, kann uns egal sein“, sagt der Oberknecht.

Es klopft an der Küchentür. Draußen steht der Lehrer. Er hat eine große Tasche in der Hand und ist aufgeregt. Er müsse dringend den Herrn Pfarrer sprechen.

Abel schaut verlegen in die Runde. Dann wendet er sich an den Schultes: „Bitte, Herr Bürgermeister, setzen Sie das Gespräch allein fort." Er steht auf.

„Geht doch in meine Wohnstub", bietet die Läpple an. „Da seid ihr ungestört."

Während der Schultes auf einem Zettel notiert, wie viel jedem Knecht und jeder Magd an Jahreslohn zusteht, gehen Pfarrer und Lehrer in der Wohnstube zügig ans Werk.

Die Schublade in der Truhe ist leer, das wissen sie schon und haben auch nichts anderes erwartet.

Dann steckt Abel den flachen Nachschlüssel in eine schmale Ritze innen am Sockel der Standuhr. Ein Fach klappt nach unten auf. Etwas plumpst zu Boden. Abel zieht zwei Hefte hervor, ein dickes und ein dünnes, kleines. Er drückt die Klappe wieder nach oben ins Schloss und wirft einen kurzen Blick in die Fundstücke.

„Hier drin", flüstert er dem Lehrer zu und blättert das dicke Heft durch, „sind die Ausleihen der letzten Jahre auf Gulden und Kreuzer aufgelistet." Er schlägt ein paar Seiten auf. „Die noch nicht getilgten Schuldverträge sind hinten."

Er reicht das dicke Heft an seinen Begleiter weiter und sieht sich das kleine Heft an. „Ah, ein Sparbuch der *Württembergischen Spar-Casse*." Er studiert die Einträge. „Nicht schlecht. Ein Guthaben über 840 Gulden."

Der Lehrer legt beide Hefte in seine Tasche. Dann öffnet Abel die Schranktür und kniet sich davor hin. Er greift mit der rechten Hand unter den Schrank und tastet die rückwärtige Seite der vorderen Bodenleiste ab. Ein Lächeln in seinem Gesicht, und schon drückt er das Schlüsselchen in den von außen nicht einsehbaren Schlitz. Der Schrankboden schnappt auf. Abel klappt ihn zurück. Unter dem Boden ist das lang gesuchte Geheimfach, gefüllt mit lauter Silberstücken. Einsergulden, Doppelgulden und Doppeltaler, in kleinen, mit Samt ausgelegten Kästchen gestapelt. Vermutlich hat der Läpple das so gemacht, damit es nicht verräterisch klimpert, wenn jemand gegen den Schrank stößt.

Der Lehrer ist fassungslos. So viel Geld auf einem Haufen hat er noch nie gesehen. Abel muss ihn aus allen Träumen reißen: „Die Tasche bitte!“ Der Lehrer beeilt sich, sie vor den Schrank zu stellen.

Abel schichtet das Geld hinein und zählt überschlagsweise mit.

„Über tausendfünfhundert Gulden. Grob geschätzt.“ Er schüttelt den Kopf. „Unglaublich, was der Kerl in so kurzer Zeit zusammengerafft hat.“

Er steht ächzend wieder auf. „Mit dem Geld auf der Bank und den Gulden in Gold, die der Herr Bürgermeister in der Truhe gefunden hat, sind das insgesamt mindestens zweieinhalbtausend Gulden. Ein schwerreicher Mann war der Läpple. Aber jetzt hat er auf dem Friedhof ein ganz enges Häuschen aus vier Brettern.“

Abel drückt die Klappe im Schrank wieder zu und sieht sich nochmals im Zimmer um. Dann betritt er den Hausflur und sagt zu seinem Begleiter, aber so laut, dass es jeder in der Küche hören muss: „Also, Herr Lehrer, wie eben besprochen. Warten Sie bitte einen Augenblick. Ich bin gleich soweit, dann können Sie mich zum Pfarrhaus begleiten.“

Er lässt den jungen Mann im Flur stehen und kehrt in die Küche zurück. Aufmunternd nickt er dem Schultes zu und setzt sich wieder neben ihn. Der Schultes schiebt ihm den Zettel mit den aufaddierten Löhnen der Knechte und Mägde zu. Abel überfliegt die Aufstellung, macht eine zustimmende Handbewegung und sagt zur Läpple: „Der Sparverein leiht Ihnen das Geld. Bitte kommen Sie morgen früh zu mir ins Pfarramt.“

„Muss das sein, Herr Pfarrer? Ich fürcht mich. Ich will kein Geld im Haus.“

Abel überlegt einen Augenblick. „Gut, dann machen wir es anders. Bitte kommen Sie mit ihren Dienstboten an Martini nach der Kirche zu mir. Dann kriegen Ihre Leute von mir den Lohn bar auf die Hand.“

Die Läpple ist erleichtert.

Abel sieht den Schultes an. „Dann können wir ja wieder gehen.“ Beide erheben sich.

„Aberjetza, fast hätt ich’s vergessen“, sagt der Schultes und setzt sich wieder. Auch Abel nimmt wieder Platz.

Der Mörder sei leider noch immer nicht gefunden, sagt der Schultes, das Geld auch nicht. Der Kommandant der Landjäger meine aber, der Hausherr müsse Geld gehabt haben. Sonst hätte er keines verleihen können. Darum sollen ein paar Möbelstücke aus der Wohnstube unter Polizeiaufsicht untersucht werden. Von einem Fachmann aus Hohenburg. Der dulde aber keine

Zuschauer. Darum müssten die Möbel aufs Rathaus gebracht werden.

„Ich schlage vor“, ergänzt der Pfarrer, wobei er die linke Augenbraue hebt und den Schultes anschaut, „wir nehmen zuerst die Truhe und den Schrank mit.“

Der Schultes zuckt zweimal mit der Augenbraue; er hat verstanden.

„Heut noch?“, will der Rossknecht wissen.

Abel tut so, als sei er irritiert.

„Ob die Möbel heut noch fortmüssen, tät mich interessieren.“

„Am besten gleich“, sagt der Schultes, „dann ist alles erledigt.“ Er versichert der Läpple, sie bekomme ihre Möbel bald wieder. Unversehrt.

Als die Bäuerin zustimmend nickt, bittet er sie, die Truhe und den Schrank sofort zu leeren. Den vier Knechten befiehlt er, sie sollen anspannen und die kostbaren Stücke zum Rathaus bringen. Er bleibe so lange da und passe auf, dass nichts beschädigt wird.

Beim Aufstehen blinzelt ihm der Pfarrer verstohlen zu. Laut sagt er: „Wenn Sie einverstanden sind, Herr Bürgermeister, eile ich mit dem Oskar voraus. Er kann im Rathaus einen geeigneten Platz suchen und notfalls freiräumen, bis die Fuhre da ist.“

Er hat die Türklinke schon in der Hand, da dreht er sich nochmal um und holt das Nachschlüsselchen aus der Tasche. Es ist flach, hat eine Spitze und zwei ungleiche seitliche Dornfortsätze. Ein auffälliges, weil noch nie gesehenes Stück. „Das habe ich neulich hier im Haus gefunden.“ Er hält es in die Höhe. Die

Knechte und Mägde recken die Hälse. „Weiß jemand, wo das hineinpasst?“

Keine Antwort, nur Kopfschütteln.

*

Sobald die Möbelstücke leer sind, tragen die Knechte sie auf den Hof. Der Schultes lässt Decken bringen. Damit polstern die Mägde den Wagen aus. Die Männer heben den Schrank und die Truhe auf die Pritsche. Aufgesessen! Ab zum Rathaus!

Der Weg ist fast eben, darum zieht nur ein Pferd den Wagen durch die Foltergasse, die Luthergasse und das Feuergässle zum Rathaus.

Überall bleiben die Leute stehen. Manche fragen spöttisch, ob der Schultes neue Möbel braucht, weil er jetzt ein berühmter Mann ist. Andere wollen wissen, was da vor sich geht.

Die Knechte ärgern sich. Doch der Schultes tröstet sie: „Wenn die Waschweiber ums Herdfeuer rumstehen, dann muss jede noch ein Scheit hineinschmeißen. Da bist du machtlos.“ Den Zuschauern gibt er jedoch bereitwillig Auskunft. Die Landjäger würden in den Möbeln nach Läpples Geld suchen, sagt er jedem, der es wissen will.

Schnell spricht sich die Kunde im Städtle herum. Die Läpple pfeife aus dem letzten Loch, jetzt müsse sogar die Polizei nach ihrem Geld fahnden. Aber genau das freut den Schultes. Alle sollen wissen, dass in diesen Möbeln ein Vermögen versteckt sein könnte.

Vor dem Rathaus werden sie schon vom Pfarrer und vom Rossknecht erwartet. Oskar habe im Erdgeschoss ein geschicktes Plätzchen gefunden, lobt Abel. Gleich neben der Haustür. Darum müsse man die Möbel nicht weit tragen. Es sei ein Raum mit zwei großen Fenstern. So hätten die Inspektoren genug Licht bei der Arbeit.

Abel steht dabei und grinst bis hinter beide Ohren. Er und der Lehrer haben inzwischen das Geld gezählt. Insgesamt 2724 Gulden! Wenn die Läpple rund ein Drittel für sich behält, fließen rund 900 Gulden in die Stadtkasse und 900 Gulden in den Armenkasten der Kirche.

Der Schultes kommandiert und dirigiert. „Aberjetza, Männer, aufpassen!“, schreit er. „Keinen einzigen Macken will ich an den teuren Möbeln sehen!“

Die Knechte schwitzen und fluchen. Die Zuschauermenge wächst und wächst, die Zahl der Kommentare auch.

„Da kannst du sehen, was der Läpple für ein Lump gewesen ist. Alles bezahlt von den armen Leuten.“

„Der Teufel scheißt immer auf die größten Haufen.“

„Aber auch dem schönsten Vogel fallen irgendwann die Federn aus.“

„Und da drin ist dem Läpple sein Geld?“, will einer vom Schultes wissen.

„Das weiß man noch nicht“, sagt der Schultes und zuckt die Achseln.

„Warum habt ihr euch die Kammer mit den größten Fenstern rausgesucht? Bis morgen wird das ganze Geld fort sein."

„Nein", beruhigt ihn der Schultes, „die Fenster sind viel zu klein für diese großen Möbel."

Als die Arbeit getan ist, bedankt er sich bei den Knechten und schließt das Rathaus ab.

Man gibt sich zufrieden und trollt sich.

Doch im Schutz der Dunkelheit schleichen zwei Gestalten ums Rathaus. Es sind der Lehrer und der Amtsbüttel. Leise schließen sie das Haupttor auf, verriegeln es von innen und richten sich in der Kammer neben den beiden Möbelstücken einen Schlafplatz her.

*

Es summt und brummt in der ehemaligen Residenzstadt an der Linn. Wilde Gerüchte fressen sich wie ein Lauffeuer von Haus zu Haus. Überall stehen die Leute zusammen und tratschen. Die Klatschweiber rennen von Tür zu Tür und hecheln das neueste Gerücht durch. Das Rathaus sei in der Nacht überfallen und der Amtsbote schwer verletzt worden. Und dem Lehrer hänge das linke Auge raus.

Im Rathaus lässt sich der Schultes aus erster Hand berichten. Der dürre Heinrich hat eine Beule auf der Stirn und einen Bluterguss am Bauch, während den jungen Mann ein blaues Auge ziert.

„Es muss schon weit nach Mitternacht gewesen sein", sagt der Lehrer, „als mich ein Schrei geweckt hat."

„Mir ist einer auf den Bauch getreten. Dann hab ich halt schreien müssen." Den Heinrich graust es jetzt noch, wenn er bloß dran denkt. „Und als ich aufstehen wollte, hab ich einen Schlag erwischt. Mitten ins Gesicht. Dann hab ich zugebissen."

Nein, gesehen hätten sie den Kerl nicht, sagen beide aus. Wegen der dichten Wolken hätten sie weder Mond noch Sterne gesehen. Außerdem sei bald Neumond, also die Nacht besonders finster. Und eine Laterne anzünden, das habe man ihnen ausdrücklich verboten. Aber ein Mann sei es mit Sicherheit gewesen. Garantiert keine Frau. Ein jüngerer, kräftiger Mann. Das könnten sie beschwören.

Ein Raucher, ergänzt der Amtsbote. Den Tabakgeschmack habe er noch auf der Zunge. Eine tiefe Stimme habe der Drecksack auch. Und an der Hand sei er verletzt, weil er vor Schmerzen gejault habe wie ein waidwundes Tier. „Saumäßig zugebissen hab ich. Die Finger von dem Herrgottsblitz spür ich jetzt noch im Mund." Den Heinrich schüttelt es vor Ekel. „Eine richtig starke Männerhand ist das gewesen, Schultes."

Der Kerl müsse durchs Fenster eingestiegen sein, sagt der Lehrer. Wie ein geölter Blitz sei der Einbrecher da wieder hinaus. Mit dem Prügel habe er ihn noch am Fuß erwischt. Ach ja, die Hose müsse sich der Kerl auch zerrissen haben, als er durchs Fenster sei. Ganz deutlich habe man das gehört.

„Und warum habt ihr den Verbrecher erst gehört, als er schon im Haus war?"

Im Rathaus sei es saumäßig kalt gewesen, verteidigt sich der Amtsbote. „Drum haben wir mit Schnaps einheizen müssen."

„Dann schlaft jetzt daheim weiter", ordnet der Schultes an. Aber den Lehrer bittet er, einen Umweg übers Wengerttor zu machen. Der Scharwächter müsse sofort herkommen.

Kurz darauf erscheint der Scharwächter in Begleitung seiner Frau im Rathaus.

Kaum sind sie in der Amtsstube, schon fängt die Scharwächterin laut zu jammern an. „Mein Gottlob, mein Gottlob! Was soll bloß aus uns werden?"

Ihr Mann ist gefasst, macht aber ein betrübtes Gesicht.

Der Schultes begreift. „Nicht zum Einsitzen hab ich dich kommen lassen, Gottlob."

„Warum dann?"

„Aberjetza, zeig mir deine Hände!"

Der Scharwächter streckt ihm gottergeben beide Hände hin. Er erwartet, der Schultes werde ihn jetzt fesseln und abführen lassen.

Der Schultes schaut ratlos auf die Hände. Sie sind sauber, bis auf die Trauerränder unter den Fingernägeln. Aber alles ist unversehrt. Nirgendwo ein Schmarren oder eine Bisswunde.

Mit der Frage, wo er letzte Nacht gewesen sei, kann der Scharwächter nichts anfangen. Verwirrt schaut er das Stadtoberhaupt mit großen Augen an.

Seine Frau kommt ihm schluchzend zu Hilfe. „Im Bett. Wo denn sonst."

Dass ins Rathaus eingebrochen wurde, das hat sich – welch ein Wunder – noch nicht bis zum Wengertturm herumgesprochen. Beide, das wird dem Schultes schnell klar, sind völlig ahnungslos. Darum schickt er sie wieder heim.

*

Gegen elf Uhr pocht es an der Tür zum Pfarrhaus. Die Haushälterin macht auf. Draußen steht die Läpple. Hinter ihr duckt sich ein verheultes Mädchen, das Kopftuch tief ins Gesicht gezogen.

„Wir möchten den Herrn Pfarrer sprechen“, sagt die Läpple.

Die Haushälterin geht voraus zur Amtsstube und klopft.

„Herein.“ Es klingt eher mürrisch und abweisend als freundlich und einladend.

„Die zwei Weiber möchten zu Ihnen, Herr Pfarrer.“ Sie schiebt beide in das Dienstzimmer.

Abel sitzt am Schreibtisch. Mit gerunzelter Stirn, die Brille auf die Nasenspitze gerutscht, schaut er auf. Er ist in Gedanken noch in sein Buch vertieft. Doch sobald er die Besucherinnen sieht, setzt er ein empfangsbereites Gesicht auf.

Kaum hat die Haushälterin den Raum verlassen, fragt er: „Wo drückt der Schuh, Frau Läpple?“

„Ich weiß nicht, wo ich anfangen soll, Herr Pfarrer.“

„Wollen Sie die Vereinbarung über das Barvermögen Ihres Mannes rückgängig machen?“

„Nein, ganz bestimmt nicht.“

„Dann sagen Sie mir einfach, was Sie auf dem Herzen haben.“

Stockend erzählt sie, heute Morgen sei ihre Welt vollends aus den Fugen geraten. Erst habe man vor dem Frühstück festgestellt, dass ihr Oberknecht Oskar unauffindbar ist. Dann habe ihr die Schwägerin vor den versammelten Dienstboten harte Vorwürfe gemacht, sie sogar beschuldigt, am Tod ihres Bruders mitschuldig zu sein. In dem Irrenhaus könne sie nicht länger bleiben, habe sie ihr an den Kopf geworfen, denn ohne Geld und ohne Bauer werde der Hof rasch verkommen. Darum sei sie heute mit Morgenpost zu ihrer Schwester abgereist; die wisse ihre Arbeit wenigstens zu schätzen. Und kaum war die Schwägerin aus dem Haus, da sei die Frieda zu ihr gekommen. Wie ein Häufchen Elend sei sie bloß dagehockt und habe Rotz und Wasser geheult. Sie müsse zum Herrn Pfarrer, traue sich aber allein nicht hin.

Abel hat schweigend zugehört. Jetzt legt er die Hände auf den Tisch, lehnt sich zurück und denkt nach.

„Liebe Frau Läpple, dass die Schwägerin aus dem Haus ist, kann sich für Sie zum Guten wenden.“

„Und wer passt dann auf meine Kinder auf, wenn ich aufs Feld muss?“

„Da finden wir eine Lösung. Sagten Sie nicht, dass die Frieda gut mit Kindern umgehen kann?“

„Das schon, aber die will ja fort.“

Frieda heult auf und jammert unter Tränen vor sich hin. Zweimal muss Abel nachfragen, bis er versteht, dass sie nicht mehr weiß, wo sie bleiben kann.

„Du wolltest doch fort.“

„Ja, Herr Pfarrer, bis gestern.“

„Und heute nicht mehr?“

Sie schüttelt den Kopf.

„Was ist heute anders als gestern?“

Frieda seufzt und schluchzt in einem fort. Sie schäme sich so, nuschelt sie. Erst als Abel ihr versichert, dass alles, was sie hier beichtet, weder er noch Frau Läpple weitersagen, beruhigt sie sich allmählich und erzählt eine höchst verworrene Geschichte.

Vorgestern habe der Herr Pfarrer doch ein Schlüsselchen gezeigt. Da sei sie sehr erschrocken. Denn so eines habe sie schon einmal gesehen. Darüber habe sie noch am selben Abend mit dem Oskar sprechen wollen, der habe sie aber bloß ausgelacht. Heute in aller Herrgottsfrüh haben sie den Oskar erneut zur Rede gestellt, doch der habe bloß gejammert, ihm tue die Hand saumäßig weh, weil er sie gestern beim Mosten in die Presse gebracht habe. Und als sie ihn trösten wollte, da habe er sie angeschnauzt, sie solle ihm vom Hals bleiben. Er habe genug von Linnfurt und von ihr. Sie sei eine dumme Kuh. Er haue auf der Stelle ab. Und zwar ohne sie.

„Willst du damit sagen, dass der Oskar so einen Schlüssel gehabt hat?“

Sie nickt.

„Weißt du, woher er ihn hatte?“

„Gefunden, hat er gesagt.“

„Wo?“

„Hat er nicht gesagt.“

„Hat er dir anvertraut, wem der Schlüssel gehört.“

„Vielleicht dem Läpple, hat er gesagt."

„Warum vermutete er, dass der Schlüssel dem Läpple gehört haben könnte?"

„Er hat durch die Heuluke gesehen, wie der Läpple so ein Schlüssele in sein englisches Ührle hinein hat."

„Warum hast du ausgerechnet mit dem Oskar darüber gesprochen und nicht mit einer anderen Magd oder mit der Bäuerin?"

„Der Oskar hat mir versprochen, er tät mich mögen und tät mich mitnehmen."

„Wohin?"

„Fort halt. Heiraten tät er mich."

„Du weißt ganz genau, dass du ohne Geld oder Vermögen nicht heiraten darfst. So steht's im Heiratsgesetz. Das hast du doch in der Sonntagsschule gelernt."

„Ja, aber der Oskar hat gesagt, bald habe er's Geld zusammen, dass wir heiraten können."

Abel fährt sich mit den Händen übers Gesicht. Er ist fassungslos. Zunächst muss er seine Gedanken sortieren. Darum schweigt er eine Weile.

„Dann könntest ja bei mir bleiben, Frieda", unterbricht die Läpple die Stille, „und auf meine Kinderle aufpassen."

Frieda sieht die Bäuerin dankbar an.

„Schlag ein", sagt die Läpple und hält der Magd die Hand hin.

Frieda schlägt freudig ein.

„Noch eine Frage", wendet sich der Pfarrer an die Magd. „Raucht der Oskar?"

„Ja, so dicke, stinkende Stumpen."

*

Als Pfarrer Abel zum Abendessen auf dem Läpplehof eintrifft, sitzt Karl, der Ober- und Rossknecht des Lindenhofs, bei der Läpple in der Wohnstube. Karl war in vielen Stellungen. Dem Schultes dient er schon seit zehn Jahren.

„Also“, sagt Abel zur Läpple, „machen wir es so, wie heute Nachmittag mit Herrn Bürgermeister besprochen.“

„Gut, Herr Pfarrer.“ Die Hausherrin steht auf. Sie ist aufgeräumter als sonst und hat ein Lächeln im Gesicht. „Dann gehen wir jetzt in die Küche zum Nachtessen.“

In der Küche sitzen drei Knechte und sechs Mägde. Die Schwägerin fehlt, ihr Oberknecht auch. Frieda hat die beiden Kinder auf dem Schoß.

Der Pfarrer spricht den Segen, dann wird aufgetischt. Es gibt Brotsuppe, gestandene Milch, Pellkartoffeln, Rettichsalat, Quark und Käse. Ein typisches spätherbstliches Abendvesper in Linnfurt. Wie üblich schweigen alle beim Essen, bis die Hausherrin sich räuspert und mit ein paar Sätzen den unterhaltsamen Teil der Mahlzeit eröffnet. „Ich freu mich“, sagt die Läpple, „dass der Herr Pfarrer heut da ist. Und der Karl auch, den kennt ihr ja alle.“

Abel legt das Besteck zur Seite, das die Hausherrin ihm zu Ehren aus dem Wohnzimmerbüffet geholt hat. Er nimmt noch schnell einen Schluck. Dann dankt er für die Einladung. Heute sei er da, weil es viele Neuigkeiten gebe.

Die Knechte und Mägde hören auf zu kauen. Sie legen die Löffel weg und lauschen. Denn Neues bekommt man in Linnfurt nicht alle Tage zu hören.

Alles, was er jetzt sage, beginnt Abel, dürften sie getrost im Städtle erzählen. Das Wichtigste vorweg: Läpples Geld sei gefunden worden.

Getuschel rund um den Tisch.

„Und zwar in den Möbeln, die ihr vorgestern ins Rathaus geschafft habt."

„Heidanei!", rutsch es einer Magd heraus.

Die Bäuerin, Abel schaut die Läpple an, habe jedoch alles, was ihr Mann durch Wucher unredlich erworben hat, der Stadt und der Kirche vermacht. Zum Wohle der Armen und der Schulkinder. Den Schuldnern, die zu viel Zins bezahlten, könne man leider nichts mehr zurückgeben. Fast alle hätten heimlich Geld geborgt und wollten auch jetzt nicht bekannt werden. Und etliche wohnten gar nicht mehr in Linnfurt; sie seien ausgewandert.

Die Läpple senkt verschämt den Blick. Ihr wäre es am liebsten, wenn man kein Aufheben um ihre Person machen würde. Doch Abel ist anderer Meinung. „Frau Läpple ist eine Wohltäterin unserer Stadt. Dafür danken wir herzlich, der Herr Bürgermeister und ich."

„Und weiß man auch, wer den Läpple auf dem Gewissen hat?", will einer der Knechte wissen.

„Ja", sagt Abel. „Zwar hat der Täter noch nicht gestanden. Aber seine Flucht ist in meinen Augen so etwas wie ein Geständnis."

„Abgehauen?“

„Offensichtlich.“

„Es wird doch am Ende nicht der Oskar gewesen sein?“

Abel zögert einen Augenblick. Er sieht dem Knecht direkt in die Augen: „Doch.“

Entsetzen am Tisch. Frieda weint. Die anderen kreischen und schreien durcheinander.

Nach einer Weile klatscht Abel in die Hände und bittet um Ruhe. Er habe noch eine Neuigkeit.

Stille. Man hätte eine Stecknadel fallen hören.

„Vorläufig, zunächst bis Georgi, wird unser lieber Karl vom Lindenhof“, er deutet mit einer ausladenden Geste auf ihn, „der Hausherrin als Ober- und Rossknecht zur Seite stehen. Jetzt in der Winterszeit ist nicht so viel zu tun. Darum traut sich Karl zu, auf beiden Höfen zu helfen. Außerdem ist der Herr Bürgermeister bis auf Weiteres für das Vertragliche auf dem Lindenhof zuständig, weil Frau Läpple keine Verträge rechtsgültig schließen darf.“

Freudiges Geplapper. Karl ist beliebt. Ihm folgen die Knechte und Mägde gern.

„Frau Läpple hat mir gesagt, sie könne mit allen am Tisch gut zusammenarbeiten. Von ihr aus muss morgen niemand fort. Darum meine Frage: Wer von euch will hierbleiben und einen neuen Arbeitsvertrag?“

Alle melden sich.

„Also morgen nach der Kirche im Pfarrhaus. Dann bekommt ihr von mir euren Jahreslohn. Und im Beisein des Herrn Bürgermeisters müsst ihr der Bäuerin mit

Handschlag versprechen, bis zum nächsten Martinsfest treu zu dienen.“

Martini

Martini ist da, der 11. November, der Tag des heiligen Martin. Neben Georgi der wichtigste Tag im Bauernkalender.

Um neun ist Gottesdienst. Danach beginnt der eigentliche Zahl- und Ziehtag, sagen die Linnfurter. Bis halb elf unterschreibt der Schultes die Pässe der Handwerksburschen, der Knechte und Mägde. Denn ohne das amtliche Dokument darf keiner weiterziehen. Noch vor dem Mittagessen bekommen alle, die zum Dienstpersonal zählen, von ihren Dienstherren den vereinbarten Jahreslohn. Wer wegwill oder fortmuss, weil der Arbeitskontrakt nicht verlängert wird, nimmt Abschied. Ein kurzes Ade, schon geht‘s zum Tor hinaus, das Reisebündel auf dem Rücken, immer der Nase nach.

An Martini wird auch das Geschäftsjahr bilanziert und abgerechnet. Ausstehende Zahlungen werden fällig. Die Bauern, Wengerter und Handwerker gehen aufs Rathaus und zahlen ihre Steuern und Abgaben. Zu den Säumigen hinkt der Amtsbote als Presser, wie man in Linnfurt despektierlich sagt. Er heizt ihnen ein, setzt sie unter Druck, bis sie mit Geld im Hosensack zum Schultes rennen. Wenn nicht, werde der Pass eingezogen und eine saftige Geldbuße fällig, droht er ihnen mit rollenden Augen und erhobenem Zeigefinger.

Am Nachmittag macht jeder Hausherr, so ist's der Brauch, Inventur in Werkstatt, Scheune und Keller. Wie viel Material für neue Aufträge ist noch vorhanden? Wie viele Fässer, Getreidesäcke und Fuder Heu und Stroh sind eingelagert? Und dann schätzt er, was ihm nach Abzug aller Löhne, Steuern und Abgaben fürs nächste Jahr bleibt.

An Martini beginnt das Winterhalbjahr. Es endet an Georgi, dem 23. April. An jenem ersten Frühlingstag kommen die Erstklässler in die Schule. Nach der Einschulung treiben die Knechte und Mägde das Vieh wieder auf die Weide, während der Schultes im Rathaus die neuen Fleckendienstler bis zum Herbst vereidigt: Waldschütz, Feldschütz, Nachtwächter, Amtsbüttel, Gemeindehirte, Kelterknecht, zwei Holzknechte, Farrenhalter, Gemeindeschäfer, Fronmeister, zwei Obsthüter, zwei Wengertschützen und drei Wegknechte, die als Vorspann den Fuhrleuten helfen und die Schlaglöcher in den Straßen ausbessern müssen. Nur die Hebamme stellt er fürs ganze Jahr an.

Aber bis dahin ist es noch lang. Denn für die armen Leute fängt an Martini die bittere Jahreszeit an. Arbeit als Fleckendienstler oder Tagelöhner gibt es im Winter nicht. Jetzt rächt sich, wenn einer keine Vorräte angelegt hat. Ein bisschen Bargeld im Strohsack, auf der hohen Kante oder im neuen Sparverein. Mehl zum Backen. Kartoffeln, Kraut, Bohnen, Linsen, Gsälz und Hutzeln für den knurrenden Magen. Vielleicht sogar eingemachtes Fleisch und Gemüse. Geräucherte Würste. Eingemachte Nüsse, Berberitzen und Hagebutten. Eingelegte Gurken und Zwiebeln. Schmalz und

Bucheckern, für die man beim Ölmüller etwas Öl bekommt. Lesholz und Tannenzapfen aus dem Wald für den Ofen.

Martini ist Jammertag und Freudentag in einem. Je nachdem, ob der Jahresverdienst reicht, um gut über den Winter zu kommen, oder ob man Schulden machen muss.

An Martini wird geseufzt, gefastet und gejammert oder geschlachtet und gefestet. An Martini wird mit dem Schicksal gehadert oder musiziert und getanzt. An Martini bekommt der Pfarrer von jedem Bauern eine Gans und von jedem Wengerter den Gefällwein als Teil seines Jahreslohns. Der Lehrer kriegt von jedem Bauern eine Läutgarbe fürs Glockenläuten oder den entsprechenden Wert in Weizen oder Roggen, von den Handwerkern einen Mesnerlaib, vom Schultes ein Paar gebrauchte Schuhe und vom Pfarrer eine abgelegte Hose. Und an Martini schnitzen die Kinder Rübengeister und erschrecken bei hereinbrechender Nacht die Nachbarn, verkleidet als Märte, als Martin.

Doch heuer wird an Martini vor allem geratscht und getratscht. An allen Ecken und Enden schnattert und schäddert es. Die Waschweiber verzapfen Lettengeschwätz. Die anständigen Leute kommen der Wahrheit ziemlich nahe: Die Läpple sei unschuldig. Nun, das hat man ja gleich gewusst. Aber dass Pfarrer und Schultes sie über den grünen Klee loben, das verdrießt den einen oder anderen. Dafür steigt bei den Hagestolzen im Städtle die Hoffnung. Die Bäuerin vom Läpplehof soll viel Sach haben, hören sie von allen Seiten. Und dass die junge Witwe nicht hässlich ist, weiß jeder,

der Augen im Kopf hat. Also putzen die hoffnungsfrohen Junggesellen vorsorglich Kittel und Stiefel und träumen von einer reichen Einheirat.

*

Nachmittags um fünf sitzen der Schultes und der Unterlehrer beim Pfarrer, trinken Wein und essen Zwiebelkuchen. Abel und der Kastenpfleger haben das Geld im Armenkasten gezählt und ins Vermögen der Kirchengemeinde verbucht. Der Schultes hat, nach Vorarbeit des Lehrers und Ratsschreibers, die Stadtkasse geprüft. Jetzt strecken die Drei alle Viere von sich und denken über das verflossene Jahr nach. Sie saldieren, wie viel es abgeworfen hat.

Pfarrer Abel ist höchst zufrieden, für sich selbst und für die Kirchengemeinde. Hagelschlag, Maifröste und Ernteausfälle haben seinem Gehalt nichts anhaben können. Im Gegenteil, diesen Sommer hat er sogar eine Teuerungszulage bekommen. Wein- und Mostfass sind randvoll, im Stall hinterm Pfarrhaus schnattern die Martinigänse. Übers Jahr blieb Abel viel Zeit für sein Steckenpferd, die Sternguckerei. Auch die Geschichte mit dem Läpple hat ihn letztendlich gaudiert. Überdies klimpern viele Gulden aus dem Vermögen des Ermordeten im Kirchenkasten.

Der Schultes ist mit der diesjährigen Ernte nicht zufrieden. Die Sache mit seiner bockigen Magda hat er noch nicht ganz verdaut. Aber er mag den jungen Mann, insofern macht die Ehe mit seiner Tochter Sinn, zumal er einen rechtschaffenen Tochtermann bekommt. Bargeld wird er den jungen Leuten nicht geben, wohl aber einen Laden einrichten. Das hat seine Minna beschlossen. Und für die Gulden der Läpple kann die Stadt Gutes tun. Die außergewöhnliche Ehrung, von Seiner Majestät höchstpersönlich ausgesprochen, überstrahlt natürlich alles. Sie wird ebenso in die Familienchronik eingehen wie ins Geschichtsbuch der Stadt. Er weiß, jetzt ist er ein berühmter Mann.

Der Lehrer hat ein eher durchwachsenes Jahr hinter sich. Im Frühjahr die zweite Dienstprüfung, danach monatelang nur Arbeit, Tag und Nacht, weil der Schulmeister krank war. Vor vier Wochen der absolute Tiefpunkt. Da wollte er an seiner Zukunft verzweifeln. Und nun die Heirat mit der Tochter des Bürgermeisters und vielleicht sogar die Wahl zum Schulmeister.

Für die drei Herren ist Martini heuer somit ein Freudentag. Also hört man sie behaglich schnurren.

„Kennen Sie Calw?“, fragt Pfarrer Abel und süffelt an seinem Wein.

Zweifaches Kopfschütteln.

„Da sitzen die Pfeffersäcke. Keine Wucherer. Ehrbare Kaufleute. Und warum sind die Calwer so reich? Weil sie rechnen können und Ideen haben. Sogar eigene Schulbücher haben sie sich gedruckt. Vom Geld der Läpple werde ich Calwer Rechenbücher für unsere Schule kaufen.“

„Darf man das überhaupt, Herr Pfarrer?“

„Sie meinen, den hohen Herren im Kultministerium könnte missfallen, dass unsere Kinder Schulbücher haben und rechnen können?“

Der Lehrer nickt.

„Keine Sorge, Herr Lehrer. Die sollen nur kommen. Mein Buckel ist breit. Vermutlich haben die Schlafhauben in Stuttgart noch nie etwas von Rechenbüchern gehört. Mehr als die vier Rechenarten kennen sie sowieso nicht. Darum machen wir's ab jetzt wie die Calwer. Wenn die Bücher da sind, Herr Lehrer", Abel mahnt mit dem Zeigefinger, „dann wird gerechnet. Jeden Tag eine Stunde. Vom ersten Schuljahr bis ins achte hinauf."

„Bevor ich's vergesse, Herr Pfarrer", sagt der Schultes und erhebt sein Glas. „Glückwunsch! Wäre Ihnen bei der Läpple nicht aufgefallen, wie der Rossknecht spricht, hätt ich ihm heute seinen Pass gegeben und sein Dienstbüchlein dazu."

„Ich rätsle immer noch", wehrt Abel bescheiden ab, „ob der Rossknecht das Versteck wirklich nicht kannte oder es tatsächlich erst kurz vor Martini leeren wollte."

„Dass der Oskar eifersüchtig wurde, als der Läpple mit der Frieda anbändeln wollte, kann ich noch verstehen. Aber einen Menschen wegen ein paar hundert Silbergulden umbringen, bloß weil man heiraten will?" Der Lehrer schüttelt den Kopf. „Jetzt wird er im ganzen Land als Verbrecher gejagt."

Der Schultes lacht, dass der Bauch wackelt. „Gejagt? Bis der Kommandant die Zeitung auswendig kann und seine Gendarmen die Wanderstiefel geschnürt haben, ist der Oskar über alle Berge und ins Ausland. Von dem werden wir nichts mehr hören."

Abel schenkt Wein nach, dann erhebt auch er sein Glas. „Prosit, meine Herren. Trinken wir auf das Wohl der alten Katharina. Ohne ihren Hinweis auf die tiefe Stimme des Unbekannten hätten wir den Mord nicht aufgeklärt und nicht so viel Geld in der Kasse. Auch verworrene Geister haben ab und zu lichte Momente.“

Februar 1842

„Uiuiui!“ Er staunt. Ein Schneesturm fegt durch die Gassen. Der Wind heult und pfeift aus allen Ritzen. Leer ist der Schlossplatz, fort sind die Wachen. Die Konkordia auf der neuen Siegessäule verschwimmt im flauschigen Weiß.

König Wilhelm steht am Fenster seines Schlosses in Stuttgart und ergötzt sich. „Oooh!“ Das Gestöber wird dichter, der Himmel düster. „Aaah!“ Mitten am Tag bricht die Dämmerung herein.

Jeden Herbst freut er sich auf die kalte Jahreszeit mit ihrer Pracht und ungestümen Macht. Und wenn die ersten Flocken wirbeln, wähnt er sich in seiner Kindheit zurück. Dem fleißigen Hamster schadet der Winter nicht, hatte ihn sein Erzieher einst gelehrt, als er neun war. Tagtäglich war er mit Magister Gros nach dem Essen durch die Gegend gestreift. Auch bei Blitz und Donner, Sturm und Regen, erst recht bei Schnee. In einer Stunde konnte er mehr sehen, hören, riechen und fühlen als den ganzen Vormittag im grauen Unterricht. Sie genossen zusammen die Wunder der Natur und trotzten den Launen des Wetters. Von Gros lernte er viel von Abenteuern in eisigen Ländern.

Seit damals mag er den Winter, die verschneiten Felder, die raureifen Wälder. Besonders liebt er den Tanz der stiebenden Kristalle in frostiger Luft. Als Kind, entsinnt er sich, baute er Schneemänner und schlitterte auf blankem Eis. Mit Schneebällen zielte er auf die hohen Mützen der Gardisten oder seifte Buben das Gesicht mit Schnee ein. Seinen Vater, König Friedrich, brachte das in Rage. „Er soll meinen Sohn des kindischen Zeitvertreibs entwöhnen“, schnauzte er den Hauslehrer an.

Jetzt durch den tiefen Schnee stapfen. Sich gegen den Wind legen. Die Schlittschuhe anschnallen und über einen zugefrorenen See gleiten. Juchei, das wäre schön! Endlich einmal tun und lassen dürfen, was gerade in den Sinn kommt. Ohne Rücksicht auf Prestige und Protokoll. Ohne viel Brimborium in den Tag hineinleben.

Herrje, wie lange ist das her? Was, über ein halbes Jahrhundert? Mein Gott, wie die Zeit vergeht. Ach, mehr als fünfundzwanzig Jahre als Regent sind es auch schon? Eine lange Zeit und eine große Last. Hat man da nicht ein Recht auf die kleinen Freuden eines unbekümmerten Daseins?

Und wie er an unbeschwerte Kindertage und lästige Herrscherjahre denkt, klopft es.

„Herein!“ Er sagt es ungehalten über die Schulter.

Der Kammerdiener betritt den Salon und verneigt sich tief im Rücken des hohen Herrn. „Majestät, Oberstleutnant von Haudegen bittet um kurze Audienz. Es sei dringend.“

Dicke Flocken fallen. Der Monarch staunt und nimmt sie doch nicht wahr. Er träumt mit offenen Augen von einem sorglosen Leben, von Tagen und Wochen ohne Aufgaben und Pflichten. Wenn alle Menschen ein Recht auf mich haben, grübelt er, warum soll dann ich nichts von mir haben? Es wird Zeit, dass ich mich endlich mal mir selbst gönne. Versonnen fährt er sich mit der Hand übers Gesicht.

„Majestät."

Er seufzt. „Nun gut", knurrt er, „ich lasse bitten."

Der Diener entfernt sich lautlos. Gleich darauf stürmt Hubert von Haudegen herein, Vorsteher der Geheimen Kriegskanzlei und Adjutant des Königs. In gebührendem Abstand schlägt er die Hacken zusammen und nimmt Haltung an.

Der Mann am Fenster dreht sich nicht um, denn er muss sich ein Lachen verbeißen. Angeblich macht sich der Herr Oberstleutnant in die Hosen, wenn er vorreiten muss, wie man in der Kavallerie zu sagen pflegt. Hofschranzen haben das seiner Majestät gesteckt.

Stille im weitläufigen Salon mit den blauen Tapeten und den Glasschränken, gefüllt mit Prachtbänden, in die der Hausherr nie hineinschaut. Bücher und Schränke sind für ihn nur Dekoration. Er mag den ganzen Plunder nicht, nimmt ihn jedoch hin, weil er für neuen Firlefanz kein Geld ausgeben will.

Der Landesfürst verschränkt die Arme. Gerade malt er sich in den schönsten Farben aus, wie es wäre, wenn er dorthin reisen würde, wo Schnee liegt, von Januar bis Dezember, soweit das Auge reicht. Im hohen Norden, über Finnland hinaus zum Nordpol hin, soll es Menschen geben, die im ewigen Winter leben.

Ein Räuspern ruft ihn in die Gegenwart zurück.

„Nun, Oberstleutnant?" Nach wie vor schaut er durchs Fenster auf die weiße Pracht. „Wo brennt's?"

Haudegen, hastig und servil: „Beunruhigende Nachrichten, Majestät."

„Für wen?"

„Für uns alle. Insbesondere für Sie, Majestät."

Der König schüttelt den Kopf. „Ist im Jänner alles weiß, wird der Sommer gerne heiß."

„Majestät …"

Abrupt dreht sich der Monarch um, damit er Mimik und Gestik seines Adjutanten studieren kann.

Haudegen ist wie vom Donner gerührt. Die Augen aufgerissen, den Mund weit geöffnet, stiert er auf seinen allerhöchsten Dienstherrn.

Wilhelm I. lächelt nachsichtig. Ja, er hat sich in seinem ausgedehnten Weihnachtsurlaub völlig verwandelt. Nicht mehr die kurze, nach vorn gekämmte Frisur, wie einst bei Julius Caesar. Vielmehr sind die Haare jetzt lang und auf der linken Seite gescheitelt. Aus dem dezenten Oberlippenbart ist ein graublonder, kräuselnder Vollbart geworden. Und auf der Nase sitzt eine Brille mit Ohrenbügeln. Somit ein fremdes Gesicht mit vertrauter Stimme.

Der Adjutant stottert: „Ma…, Maje…, Majestät …?"

Der König schmunzelt. Jetzt hat er Gewissheit. Die Tarnung ist gelungen.

„Majestät, …"

„Oberstleutnant, wie seh ich aus?"

Haudegen windet sich wie ein Aal.

„Hol er den Kammerdiener!"

Haudegen flitzt. Der Diener rennt, ein in Diensten seines Landesfürsten ergrauter Herr im schwarzen Frack.

Diener verneigt sich zweifach.

„Eugen, wie sehe ich aus?"

Bereits beim Aufrichten packt den treuen Eugen das Entsetzen. „Wie ein russischer Anarchist", witscht es ihm unwillkürlich heraus. Gleich schlägt er sich auf den Mund. „Verzeihung, Majestät, das ist mir leider entschlüpft."

„Soso, entschlüpft." Der König lacht, dass die Bauchdecke wackelt und die Beinkleider rutschen. „Brav, Eugen." Er zieht die Hose hoch. „Bring mir in einer halben Stunde eine heiße Schokolade." Und weil er ein Leckermäulchen ist, bestellt er auch noch ein Stück Apfelschmarren und ein paar Mandelplätzchen.

Der Kammerdiener macht einen tiefen Bückling und flattert verstört davon. Hoheit, glaubt er, ist heute in garstiger Stimmung. Gewiss ärgert sich Seine Majestät über den vielen Schnee. Und diese Verwandlung. Gräss … lich! Wozu? Was geht hier vor? Ihm schwant nichts Gutes.

„Nun, Haudegen, was sind das für Nachrichten, die Sie derart aufscheuchen, dass Sie mir auf die Nerven fallen müssen?"

„Man trachtet Euer Majestät nach dem Leben."

„Weiß man wer?"

Haudegen, schrill und bang: „Staatsfeinde …"

Mit knapper Geste schneidet der Herrscher seinem obersten Späher das Wort ab. „Verschonen Sie mich mit dem ewigen Geseire."

„Verzeihung, Majestät“, Haudegen klingt kläglich, „meine Kundschafter haben diesmal sehr konkrete Hinweise.“

„Meine Kundschafter“, äfft der Monarch seinen Adjutanten nach. Ein spitzbübisches Grinsen huscht über sein Antlitz. „Haudegen, Haudegen! Was haben Ihre Blindschleichen diesmal ausgespäht?“ Mahnend hebt er den Finger: „Wenn aber ein Blinder den andern leitet, werden beide in die Grube fallen. Lukas 6, Vers 39.“ Der König ist bibelfest, denn er ist nicht nur Landesfürst, sondern nach altem Recht auch Landesbischof, von zwei Hofpredigern, einem evangelischen und einem katholischen, rund um die Uhr beraten und betreut.

Haudegen reißt Mund und Augen auf.

Majestät runzelt die Stirn. „Zum wievielten Mal servieren Sie mir solche Schauergeschichten? Zum zwanzigsten? Oder ist das halbe Hundert schon voll?“

„Majestät …“

„Huhu! Da fürchte ich mich.“

Wie ein begossener Pudel steht der Oberstleutnant da. Er ist ratlos. Wie soll er seinen Herrn vom Ernst der Lage überzeugen?

Der kostet die Verlegenheit seines Offiziers einen Moment aus. Dann fragt er ruhig: „Dieselbe Machart?“

Haudegen, übereifrig und hektisch: „Ja, Majestät, wieder ein Pamphlet gegen Sie. Man trachtet Ihnen nach dem Leben. Die meinen es ernst, Ma…“

Eine schlenkernde, wegwerfende Handbewegung, und der Dienstbeflissene ist augenblicklich verstummt.

„Bild! Bild!“ Der Monarch ist gebildet. Das sieht man auf den ersten Blick. Seine Sprache ist gebildet. Sein Antlitz ist gebildet. Seine ganze Erscheinung strahlt Bildung aus. Darum ist er rasch im Bilde, der Gebildete, und das pflegt er militärisch knapp so auszudrücken: „Bild! Bild!“

Er denkt ein Weilchen nach, bis er schließlich den Uniformierten streng ins Visier nimmt: „Sie sind ein verschwiegener Mann, Haudegen, … oder?“

„Majestät können sich auf mich verlassen.“

„Ich habe Ihr Ehrenwort als Offizier, dass Sie alles, was ich Ihnen jetzt sage, für sich behalten?“

„Zu Befehl, Majestät! Ehrenwort!“

Der König winkt den Adjutanten näher zu sich heran. „Ich will endlich wissen, ob an den ständigen Attentatsgerüchten etwas dran ist.“ Dann weiht er ihn in seinen streng geheimen Schlachtplan ein.

Er werde nicht, wie öfters angeraten und in den Zeitungen gemeldet, zusammen mit seiner Gattin ins Ausland reisen. Die Königin fahre allein zu ihren Verwandten. Er bleibe im Ländle.

„Hier in Stuttgart?“

„Nein.“

„Wo werden Majestät residieren?“

„Nirgendwo. Den Budenzauber habe ich gründlich satt.“

„Majestät …“

„Schweigen Sie, Haudegen!“

Der Oberstleutnant schlägt die Hacken zusammen.

„Ich gönne mir Erholung in Linnfurt. Aber inkognito!“

Haudegen fallen die Augen aus dem Kopf.

„Ich möchte mal wieder erleben, wie es sich anfühlt, unter normalen Menschen zu sein und nicht auf Schritt und Tritt erkannt zu werden. Außerdem möchte ich in Ruhe und Abgeschiedenheit den Winter in seiner ganzen Pracht genießen."

Haudegen, jetzt tief besorgt: „Gestatten, Majestät, was soll aus den ausgearbeiteten Plänen für die nächsten Wochen werden?"

„Mein Besuch in Linnfurt steht doch auf dem Programm, nicht wahr?"

Haudegen nickt. „Ist längst amtlich verkündet, Majestät."

„Na also! Bestätigen Sie in aller Deutlichkeit nochmals diesen Besuch. Öffentlich! In allen Zeitungen des Landes soll man's lesen können!"

Der Offizier macht ein gequältes Gesicht. Er trägt Bedenken vor und erinnert vor allem an die Bedrohung durch die Attentäter.

Der König bleibt hart. Linnfurt sei überschaubar und nicht zu weit von der Landeshauptstadt entfernt. Er werde ohne Begleitung und unter falschem Namen reisen, wie er das schon öfter getan habe. Sobald in der Öffentlichkeit bekannt sei, dass der König dem Städtchen an der Linn einen Besuch abstattet, fänden sich die Spitzbuben mit Sicherheit dort ein. Er werde inkognito eher da sein und persönlich die Lage sondieren. Zu Ostern sei er wieder zurück.

„Um Himmels willen, Majestät."

Mit einem energischen Blick erinnert der Herrscher an die zugesicherte Geheimhaltung.

„Und Sie, Majestät, werden …"

„Keine Fisimatenten, Haudegen! Ich reise! Basta!"

„Darf ich wenigstens …"

„Nichts da! Sie werden mich samt Gepäck unauffällig zur Postkutsche bringen!"

Der Oberstleutnant salutiert, schüttelt den Kopf und zieht eine bedenkliche Schnute.

Ein erhobener Zeigefinger bringt ihn zur Räson: „Noch ein Sterbenswörtchen, Haudegen, und Sie finden sich auf der Feste Hohenasperg *[Staatsgefängnis für vornehme Häftlinge]* wieder!"

Linnfurter Alltag

Dienstagabend. Schneewolken über Linnfurt. Ärgerliche Sorgen verdämmern. Der Nachtwächter, einen langen Knotenstock in der Rechten und eine Laterne in der Linken, erklimmt die Stufen zu seinem Ausguck im Turm in der Oberstadt. Eine Tür schlägt im Hinterhof. Für einen Augenblick erscheint hinter einem Fenster das müde Gesicht einer Frau. Sie schaut einer schwarzen Katze zu, die übers Nachbardach schleicht.

Fritz Frank, Stadtschultheiß, Großbauer und Weingärtner, merkt von alledem nichts. Er sitzt in der Unterstadt in seiner miefigen Gaststube und studiert im Schein einer funzeligen Petroleumlampe das Linnfurter Intelligenz-Blatt.

„Post!“

„Ja, spinnst du?!“ Er explodiert. Er schäumt. Er kratzt sich den Zorn aus dem Bauch: „Du Granatentrampel!“

Obermagd Paula hat ihm die Post auf die aufgeschlagene Zeitung geworfen. Nur noch Fetzen klemmen zwischen Daumen und Zeigefinger.

Erst guckt er verdutzt, dann schnellt er vor wie ein Ochsenfrosch auf Beutefang, packt die Post und schmeißt sie ihr hinterher. Gleich wird ihm besser.

„Schultes, das hab ich nicht wollen.“

Der Ärger des Schultheißen verraucht zwar nicht so schnell, wie er detoniert ist. Aber immerhin so rasch wie der Pulverdampf einer Pistole. Paula ist eine gute Seele, das weiß er. Bald ein Jahrzehnt dient sie schon auf dem Lindenhof.

„Jetzt rührst einen Papp an und klebst meine Zeitung zusammen!“ Er wird wieder entspannt und kommod.

Die treue Magd klaubt die Post vom Boden auf und legt sie vorsichtig auf die entfernteste Ecke des Tisches. Mit hängenden Schultern und schlechtem Gewissen schleicht sie in die Küche. Die zerfetzte Zeitung nimmt sie mit.

Er bruddelt noch eine Weile vor sich hin und angelt sich nebenbei die drei Poststücke. Das neueste Regierungsblatt, das wöchentlich erscheint. Der Registerband zum nämlichen Regierungsblatt fürs letzte Jahr. Und ein Brief, der gesiegelt ist. Königliches Hofamt oder so ähnlich. Der schlampige Siegelabdruck ist gerade noch zu entziffern.

„Au!“, entfährt es dem Schultes. Schuldbewusst zieht er das Genick ein. Post von allerhöchster Stelle. Das bedeutet oft nichts Gutes. Seufzend legt er das Schriftstück ungeöffnet zur Seite.

Zunächst nimmt er sich den hundertfünfzig Seiten umfassenden Registerband für 1841 vor. „Die Buchstabensupp braucht keine Sau“, mault er vor sich hin. Kopfschüttelnd blättert er in den endlosen Orts-, Personen- und Sachverzeichnissen.

„Arschwisch, verleimter!!“

Er schiebt das Buch weit von sich und schlägt das neueste Regierungsblatt auf. Giftblättle schimpft er es.

Und schon wieder erregt er sich, ncin, jctzt schwillt ihm der Kamm.

„Blutsauger! Erzspitzbuben!! Profitmichel!!!"

Er kennt mehr als dreitausend Schmäh- und Schimpfwörter, zehn für jeden Tag, von abscheulicher Abfuggerer und armseliger Affendackel bis wüste Zuttel und verhutzelter Zwiebelkopf.

Er ärgert sich gottsmillionisch, weil das Justizdepartement rückwirkend zum 1. Januar das tägliche Kopfgeld für Gefangene von 12 auf 14 Kreuzer erhöht hat.

Wütend rollt er das Blättle zu einer Röhre zusammen und trommelt auf den Tisch.

„Abgeschlagene Siach! Blöde Hornochsen! Liederliche Federfuchser!"

Einmal, ein einziges Mal einem dieser elenden Paragrafenschmierer kräftig in den Hintern treten dürfen, das wäre eine Wohltat für sein geschundenes Untertanengemüt! Seit Längerem frisst sich ein starker Grimm gegen die Regierung in Stuttgart durch seine Seele.

Er sinniert ausgiebig, denn das Rechnen hat man zu seiner Jugendzeit noch nicht in der Schule gelernt. 14 Kreuzer täglich, das sind 2 Kreuzer mehr als bisher. Macht für jeden Häftling? Er fährt sich nachdenklich übers Gesicht. „Bei 365 Tagen im Jahr ...", Zuversicht breitet sich über seinem Antlitz aus, „ ... sind das 365 Kreuzer, wenn wir für jeden Tag einen Kreuzer mehr blechen müssen. Und 2 Kreuzer mehr pro Tag und Jahr macht ... akkurat das Doppelte." Er kratzt sich hinterm Ohr. „Das Doppelte von 365 ...?" Er zählt zuerst die Hunderter zusammen, dann die Zehner, die Einer.

„Macht …?“, Frohlocken steht ihm ins Gesicht geschrieben, „… ungefähr 730 Kreuzer.“ 60 Kreuzer sind 1 Gulden, das weiß jedes Kind. Also denkt er nach, spreizt die Finger in der Hosentasche, während es in seinem Gesicht arbeitet. Offen zeigt er nie, dass er sich mit dem Dividieren schwertut. Lieber spielt er den Taschenrechner. 10 mal 60 macht 600, 11 mal ist 660, 12 mal ergibt 720. „Aha! Summa summarum 12 Gulden und … 10 Kreuzer.“ In einem Jahr, wohlgemerkt. Macht nach Adam Riese in fünf Jahren? „… 60 Gulden … und … 50 Kreuzer.“

Im Zucht- und Arbeitshaus sitzt bekanntlich der Schnellreich ein. Der ist vor zwei Jahren als Schieber und Betrüger entlarvt worden. Zwar konnte er fliehen. Doch kurze Zeit später wurde er verhaftet und zu sieben Jahren Zuchthaus verdonnert. Folglich wird er noch fünf Jahre brummen. Und weil er Linnfurter Bürger ist, muss seine Heimatgemeinde die Haftkosten zahlen. So will es das Gesetz.

„60 Gulden und 50 Kreuzer“, echauffiert sich der Stadtpräsident, zumal man dafür ein Krautgärtle kaufen oder mit der Ulmer Schachtel in den Balkan auswandern könnte. Somit richten zehn mittellose Spitzbuben eine Kommune leicht zugrunde. Darum ist schon mancher brave Schultheiß auf die Idee gekommen, einen ortsansässigen Galgenvogel aus Kostengründen in einer entlegenen Güllegrube zu entsorgen, statt im Zuchthaus durchzufüttern.

Der Schultes ächzt und knirscht mit den Zähnen. „Wart nur Bürschle! In fünf Jahren kommst du heim. Dann ist’s aus mit der fidelen Zuchthauserei.“

Er schnauft tief durch, bis er sich wieder abgeregt hat. Argwöhnisch wie eine Katze, die etwas Ungewohntes fressen soll, beäugt er den Brief. Endlich schnappt er ihn, dreht ihn um und um, beschnuppert ihn, fährt mit dem Finger unter das Siegel und bricht es auf.

Oberhofrat seiner Majestät des Königs Wilhelm I. steht auf dem gedruckten Briefkopf. In gleichmäßiger Handschrift teilt ein gewisser Oberstleutnant von Haudegen mit, demnächst werde ein Kammerdiener Seiner Majestät nach Linnfurt kommen, um den angekündigten Besuch des Königs vor Ort vorzubereiten.

Kopfschüttelnd steht der Schultes auf und stelzt steifbeinig in die Küche. Reißmatheis *[Rheuma]*! Seit die Hundskälte über Linnfurt hereingebrochen ist, tun ihm alle Knochen weh.

Es riecht durchdringend nach Essig. Paula hat aus Weizenmehl, kochendem Wasser und Essig einen Kleister angerührt. Sie sitzt am Tisch, unglücklich, zerknirscht und wütend zugleich. Am liebsten würde sie aus der Haut fahren, wenn sie könnte. Doch alles klebt. Die Hände vor allem, Schürze und Ärmel, sogar Gesicht und Haare. Die Frau ist von Kopf bis Fuß ein einziger klebriger Klumpen.

Der Tisch ist übersät mit Zeitungen, denn sie hat von alten Ausgaben des Linnfurter Intelligenz-Blatts Randstreifen abgeschnitten. Damit versucht sie verzweifelt, mit ihren Pappfingern die zerfetzte Hauspostille ihres Patrons zu reparieren.

Des Schultes Minna dagegen hat die Ruhe weg. Gerade stellt sie die abgepfiffene *[entrahmte]* Milch beiseite. Sie wackelt auf ihren krummen Beinen zum Herd, auf dem eine schwere Eisenpfanne glüht. Mit einem großen Holzlöffel haut sie Zwiebelringe im Kreis herum.

„Hör dir das an." Er stellt sich neben sie und liest ihr den Brief vor.

Seine Angetraute stichelt. „Da werden sie uns so einen alten Klufenmichel *[Umstandskrämer]* schicken."

Ihr Göttergatte ist eher ärgerlich. Er wähnt einen Aufpasser und Besserwisser im Anmarsch. Die Hochnäsigen aus der Landeshauptstadt kann er nicht ausstehen. „Aberjetza, wenn der motzig wird, muss er den Stall ausmisten oder Holz spalten."

„Du Suppenlalle! Kapierst du's nicht? Die schicken einen, der dir beibringen soll, wie man sich anständig aufführt. Glaubst du, dass sich der König dein Gemaule anhört?"

„Der scheißt auch keinen Grießpudding."

„Bloß schwätzt im ganzen Ländle keiner so ungewaschen raus wie du."

Der Schultes zieht das Genick ein und verlässt angesäuert die Küche.

Der Stadtregent schnürt die genagelten Stiefel, zieht einen wasserdichten Kittel an, setzt seinen breitkrempigen Hut aufs störrische Haupthaar und wirft sich einen Schal um den Hals. In der Schankstube kippt er schnell einen Schnaps gegen die Kälte. Noch einen zur Vorbeugung gegen Halsweh. Und einen dritten zur Stabilisierung des inneren Gleichgewichts. Dann schnappt er die brennende Laterne an der Haustür und leuchtet sich in die Dunkelheit hinaus.

Die Gassen sind saumäßig glatt. Dazu ein eisiges Schneefegen. Menschenleer ist die Hauptstraße, stickig die Luft. Dicker Qualm senkt sich von allen Schornsteinen herab.

Der Schultes stemmt sich gegen den Wind. Breitbeinig, mit den Händen balancierend, den Hintern hängend, um Stürze abzufedern, schlurft er in die Oberstadt hinauf, schleift auf dem Eis vor dem Rathaus um die Kurve in die Burgunderstraße hinein und klopft an die Pfarrhaustür. Abels Amtsstube ist ihm mittlerweile Asyl für Notfälle und Trost bei Kümmernissen.

Hochwürden, ein Mann von Geist und Humor, sitzt meist zuhause herum, wenn er nicht gerade das Katheder in der Volksschule wärmt und die Schulkinder mit seinen Religionsstunden langweilt. Stets ist er schwarz gekleidet. Die Hosen glänzen am Hintern, an den Knien sind sie abgeschabt. Der Kittel ist an den Ellenbogen bereits fadenscheinig. Von einem neuen Gewand will er dennoch nichts wissen. Lieber gibt er sein Geld für teure Bücher aus. Predigten schreibt er wie der geölte Blitz, trotzdem – oder gerade deshalb – sind sie griffig und nahrhaft und gehen zu Herzen. Auch für Hochzeiten, Taufen, die Kirchenbücher und die Beaufsichtigung von Schule und Schulmeister verschwendet er nicht viel Zeit. Und die Kirchen- und Schulvisitationen des Dekans, der alle zwei Jahre die amtlichen

Bücher prüft und den Unterricht kontrolliert, bringen ihn seit Ewigkeiten nicht mehr aus der Fassung.

Ergo liest er viel, stiert durchs Fenster, kieft *[knackt]* Sonnenblumenkerne und spielt sein Lieblingsinstrument, die Maultrommel. Er ist zuhause und langweilt sich. Das aktuelle Pfarrersblättle, den Merkur, kennt er schon auswendig. Weil es nebelig ist, kann er nicht auf den Turm und das Firmament bewundern. Darum kommt der Besuch des Schultes gerade zur rechten Zeit. Zumal die beiden ungekrönten Oberhäupter Linnfurts ohnehin alle naslang die Köpfe zusammenstecken.

„Sie trinken gewiss einen Schoppen mit mir, Herr Bürgermeister." Das ist keine Frage, sondern eine lieb gewordene Feststellung.

Sie gurgeln, sie beißen, sie schlotzen und genießen. Auch das ein lang erprobtes Ritual. Der Schultes kommt, und Abel löst ihm die Zunge. Ist die Gurgel erst geschmiert, redet sich's ganz ungeniert. Eine alte Weisheit, die jeder Pfarrer aus dem Alten Testament kennt.

Der Hausherr ist mopsfidel. „Was ficht Sie an, Herr Bürgermeister? Sie sind so blass um die Nasenlöcher."

„O jemine!" Der Gast klagt sein Leid. Der Besuch des Königs liege ihm im Magen, weil die Aufwartung seiner Majestät allmählich zur Haupt- und Staatsaktion missrate. Eigentlich habe er dem Landesvater ein paar erholsame Tage an der Linn gönnen wollen. Jetzt sei der schöne Plan zunichte. Ein gewisser Oberstleutnant von Haudegen, Oberhofrat seiner Majestät, kündige einen Kammerdiener an, der die Festivitäten vorbereiten soll. Dass Hofschranzen das Kommando in seinem schönen Städtle übernehmen, gehe ihm gegen den Strich.

Abel tröstet. „Dann trägt die Hofkanzlei die Schuld, wenn es dem König bei uns nicht gefallen sollte. Bitte sehen Sie es einmal von dieser Seite.“

Der Schultes stutzt. Er schluckt. „Aberjetza, meinen Sie …?“

„Ja! Bestimmt! Ist der Kammerdiener erst einmal hier, werden wir ihn kräftig melken. Alles, was Majestät wünscht, kitzeln wir aus dem Lakaien heraus. Bringen Sie ihn nur her.“

*

Im Königreich Württemberg verwalten sich die Kommunen selbst. Der Ortsvorsteher heißt in den Städten Stadtschultheiß und in den Dörfern bloß Schultheiß und wird alle zehn Jahre gewählt. Hierzulande schmücken lange Titel die wichtigen Ämter, während sich die zweitrangigen mit kurzen Namen begnügen müssen, weil dafür weniger Verstand nötig sei. Der Stadtschultheiß oder Schultheiß ist örtlicher Regierungschef und zugleich Vorsitzender im Stadt- beziehungsweise Gemeinderat. Dieser stützt sich auf vier Säulen. Den Kirchenkonvent, dem auch der Pfarrer und der fürs Geld der Kirchengemeinde zuständige Kirchenpfleger angehören. Den Bürgerausschuss, der alle wichtigen Gemeinderatsbeschlüsse vorberaten muss. Den Stadt- oder Gemeindepfleger, der die kommunalen Finanzen besorgt. Und den Verwaltungsaktuar, den das Oberamt als Kreisbehörde auf Kosten der Gemeinde bestellt und der alle wichtigen Verwaltungsakte kontrolliert.

Der erlauchte Stadtrat zu Linnfurt setzt sich aus elf Persönlichkeiten zusammen, zehn davon auf Lebenszeit gewählte und zum Zeitpunkt ihrer Wahl mit irdischen Gütern reich gesegnete Männer. Frauen traut man nur das Kinderkriegen, das Kochen, das Kühemelken und das Jubilieren im Kirchenchor zu. So will es das Gesetz. Insgeheim haben sie jedoch die Hosen an.

Nach der Kommunalverordnung von 1813 müssen die Stadträte mit Kopf und Kragen für jeden Schmarren haften, den sie anrichten. Wenn sie zum Beispiel ein Jahrhundertwerk beschließen, das man erst in hundert Jahre wieder ausbügeln kann, zahlen nie die Bürger. Darum müssen die Deputierten bei Amtsantritt vorsorglich zwanzig Gulden pro hundert Einwohner in der Kasse hinterlegen. Weil es gegenwärtig 1049 Linnfurter gibt, sind bereits 220 Gulden sichergestellt. Eine weise und nützliche Regelung für die ganze Welt und alle Zeiten, die den Württembergern seinerzeit geglückt ist.

Als Vorsitzender des Stadtrats thront Schultes Fritz Frank kraft Gesetzes hoch erhobenen Hauptes oben am Tisch des Sitzungsaales, flankiert vom Ratsschreiber. In Linnfurt ist das sein eigener Tochtermann.

Der blutjunge Schreiber hat weder Sitz noch Stimme im Stadtparlament und ist vom Volk nicht gewählt, sondern vom Stadtrat erwählt worden. Er muss all den Käs aufschreiben, den die Herren Stadträte verzapfen. Trotzdem hat er in jüngster Zeit peu à peu an

Einfluss gewonnen. Denn erstens wurde er letzten Dezember zum Schulmeister gewählt und gehört damit kraft Amtes nach Pfarrer und Bürgermeister zur kommunalen Dreifaltigkeit. Zweitens hat er gleich darauf die jüngste Tochter des Lindenwirts gefreit und sich als Einflüsterer vom Schultes breitgemacht, weshalb etliche Einwohner ihn den Ohrewusler *[Ohrwurm]* heißen. Und drittens betreibt seine Frau Magda seit Neuestem das einzige Lädle weit und breit. Bei ihr treffen sich die Frauen zum Ratschen und Tratschen und kontrollieren nebenbei, wie viel Geld ihre Männer für Rauchtabak und stinkige Stumpen ausgeben. Nahezu unbemerkt hat sich der junge, unscheinbare Mann, der vor ein paar Jahren als schüchterner Provisor hier hereinschneite, vom armen Dorflehrerlein zur grauen Eminenz gemausert. Als Schulmeister hat er die Jugend hinter sich. Als Publizist des Linnfurter Intelligenz-Blatts kaut er den Lesern ihre Meinung vor. Als Ratsschreiber kennt er alle Interna im Städtle. Als Schwiegersohn des Schultes berät er das Stadtoberhaupt. Und als Dirigent vom Liederkranz hat er die Herzen der Männer erobert. Er bringt den Linnfurtern Kultur und Muse bei und verschafft den Herren der Schöpfung mit seiner Singstunde allwöchentlich ein Alibi fürs Wirtshaus, weil die Sangesbrüder nach dem Jauchzen und Tirilieren ihre rauen Kehlen befeuchten müssen. Dabei – und hier schließt sich der Machtkreis – hören sie bei Bier und Wein auf das Kommando seiner Magda, weil die blutjunge Frau noch immer in der elterlichen Linde aushilft. Wie eh und je wickelt sie die

Stammgäste um den Finger. Sie ist die starke Frau hinter ihrem weichen Mann und reißt das Maul auf.

Im Sitzungssaal stinkt es gottserbärmlich nach Petroleum. Die Lampe rußt. Der Docht flackert und illuminiert den Saal nur dürftig. Das zuckende Licht lässt die Gesichter der Elf wie dämonische Fratzen aus der Finsternis aufblitzen.

Es geht um zwei Themen, die erhöhten Häftlingsgebühren und den Besuch des Königs.

„Der Schnellreich kann bei mir als Knecht schaffen, wenn er aus dem Zuchthaus kommt. Ich guck dann, dass er aus Versehen durch eine Heuluke fällt“, lautet der unziemliche Vorschlag des Schöpflein.

Auch Nagelschmied Köhler frönt der Leidenschaft für Selbstjustiz: „Am besten vor dem ersten Zahltag.“

Großes Gelächter.

Der Hofbauer verzieht keine Miene. Sachlich verweist er auf das Gesetz. Da stehe doch drin, dass das Vermögen eines Häftlings zur Deckung der Haftkosten herangezogen werden darf.

Bierlein kapiert gleich. „Der Schnellreich hat noch ein schönes Haus in der Münzgasse. Wenn wir das verganten …“

„… sind wir den schleimigen Bruder endgültig los“, ergänzt der Knöpfle, „weil er bei uns kein Dach mehr über dem Kopf hat.“

Sofort geht der Schultes darauf ein und stellt erleichtert fest: „Aberjetza machen wir sein Anwesen zu Geld und legen den Erlös bei unserem Sparverein an. Dann kann der Schnellreich seine Kosten selber zahlen.“

Sie nicken den Vorschlag einstimmig ab.

Ein warmer Hauch von Einvernehmen weht durch den Saal. Der Schultes lehnt sich entspannt zurück. Er kann ja nicht ahnen, dass die Sitzung noch turbulent wird.

Zunächst setzt ein nicht enden wollendes Palaver ein. Was soll man dem König bieten?

Die Vorschläge stapeln sich auf dem Tisch. Festlicher Empfang auf dem Marktplatz. Begrüßung durch den Stadtrat, Spalier der Veteranen, Aufmarsch der Ehrenjungfrauen, Defilee der Honoratioren, Auftritt des Gesangvereins, Schauturnen, Huldigung der Schuljugend. Danach Stadtbesichtigung mit kleinem Umtrunk an der Flößerlände unten an der Linn. Nachher Festgottesdienst mit Kirchenchor. Schließlich ein Festbankett im Rathaus mit anschließendem Tanz. Und für den nächsten Tag …

„Wenn er den erlebt."

Lähmende Stille. Entgeisterte Blicke. Was ist in den Hannes gefahren?

„Wenn ich der König wär", sagt der Hofbauer Hannes leise, aber bestimmt, „würd ich mich über das überzwerche Festle nicht freuen. Vergesst nicht, es ist Winter. Da kriegt halb Linnfurt den Rotz."

Der Hofbauer sei ein Weichei, ein Nörgler, und das Programm noch viel zu dürftig, entrüsten sich die einen. Vielmehr müsse man Majestät beispiellose Attraktionen bieten, wie sie in keinem Kalender stehen.

Nein, empören sich die anderen. Das fuderweise Getöse und endlose Gegackere könne kein Mensch aushalten, nicht einmal ein König. Beim stundenlangen

Ausharren in Eis und Schnee friere Männern wie Frauen die Wasserleitung ein. Außerdem dürfe man nicht so viel Geld für ein einziges Festle ausgeben; es müsse in drei Teufels Namen noch ein Quäntchen übrig bleiben für eine neue Feuerspritze.

Da ein dummes Wort. Dort eine dreiste Anschuldigung. Und schon sind sie ringsum im ärgsten Gezänk. Die einen speien Gift und Galle. Die anderen gießen Hohn und Spott. Mitten drin der Hofbauer. Er will löschen, unter dem Feuerschutz vom Bierlein. Sinnlose Liebesmühe. Die Fehde in der Sache eskaliert zur bösen Kränkung der Kontrahenten.

„Sich dackelig schaffen, weil einer daherkommt, der zufällig König ist?“

„Du Anarchist!“

„Furzklemmer!“

„Soll ich mir einen Wedel in den Hintern stecken, damit sich Majestät gaudieren kann?“

„Du brauchst nötig einen Staubwedel. Bei dir daheim hängen noch die Spinnweben vom vorletzten Jahr an der Decke.“

„Sapperlot, bist du ein dummer Ochs. So kenn ich dich ja nicht.“

„Und du bist ein bissiger Hund. Ruckzuck haust du den Leuten die Zähne in den Hals.“

Sie dengeln die Sensen zum Gefecht. Jetzt kracht die Welt in allen Fugen.

„Bohnenfresser!“

„Hosenseicher!“

„Klugscheißer!“

„Latrinenhopser!!“

Ein Schrei wie das Trompeten eines Elefanten: „Aberjetza!! Maul halten!!!“

Mit einem Schlag ist Ruhe. Oder ist es nur die Stille vor dem Sturm?

Der Schultes fürchtet um den kommunalen Frieden und das Heil seiner Stadträte. Er erhebt sich und pumpt sich auf wie ein Maikäfer vor dem Abflug. „Ihr spinnt ja!“, kläfft er sie an, dass sie das Genick einziehen. Zunächst ungläubig hat er zugehört, hat versucht, schlichtend in den heftiger werdenden Disput einzugreifen. Jetzt reicht es ihm.

„Rindviecher, blöde!“ Er stockt. Er weiß nicht weiter, denn er kocht vor Wut.

Doch schlagartig verschieben sich seine Gesichtszüge. Über die grimmige Miene huscht ein fernes Leuchten. Ein Hintergedanke muss über ihn gekommen sein. Mit gespreizten Fingern stützt er sich auf den Tisch: „Wir machen gar kein Programm.“

Sie blinzeln. Sie staunen. Sie zweifeln.

Kein Empfang? Kein Programm? Nichts?

„Freilich“, bekennt der Schultes, „aberjetza … machen wir … das …“, er holt tief Luft, „… nicht selber.“

„Wer sonst? Der Herr Pfarrer?“

„Oder gleich der Heilige Geist?“

Schmunzelnd steht er vor ihnen, der Herr Stadtregent, und hebt mahnend den Finger, bis es mäuschenstill ist im Saal. Dann wirft er den Kopf zurück und sieht die Elite seiner Stadt mitleidig an. „Der König macht sein Programm selber.“

Sie sperren Mund und Nase auf, haben große Augen, finden keine Worte und schlagen vor Mitleid die

Füße über dem Kopf zusammen. Ihr Schultes hat sie nicht mehr alle.

Der zieht einen Brief aus seinem Kittel und liest vor. Bald werde ein Kammerdiener Seiner Majestät nach Linnfurt kommen, um den angekündigten Besuch des Königs vor Ort vorzubereiten.

Im milden Schein der Petroleumlampe sieht der Schultes achtzehn staunende Augen auf sich gerichtet. Nur der Küfer-Schorsch ruselt längst und sabbert sich aufs Hemd.

„Aberjetza schlaft gut. Der Letzte macht's Licht aus." Der Herr Stadtregent steht auf und fliegt davon.

Der Nikolaus ist da

Halb zwei. Die Kutsche ist unpünktlich. Abels Haushälterin wartet auf die Post. Eine Frau von kleinem Wuchs, mit kräftiger Taille, strengen Zügen, roten Wangen und schwarzen Haaren. Ihre Schönheit ist eher herber Natur.

Sie geht auf und ab. Der Herr Pfarrer muss endlich seinen Merkur kriegen. Seit heute Morgen um acht nervt er mit seiner Maultrommel und rennt von einem Fenster zum andern. Wenn jetzt die Zeitung nicht kommt, ist Hochwürden heute giftig oder schnappt hinüber.

Endlich! Trara trara, die Post ist da! Zwei Rappen vor einer gelb-schwarz lackierten Kutsche mit großer Laterne auf dem Dach. Auf dem Bock der feiste Postillion und sein schwindsüchtiger Geselle.

Vier der sechs Fahrgäste bleiben sitzen. Sie wollen auf der Staatsstraße 1 weiter nach Norden rumpeln. Eine lederne Hand wischt von innen die beschlagene Scheibe der Postkutsche sauber, ein schläfriges Mondgesicht schaut heraus.

Der erste steigt aus. Wie bei der württembergischen Post üblich, ist die Tür hinten. Besser gesagt, der Herr will aussteigen. Seine Schuhe sind jedoch schneller als das restliche Gestell, und schon liegt er der Länge nach auf dem Pflaster, wie ein Maikäfer auf dem Rücken, die Beine zappelnd in der Luft. Die Brille fliegt in hohem Bogen in die Kandel. Sein Hut rollt der Haushälterin direkt vor die Füße.

„Gibt es noch mehr so Dackel wie dich in Stuttgart?“, höhnt der Postillion in postgelbem Kittel, rotem Wams, weißer Reithose und kniehohen Stiefeln. Er weiß, er hat diesen Herrn dort aufgeladen. „Das sieht sogar ein Blinder, dass die Straße fatzenglatt *[spiegelglatt]* ist!“

„Nein“, ärgert sich der Gefallene und versucht aufzustehen, „in Stuttgart bin ich der letzte. Alle anderen Dackel duseln und ruseln bei der Post.“

Des Pfarrers treue Seele eilt hinzu und hilft dem Gestrauchelten auf die Beine. „Wenn's häl *[schlüpfrig, glatt]* ist, dann ist's gut fallen.“ Sie klopft seine Kleider ab, bückt sich und setzt ihm mit einem aufreizenden Strahlen seinen Hut auf. Natürlich hat sie den Deckel zuvor sorgfältig an ihrer Schürze abgeputzt.

„Machen Sie sich nix draus. Die Herren von der Post sind immer so. Denen sollte unser König einmal die Meinung geigen. Seit die ihre neuen Uniformen haben, kennen die uns kleinen Leute nicht mehr.“

Der Fremde will anfangen zu sprechen. Doch die geöffneten Lippen schließen sich, bevor ein Laut zu hören ist. Ihm ist klar geworden, dass … . Missvergnügt zieht er die Nasenflügel hoch, holt die Brille, putzt sie an der Hose ab und setzt sie wieder auf.

Der nächste Fahrgast, der sich in der Kutschentür zeigt, scheint ein Studierter zu sein. Ein angehender Arzt, ein Physikus oder ein Jurist auf Kundenfang? So oder so, es ist ein jüngerer Mann im braunen Einreiher mit umgehängter Ledertasche. Er ist vorsichtig, denn er hat das Malheur beobachtet. Darum steigt er rückwärts aus und hält sich mit beiden Händen an den vorgesehenen Haltegriffen fest, bis er sicher auf der Straße steht. Er nimmt seine Bügeltasche an sich, die der Postillion griffbereit hingestellt hat, und verschwindet rasch und nahezu unbemerkt im Eingang zum Ochsen, weil alle Blicke immer noch auf den Verunfallten gerichtet sind.

Just in diesem Moment bedankt sich der Gefallene mit einem artigen Diener bei der Frau.

Sie misst verstohlen seine schlanke Gestalt. Keinen Ranzen vom Saufen wie bei ihrem verblichenen Göttergatten und bei den älteren Herren zu Linnfurt. Kein krummes Kreuz vom vielen Schaffen. Nein, eine angenehme und noch sehr brauchbare Erscheinung.

„Gell, Sie sind nicht von hier?"

Er schüttelt den Kopf.

„Ja, sind Sie am Ende ein Fremder?"

Der Fremdling nickt.

„Sind Sie verheiratet?"

Er zuckt die Achseln. Geht sie nichts an, denkt er sich. In Wahrheit ist er zum dritten Mal verheiratet. Die erste Frau ging ihm auf die Nerven, und die zweite, die er liebte, segnete nach drei Ehejahren das Zeitliche. Bald darauf hat er seine Cousine Pauline geheiratet. Fünf Kinder hat er, vier Mädchen und einen Buben, den Karl.

Das alles weiß des Pfarrers Küchenfee nicht, will sie auch nicht wissen. Sie hat zwar ein gutes Einkommen, doch nächst dem Essen liegt ihr nichts so sehr am Herzen wie ein warmes Bett. Darum trachtet sie seit

Langem danach, wieder zu ehelichen. Denn das Heiraten ist der siebte Sinn bei den Frauen, wie ein entlaufener Pfarrer namens Griesinger jüngst behauptet hat. Sogar die, welche nichts im Sinn haben, wollen auf jeden Fall unter die Haube. Wer keine Haube tragen darf, der macht bekanntlich als Frau nichts her und muss bei allen Festivitäten am Katzentisch sitzen. Seit geraumer Zeit hat sie ein Auge auf den Bader geworfen, den kraushaarigen Sizilianer. Aber der sperrt sich. Deshalb schleicht sie samstagabends in die Kirche und betet zu den Heiligen Antonius und Johannes:

„O Sankt Johann, zu dir wend ich mich,
lass mich armes Tröpflein nicht im Stich.
Hilf mir doch bald zu einem Mann,
ohne den ich nicht länger leben kann.
O Sankt Anton, zu dir wend ich mich,
lass mich armes Weiblein nicht im Stich.
Hilf mir doch bald zu einem Mann!
Hat er auch nur wenig Heu,
und ist er auch nicht mehr ganz neu,
die Hauptsach ist, er bleibt mir treu.“

Eben will es ihr scheinen, als habe ihr das Schicksal zugeblinzelt. Darum strafft sie sich. Wäre eine gute Partie, denkt sie. Würde kostenlos das Bett heizen und Holz sparen, spekuliert sie. Darum mustert sie ihn ausgiebig von Kopf bis Fuß.

Er ist ein älterer Herr mit Vollbart und Augengläsern. Kein Kneifer, sondern eine neumodische Brille mit Ohrbügeln. Gut gekleidet, solide, nicht allzu geckenhaft. Knielanger, grauer Überzieher mit zwei großen, stoffbezogenen Knöpfen unter dem schwarzen Samtkragen. Kurzes Schultercape mit ausgestellten Ärmeln. Darunter eine anliegende graue Hose. Dazu Knöchelstiefel und gelbe Lederhandschuhe.

Ein Goldjunge im doppelten Sinn, rinnt es ihr durchs Hirn. Einer, dem das Schicksal günstig ist. Dazu einer, sie hat es längst gewittert, bei dem nicht kupferne Kreuzer in der Tasche klimpern, sondern der eine richtige Geldkatz hat, gefüllt mit Silbergulden und Golddukaten. Sie schnüffelt. Männer, die nach Geld riechen, sind attraktiv, für die jungen wie die alten Weiber.

Während sich der Postillion, den schwarzen Zylinder ins Genick geschoben, am Gepäckaufsatz seiner Kutsche zu schaffen macht, nimmt sie die erwartete Zeitung entgegen und fragt den Unbekannten, ob er heute im Ochsen übernachtet.

„Nein, gute Frau, die Linde suche ich“, berichtigt der Bebrillte freundlich. „Wissen Sie, wo die ist?“

„O verreck!“ Sie warnt ihn eindringlich vor der vereisten Straße. Sie packt ihn am Arm, um zu prüfen, ob an ihm was dran ist. Sie schmeißt ihm ihr schönstes Lächeln ins Gesicht.

Nein. Nichts. Er verzieht keine Miene.

Sie seufzt. Fürsorglich hakt sie ihn unter, denn sie ist stabil und steht wie eine Eiche. Über ihre Schuhe hat sie nämlich löchrige Strümpfe gezogen. Sie führt ihn ein paar Schritte in Richtung Rathaus und weist die abfallende Straße in die Unterstadt hinab.

„Sehen Sie dort drunten den großen Baum?“

Der Fremde nickt.

„Das ist unsere alte Linde. Und das Haus dahinter, das ist das Gasthaus zur Linde. Das gehört dem Schultes. Aber ob der ein Quartier für Fremde hat …?“ Sie zieht eine bedenkliche Schnute. „Ich wüsst“, sagt sie neckisch und blinzelt ihn herausfordernd an, „wo Sie heut Nacht schlafen können.“

Er dankt mit einem belustigten Blick. „Der Herr Bürgermeister erwartet mich.“

„Ha no.“ Sie nimmt es hin. Ihre Hoffnungen lässt sie damit noch lange nicht fahren.

Der Reisekoffer, ein mit Eisen beschlagener Weidenkorb, steht mittlerweile neben der Kutsche.

Sie runzelt die Stirn, sieht auf seine Schuhe. „Mit den Schleichern kommen Sie da nicht hinunter!“

Er steht still. Ihm ist ein wenig unbehaglich zumute. Offensichtlich überlegt er. Nach einer kleinen Pause zuckt er die Achseln, hält jedoch sogleich in der Bewegung inne. Er scheint zu zögern, doch dann reicht er ihr die Hand, bedankt sich und zieht den Korb bis zur Einmündung der Hauptstraße vor.

Dort schwingt er sich auf seinen Koffer, gibt ihm die Sporen und schlittert die Rutschbahn hinunter. Vor vierzig Jahren, fällt ihm ein, hat er als kaiserlicher Generalmajor in der österreichischen Armee ganz andere Schlachten geschlagen.

Nach ein paar Metern macht ihm die Schlittenfahrt richtig Spaß. Na also! Geht noch! Das Reiten hat er nicht verlernt.

Die physikalischen Gesetze hat er allerdings unterschätzt. Der Schwung infolge der Bewegung setzt den

Hangabtrieb in Kraft. Und der treibt ihn unweigerlich über die Straßenmitte auf die linke Seite, zumal er über keinerlei Zügel verfügt, um das Gefährt zu steuern. Genau da, wo die Kramet in die Hauptstraße mündet, rammt der Koffer die Kandel, steigt auf und überschlägt sich. Der Reitersmann kullert übers Pflaster und bleibt an einer Güllegrube hängen. Zum Glück ist die ummauert. Sonst müsste er jetzt in der übelriechenden Brühe um sein Leben paddeln.

*

Die Haushälterin hat dem Paradiesvogel sehnsüchtig hinterhergeschmachtet. Jetzt rennt sie die Straße hinab, so schnell es die Glätte und ihre bestrumpften Schuhe zulassen.

Sie hat den Gefallenen noch nicht erreicht, da stürzt Paula herbei, die Obermagd des Schultes.

Zu zweit helfen sie dem noblen Herrn auf die Beine. Derangiert und deplatziert sieht er aus, einfach jämmerlich, dieweil ihm die Entrüstung ins Gesicht geschrieben steht.

Die Wirtschafterin des Pfarrers zieht ihren Putzlumpen aus der Schürze und säubert den Zugereisten, zumindest oberflächlich.

Er will widersprechen. Doch sie gebietet ihm mit einer energischen Geste zu schweigen, spuckt in ihr Tuch und wischt ihm übers Gesicht.

Sie lacht ihn an. „Jetzt kennt man dich ja wieder."

Zum Glück ist die vornehme Kleidung nicht zerrissen. Nur am Knie ist ein großer Schmutzfleck.

„Die Hos muss runter. Dann wird die gleich sauber“, sagt Paula.

Der Herr weigert sich. „Ich werde mich nicht in aller Öffentlichkeit entblößen!“ Indigniert setzt er Hut und Brille auf und begutachtet seinen Koffer. Etwas verbeult ist er, aber heil.

Des Pfarrers Perle fragt unverdrossen, ob sie ihm auf die eine oder andere Weise behilflich sein kann. Sei es, dass er sich auf ihre feste Schulter stützt. Sei es, dass sie ihn unterhakt, damit er unversehrt in die Linde kommt.

Der Fremde lehnt dankend ab und fährt sich pikiert mit dem Ärmel über sein hehres Antlitz. Doch nach dem ersten Schritt sieht er ein, dass er nicht heil über die glatte Straße kommt.

Deshalb setzen die zwei resoluten Frauen den Angeschmutzten auf seinen Koffer und schieben Weidenkorb samt Reitersmann bis vor die Tür zur Linde.

Dort steht Magda, die jüngste Tochter des Schultes. Sie nimmt den Purzelbäumler in Empfang. Sie hat, wie bereits bekannt, den neuen Schulmeister geheiratet und heißt jetzt Wilhelm, selbstverständlich mit Nachnamen. In der elterlichen Schankstube sowie im eigenen Lädle neben dem Schulhaus, von ihrem trauten Heim ganz zu schweigen, hört alles auf ihr Kommando.

„Ich hab durchs Fenster gesehen, was passiert ist.“ Sie führt ihn in die Gaststube. „Da hab ich der Paula gesagt, sie soll Sie aufklauben *[auflesen]* und herbringen.“

Er dankt. Die Hand könne er ihr erst reichen, wenn er sich gewaschen hat.

„Macht nichts“, tröstet Magda, „und zu wem möchten Sie?“

„Zum Herrn Bürgermeister.“

„Mein Vater ist nicht daheim. Die Mutter auch nicht.“

Sie taxiert ihn ausgiebig. Bauer ist er sicherlich nicht, Viehhändler bestimmt nicht, auch Handwerker nicht. Etwa ein Handlungsreisender? Sie grübelt.

Endlich geht ihr eine Laterne auf. „Gell, Sie sind der neue Hommelesdoktor *[Hommele: Ochse]* vom Oberamt.“

Er schmunzelt fein. „Tierarzt? Nein, nein! Ich bin Kammerdiener seiner Majestät.“

„Jetzt da schau her.“ Sie hat davon gehört.

„Wo könnte ich mir die Hände waschen? Und eine andere Hose möchte ich auch anziehen.“

Magda überlegt hin und her. Sie ist unschlüssig. Der Herr ist vornehm. Bestimmt bekleidet er eine hohe Position. Ob sie ihm wohl die …

Ach was, in ihrem jugendlichen Leichtsinn entscheidet sie sich rasch.

„Da drüber“, sie deutet mit dem Finger zur Zimmerdecke, „ist unser alter Tanzboden. Da hat mein Vater extra für den König eine schöne Stube herrichten lassen.“ Sie weist Paula an, den Herrn dorthin zu geleiten und einen Eimer Wasser mitzunehmen.

„Ich bräuchte ein paar Sachen aus meinem Koffer.“

Hol dich der Teufel, liegt ihr auf der Zunge. Jedoch will es ihr scheinen, als sie diesen feinen Herrn in seiner angeschrammten Hose sieht, sie habe keine andere Wahl.

„Da droben ist alles nigelnagelneu“, sagt sie resolut. „Da dürfen Sie aber nichts dreckig machen.“ Sie droht mit dem Finger. „Sonst kriegt sich meine Mutter nicht mehr. Und mein Vater schwätzt eine ganze Woche kein einziges Wörtchen mit mir.“

Er verspricht ihr hoch und heilig, das Majestätszimmer nur auf Zehenspitzen zu betreten.

Magda weist einen Knecht an, den Weidenkoffer nach oben zu tragen.

Der junge Mann im braunen Einreiher, der im Ochsen abgestiegen ist, geht zielstrebig an der Kirche vorbei die Burgunderstraße entlang. Wie man sieht, friert er, denn er hat beide Hände in den Hosentaschen vergraben. Kein Wunder, ist er doch ohne Hut und Mantel unterwegs.

Vor dem Schlosstor bleibt er stehen, sieht sich kurz um und marschiert mit großen Schritten durch den Torbogen zum Städtchen hinaus.

Geradeaus geht es zur Staatsstraße 1, auf der er mit der Postkutsche gekommen ist. Rechter Hand biegt die Schlosssteige ab, die durch die Weinberge zum Schloss des Grafen Heinrich von Linnfurt hinaufklettert. Linker Hand zweigt ein breiter Weg in die Obstwiesen und Krautgärten ab.

Der Mann zögert einen Moment. Dann schlägt er den Weg in die Wiesen und Gärten ein.

Unter den ersten Apfelbäumen liegen abgeschnittene Äste und Zweige. An einem der Stämme lehnt eine Leiter. Und darauf steht ein junger Mann mit Mütze, dickem Zwilchkittel und langem Schal.

Der Braune steckt zwei Finger in den Mund und pfeift durchdringend. Der Mann auf der Leiter schaut sich um, steigt herab, lehnt eine kleine Bügelsäge an den Baum und geht auf den Braunen zu.

„Na, du Baamkraxler, wo ist der Siegmund?"

„Kummt glei."

„Und?"

Der Baumausputzer zuckt die Achseln.

„Kriegst die Goschn nicht auf?"

„Es gibt was Neues."

„Spuck's endlich aus."

„Der Sacklpicker *[Verbrecher]* kommt!"

„Definitiv?"

„Gewiss."

„Hab ich's nicht g'sagt?" Der Braune spuckt verächtlich in den Schnee. „Der Blutsauger will selber sehen, wo er aus dem Volk noch was herauspressen kann." Er blinzelt gegen die grelle Wintersonne. „Und weiter?"

„Kein Programm."

„Was? Kein Programm? Das gibt's doch nicht! Wenn Seine Majestät", der Braune zieht die beiden letzten Wörter ironisch in die Länge, „sich unters Volk mischt, will das kein Fest machen? Naa, dös glaub ich nicht! Brave Untertanen schlafen drei Wochen vorher nimmer und lecken ihre stinkigen Gassen notfalls mit der Zunge sauber. Glaub's mir!"

„Er macht sein Programm selber."

„Wüllst mi pflanzen *[willst mich veräppeln]*?"

„Naa."

„Du lieber Himmel! Wer hat dir den Bären aufbunden?"

„Mein Bauer."

Der Barhäuptige runzelt die Stirn. „Koloman, Koloman! Woher weiß ein kleiner Bauer, was am Hof eines Tyrannen passiert?"

„Stimmt trotzdem, Leopold", versichert die Mütze mit einer knappen Geste.

„Wieso?"

„Mein Bauer ist Stadtrat."

„Und dir erzählt er solche Sachen?"

„Sie heißen ihn den Oberschlaule."

„Weiter! Muss ich dir jedes Wort einzeln aus der Nase ziehen?"

Koloman bleibt gleichmütig. „Zu allem gibt er seinen Senf dazu. Bei der Jausn plaudert er alles aus."

„Was?"

„Was er g'hört und g'sehn hat."

„Aber warum will der Kerl sein Programm selber machen? Hat dein Bauer dazu auch was g'sagt?"

„Im Stadtrat gibt's Streit." Koloman zuckt gleichgültig die Schultern. „Sagt der Oberschlaule."

„Herrgott, jetzt mach die Bappn *[Mund]* auf!" Leopold seufzt. Seine Geduld wird auf eine arge Probe gestellt. „Weil die im Stadtrat Streit ham, macht der Halsabschneider sein Programm selber – oder was? Ich überlauer's nicht *[kapier es nicht]*, Koloman!"

„Jetzt kommt so ein Hofschranz. Der soll Vorschläg machen und den Besuch vorbereiten."

„Hierher nach Linnfurt?"

„Ja."

„Sagt wer?"

„Mein Bauer."

„In meiner Kutsche ist einer mitg'fahren. Ein Lackaff, um die sechzig. Reist mit großem Gepäck. In Stuttgart ist er eing'stiegen. Hör dich mal um."

Koloman nickt.

Ein junger Mann kommt durchs Schlosstor gerannt und segelt auf die Obstwiese zu.

„Wird Zeit, Siegmund", tadelt der Braune.

„Tut mir leid", entschuldigt sich der Neuankömmling, noch außer Atem, „ich hab für meinen Bauern was erledigen müssen."

Leopold, zweifellos der Lenker des Trios, will wissen, wo Siegmund untergekommen ist.

„Bei einem reichen Weinhauer", verkündet Siegmund stolz. „Sein Hof liegt gegenüber der Linde, und die gehört dem Bürgermeister. Hier heißen sie ihn bloß den Schultes."

„Bringt uns das weiter?"

„Sicher", meint Siegmund. „Wer was vom Bürgermeister will, geht nicht ins Rathaus. Na, na, der geht in die Linde. Nach der Abendjausn geh ich auch hin und trink ein Bier. Eine verbrunzte *[versiffte]* Hüttn, da erfährst alles, was im Städtle los ist."

„Zum Beispiel?"

„Der Bürgermeister hat in der Linde den alten Tanzboden herrichten lassen, extra für den König. Soll eine besonders feine Stube g'worden sein, die keiner anschaun darf. Der Schreinergeselle hat's mir beim Bier trotzdem verraten. Eigene Latrine, eigene Waschkommode. Auch ein Schreibtisch ist drin. Und tapezierte Wänd aus Stoff."

Leopold denkt kurz nach. „Kann man von deinem Weinhauer die Linde einsehen?"

„Von der Bühne *[Dachboden]* sieht man in den Innenhof."

„Und den Tanzboden, siehst du den von da oben?"

„Weiß ich nicht. Ich muss erst noch rauskriegen, hinter welchem Fenster der Tanzboden ist."

„Mach's, aber pass auf, dass du nicht baniert *[betrunken]* bist. Halt die Augen auf, was sich in der Linde tut." Leopold holt seine Geldkatze heraus und steckt jedem seiner beiden Mitstreiter ein paar Halbguldenstücke in die Hosentasche. „Geht ins Wirtshaus und horcht die Leute aus."

Über das strenge Gesicht des Braunen huscht ein kleines Lächeln. „Gut gemacht, Burschen. Morgen wieder. Punkt sieben abends vor dem Ochsen."

Koloman und Siegmund nicken ergeben.

*

Die Königsstube ist geräumig, weitläufig sogar. Das Parkett ist neu. Die Möbel unbenutzt. Frisch sind Stuckdecke, Wände und Tür.

Parallel zu den vier Fenstern steht ein großer Tisch mit sechs Polsterstühlen. Rechts ein breites Buffet, halb Kleiderkasten, halb Vitrine mit Butzenscheiben, darin nobles Porzellangeschirr und allerhand Besteck. Links ein Schreibpult mit Lehnstuhl. Davor ein kleiner Tisch mit zwei Sesseln. Vor der Innenwand ein komfortables Bett, Nachttisch, Waschkommode und Spiegel. Über dem Bett ein gesticktes Bild. Es zeigt das Landeswappen mit dem Wahlspruch des Königs: ‚Furchtlos und treu!‘

Während Paula den schweren Eimer neben die Kommode stellt und mit einem Krug Wasser in eine weiß emaillierte Schüssel gießt, wuchtet der Knecht den Koffer vors Bett.

„Danke, ich brauche Sie nicht mehr“, sagt der Gast. „In einer halben Stunde komme ich in die Wirtsstube.“

Er wartet, bis Magd und Knecht den Raum verlassen haben. Dann geht er in der Stube umher, betastet die mit hellblauem Stoff drapierten Wände und streicht über die Polster der Stühle.

„Alle Wetter!“ Der Fremde ist beeindruckt. „Auf Reisen habe ich selten so gut übernachtet.“

Bei der zweiten Umschau entdeckt er die schmale Tür neben dem Buffet. Sie führt in einen gefangenen Raum mit einem kleinen Fenster. Darin steht ein Nachtstuhl. Auch der ist nagelneu.

Aus dem Staunen wird Entzücken. Im Pult sind sogar Papier, Tinte und Schreibzeug. Kein Gänsekiel, sondern eine handgeschmiedete Stahlfeder. Neueste Erfindung aus England, demnach teure Importware.

Über dem Pult hängen sieben kleine Lithografien, in einer Phalanx geordnet. Lauter schwarze, ovale Rähmchen mit königstreuen Bildchen: die Landkarte des Königreichs, Königin Pauline, Kronprinz Karl,

Ansicht des neuen Schlosses, Partie am alten Schloss und Jagdschlösschen mit Märchengarten. Über dem Pult, größer als die sechs anderen schwarz-weißen Lithografien und handkoloriert: Seine Majestät, der König.

Den feinen Herrn überkommt ein dringendes Bedürfnis. Er zieht die Hose aus und hängt sie über den Stuhl vor dem Pult.

Kaum ist er im Separee verschwunden, hört er jemand in der Stube hantieren.

„Ja, wo sind Sie denn?“

Es scheint Paula zu sein. Sie hat eine Seife und zwei Handtücher gebracht und neben die Waschschüssel gelegt. Die Hose hat sie mitgenommen.

Er wäscht sich ausgiebig, zwängt sich in enganliegende Beinkleider und zieht ein braunes Wolljackett über, das eine durchgängige Knopfleiste von der Taille bis zum Kragen ziert. Seinem Ebenbild im Spiegel über dem Waschtisch zieht er Grimassen, steckt sich ein rotseidenes Tuch in die Brusttasche und kämmt sich. Sein Blick gleitet hinüber zum Porträt über dem Pult. Er vergleicht. Er hängt es ab, hält es neben seinen Kopf und betrachtet sich und das Bild im Spiegel.

Kaum Ähnlichkeit, auf den ersten und zweiten Blick zumindest. Zufrieden hängt er das Konterfei wieder an seinen Platz.

*

Als er die breite Holztreppe ins Erdgeschoss hinuntersteigt, dringt Lärm herauf. Ein Wortwechsel? Wer streitet da? Er lehnt sich über das Geländer.

Nur Satzfetzen sind zu verstehen.

Ein paar Stufen tiefer bleibt er stehen und hält den Atem an. Eine weibliche Stimme keift und schimpft. Zwei Frauen verteidigen sich. Die eine ruhig, die andere lautstark.

Der Gast lauscht. Zweifelsfrei geht es um ihn. Treffender gesagt um die Königsstube. In der dürfe sich der Lakai nicht breitmachen, versteht er, sonst werde der Hausherr stocksauer.

Er schleicht zurück, holt aus seinem Koffer eine kleine Schatulle, schließt sie auf, schreibt einen Brief und macht sich wieder auf den Weg.

Immer noch grollt und poltert es. Aber woher? Da sind zwei Türen. Eine steht offen. Ein Blick hinein. Die Küche, niemand drin. Die andere ist zu. Geht's da in die Gaststube?

Entschlossen klopft er. Sofort verstummt das Gezeter, doch nichts rührt sich.

Er pocht erneut.

„Herein!"

Vor ihm steht eine stämmige Bäuerin, resolut, vital, kräftig, energisch.

„Aha, ein überzwercher Dibbel *[Kerl]* aus der Stadt!" Sie mustert ihn, eine Zornfalte über der Nasenwurzel. Die Magd und die junge Frau, die ihn in Empfang genommen haben, schauen betreten zur Seite.

„Woran sehen Sie das?"

„So affig tät keiner bei uns rumlaufen."

„Mutter!“, kläfft die junge Frau dazwischen.

„Ksch!“ Die Ältere macht eine Geste, als müsse sie ein lästiges Huhn verscheuchen, worauf die Jüngere und die Magd in der angrenzenden Küche verschwinden.

Er schaut die Resolute mit zusammengekniffenen Augen an: „Und wie laufe ich herum?“

„Auf zwei Füß, wie wir auch.“ Ihr Gesicht hellt sich auf. „Nicht scheps, nicht blöd.“ Sie grinst. „Kein Wunder macht sich die Pfarrersköchin Hoffnungen. Ich hab sie vorhin auf der Gass getroffen.“

„Lassen Sie mich raten: Sie sind die Frau Bürgermeister.“

„Und du schaffst beim König, hat meine Magda gesagt. Jetzt mach's Maul auf und erzähl!“

„Was möchten Sie hören?“

„Wie ist er so?“

„Wer?“

„Der Kaiser von China! Saudumme Frage!!“ Sie holt tief Luft. „Der König halt.“

„Wie ich. Nicht scheps, nicht blöd.“

Sie weist ihn zurecht. „Mach keine Sprüch!“ Und gleich die nächste Frage: „Kennst ihn schon lang?“

Er nickt.

„Siehst ihn oft?“

„Jeden Tag.“

Sie staunt. Sie denkt kurz nach. In ihrem Kopf tickt es. Man sieht es überdeutlich an ihrem Mienenspiel. Soll sie ihn gleich zusammenfalten oder lieber erst einwickeln und ihm später die Meinung geigen?

Vorsicht und Zweifel gewinnen zunächst die Oberhand. Doch sie fasst wieder Tritt und geht in die Küche. Forsch weist sie die Magd an: Tisch decken! Neues Tischtuch! Das gute Service! Besteck! Gläser! „Zack zack!“ Das Zackige hat sie, wie der Fremde später erfahren wird, vom Bader, der lange bei den Soldaten war und nicht nur der Pfarrersköchin imponiert.

Zurück in der Gaststube erteilt sie auch ihrer Tochter durch die geöffnete Küchentür einen strammen Befehl: „Magda, du kochst Kaffee.“ Betonung auf K, nicht auf ee. Sie hebt warnend den Finger. „Keinen Muckefuck!“

„Hock dich hin!“, befiehlt sie dem Gast. Und als er sitzt: „Du trinkst einen Kaffee?!“ Klingt wie eine Frage, ist aber in Wirklichkeit ein Befehl.

Er schmunzelt. Offensichtlich gaudiert er sich. Die Sache beginnt, ihm Spaß zu machen. Mal sehen, was noch kommt.

„Wie heißt du?“

Er zögert. „Nikolaus.“

„Ja verreck! Dann bin ich das Christkindle.“

Er will aufbrausen, zügelt sich indes im letzten Moment. „Ich heiße wirklich so.“ Und noch Friedrich Wilhelm Karl. Doch das verschweigt er lieber.

„Und wo hast du zum ersten Mal die Sonn g’sehen?“

„In Schlesien.“

„Und wo ist das?“

„In Preußen.“

„Das glaubst selber nicht.“

„Warum?“

„Bei unsrem König schafft keiner, der aus Preußen ist. Nie im Leben!“

„König Wilhelm ist auch dort geboren.“

Ihr verschlägt es die Sprache. Einen Augenblick tritt Ruhe ein. In ihr arbeitet es. Der geliebte schwäbische Landesvater ein Preuße?

Er sieht es und kichert schadenfroh in sich hinein. „König Wilhelm wurde am 27. September 1781 in Schlesien geboren, weil sein Vater, der spätere König Friedrich, zu der Zeit königlich preußischer Generalmajor war.“

Sie seufzt.

„Neun Jahre später ist der kleine Prinz mit seinem Vater nach Ludwigsburg gezogen. Dort ist er aufgewachsen.“

Sie atmet befreit auf, ihre Augen funkeln. „Und wie kommt der König zu so einem Kerl wie dich?“

„König Friedrich hatte einen Freund in Preußen. Und dieser Freund hatte einen reichen Vater. Der wiederum hatte einen armen Gärtner. Und dessen Sohn bin ich.“

„Dann kennst du den König von klein auf?“

„Ja, ich weiß alles über ihn.“

Sie stutzt, sie staunt, sie mustert ihn erneut. Zum ersten Mal mit Respekt.

Sie runzelt die Stirn, steht auf und geht in die Küche. „Der Gscheitle“, sagt sie zu ihrer Tochter, „guckt sich das Euter von der Kuh an und weiß gleich, was die Schokolade kostet. Achtung, der hat’s faustdick hinter den Ohren.“

Der Schultes und seine Frau haben keine Wohnstube. Selbst Privates feiern sie im Wirtshaussaal. Werktags wird in der geräumigen Küche gegessen, sonntags auch. Nur bei besonderen Ereignissen lässt die Wirtin in der Linde eindecken. Dann rückt sie eine ihrer neuen Tischdecken, das gute Geschirr und das silberne Besteck heraus. Heute scheint für sie ein solcher Tag zu sein. Den vornehm Gekleideten in die Küche zu bitten, ist ihr nicht geheuer. Vor allem will sie ihn einwickeln, ihn aushorchen, ihm auf den Zahn fühlen. Sie platzt schier vor Neugier.

„So, Nikolaus“, sagt die Lindenwirtin, „jetzt trinken wir zusammen einen guten Kaffee.“

Der Kaffee ist stark, Milchschmarren und Apfelkuchen sind saftig. Doch das alles kann der Fremde kaum genießen. Eben hat er den ersten Bissen im Mund, da geht es los, das Kreuzverhör. Wie sieht der König aus? Wie kleidet er sich? Betreuen ihn viele Diener? Kann er auch lachen? Hat er seine Krone immer auf oder nur sonntags? Was mag er gern, was kann er nicht leiden? Wo isst er? Wie isst er? Wann isst er? Was muss man beachten, wenn man ihn bedient, ihn anspricht?

Nikolaus nimmt die Einvernahme gelassen. So vergeht die Zeit wie im Flug. Lachen schallt, Gläser klingen, neuer Most perlt.

Und immer wieder peinliche Fragen. Ja, der Abgesandte aus Stuttgart tröstet sogar die verwirrte Paula. Die ist fassungslos. Es will ihr nicht in den Kopf, dass Majestät keine Krone trägt.

„Wie soll man dann den König aus allen Leuten rauskennen?“ Sie schluchzt auf. „Hat er wenigstens seinen weißen Pelzmantel an oder seinen Krummstab dabei?“

Nein, bedauert der Kammerdiener, der König habe weder Zepter noch Hermelin. Beides würde beim Regieren stören. Aber alle Bediensteten im Umfeld des Monarchen müssten weiße Handschuhe bei der Arbeit tragen. Der sei somit der Regent, der barhändig sei und von Behandschuhten bedient werde.

Für Paula tut sich damit ein neues Problem auf. Weil ihr als Obermagd die Ehre zufalle, dem Landessouverän in der Linde als Kammerzofe dienen zu dürfen, wolle sie diese Kunst schnellstmöglich lernen. Ob der liebe Nikolaus sie einweisen würde?

In dem Moment kommt der Schultes. Er macht große Augen, ringt um Fassung und findet zunächst keine Worte. Drei Weiber und ein Lackaffe an einem normalen Samstagnachmittag beim Kaffee. Nicht in der Küche. In der Gaststube! Und der Tisch gedeckt wie an hohen Festtagen.

„Ja, ist heut schon wieder Weihnachten?“

„Nein“, belehrt ihn seine Minna, „der Nikolaus ist gekommen.“

„Nikolaus? Seit wann kommt der Nikolaus *nach* Weihnachten?“ Der Schultes zieht ein höhnisches Gesicht. „Der sieht eher aus wie der Osterhas.“

Der Vornehme freut sich. Selten hat man ihn so famos unterhalten.

Das bringt den Hausherrn in Wallung. „Ihr habt wohl nicht mehr alle Tassen im Schrank!“

„Ganz recht“, säuselt seine Minna und verhebt *[unterdrückt]* ein Lachen, „vier fehlen. Da auf dem Tisch stehen sie.“

Augenblicklich fährt er aus der Haut. „Hirnlose Dampfnudel! Ranziges Suppenhuhn!!“

Sie rollt die Augen, gibt ihm heimliche Zeichen, sich anständig aufzuführen. Dennoch begreift ihr Mann nicht, was sie will.

Darum überspielt sie die peinliche Situation mit einer komödiantischen Einlage. „Hohoho!“, prustet sie los. Und an den Gast gewandt deutet sie mit dem Daumen auf ihren Göttergatten: „Wenn der König wüsst … hahaha … was das für ein Hutsimpel ist … hihihi … hätt er ihn längst … “, sie wiehert vor Lachen, „… als Vogelscheuche in seinen Garten gestellt.“ Sie schnappt nach Luft und bittet Nikolaus, jetzt etwas ernster: „Gell, seine saudummen Sprüch dürfen Sie nicht genieren.“

Sie lacht Tränen, Magda und Paula quietschen. Aber der Schultes schäumt vor Wut.

Doch bevor er platzt und sich und sein Amt blamiert, erbarmt sich seine Minna und klärt ihn auf. Sie verschweigt nicht, dass sie sich über Magda und Paula gewaltig ärgern musste, weil die den Gast in die Königsstube einquartiert hätten.

Der Lindenwirt, noch in Hut und Mantel neben der Festtafel, hat immer noch nicht kapiert. Darum serviert er, sich keiner Schuld bewusst, eine weitere Kostprobe seiner sprachlichen Ausdruckskraft: „Spatzenhirn, blöde! Tranfunzel, trübe! Wie oft hab ich euch gepredigt, dass die neue Stube im ersten Stock ausschließlich für den König …“

Weiter kommt er nicht, denn der Vornehme hat in sein Jackett gegriffen. Jetzt sieht er den Erregten amüsiert an und reicht ihm erwartungsvoll einen Brief.

Der Hausherr liest, kratzt sich im Genick, liest noch einmal. Er schmeißt Hut und Mantel auf den Nebentisch, zieht einen Stuhl heran, setzt sich neben den Gast und streckt ihm die Hand hin. „Aberjetza lass dir's schmecken, Nikolaus. Ich bin der Fritz.“

Zahm und lammfromm hockt er nun am Tisch und preist honigsüß die Back- und Kochkünste seiner Frau. Ihm ist siedend heiß eingefallen, was sie ihm auf die Seele gebunden hat und gerade andeuten wollte: Wenn der Aufpasser aus Stuttgart kommt, darfst du auf keinen Fall ungewaschen rausschwätzen. Sonst kommt der König am Ende gar nicht.

„Tod dem König!“

Im Linnfurter Schlosshof fährt ein leichter Reisewagen vor, gezogen von zwei Pferden, die den Zügeln eines alten Kutschers auf dem Bock gehorchen.

Ein jüngerer Herr steigt aus dem geschlossenen Gefährt, vornehm gekleidet nach der neuesten Mode. Wadenlanger, grüner Umhang aus Wolltweed ohne Ärmel, dafür mit kurzem Schultercape und gesäumten Seitenschlitzen, durch die man die Arme stecken kann. Zweireihiger, schwarzer Tuchrock mit einem Kragen aus schwarzem Samt und einem rotseidenen Taschentuch in der paspelierten Brusttasche. Anliegende Steghose in Beige mit breiten, grünen Biesen. Dazu ein schwarzseidener Zylinder, gelbe Handschuhe und einen Spazierstock mit kostbar ziseliertem Silberknauf.

Ein livrierter Diener, ganz in Schwarz, die Handschuhe in Weiß, verneigt sich vor dem hohen Herrn: „Erlaucht lassen bitten.“

Er führt den Gast an eine Steintreppe, die vom Innenhof in die offiziellen Räume und privaten Gemächer des Schlossherrn führt.

„Pardon“, sagt er und deutet auf die mächtige steinerne Türschwelle.

Der vornehme Herr misst mit einem belustigten Blick Schwelle und Türhöhe, nimmt den Zylinder ab, duckt sich und macht einen großen Schritt. Dem Diener auf dem Fuße folgend, schraubt er sich die spiralförmige Treppe hinauf. Nach sechs Windungen landet er vor einer schäbigen Holztür mit Beschlägen wie an einem Scheunentor.

„Bitte folgen Sie mir in den Spiegelsaal."

Die Türangeln quietschen erbärmlich, doch der Livrierte wahrt sein gleichmütiges Gesicht und geleitet den Gast feierlich in einen heruntergekommenen Raum.

Der Fremde hat sich sichtlich erschrocken. Für den Bruchteil einer Sekunde weiten sich Augen und Mund. Verstohlen sieht er sich um, während der Diener das Weite sucht.

Drei große Kristalllüster hängen an der Decke und künden von einst mondänen Empfängen, Bällen, Soireen und Konzerten. Jetzt sind hier die Spinnen zuhause. Mit Hingabe, Sorgfalt und Kunstsinn haben die langbeinigen Tierchen jene verflossene Epoche mit einem wunderbaren Netz verhüllt. Dafür sind die Wandspiegel blind, die Fensterscheiben matt, die Tapeten blass. Und erst der Fußboden! Erstaunt runzelt der Besucher die Stirn. Er friert in dieser unbeheizten Rumpelkammer. Oh, fährt es ihm durch den Sinn, Herr Graf pfeifen aus dem letzten Loch. Famos! Da haben wir wohl leichtes Spiel.

Eine schmale Tapetentür öffnet sich. Der Diener tritt ein und posaunt: „Seine Erlaucht, Graf Heinrich!"

Da ist er schon, Graf Heinrich zu Linnfurt, ein älterer Herr mit weißem Haar und Oberlippenbart, gekleidet in der Uniform der preußischen Kavallerie. Die trägt er demonstrativ bei offiziellen Anlässen. Er hadert mit seinem Schicksal. Das alles weiß man am preußischen Hof und will es sich jetzt in heikler Mission zunutze machen.

Der alte Herr begrüßt den Gast mit einem jovialen „Willkommen!“ und beschreibt dazu mit der rechten Hand eine einladende Geste. Dabei gibt es im ganzen Saal keinen einzigen Stuhl oder Sessel.

„Ich nehme an, Erlaucht, dass Sie über mein Kommen informiert sind.“

„Ganz gewiss! Ihr Besuch wurde mir avisiert. Sie sind Oberst?“

„Ja, Oberst im Ersten Garderegiment zu Fuß.“

Der alte Herr kneift die Augen zusammen und mustert den Neuankömmling kritisch. Kein Kavallerist. Er ist leicht verschnupft. Für ihn ist die Kavallerie das Maß aller Dinge. Man hat es gewagt, ihm einen Zweitrangigen ins Haus zu schicken.

„Sind Erlaucht über unser Anliegen im Bilde?“

„Ja, in groben Zügen.“

„Sie wissen, dass Preußen Differenzen mit dem württembergischen König hat?“

„Mir bekannt, Oberst. Der Württemberger bläst sich auf, will den Hohenzollern und den Habsburgern Paroli bieten. Träumt von einem dritten Deutschland, einem süddeutschen Staatenbund unter seiner Führung.“

„Erlaucht haben es auf den Punkt gebracht. Wir in Preußen werden weder den Habsburgern noch den Württembergern in Deutschland das Feld überlassen.“

„Krieg?“

„Nein, Erlaucht, es genügt, dass wir uns mit den Habsburgern um die Macht in Deutschland duellieren müssen. Den Württemberger können wir auch mit anderen Mitteln klein halten."

„Verstehe, Oberst." Graf Heinrich strafft sich. Auf diese Revanche hat er lange gewartet. Endlich dem Württemberger heimzahlen, dass er unterjocht wurde.

Der Gast, bürgerlicher Herkunft und aufgrund seiner militärischen Verdienste persönlich geadelt, hat genau registriert, wie Leben in den alten, verbitterten Knaben gekommen ist. Die preußische Uniform, das majestätische Erscheinungsbild und das herrische Auftreten geben dem alten Herrn etwas Gravitätisches.

„Wir dürfen also mit Ihrer Unterstützung rechnen, Erlaucht?"

„Berichten Sie Seiner Majestät", auf dem Antlitz des Hausherrn spiegelt sich ein feines Lächeln, „dass Graf Heinrich als preußischer Offizier und als Landesherr von Linnfurt in Treue fest zur preußischen Krone steht."

„Sehr gütig, Erlaucht. Sie wissen um den aktuellen Anlass meiner Mission?"

„Mir en détail nicht bekannt, Oberst."

Der preußische Emissär verzieht keine Miene. „König Wilhelm von Württemberg hat verlauten lassen, dass er Linnfurt in diesem Frühjahr einen Besuch abstatten will."

„Der Kerl wagt es", Graf Heinrich spuckt Gift und Galle, „hierher zu kommen?!?" Er kann sich kaum beruhigen.

Der Abgesandte unterdrückt ein hämisches Sticheln und wartet geduldig. Schließlich fragt er: „Darf ich daraus schließen, Erlaucht, dass Ihre Residenz nicht Ziel des Besuchs sein wird?“

„Teufel auch! Soll er nur kommen, der Bastard! Ich bereite ihm ein herzliches Willkommen!“

„Dürfen wir, Erlaucht“, lenkt der Gast das Gespräch auf den heikelsten Punkt hin, „von Ihrem Schloss aus unsere streng geheime Mission durchführen?“

Graf Heinrich zögert. Es ist eher ein lauerndes Zögern, ein Warten, ein Aushorchen und Hoffen auf Kompensation. Drunten im Städtchen hätte man an der Stelle unverblümt die Geste des Geldzählens gebraucht.

Der Oberst hat sofort kapiert, dass der verarmte Landadelige eine Gegenleistung erwartet. Honigsüß setzt er hinzu: „Auf jeden Fall wird sich Preußen erkenntlich zeigen.“

Ein heiterer Zug spielt um die Mundwinkel des alten Herrn.

„Vielleicht sogar generös in finanzieller und materieller Hinsicht, Erlaucht.“

Herr Graf ist jetzt ganz Ohr. Er lauert auf weitere Einzelheiten und hört schon die Gulden klimpern.

„Zum Beispiel könnten preußische Trainsoldaten *[ein spezieller, meist hellblau uniformierter Armeetross aus Handwerkern]* in Zivil nach Ihren Wünschen erforderliche Reparaturen erledigen.“

„Zum Beispiel?“

„Auch finanzielle Transaktionen sind nicht ausgeschlossen, Erlaucht.“

Der Graf, jetzt mit unverhohlener Leichtigkeit und breiter Brust: „Hereinspaziert! Alles, was von Preußen kommt, ist mir willkommen. Mein Haus steht für geheime Missionen gegen den Württemberger jederzeit offen, wenn diese mich und mein Haus nicht diskreditieren."

*

Gleich am nächsten Tag ein zweites Verhör, statt weiblicher Plagegeister nun männliche Inquisitoren, denen es, so behaupten sie, heute um die hehren Ziele von Wissenschaft und Fortschritt geht.

Nicht in der Linde tagt die Inquisition, sondern im Pfarrhaus. Der Schultes hatte den Pfarrer vor dem Gottesdienst ins Bild gesetzt, und der bestand auf einem Kaffee um drei Uhr bei ihm, samt Kammerdiener und neuem Schulmeister. Abel, nach dem Tod seiner Frau meist allein im Pfarrhaus, verpasst keine Gelegenheit, Menschen um sich zu scharen. Weil seine Küchenfee in der Nachbarschaft wohnt, kann er sie jederzeit rufen. Und das nützt er gehörig aus.

Zum Kaffee will er sein liebstes Backwerk, eine Schweizer Torte. Darum bittet er seine Haushälterin, sich gleich an die Arbeit zu machen. Die ist hoch entzückt. Dem gefallenen Knaben von gestern will sie heute imponieren. Sie putzt und schrubbt, als wäre Ostern, Pfingsten und Weihnachten auf einmal. Erst die Küche, dann die gute Pfarrstube, schließlich sich selber. Man weiß ja nie, vielleicht erfüllt sich noch der Traum. Wenn sie könnte, würde sie den Herzbuben für ihr Leben gern für schlechte Zeiten eindünsten und später ganz für sich allein vernudeln und verputzen. Wenn schon der Barbier, der gekräuselte Italiener, nicht so spurt, wie sie will, sollte es zumindest einer wie dieser Kofferpurzler sein. Auf jeden Fall muss endlich ein Mannsbild her.

Das Kinn auf den Besenstiel gestützt, legt sie eine kurze Besinnungspause ein. Was benötigt man für diese feine Torte? Eingemachte Kirschen stehen im Keller. Mehl, Eier, Zucker sind auch da. Doch, o Gott, Mandeln, französischer Branntwein und Vanille fehlen.

Zum Glück verkauft die Schulmeisterin inzwischen Zitronen, Gewürze, Salz und Zucker, Kaffee, Tee und Kakao, Reis, eingelegte Heringe, Branntwein, Seifen, Putzmittel und diverse Haushaltswaren. Zwar ist ihr Lädle nur an sechs Vormittagen in der Woche geöffnet, aber wenn's klemmt, kann man sie zuhause aufsuchen und um eine Ausnahme bitten.

Sie schmeißt ihren Schurz auf einen Stuhl und saust los. Die Ladnerin ist gnädig, das Gesuchte vorhanden.

Zurück ins Pfarrhaus, die Schürze umgebunden und ein schnelles Mittagessen gezaubert: Kartoffelsuppe und Krautwickel. Beides ist noch von gestern da und muss bloß aufgewärmt werden. Durchschnaufen! Jetzt bleibt genug Zeit fürs Kuchenbacken und Tischdecken.

Schließlich ist alles perfekt gerichtet. Sie setzt sich ans Küchenfenster und wartet mit klopfendem Herzen. Und da ist er schon, der Traum ihrer schlaflosen Nacht, wegen der glatten Straßen vom Schultes und vom Lehrer untergehakt. Zur Kaffeerunde ist sie nicht eingeladen. Darum will sie ihn in Empfang nehmen, ihm die Hand schütteln, damit er spürt, was sie für ihn empfindet und dass sie für ihn da ist.

Steifleinen stolziert sie, ihre fünf schönsten Röcke übereinander, vor die Tür, wirft ihm feurige Blicke zu, fasst ihn mit beiden Händen am Arm und geleitet ihn in die gute Stube, den staunenden Herren voraus. Und als die Vier am Tisch sitzen, schenkt sie ihm ein, legt ihm ein Stück Torte vor und umschmeichelt ihn mit den Augen, bevor sie sich zurückziehen muss. Die anderen sollen sich selbst bedienen.

Abel merkt sofort, dass der Abgesandte aus Stuttgart gebildet ist, Sprachen beherrscht, einen reichen Wortschatz hat und in geschliffenen Sätzen spricht. Darum redet er ihn in der dritten Person mit „Herr Nikolaus“ an. Der Schulmeister macht es ebenso. Der Schultes bleibt jedoch beim Du.

Zunächst setzt der Stadtpräsident den Pfarrer und seinen Tochtermann in Kenntnis. König Wilhelm habe ihm in einem persönlichen Schreiben erklärt, dass jedes Wort seines Kammerdieners gelte, als habe der Landesfürst höchstpersönlich gesprochen.

„Majestät setzt unbegrenztes Vertrauen in Sie“, stellt der Pfarrer erstaunt fest. „Wie kommt das?“

Nikolaus kichert in sich hinein. Er spürt, dass die Herren den Damen ebenbürtig sind, was die Neugier betrifft. Obwohl er hier kein Kreuzverhör erdulden muss, nimmt das Fragen der örtlichen Dreifaltigkeit kein Ende.

Erst als der Schultes andeutet, der Stadtrat habe sich wegen des bevorstehenden Besuchs zerstritten, kann der Vornehme aus der Landeshauptstadt ein neues Thema anschneiden.

„Gut, dass Sie noch kein Programm haben.“ Eine Spur leiser fügt er an: „Ich muss Ihnen unter dem Siegel größter Verschwiegenheit etwas anvertrauen.“ Und fast geflüstert, weil er die Kuchenbäckerin lauschend hinter der Tür wähnt: „Ich habe nicht nur eine offizielle Mission, sondern vor allem eine geheime.“

Dann erzählt er von den Attentaten, die in letzter Zeit auf europäische Monarchen verübt wurden. Auch auf den württembergischen König stehe ein solches bevor.

Aus dem erschrockenen Gesicht des Schultes schauen staunende Augen heraus: „Unseren König ermorden?“

„Ja.“

„Warum?“

„Weil er manchen unbequem ist.“

„Tatsächlich?“

Abel weiß alles. Er liest regelmäßig den Merkur. Da standen sie alle drin, die Anschläge der verflossenen Jahre und Jahrzehnte. Auf den russischen Zaren, auf Napoleon, auf den Herrscher von Haiti und so fort. Auf die englische Königin Victoria gleich dreimal in den letzten zwanzig Monaten.

„Die lebt aber noch“, wirft der Schulmeister ein.

„Hoffentlich!“ Der Pfarrer ist betrübt. „Aber andere sind zu Tode gekommen.“ Er schüttelt traurig den Kopf. „Erschossen, erstochen, erdrosselt.“

Der Schultes kann es nicht fassen. „Den Kragen rumgedreht?“

Der königliche Emissär bestätigt: „Stimmt, Zar Paul I. ist erdrosselt worden.“

Nachdenkliche Gesichter, bis der Lehrer sich zu fragen traut: „Warum machen die das?“

„Die? Das sind Anarchisten und radikale Republikaner. Die dulden keinen König über sich“, gibt der Pfarrer sein Zeitungswissen preis.

„Ja“, bestätigt Herr Nikolaus, „so ist es. Auch die Habsburger hassen den König von Württemberg. Und die preußischen Hohenzollern.“ Weil sich Wilhelm I. für ein drittes Deutschland einsetze, für einen Zusammenschluss der deutschen Mittelmächte. Baden, Hessen, Sachsen, Bayern und Württemberg, zu einem Staatenbund vereint, zu einem friedfertigen obendrein, könnten gut ohne Österreich und Preußen auskommen. In Potsdam und Wien verzeihe man König Wilhelm diese freche, eigenmächtige Politik nie.

„In Linnfurt?“ Der Schultes rastet schier aus. „Hier bei uns will man den König ermorden?“ Er stockt. Mit strenger Miene und ausladender Geste setzt er nach einer kleinen Pause hinzu: „Keiner meiner Leute wäre zu einer solch feigen Tat fähig!“

Nikolaus sieht das Stadtoberhaupt dankbar an. „Fritz, das ehrt dich und deine Linnfurter.“ Er schaut auf den Pfarrer und den Lehrer. „Es werden sich jedoch auch Fremde unters Volk mischen, wenn der König in dieser schönen Stadt weilt.“

„Erdolcht, erdrosselt, erschossen sagten Sie, Herr Pfarrer?“ Dem Schulmeister rieselt ein Gedanke durch das junge Hirn. „Wir müssen den Empfang so gestalten, dass keiner dem König zu nahe kommt.“

Abel ist begeistert. Er gestikuliert, als wolle er sagen: Das machen wir mit links. „Es wäre eine Affenschande für uns, wenn wir Seine Majestät nicht beschützen könnten.“

Sie stecken die Köpfe zusammen und beschließen, still und heimlich einen Schlachtplan auszuhecken, der alle Gefahren vom König fernhalten und die Finsterlinge hinter Schloss und Riegel bringen soll.

*

Heimwärts! Die Nacht ist hereingebrochen. Am Himmel prangen die Sterne. Der Pfarrer hat beim Abschied dem Schulmeister eine Laterne in die Hand gedrückt mit der Bitte, den Gast auf Umwegen zur Linde hinabzuführen. Denn die Seitengässchen seien weniger steil und nicht so glatt und tückisch wie die Hauptstraße.

Da, wo die Seilergasse in die Jakobsgasse mündet, kommen ihnen zwei Lichter und vier abenteuerlich gekleidete Gestalten entgegen.

„Die sehen aus, als seien sie heute Morgen einem Märchenbuch entstiegen.“

Der Schultes findet das lustig. „Nein, Nikolaus, das sind Hochzeitslader.“

„Hochzeitslader?“

„Aberjetza! Du weißt nicht …“

Der Gast schüttelt den Kopf.

„Heute Morgen hat Pfarrer Abel vor dem Schlusssegen die Brautleute ausgerufen. Erinnerst du dich?“

„Bild! Bild!“

„Gleich nach dem Mittagessen“, sagt der Schultes, „gehen die Lader von Haus zu Haus und laden zur Hochzeit. Meist sind sie zu viert. Zwei Männer und zwei Frauen. Normalerweise muss der Amtsbote mitmachen, selten der Lehrer.“

Der Gast wirft dem Schulmeister einen fragenden Blick zu. Der nickt betrübt. „Leider, leider. Ab und zu bin ich auch dabei.“

Die zwei Männer haben pensionierte, fadenscheinige Uniformen aus jener verflossenen Zeit, als das Land noch von einem Herzog regiert wurde. Blaues Tuch. Weiße Strümpfe. Auf dem Kopf einen Dreispitz. Um den Bauch einen Säbel.

Die beiden Frauen tragen Laternen und sind in alter Linnfurter Tracht. Schwarze Schuhe, weiße Strümpfe, langer, schwarzer Taftrock, weißer, bestickter Goller. Darüber ein vorn offenes, kurzes Jäckchen aus schwarzem Samt oder Leinen. Auf dem Kopf eine schwarze Bändelhaube oder ein schwarzes Baumwolltuch. Sommers halten sie ein Feldsträußchen in den Händen, winters sind es Trockenblumen.

„Und wen laden sie ein?“

„Verwandte, Nachbarn und Freunde“, sagt der Schulmeister mit Augenaufschlag und deutet auf den hinkenden Amtsboten, der offensichtlich einen in der Krone hat, wie man von Weitem sieht und gegen den Wind riecht.

„In den Häusern sagen die Lader seit alters her unseren Ladungsvers auf“, macht der Schultes auf Fremdenführer und illuminiert die hiesigen Gepflogenheiten.

Für Nikolaus ist das alles neu. „Bei Hofe gibt es solche Usancen nicht.“

„Wie bitte?“ Das Stadtoberhaupt ist nicht im Bilde, weil es die affektierte Sprache bei Hofe nicht beherrscht.

Der Gast aus Stuttgart korrigiert sich: „Verzeihung, ich meinte, solche Gepflogenheiten gibt es im Schloss nicht.“

Der Schulmeister stellt sich wie ein Denkmal hin, die Arme ausgebreitet, und deklamiert:

„Wir gehen heut von Haus zu Haus
mit einem schönen Hochzeitsstrauß.
Wir laden alle, Groß und Klein,
zur nächsten Hochzeitsfeier ein.“

Der Gast bricht in schallendes Gelächter aus. Die Sendboten aus der guten alten Zeit bleiben verdutzt stehen.

Dem Amtsboten versagen in diesem Augenblick die Beine, weshalb die zwei Trachtenweiber beherzt zupacken und dem Stangenheinrich unter die Arme greifen.

„Ja, Heinrich“, fragt der Schultes mit gerunzelter Stirn, „haben sie dich abgefüllt?“

Der bläst und rollt die Augen. „Es ist … es ist … einfach nicht mehr …“

Dem Gast aus Stuttgart beschlägt es die Brillengläser.

„Dreimal ist er hingehagelt“, nimmt der Vetter vom Jenseits, der den zweiten Hochzeitslader macht, seinen Kompagnon in Schutz. Der Jenseits, der Jungbauer vom Jenseitshof, ist der Bräutigam. Dessen Vater hat einen eingekochten Wortschatz. Statt der Wörtchen schlimm, auffallend, bizarr, ungeheuer, unbändig, arg und dergleichen mehr kennt er nur ein einziges: jenseits! „Ich hab einen jenseits Durst“, ist ein geflügeltes Wort in Linnfurt. Darum heißt man den reichen Bauernhof in der Sonnengasse den Jenseitshof und seinen Besitzer den Jenseits.

Der Kammerdiener amüsiert sich köstlich. Schmunzelnd wendet er sich an das Stadtoberhaupt. „Und wie erfährt man, wann und wo die Hochzeit stattfindet?“

Der Schultes setzt zur Erklärung an: „Den ersten Vers sprechen alle vier im Chor …“

Die jüngere Laderin, neugierig hat sie den Fremden gemustert, fällt dem Schultes ins Wort. „Bist du der aus Stuttgart?“, will sie von dem nobel Gekleideten wissen. Als der nickt, stellt sie sich in Pose:

> *„Einen schönen Gruß vom Bräutigam und von der Braut.*
> *Und sie lassen zur Hochzeit laden.*
> *Es soll ein jedes kommen, das Zeit hat.*
> *Die Hochzeitskirche ist um zehn.*
> *Vorher um neun gibt's Morgenessen in der Linde.“*

„Du … du bi … bist eine taube Nuss“, lallt der Amtsbote, „da … da … das reimt sich ja gar nicht.“

„Und du bist ein besoffener Gicker“, gibt die Laderin zurück. „Der zweite Vers hat sich noch nie gereimt.“

Der Gast aus der Großstadt ist jetzt bester Laune: „Gute Frau, wie viele Leute trommelt ihr zusammen?“

„Jetzt, wo du’s sagst, kommt’s mir, dass wir eine Trommel brauchen. Aber auch ohne Trommel werden’s mehr als hundert sein.“

Der Schultes ergänzt. „Üblich ist, dass nur die verheirateten Gäste zum Morgenessen eingeladen sind. Die ledigen kommen erst zum Abendessen. Das muss man bei uns nicht extra sagen.“

„Und wenn ihr niemand antrefft?“, will der Fremde wissen.

„Dann schreiben wir die Einladung mit Kreide an die Haustür“, klärt ihn die zweite Laderin auf.

Und die erste: „Hasch jetzt kapiert, du Malefizaff?“

„Bild! Bild!“

Die drei Herren wenden sich zum Gehen, doch Heinrichs Hirn tickt heute drei Umdrehungen langsamer, darum ist er noch lange nicht beim Abschied. „Ha … hast … hast … ka … kapiert?“, lallt er hinterher. Er versucht, die Hand an seinen Dreispitz zu legen, schlägt sich jedoch aus Versehen den Deckel vom Möckel. Entrüstet entbietet er dem Fremden einen herzhaften Abschiedsgruß: „Ade, gut Nacht u … und … leck mi … mich … am Arsch!“

Als die Hochzeitslader außer Hörweite sind, fragt der Stuttgarter: „Warum ist der Kerl so besoffen?“

Der Schultes wehrt ab. „Im Dienst ist der Heinrich immer nüchtern. Aber als Lader kriegt er in fast jedem Haus einen Schnaps. Das ist bei uns so üblich. Irgendwer muss ja schließlich die alten Rachenputzer vernichten, bevor es neue gibt. Dafür bleiben die Laderinnen nüchtern. Sie heimsen Eier und Schmalzgebäck ein. Darum haben sie einen Henkelkorb dabei.“

Etwa zur selben Zeit stehen zwei Burschen vor dem Ochsen. Sie haben Mützen auf und treten von einem Fuß auf den anderen. Ihnen ist kalt.

Endlich geht die Wirtshaustür. Der Braungewandete trägt heute einen breitkrempigen Hut.

„Kommt mit“, sagt Leopold, „hier sehen uns zu viele Leute.“

„Wenn wir da vorn links abbiegen“, Siegmund deutet in Richtung der Kirche, „und nach dem Friedhof durch die Seilergasse gehen, kann uns der Nachtwächter nicht beobachten.“

„Die haben hier noch einen Nachtwächter?“

„Und ob. Sogar einen, der’s genau nimmt. Schau, das Laterndl!“ Siegmund deutet die Rathausgasse hinauf. „Weil’s finster ist, siehst den alten Turm nicht. Da droben hockt jede Nacht der Wächter und guckt hinunter auf die Stadt. Kannst ihm hinaufwinken.“

Direkt vor der Kirche schwenken sie in die Kirchgasse ein. Am Friedhof geht's weiter abwärts zur Seilergasse.

Als ihnen ein Licht entgegenleuchtet, verdrücken sie sich in die dunkle Einfahrt eines Gehöfts. Drei Gestalten ziehen im Abstand von ein paar Fuß an ihnen vorüber.

„Der Mittlere“, flüstert Siegmund, als die Drei vorbei sind, „das ist die Lakritz *[Lakai]* aus Stuttgart.“

„Woher weißt du das?“ Leopold hat den Mann aus der Kutsche sofort erkannt.

„Mein Bauer hat's gesagt. Der kleine Dicke, das ist der Schultes, den seh ich mehrmals am Tag. Und der Schlanke auf der linken Seite, der die Lakritz fest untergehakt hat, das ist der Schulmeister, der Schwiegersohn vom Schultes. Er holt täglich seine Frau in der Linde ab. Sie bedient dort und hat ein Gschäftl neben der Schul.“

„Sollen wir“, Kolomans Augen verengen sich, „der Lakritz ein bisserl auf den Zahn fühlen?“

Leopold winkt ärgerlich ab.

„Und wie wär's, wenn er aus Versehen in eine Odelgruam *[Jauchegrube]* fallen tät? Dann redet sich's leichter.“ Siegmund grinst dämlich.

„Ihr spinnt wohl!“, zischt Leopold. Er ist empört. „Bluza *[hirnlose Menschen]* blöde! Erst kriegt ihr's Maul nicht auf, und jetzt so was! Glaubt ihr, dass der König noch selber kommt, wenn's einem seiner Hofschranzen hier nicht gut geht? Der riecht dann, dass was faul ist.“

Schweigend erreichen sie den Gänsmarkt, einen kleinen Platz bei der Schlosstorgasse.

Dort bleibt Leopold im Schatten der Stadtmauer stehen und stellt seine Gefolgsleute in den Senkel: „Die Sach ist verschissen. Drum nix Eigenständigs! Habt's dös g'schnallt?!"

Koloman und Siegmund nicken gottergeben.

„Ohne mein Kommando passiert hier nix!" Leopold drückt Koloman seinen Finger in die Brust. „Nix!! Verstehst?!" Mahnend hebt er die Hand. „Geht das in eure Schädel?" Er redet sich in Zorn. „Eine solche Chance, den Beindlklauber *[Totengräber]* in die Luft zu blasen, gibt's nicht noch mal. Darum dürft's nur vier Sachen machen: Erstens beobachten, zweitens beobachten, drittens beobachten und viertens die Goschn halten. Die Hände bleiben in den Hosentaschen! Kapiert!"

„Aber zum Biertrinken …", will Koloman den Anschiss mildern und ins Lächerliche ziehen, doch Leopold weist ihn sofort in die Schranken: „Dös Kasperl kannst in der Bauernkomödie spielen. Bei mir nicht!"

Die Kameraden schweigen betreten.

„Du, Koloman, merkst dir, was der Stadtrat plaudert. Und du, Siegmund, hörst dich bei dem Bäuscheltandler *[Gastwirt]* um und spionierst die Lakritz aus." Er hebt mahnend den Finger. „Und redet's Schwäbisch, sonst weiß jeder gleich, dass ihr nicht von hier seid."

Leopold wirft seinen Mitstreitern kalte, prüfende, eher abschätzige Blicke zu, als wolle er sagen: O Gott, mit solchen Deppen muss ich mich herumplagen.

Laut sagt er: „Schießen und Feuerzauber machen, das überlasst ihr den Spezialisten, die leisten immer was B'sonderes. Ihr versteht davon eh nix. Die schaffen euch rechtzeitig an, was ihr zu tun habt. Bis dahin haltet euch z'ruck. Verstanden?"

„Befehl!", antworten Koloman und Siegmund im Duett, ohne strammzustehen. Das hat man ihnen auf dieser Mission verboten, weil ein Knecht, der zackig wie ein Soldat daherkommt, gleich auffallen würde.

Leopold zieht einen Packen Plakate aus seinem Kittel und übergibt sie den beiden Schnüfflern: „Die pickt *[klebt]* ihr nachts überall hin, wo sie viele Leute lesen können."

Er wendet sich zum Gehen: „Heut in einer Woche, halb sieben auf d' Nacht, im Obstgarten vor dem Schlosstor. Ich will ausführliche Berichte." Über die Schulter ermahnt er nochmals seine Horchposten, nichts zu unternehmen, sondern nur die Augen und Ohren offen zu halten. Dann wendet er sich grußlos ab und stapft in die Oberstadt hinauf.

*

„Majestät."

„Majeschdäd."

„Nein, Paula! Es heißt Majestät!"

Paula bekommt ihre erste Lektion. Das kleine Einmaleins des Hofzeremoniells steht heute auf dem Stundenplan.

Das Hofzeremoniell ist eine raffinierte Maschinerie. In der Mitte steht die Majestät wie die Sonne im

Planetensystem. Um die Sonne kreisen die Sterne. Und um die laufen die Monde um die Wette. Jede lumpige Monarchie hat ein Hofzeremoniell. Sogar das Fürstentum Hohenzollern-Hechingen nahe Tübingen, kleiner als das kleinste Oberamt im Königreich, mit fünftausend Bewohnern, den Viehbestand eingerechnet, so groß wie ein Atoll im Bodensee. Aber ein Zeremoniell ist unerlässlich. Sonst weiß man gar nicht, wer die Sonne ist und wer der Mond.

Kammerdiener Nikolaus ist milde gestimmt. „Spitzes S! Paula, begreifst du das?“

Sie schüttelt den Kopf.

„Hab ich mir gedacht. Sprich mir nach: Ma – je – stät.“

„Majeschdäd.“

Er wird noch milder, denn ihm dämmert’s. Spitzes S und hartes T hintereinander, diese Mundakrobatik ist Schwerstarbeit für die schwäbische Zunge. Er weiß es genau, obwohl seine Jugendzeit lange her ist.

„Schau, Paula, …..“

„Majeschdäd.“

„Moggele *[Kalb]*“, sagt der Lehrer. Seine Nerven straffen sich. „Sag’s nochmal: Majestät.“

Nach etlichen Versuchen endlich ein Fortschritt.

„Brav, Paula.“

Nikolaus sitzt am nagelneuen Tisch. Er frühstückt. Alles soll so sein, als wäre Majestät schon da, hat der Schultes angeordnet. Und weil Seine Königliche Hoheit geruhe, nach dem Aufstehen allein zu sein, solle der Kammerdiener ab sofort nicht in der Küche, sondern in der Königssuite bedient werden. So könne Paula den Ernstfall proben.

In Linnfurt pflegt man das Morgenessen, wie man hier das Frühstück nennt, sommers um fünf, winters um sechs einzunehmen. Es gibt Habermus oder Milchsuppe, Eierhaber oder Brotsuppe. Im Frühjahr und Herbst, wenn bis zur Erschöpfung geschuftet werden muss, verdrücken die Knechte und Mägde auch noch Bratkartoffeln, Spiegeleier und Speck. Dazu trinken sie Milch, Muckefuck oder Most.

Als der Gast aus Stuttgart an diesem Montagmorgen um acht erwachte, war das Hauspersonal der Linde folglich längst bei der Arbeit. Etliche Männer samt Frieder, dem ältesten Sohn des Lindenwirts, machen Holz im Wald. Die übrigen Knechte, die Mägde, der Schultes und der Schweizer hocken bei Flick- und Putzarbeiten in der Scheune. Da werden Hanfstängel gehechelt, Körbe geflochten, Pfähle für die Weinberge gespitzt, das Lederzeug für die Gäule geflickt, die Pflugscharen gewetzt und der hölzernen Egge neue Zähne eingesetzt. Unterdessen werkeln die Wirtin und die Küchenmagd am Mittagessen.

Nur Paula saß vor der Tür zum majestätischen Schlafgemach und langweilte sich. Als sich der Ausgeschlafene drinnen endlich räusperte, stürmte sie ins Zimmer und zog die Vorhänge auf.

„Nichts für ungut, Paula“, brummte der Vornehme, „so geht das nicht.“ Unwirsch rieb er sich den Schlaf aus dem Gesicht.

Ihre Augen wurden kullerig. Was soll jetzt wieder nicht stimmen?

„Du musst anklopfen.“

„Warum?“

„Das gehört sich so.“

„Glaubst du, ich hab noch keinen nackten König gesehen?“

„Wann und wo?“

„Das kann man sich doch denken, den blauen Zipfel und so, weil er blaues Blut hat.“

Er konnte sich das Lachen kaum noch verbeißen, als er sagte: „Der König will, dass man anklopft.“

„Geht dann die Tür von selber auf?“

Nikolaus prustete los. Paula sah ihn zuerst verdattert an und schnitt eine irritierte Fratze. Schließlich stimmte sie lauthals in sein Lachen ein.

Jetzt, die schwere Mundakrobatik liegt hinter ihr, fragt sie ihn: „Willst noch einen Kaffee, Majestät?“

„Paula, Paula! Wenn Pfarrer Abel in der Linde sitzt, wie erfragst du seine Wünsche?“

„Wollen Sie noch einen Schoppen, Herr Pfarrer?”

„Trinkt der so viel?”

Sie verzieht das Gesicht. Hochwürden kann saufen wie ein Kamel. Aber das verschweigt sie lieber.

Er hebt die linke Augenbraue. „Frag mich mal so, als wäre ich der Pfarrer.“

„Wollen Sie noch einen Kaffee, Herr Majestät?“

„Ohne Herr.“

„Wollen Sie noch einen Kaffee?“

„Ohne Herr, aber mit Majestät.“

„Wollen Sie noch einen Kaffee, Majestät?“

„Na also, Paula. Gut gemacht. Ja, ich möchte noch Kaffee.“

Sie flitzt hinunter in die Küche und klagt der Lindenwirtin ihr Leid. „Weißt du, Bäuerin, der König, der muss schon ein Gispel sein. Zum Glück ist zuerst der Nikolaus gekommen. Der mag mich.“ Sie hat ein inwendiges Leuchten im Gesicht. „Moggele hat er zu mir gesagt.“ Sie nickt vor sich hin. „Langsam kann ich mich an all den Schmarren um den König rum gewöhnen, bis der spinnete Uhu selber kommt.“

Sie saust hinauf, haut den Kaffeehafen auf den Tisch und schrillt: „Die Bäuerin hat gesagt, dass der Schultes dich an die Wand pappt, wenn du seine neuen Möbel vertrielst.“

*

Der Schultes schätzt das Gestell des anderen ab. Eine barsche Bemerkung kann er sich gerade noch verkneifen. „Aberjetza, Nikolaus, zieh ein Paar feste Stiefel an.“ Er kratzt sich hinterm Ohr. „Ich zeig dir mein Städtle.“

Die Lindenwirtin kommandiert, und Paula gehorcht wortlos. Sie reiht die Stiefel der Mannsbilder im Hausflur auf. Dann muss der Gast die Parade abnehmen. Keine zierlichen Stiefeletten wie bei Hofe, gefertigt aus zweierlei Leder, seitlich geknöpft und mit hohem Absatz. Nein, derbe Schnürstiefel aller Art, Halbschaftstiefel, Langschaftstiefel, Überkniestiefel, selten mit glatter, meist mit genagelter Sohle. Keines der präsentierten Stücke passt zur vornehmen Kleidung des Herrn.

Dieser zögert.

„Bei uns in Linnfurt interessiert sich keine Sau für deine Trittling!“ Der Schultes verliert langsam die Geduld. „Schuhe müssen praktisch sein, Nikolaus, sonst nix.“

„Bild! Bild!“ Nikolaus kapiert schnell.

Minna wirft ihrem Fritz einen strengen Blick zu, dann tröstet sie den Gast: „Der Köchin vom Pfarrer gefällst du auch so.“

Paula lehnt am Türpfosten und gibt zu jedem Paar Schuh ihren Senf dazu. Schließlich weiß sie ihrem Herzkönig einen guten Rat: „Da ist überall bloß Dreck und Mist dran. Such dir was raus, dein Moggele putzt die Stiefel für dich. Wirst sehen, gleich siehst du anders aus.“

Die ausgelatschten Treter des Schultes sind dem Besucher zu klein, die seiner Söhne zu groß. Schließlich entscheidet sich der Herr für ein Paar knöchelhohe Stiefel, kommod und tauglich für die schlüpfrigen Straßen und Gassen. Sie gehören dem Schweizer. Zwar passen sie auch nicht, doch Paula holt Stoffreste und stopft die Überlängen aus. Mit Spucke und Lappen säubert sie das Leder, fettet und wienert es, bis sie sich drin spiegeln kann. Sie hat ihn nämlich ins Herz geschlossen, den edlen Ritter mit dem feinen Bildgesicht.

In dem Augenblick wird die Haustür aufgerissen. Ein Uniformierter stürzt herein und schreit: „Schultes, Schultes, du musst gleich kommen!“

Die klapperdürre Gestalt in der blauen Uniformjacke trägt normalerweise eine Flinte. Darum wird sie, der lächerlichen Erscheinung zum Trotz, Scharwächter genannt, was scharfer, bewaffneter Wächter bedeutet.

Der Windbeutel ist heute unbewaffnet und außer Atem. Um Luft zu schnappen, lehnt er sich an den Türpfosten und hechelt.

„Was ist passiert?“ Der Schultes runzelt die Stirn. Drohend baut er sich vor dem Hilfspolizisten auf. Der will umständlich ein zusammengefaltetes Papier aus der Tasche ziehen, aber das Stadtoberhaupt reißt es ihm aus der Hand, faltet es auseinander und wird kreidebleich.

„Wo hast das her?“

„Burgunderstraße.“

Ohne ein weiteres Wort reicht der Schultes den bedruckten Bogen an den Kammerdiener weiter. Der liest, schüttelt den Kopf, liest noch mal, faltet das Papier zusammen und steckt es in die eigene Tasche.

„Jetzt schwätz!“ Die Hausherrin ist ungehalten.

Drei verwirrte Gesichter starren auf die Lindenwirtin.

„Zettel her!“ Sie streckt gebieterisch die Hand aus.

Nikolaus überreicht ihr stumm das Erbetene. Aufmerksam studiert sie es, stutzt und liest laut: „Tod dem König!“ Sie spottet: „Was seid ihr Männer doch für Hosenscheißer.“

Der Schultes wird wütend, Nikolaus steht wie ein begossener Pudel da, der Scharwächter gafft.

„Seit wann versteht ein Küchendrachen wie du etwas von Politik?“, kanzelt der Lindenwirt seine Frau ab.

Ungerührt legt sie nach: „Da lässt einer einen Furz fahren, und drei ausgewachsene Mannsbilder fallen in Ohnmacht.“

Ihr Göttergatte winkt ärgerlich ab.

Sie kichert und liest, von Lachkrämpfen geschüttelt, laut vor: „Seit bald vierzig Jahren müssen wir einen Dahergelaufenen, der sich König schimpft, mitsamt seinen Lakaien, Hofschranzen, Speichelleckern und Gesinnungslumpen erdulden. Nein, nicht nur erdulden, wir müssen die Bagage auch reichlich ausstaffieren, dass sie auf unsere Kosten in Saus und Braus leben kann. Dabei hat kein Bürger diese Sippschaft gewählt und legitimiert. Unser Land wird erst frei sein, wenn wir dieses verkommene Pack zum Teufel gejagt haben. Weil es nicht freiwillig geht, müssen wir es mit Gewalt beseitigen. Darum heißt der erste Schritt zu Freiheit und Wohlstand: Tod dem König!“

Die Lindenwirtin kringelt sich vor Lachen. „Hihihi! Ich kann nicht mehr! Hahaha!“ Die drei Mannsbilder sind mit weit geöffnetem Mund zur Salzsäule erstarrt, die Augen groß wie Wagenräder.

Schließlich löst sich der Schultes aus der Starre, weil es ihm zu dumm wird: „Auf, Männer, wir gehen!“

Nikolaus und der Bürgermeister setzen Mützen auf, ziehen warme Joppen und Handschuhe an, werfen sich gestrickte Schals um den Hals. Der Lindenwirt packt den Großstädter am Arm, denn der scheint dem bodenständigen Landleben entwöhnt zu sein. Und schon sind sie draußen vor der Tür.

Die zwei Allgewaltigen eiern die Hauptstraße hinauf, dass die Hennen erschrocken gackern und die Gockeler entsetzt das Weite suchen. Der Hilfspolizist stapft den Herren wacker hinterdrein, die Hände im Hosensack, weil er keine Fäustlinge hat.

„Musst dein Ärschle ein bissle tiefer legen, Nikolaus“, schreit die besorgte Obermagd hinterher, „dann fällst nicht bös.“

Vorsorglich hakt der Schultes den Gast unter. Sie stapfen die Kramet vor, stiefeln die Krumme Gasse nach links, tappen das Wusselgässle hinüber, steigen die Paul-Gerhardt-Gasse hinauf und werfen einen Blick über die Friedhofsmauer. „Bald haben wir's“, tröstet das Stadtoberhaupt.

Das vornehme Antlitz aus der Landeshauptstadt lächelt gequält. Die geliehenen Treter sind schwer, obendrein immer noch zu groß. Ständig die Zehen zusammenkrallen und auseinanderspreizen, um Halt in den derben Stiefeln zu finden, das kostet Kraft.

Der Schultes sieht's und tröstet: „Glaub mir, Nikolaus, die Schinderei hat bald ein Ende.“

Der Gebildete muss ausschnaufen. Er bleibt stehen. „Die Paula sagt, du würdest mich an die Wand kleben, wenn auch nur ein Fleckchen an die neuen Möbel käme.“

Jetzt schneidet der Scharwächter Grimassen, und der Schultes sagt verlegen: „Die übertreibt.“

„Hast du viel in das Königszimmer investiert?“

„Gewaltig.“

„Warum?“

„Im Ochsen und im Rebstöckle werden Zimmer nur gegen Geld vermietet.“

„Und du wolltest, dass dein König kostenfrei logiert?“

Der Schultes nickt. „Da guck“, sagt er und deutet auf eine Hofeinfahrt, „die Miste dampft. Es gibt Regen oder Schnee.“

Der Vornehme staunt. Noch einer, der mit der Natur auf du und du steht und sie zu deuten vermag. Eine Ahnung steigt in ihm auf: Linnfurt ist von Stuttgart entfernter als gedacht. Zwei Welten, schwant ihm, mit unterschiedlichen Erfahrungen und Lebensweisheiten. Noch weiter liegen Sitte und Brauchtum auseinander. Die Wege, die von hüben nach drüben führen, sind schmal und glitschig. Und jeder, der die Welt des anderen betritt, wird angeglotzt, als sei er kürzlich dem Urwald entsprungen. Drüben in der Hauptstadt kommt auf hundert Menschen ein Adeliger. Die Damen tippeln mit Lorgnetten vor den Augen über den Schlossplatz, bei einem Offizier untergehakt, heben bei jedem Schritt ihre Röcke und schnüffeln mit bebenden Nasenflügeln, weil ihnen ständig etwas in die Nase sticht. Hüben im beschaulichen Linnfurt gibt es weder überzwerche Damen noch steife Offiziere. Erst recht keine von Adel, sieht man vom kauzigen Grafen Heinrich einmal ab. Dem, das hat er sich felsenfest vorgenommen, wird er keinesfalls über den Weg laufen. Die einzigen Uniformierten im Ort sind der Scharwächter und der Amtsbote. Beide stehen nicht oben auf der sozialen Leiter wie in Stuttgart, sondern am unteren Ende. Dafür ist allen Männern und Frauen hier im Städtle das Leben und Arbeiten mit der Natur im Jahreslauf von Sonne und Mond noch vertraut.

„Komm“, sagt der Schultes. Weiter geht’s, das Kirchgässle hinauf, dann sind sie in der Burgunderstraße.

„Wo war das Plakat?“, will der Schultes vom Scharwächter wissen.

„An der Kirchentür.“

Der Schultes deutet in Richtung Schlosstor. „Gleich da vorne links“, sagt er zu Nikolaus und geht voraus.

Vor dem Kirchenportal steht Pfarrer Abel, umringt von ein paar Männern und Frauen, und fuchtelt mit den Armen. Das Grüppchen ist erregt.

„Wo brennt’s?“, fragt der Schultes, als er mit seinen beiden Begleitern hinzukommt.

„Da guck!“, sagt der Mann neben dem Pfarrer, „Tod dem König!“ Er zeigt ein weiteres Exemplar des Plakats vor.

Tod dem König, die vier Silben klingen wie Hammerschläge. Furchterregend hallen sie durch die Gassen.

„Wo hast das her?“

„O jemine, Schultes“, geht eine Frau dazwischen und jammert, „das ganze Städtle ist verhunzt mit den Dingern.“

„Am Schlosstor ist’s gehängt“, erklärt der Mann.

„An meiner Kirche muss eines gewesen sein“, sagt Abel und deutet auf die Papierreste an der Tür.

„Das hab ich abgerissen und dem Schultes gebracht“, bringt sich der Scharwächter in Erinnerung.

„Am Wengerttort hängt noch eins.“

„Am Linntor auch.“

„Und am Rathaus ist eines."

„An der Friedhofsmauer kleben zwei."

„Was bedeutet das, Schultes?", will ein älterer Herr wissen. Er ist empört. Das Tannenzweigchen unter seinem Hutband zittert.

Der Herr Stadtpräsident hat sich auf dem Weg hierher auf diese Frage vorbereitet, denn er ist kein heuriger Hase. Er kennt seine Linnfurter, und darum weiß er, dass das Plakat längst im Städtchen bekannt sein dürfte. Somit bleiben ihm nur zwei Möglichkeiten: Alarm schlagen und sich mächtig aufplustern oder den Vorfall herunterspielen und den Hanswurst mimen.

Er lacht, zwar einen Deut zu gekünstelt, gleichwohl schafft er es, eine spaßige Grimasse aufzusetzen. „Da gönnt uns so ein elender Krüppel aus der Nachbarschaft nicht, dass der König zu uns auf Besuch kommt. Das nehm ich nicht ernst."

Pfarrer Abel kriegt den Mund nicht zu. Nikolaus hebt eine Augenbraue, denn er hat gleich kapiert, dass die Mordbuben längst in Linnfurt angekommen sind. Doch der Schultes macht ein pfiffiges Gesicht.

Das Tannenzweigchen bebt: „Willst uns für blöd verkaufen, Schultes? Das glaubst doch selber nicht, dass das bloß Spaß sein soll!"

Der Schultes stellt sich vor den Begrünten hin und bohrt ihm den Zeigefinger in die Brust: „Jetzt hör mir gut zu, Joseph! Dem König kann gar nichts passieren, weil wir alle auf ihn aufpassen. Und den Dreckspatz, der uns das Festle verderben will, den schleife ich eigenhändig aus unserem Städtle."

Die Umstehenden beruhigt er: „Geht heim. Und wenn ihr ein Plakat findet, wischt euch den Hintern damit.“

Allerdings nimmt er den Scharwächter auf die Seite und weist ihn an, zur Wohnung des Amtsboten zu gehen.

„Ich bin vorhin an seinem Haus vorbei, da hab ich ihn bis auf die Gass schnarchen hören“, wendet der Hilfspolizist ein. „Der Heinrich ist noch besoffen von gestern, weil er Hochzeitslader war.“

„Schmeiß ihn aus dem Bett!“ Der Schultes erhebt Stimme und Zeigefinger: „Ihr inspiziert die Stadt und reißt alle Plakate ab, die ihr findet! Kapiert?!“

Der Scharwächter will abtreten.

„Halt, Gottlieb!“

Der Hilfspolizist legt dienstbeflissen die Hände an die rote Hosennaht.

„Und wenn ihr durchs Städtle streift, kümmert ihr euch, dass die Leute Asche und Sand streuen.“ Der Schultes holt tief Luft: „Gleich! Auf der Stelle!! Sofort!!!“ Dann droht er: „In zwei Stunden muss man überall im Städtle auf die Gass können, ohne sich den Hals zu brechen! Wenn's am Mittag noch irgendwo glatt ist, pack ich dich am Schlafittchen und zieh mit dir das Pflaster ab, bis es eisfrei ist! Hast mich verstanden?“

Gottlieb Vorderlader grinst und salutiert: „Zu Befehl, Schultes! Plakate abreißen und Gassen streuen!“ So mag er seinen Rathauschef, furchtlos, stramm und direkt.

„Wegtreten!“ Der Schultes wendet sich wieder seinem Gast zu. „Keine Angst, Nikolaus. Lieber Leim als Schießpulver. Solange einer Plakate klebt, schießt er nicht.“

Nikolaus schweigt. Er zählt zusammen. Plakate in Stuttgart, Plakate auch hier. Die Attentäter verfügen offensichtlich über Mittel und Beziehungen und bewegen sich frei und unerkannt im Königreich. Für Ausländer dürfte das schwierig sein. Trachten ihm die eigenen Landeskinder nach dem Leben?

„Kommt bitte mit“, sagt der Pfarrer zu Schultes und Kammerdiener und geleitet die Herren zum Pfarrhaus neben der Kirche.

Als sie den Hausflur betreten, flitzt die Haushälterin herbei und drückt Nikolaus ein paar Wollstrümpfe in die Hand. „Hab ich heut Nacht extra für dich gestrickt, damit du nicht frieren musst“, raunt sie ihm mit einem feurigen Blick zu. „Ich hab g'wusst, dass du heute kommst.“

„Woher?“ Nikolaus ist verwirrt.

„Weil mir gestern Abend die Schere aus der Hand gefallen ist. Mit der Spitze ist sie im Fußboden stecken geblieben.“

Abel klärt seinen Gast auf: „Die Leute hier sind noch sehr abergläubisch. Deutet man zum Beispiel mit dem Finger auf eine Gewitterwolke, schlägt der Blitz ein, behaupten sie.“

„Stimmt genau!“, ruft die Haushälterin über die Schulter, als sie in die Küche rennt. Sie schmiert Schmalzbrote, holt aus dem Keller schwarze Winterrettiche und eingelegte Gurken und drapiert alles auf eine Platte. Die trägt sie in die Wohnstube.

Abel füllt gerade Trollinger aus einem Krug in drei Gläser. Er prostet seinen Gästen zu: „Auf das Wohl und die Unversehrtheit unseres Königs!“

Bei Wein und kleinem Vesper reden sich die Herren erneut die Köpfe heiß, wie man den Landesvater schützen und zugleich die Saubagage fangen könnte, die solch infame Plakate klebt.

Schwer verwundet

Graf Heinrich steigt pfeifend die Wendeltreppe in den Schlosshof hinab. Die Aussicht auf Rache am Württemberger hat seine Stimmung in den letzten Tagen entscheidend gehoben, und die in Aussicht gestellte Geldsumme hat ihm die alte Lebenslust zurückgebracht. Heißa, was kostet die Welt? Ihm ist leicht ums Herz. Jetzt hat er Gewissheit, dass es wieder aufwärtsgeht.

Im Schlosshof wartet ein Einarmiger auf ihn, in der Linken eine Reitpeitsche, am Gürtel ein Faschinenmesser *[Hiebmesser mit Klinge und Sägerücken]*, wie es die preußischen Offiziere tragen, die nach schwerer Verwundung Trainsoldaten befehlen.

„Gut geschlafen?“

„Danke der Nachfrage, Erlaucht. Alles bestens.“

„Ihr militärischer Rang?“

„Rittmeister, Erlaucht.“

„Ah, freut mich. Gehört der Train zur reitenden Artillerie?“

„Sehr wohl, Erlaucht.“

„Und wie haben Sie Ihre Leute hierher geschleust, mitten durchs Feindesland?“

Den Einarmigen belustigt diese Frage. „Mit verschiedenen Postkutschen auf getrennten Routen, wie denn sonst?“

„Ein gefährliches Abenteuer, schätze ich.“

„Gefahrlos, Erlaucht, seit der Zollverein die Grenzen durchlässiger gemacht hat.“

„Gilt aber nicht für Militärs.“

„Meine Leute waren als reisende Handwerksburschen unterwegs. Und ich bin mit einem Kaufmann mitgefahren.“

Graf Heinrich macht ein nachdenkliches Gesicht. „Woher kommt ihr?“

„Von Norden.“

„Nicht vom Rheinland? Das gehört doch zu Preußen.“

„Nein, von Thüringen. Preußen hat dort noch Exklaven mit Garnisonen. So muss man, im Gegensatz zur Westroute, die über mehrere Staaten führt, nur durchs bayerische Frankenland.“

Graf Heinrich hat aufmerksam zugehört. Preußen hat auf halbem Weg hierher noch Stützpunkte? Das ist neu für ihn. Ist die politische Landkarte auf dem Wiener Kongress doch nicht vollständig bereinigt worden? Könnte man da nicht …?

„In Ludwigsburg habe ich meine Männer getroffen. Mein Fuhrmann hatte sich umgesehen und einen Reisewagen erstanden. Mit dem sind wir abends losgefahren und haben auf Ihr Zeichen gewartet.“

Letzte Nacht hatte der Einarmige hier im Seitenflügel des Schlosses Quartier bezogen, begleitet von einem Fuhrmann, einem Feldbäcker, einem Feldkoch und vier abkommandierten Handwerkern, alles preußische Trainsoldaten in Zivil. Im Schatten der Nacht war ihr Wagen ins heruntergewirtschaftete Schloss hoch über Linnfurt gerumpelt, nachdem Graf Heinrich drei brennende Kerzen ins Fenster seines Schlafgemachs gestellt hatte. Damit hatte er den im Linntal Wartenden kundgetan, dass die Luft rein war.

Tags zuvor hatte er alle Bediensteten entlassen bis auf seinen alten, treuen Leibdiener. Ohne Weiteres und ohne Begründung, was bei den Gekündigten den Eindruck verstärkte, der alte Graf könne sie nicht mehr entlohnen und wolle es verschweigen. Sein Standesdünkel, vermuteten sie, lasse das nicht zu. In Wahrheit jedoch hatte ihn der Oberst, der vor einer Woche in geheimer Mission hier war, auf die Soldatenehre verpflichtet, künftig allen Einheimischen den Einblick in seine Residenz zu verwehren.

Einen Tag und eine Nacht mussten er, seine Gattin und sein jüngster Sohn, der Dubbeler, ohne warmes Essen auskommen und sich von Brot, Käse, Wein und Nüssen ernähren. Frau Gräfin hat, wie jede Frau in Linnfurt weiß, keine Ahnung, wie man ein Küchenfeuer in Gang setzt oder eine schlichte Mahlzeit zubereitet.

Jetzt wird in der Küche wieder gewerkelt, das Backhäuschen raucht schon. Zu Mittag gibt's nahrhafte Kost, die dem Grafen behagt. Militärische Verproviantierung, wie er sie seit seiner langen Zeit bei den preußischen Soldaten gewohnt ist.

„Wie lautet Ihr Befehl, Rittmeister?"

„Zuerst, Erlaucht, die vier Räume mit direktem Blick auf Linnfurt herrichten, die für die nächste Woche eintreffenden Herrschaften bestimmt sind. Anschließend nach und nach die gröbsten Mängel im Schloss beseitigen."

„Folgen Sie mir, Rittmeister.“ Graf Heinrich führt den Trainoffizier zum rechten Eckturm und steigt mit ihm in den dritten Stock hinauf. Dort oben liegen an einem Gang mehrere Räume, die mit der zimmerhohen Fensterfront auf Linnfurt zeigen. Aus allen gelangt man direkt auf einen breiten Balkon, auf dem es sich trefflich promenieren lässt. Zudem kann man das steil unterhalb des Schlosses liegende Städtchen observieren.

„Hier, Rittmeister“, erklärt der Hausherr auf dem Weg zum Ostturm, der auch über den Balkon zu erreichen ist, „stehen zwei Siebenpfünder-Haubitzen, die sich mühelos an die Balustrade heranziehen lassen.

„Verstehe“, sagt der Rittmeister, der die Geschütze prüfend umkreist, „altes Kaliber, durchaus noch brauchbar.“

„Alte Geschütze?“, braust der Graf auf. „Die sind tadellos in Schuss!“

„Zweifellos, Exzellenz“, beruhigt der Einarmige, „ich wollte nur andeuten, dass die reitende Artillerie aktuell mit Sechspfünder-Kanonen und Zehnpfünder-Haubitzen ausgerüstet ist. Doch auch an Ihren Geschützen, Erlaucht, kann man die Rohre auf Weite einstellen oder steil gen Himmel aufrichten, dass die Granaten fast senkrecht“, er beugt sich über die Brüstung und zeigt auf den Marktplatz drunten am Hang, „dort zwischen den Häusern aufschlagen und mit größtmöglicher Wucht explodieren.“

„Kurz und gut: Krieg gegen den Württemberger?“, fasst der Graf stirnrunzelnd zusammen. „Habt ihr keine sensibleren Methoden, den Kerl zu beseitigen? Ich dachte an Praktiken, die mein Territorium nicht in Schutt und Asche legen."

„Keine Sorge, Erlaucht, ich wollte bloß andeuten, was sich von hier aus machen lässt. Natürlich denken wir in erster Linie an Scharfschützen mit Gewehren neuester Machart."

„Von dieser neuen Technik weiß ich nichts, Rittmeister."

„Brandneu, Erlaucht. Zündnadelgewehre mit gezogenem Hinterlader und spezieller Munition. Damit erzielt man eine fantastische Weite und eine famose Genauigkeit. Unsere besten Leute könnten dem aufgeblasenen Kerl von hier oben den Hut vom Kopf schießen."

„Sehr schön, sehr schön, Rittmeister!" Der Graf reibt sich die Hände. „An die Gewehre … äh … an die Arbeit!"

*

Höllisches Geschrei rund ums Haus. Schüsse peitschen. Kommandos hallen. Eine Trompete schmettert.

Nikolaus schreckt auf. Rette sich, wer kann! Er rollt sich aus dem Bett, krabbelt auf allen vieren ins Separee. Auf dem Nachtstuhl holt er erst einmal tief Luft.

Wie ist die Lage?

Als geschulter Offizier analysiert er blitzschnell Situation, Position und Konstellation. Die Linde ist wohl umzingelt. Anders ist der Höllenlärm nicht zu deuten. Die Trompete hat zur Attacke geblasen. Der Bajonettangriff steht unmittelbar bevor. Die Artillerie lauert auf das Kommando, den Gasthof mit Feuer zu belegen. Jetzt ist Not am Mann. Aufklärung! Wo steht die Hauptmacht des Feindcs?

Gebückt schleicht er ans Fensterchen. Gerade will er sich aufrichten und vorsichtig hinausspähen, da krachen Schüsse. Patronen, keine Granaten! Gott sei Dank, keine Artillerie. Nur Gewehre und Pistolen.

Wer schießt? Zweifelsfrei mehrere Schützen. Ein Gedanke setzt sich fest: Attentäter dringen ins Haus ein!

Horch, Schritte! Da sind sie schon! Wegducken, sich klein machen, falls die Kugeln die geschlossene Tür durchbohren.

„Majestät?“

Das ist doch eine Frauenstimme!

„Fehlt was, Majestät?“

Paula! Sie klingt fidel: „Die Brautleut sind da.“

„Brautleute? Und wo sind die Männer mit den Gewehren und Pistolen?“

„In der Linde.“

„Was??!!“

„Im Wirtshaus halt.“

„Was machen die da?“

Paula kichert. „Hochzeit antrinken.“

„Und wo ist der Schultheiß?“

„Der schenkt ein.“

„Um Himmels willen!“

„Ha, so ist’s bei uns der Brauch.“

„Was soll das?“

„Die ledigen Kerle und Mädle bringen die Aussteuer der Braut ins Haus vom Bräutigam.“

„Bild! Bild!“ Er beruhigt sich langsam wieder. „Sag, auf wen ist geschossen worden?“

„Ach, die schießen bloß in die Luft.“

„Warum denn das?“

„Vor Freud, dass sie jetzt Bier umsonst kriegen und morgen Hochzeit ist.“

Kaum hat Paula die Königsstube verlassen, springt Nikolaus aus seinem Versteck, macht Katzenwäsche und fährt in seine Kleider. Er will sehen, was es mit dieser Gepflogenheit auf sich hat.

Auf der Stiege ins Erdgeschoss nimmt er zwei Stufen auf einmal, immer dem Lärm nach, der aus der Schankstube quillt.

Der Schultes steht am Schanktisch und schwätzt mit Händen und Füßen. Neben ihm lehnt ein junger Mann in Tracht am Türpfosten: Langer, blauer Mantel, in der oberen Hälfte mit weißen Knöpfen besetzt. Rotes Wams, hellbraune Kniebundhose, weiße Strümpfe, Schnallenschuhe. Auf dem Kopf ein breitkrempiger, brauner Hut mit rotem Band.

An den Tischen herrscht Jubel, Trubel, Heiterkeit. Burschen und Mädchen, alle im Sonntagsstaat, sind kreuzfidel, die Köpfe gerötet vom Bier und von der stickigen Luft. Tabakqualm hängt in der Luft. Die Butzenscheiben sind außen zugefroren, innen beschlagen. Rußige Öllampen verströmen ein mildes Licht. Zwar ist der Gestank unbeschreiblich, dafür ist es in der Stube kuschelig warm.

„Und wo ist die Braut, wo der Bräutigam?“, wendet sich Nikolaus an den Schultes.

Der reißt die Augen auf. „Ja, grüß Gott, bist auch schon wach?“

Nikolaus schaut indigniert.

„Saudumme Frag, gell. Willst was essen? Oder lieber gleich ein Bier?“

Der Gast ist unschlüssig.

„Paula!“ Der Schultes schaut sich in der Stube um.

Keine Antwort.

„Paula, sapperment! Wo treibst dich rum?“

Die Obermagd flitzt aus der Küchentür: „Ich hab grad das Morgenessen hinauftragen wollen.“

„Heut machen wir eine Ausnahme.“ Und ohne die Meinung des Kammerdieners abzuwarten, befiehlt der Hausherr: „Stell's nüber!“

Der Lindenwirt hat, wie man hierzulande weiß, rechts vor dem Ausschank seinen persönlichen Stammtisch. Oben steht ein Stuhl mit Armlehnen, der ist immer für den Schultes reserviert. Selbst wenn der Herr Bürgermeister nicht in seinem Wirtshaus weilt, bleibt der Stuhl leer.

Auf eben diesem Stuhl hat Nikolaus Platz genommen.

„Das dürfen Sie nicht, Majestät!“ Paula steht unverhofft neben ihm. Sie trägt ein schweres Tablett und ist empört.

„Was darf ich nicht?“

„Auf dem Stuhl sitzt der Schultes. Sonst keiner! Amen!“

„Auch der König nicht?“

„Der schon. Aber du nicht!“

„Bild! Bild!“ Nikolaus fügt sich, erhebt sich und lässt sich auf der anderen Tischseite nieder.

Sie nickt zufrieden und serviert ihm Morgenessen und Neunebrot gleichzeitig: Kratzete *[zerkleinerter Eierpfannkuchen]* mit Bratkartoffeln, Milchkaffee, Brot, Käse, Rettich und Gurken.

In Linnfurt isst man bekanntlich fünfmal täglich. Dreimal kalt und zweimal warm. Das Morgenessen wird in aller Früh eingenommen, mal um vier in der Erntezeit, mal um sechs im tiefsten Winter. Um neun, sommers wie winters, das erste Vesper, das hier Neunebrot heißt. Um zwölf das Mittagessen. Um drei das zweite Vesper, das Dreibrot. Und schließlich um sechs Uhr das dritte Vesper, das Abendvesper. Zu allen fünf Terminen mahnen die Kirchenglocken, weil nur die reichen Bauern eine Uhr haben. Und der Herr Pfarrer natürlich. Meist hängen die Buben der Abschlussklasse an den Glockenseilen und haben eine Mordsgaude, wenn sie beim Läuten in die Höhe geschnalzt werden.

„Wollen Majestät Bier oder Most?“

„Ja, wer soll das alles essen und trinken?“

„Majestät müssen sich halt ein bissle anstrengen. Und den Rest spült das Bier nunter.“

Nikolaus löffelt sich gerade etwas Kratzete auf seinen Teller, als ihm der Schultes so kräftig auf die Schulter haut, dass Löffel samt gelbem Schlonz dem Herrn Bürgermeister mitten ins Gesicht schnalzt.

Just in dem Moment kommt die Lindenwirtin aus der Küche: „Kein kleines Kind versaut sich so wie du!“ Über die Schulter schreit sie der Obermagd:

„Paula, ein Lätzle für den Herrn Stadtpräsident!“ Süffisant fragt sie ihn: „Ist auch etwas in die Hose?“

Der Schultes ärgert sich granatenmäßig, weil das ganze Lokal auf das Malheur aufmerksam geworden ist. Die ersten Kommentare klatschen wie Ohrfeigen.

„Ist’s unten dicht, drückt’s oben naus.“

„Hast du Eier im Gesicht, brauchst du keine Windel nicht.“

„Ein Fläschle im Kittel, ums Maul ein Pfund Ei, so hast du dann immer dein Vesper dabei.“

Der Schultes findet das nicht lustig. Wortlos stürmt er in die Küche und lässt den Gast aus der Landeshauptstadt perplex zurück.

Gleich setzt sich der Kostümierte, der zuvor am Türpfosten gelehnt hat, neben ihn.

„Ich bin der Bräutigam“, stellt er sich selber vor.

„Aha, der Jenseits.“

Zustimmendes Nicken: „Lass dir’s schmecken.“ Es entspinnt sich unterm Essen ein lebhaftes Gespräch.

„Ich tät mich freuen, wenn du morgen zu meiner Hochzeit kommst.“

„Danke, danke. Jedoch verstehe ich nicht, warum du heute feierst, wenn erst morgen Hochzeit ist.“

„Meine Braut ist von auswärts. Drum wird sie mitsamt der ganzen Aussteuer am Tag vor der Hochzeit mit der Kutsche abgeholt. Und genau der Tag ist heut.“

„Ah, du hast sie in ihr neues Zuhause gebracht.“

„Nein, nein! Bloß die Aussteuer. Meine Braut muss bis morgen anderswo im Städtle bleiben. In meinem Haus darf sie noch nicht übernachten. Wegen dem

Kirchenkonvent. Verstehst? Der überwacht bei uns alles.“

„Wie lange kennst du sie?“

„Sechs Wochen. Viel länger darf’s nicht sein. Sonst kriegt die Liebschaft ein Geschmäckle.“

„Und wozu sind das Schießen und der Höllenlärm gut?“

„Aus Spaß halt.“ Der Jenseits nimmt einen Schluck und schaut belustigt. „Und damit sich meine Braut fürchtet.“

„Die Braut hat bei dir nichts zu lachen?“

„Um Gott‘s willen! Das hab ich nicht g‘meint. Sie darf halt bis übermorgen nicht gar so lustig sein. Verstehst?“

„Warum?“

„Aus einer lustigen Braut wird ein zänkisches Weib.“

„Und aus einer traurigen …?“

„… wird eine glückliche Mutter. Steht in jedem Bauernkalender.“

„Soso, und wo ist die traurige Braut jetzt?“

„Bei ihrer Linnfurter Verwandtschaft.“

„Dort heult sie sich aus?“

„Eher zählt sie gerade ihr Sach.“

„Ja, kann sie denn rechnen?“

„Mir egal. Unterm Dach kann’s aussehen, wie’s will. Hauptsach parterre fehlt nix. Verstehst?“

Der Schultes kommt und setzt sich auf seinen Stuhl. Nikolaus will sich entschuldigen, doch der Gastwirt wehrt energisch ab. Er sei selber schuld.

Der Stuttgarter ist neugierig geworden: „Fritz, warum feiert ihr Hochzeit im Winter, wenn's kalt ist. Wär's im Sommer nicht angenehmer?“

„Das schon. Aber von März bis November braucht man jede Hand zur Feldarbeit.“

„Die beste Hochzeit ist im Winter bei zunehmendem Mond“, fügt der Jenseits an.

Der Schultes nimmt einen kräftigen Schluck. Er wischt sich den Mund und erklärt: „Ja, so sagen die alten Leute, weil sich dann das Vermögen der Brautleute am schnellsten mehrt und die Kinderschar ansehnlich wird.“

Nikolaus ist mit dieser Antwort nicht zufrieden. „Warum ein derart großes Fest mitten in der Woche und nicht am Sonntag?“

Der Schultes klärt auf: „Sechs Tage sollst du arbeiten, am siebten Tag sollst du ruhen, heißt's im Alten Testament. Drum darfst sonntags bloß ein kleines Festle machen. Ein mageres Essen nach der Kirche, schon ist's vorbei. Nur arme Teufel heiraten am Sonntag. So sparen sie viel Geld. Freilich sind sie deswegen ihr ganzes Leben lang im Städtle angeschmiert.“

„Und samstags?“

Der Jenseits winkt verächtlich ab: „Auch nur für armselige Hochzeiter. Weil man den Sonntag heiligen muss, darf man samstags längstens bis zum Abendläuten feiern. Wenn du fünf nach sechs noch beim Hochzeiten erwischt wirst, kriegst eine Belehrung vom Kirchenkonvent. Und die ist nicht umsonst. Zwei oder drei Gulden Strafe mindestens. Und wenn‘s dumm kommt, verpasst dir der Herr Pfarrer noch obendrein eine Rüge im nächsten Gottesdienst. Von der Kanzel runter! Verstehst?“

„Wer ausgiebig feiern will und sich das leisten kann, der heiratet also montags bis freitags?“

Der Jenseits ist entsetzt. „O jemine!“ Er gestikuliert wild. „Montag, Mittwoch, Freitag?“ Er schlägt die Hand vors Gesicht. „Nie im Leben.“

„Versteh ich nicht.“

Der Schultes zählt mit den Fingern auf: „Kurz und gut, mein Lieber. Am Samstag und am Sonntag heiraten die Armen. Der Mittwoch ist ein Unglückstag, da gibt‘s bei uns gar keine Feste. Montags heiraten die Weibsbilder, an denen schon viele herumgeschraubt haben. Und freitags ist Laternenhochzeit. Offiziell heißt sie Nothochzeit. Die findet frühmorgens zwischen 5 und 6 statt. Bevor es Tag wird, muss die Kirche aus sein.“

„Dann sieht man nicht, was jeder eh weiß“, spöttelt der Hochzeiter, „dass ein Kind unterwegs ist.“

Nikolaus hat mit offenem Mund zugehört. Jetzt runzelt er nachdenklich die Stirn. „Große Hochzeiten finden also nur dienstags oder donnerstags statt?“

Der Jenseits, einen Schuss zu großspurig: „Das sind die Fleischtage. An denen kannst bis in den nächsten Morgen hinein lustig sein.“

„Bild, Bild!“ Aha, denkt er sich, eine hübsche Gelegenheit, nach verdächtigem Gesindel Ausschau zu halten. Laut sagt er: „Also gibt das morgen eine große Hochzeit.“

Der Jenseits wirft sich in die Brust und prostet dem Gast zu: „Abgemacht. Du kommst, gell! Versprochen! Bringst einen großen Hunger und Durst mit.“

Er steht auf und verabschiedet sich mit Handschlag. Einladung somit angenommen. Zufrieden, aufrecht und selbstbewusst geht er ab. Ein stolzer Jungbauer, stark wie ein Stier und heimattreu wie eine Tanne. Ein echter Jenseits.

Nikolaus beugt sich über den Tisch. Eine Frage beunruhigt ihn: „Gibt‘s im Städtle noch viele Waffen?“

„In jedem Haus“, sagt der Schultes arglos. „Die meisten Soldaten haben ihr Gewehr und ihre Pistole aus dem Krieg heimgebracht. Mein Vater auch. Die Veteranen treffen sich jeden Winter und machen ein Scheibenschießen.“

„Aha!“

„Die brauchen wir gegen die Vögel, die Waffen.“

Nikolaus schüttelt ungläubig den Kopf.

„Die Wengertschützen müssen knallen, sonst fallen die Vogelschwärme über die Trauben her. Und vor jeder Hochzeit vertreiben wir die Krähen und Raben aus unserem Städtle.“

„Heute Abend wird noch mal geballert?“

„Freilich. Wenn Raben oder Krähen am Hochzeitstag krächzen, ist die Ehe unglücklich.“

Erst jetzt rastet beim Schultes der Gedanke ein, dass der Kammerdiener wegen der vielen Waffen besorgt sein könnte. Darum schiebt er hastig nach: „So gefährlich, wie‘s ausschaut, ist‘s nicht. Gell, sagst dem König nix davon.“

*

Am Nachmittag ist das ganze Städtchen in heller Aufregung, weil jeder vor der Hochzeit etwas zu erledigen hat.

In der Linde sind die Weiberleut beim Brotbacken und Brutzeln. Die Knechte kehren den Hof. Der Schultes richtet mit Frieder, seinem ältesten Sohn, und dem Schweizer die Gaststube her: Tische und Stühle für weit über hundert Gäste und ein kleines Podest für die Tanzmusik. Christian, der zweitälteste Sohn des Schultes, repariert die alte Kegelbahn. Sie ist überdacht. Dort können sich die Hochzeitsgäste am Nachmittag verlustieren, um an der frischen Luft neuen Appetit fürs Abendessen zu schöpfen.

Frauen, soweit mit Braut oder Bräutigam versippt oder verschwägert, müssen die Kuchen und Torten liefern. Die Lindenwirtin kann nicht auch noch Backwerk herstellen. Die Mutter vom Jenseits ist für die in Linnfurt übliche Brauttorte verantwortlich. Das sind eigentlich vier Kuchen übereinander, mit je einer Lage Zitronencreme dazwischen, und zum Schluss mit weißem Zuckerguss umhüllt. Beim Backen achten die Frauen auf Glück verheißende Fingerzeige und meiden ungünstige Vorzeichen. Kuchenteig zum Beispiel, der nicht aufgeht, deutet darauf hin, dass es beim Brautpaar mit dem Nachwuchs hapern könnte. Darum dürfen fehlerhafte Backwaren keinesfalls auf den Hochzeitstisch. Die verfüttert man ans Vieh.

In jedem Haus dasselbe Bild. Die Frauen und Mägde blättern im Linnfurter Intelligenz-Blatt. Heute interessieren sie sich nur für die Anzeigen. Denn mit einem einzigen Blick in ihren Schrank haben sie merkwürdigerweise alle zur selben Zeit festgestellt: Nichts anzuziehen! Was tun? Bis morgen ein neues Blüsle oder Kleidle nähen? Viel zu spät. Kosten soll's auch nicht viel. Darum bietet sich an, etwas Gebrauchtes zu erstehen.

Eine Annonce sticht ins Auge: ‚Ein breiter schwarzer Filzhut, eine Haube aus persischer Baumwolle, rot und gelb, mit schwarzen Zugbändeln, ein grün-blaues Kleid samt Rock, ein grünes Korsett, dann ein dunkelfarbiges Halstuch aus Wolle, ein blau und weiß bedruckter Rock mit einem angenähten roten Leible, eine weiße Schürze, lange Strümpfe von ungebleichtem Garn und ein paar Schnürstiefel. Dazu Weißwäsche und allerlei Weiberzeug. Zu haben bei Eugen Bäumler.‘

Jede Leserin weiß sofort, das ist die Hinterlassenschaft der jüngst verstorbenen Babette, die eine reiche Bäuerin war. Darum geben sich die Linnfurterinnen im Münzgässle ein Stelldichein. Dem Bäumler ist die Sache über den Kopf gewachsen; er ist längst getürmt. Jetzt hockt er im Ochsen, bedauert sich und begießt seinen Trauerstand. Er will erst heim, wenn er sicher sein kann, dass der Schrank seiner Frau leer ist. Seine Nachbarin hat für ihn den Verkauf in die Hand genommen und wird ihm vereinbarungsgemäß eine Nachricht zukommen lassen, sobald die Sachen seiner Frau aus dem Haus sind.

Im Städtle summt's wie in einem Bienenschwarm. In den Gassen wuseln die Leute. In den Häusern wird gestöbert. Wer morgen zur Hochzeit will, der muss vorher was geben. Die Brautleute werden in Linnfurt am Tag vor der Hochzeit beschenkt. Darum überlegen die Eingeladenen, was sie entbehren und was die Brautleute brauchen könnten. Kaffee oder Zucker? Kaffeegeschirr, Pfannen, Schaum- und Schöpflöffel, Schüsseln, Sacktücher, Schürzen oder Halstücher? Vielleicht Hanf oder Flachs oder eine fette Gans? Oder besser Nahrhaftes für die Küche? Nur wer mit dem Bräutigam enger verwandt ist, darf der Braut Schmuck verehren.

Jedenfalls muss das Geschenkle etwas hermachen, denn alles wird von den Brautleuten fein säuberlich notiert und ausgestellt. Das Präsentle muss vor allem den kritischen Blicken der Hochzeitsgäste standhalten. Darum treffen sich die Linnfurterinnen heute zum zweiten Mal. Nach der Kleiderschau im Münzgässle jetzt die Bescherung im Jenseitshof in der Sonnengasse. Zunächst wird die vorhandene Auslage sondiert. Was haben die Eltern und Großeltern, die Geschwister, die Vettern und Basen gespendet? Was die Bekannten? Wer hat sich lumpen lassen? Wer spielt den Protz? An den Zuwendungen kann man Nähe und Distanz zu den Brautleuten ablesen. Man kann taxieren, wie hoch die eigene Gabe eingeschätzt werden könnte. Und wenn sich das eigene Geschenk beim Defilee der Auslagen gar zu schäbig machen sollte, geht man unter einem Vorwand wieder heim und sucht was Schöneres raus. Man will sich ja nicht blamieren.

Die Hochzeitsgaben ergänzen die Aussteuer. In jahrelanger Handarbeit, unterstützt von der Mutter, den Schwestern und Freundinnen, hat die Braut Kleidung und Textilien eigenhändig gestickt, gestrickt und genäht. Hinzu kommt die Mitgift der Eltern. Bis zum Abend vor dem großen Tag muss die Hochzeiterin fürs ganze Leben versorgt sein. Mit Bettwäsche, Weißzeug, Werktags- und Sonntagskleidern, Säuglings- und Kinderwäsche, Bettzeug, Wäscheschrank, Wäschetruhe, Wiege und Haushaltsgeräten.

Alle Gäste haben das Recht, die Aussteuer der Braut samt Geschenken zu begutachten. Dass kritische Blicke und schnellzüngige Kommentare nicht ausbleiben, weiß man aus Erfahrung und nimmt's eher gelassen. Die Gönner bewundern das Sach, wie man in Linnfurt zur Aussteuer sagt. Die Neider tasten voller Argwohn und Missgunst den offenen Aussteuerkasten mit der Hand aus. Ist er wirklich prall gefüllt? Sitzt hinter der vorderen Reihe auch noch Wäsche? „Die hat vorne nix und hinten nix", lästern die bösmäuligen Klatschweiber triumphierend, wenn noch eine Handbreit hineinpassen könnte.

Die Braut verteilt am Vorabend ihrer Hochzeit ebenfalls Geschenke, besser gesagt, sie lässt ihre getragenen Kleidungsstücke Bedürftigen zukommen. Das erledigen ihre Verwandten und die Brautjungfern. Denn sie hat jetzt ihre Aussteuer. Nur mit neuen Sachen, so will es die Tradition, soll man den Ehestand beginnen, sofern man sich's leisten kann. Die Künftige des Jenseits ist zweifellos in der Lage, die Wohltäterin zu spielen.

Derweil feiert der Jenseits mit seinen Kameraden den Ausstand. Sein bester Freund Gottfried passt auf, dass der Bräutigam nicht zu viel bechert. Auf keinen

Fall darf er bei der eigenen Hochzeit besoffen sein. Sonst hat er seiner Lebtag Durst, wird zum Säufer und verdudelt all sein Hab und Gut. Auch das eine Weisheit aus dem üppigen Erfahrungsschatz der Linnfurter.

Es ist der Abschied vom Junggesellenleben. Die ledigen Burschen saufen das vereinbarte Gesellenbier. Es kostet nichts. Als Gegenleistung müssen sie heute Abend und morgen in aller Frühe die Krähen und Raben mit Ballern und Böllern vertreiben, wenn sie sich noch auf den Beinen halten können. Das Krächzen dieser Mistvögel bringt, wie seit alters her bekannt ist, Unglück über die neue Ehe. Zum Beispiel könnten der Jenseits oder seine Braut viel zu früh ins wahre Jenseits eingehen. Oder das erste Kindle wäre eine Totgeburt. Allerdings fließen bis dahin noch viele Schenkmaß die durstigen Kehlen hinab. Und wer nicht mehr stehen kann, der wird mit der Mistkarre frei Haus befördert.

Nikolaus hat schnell gemerkt, dass er heute stört. Überall ist er im Weg. Darum bricht er, warm verpackt und eine Mütze vom Schultes auf dem Kopf, kurz entschlossen zu einem Spaziergang auf. Lange hat er auf diese Gelegenheit gewartet. Doch bisher war er in den Fängen seiner Gastgeber und tat nur, was man von ihm wollte. Jetzt endlich kann er allein durchs Städtle streifen und sich umschauen, umhören, mit den Leuten ins Gespräch kommen.

Ganz in Gedanken überquert er die Hauptstraße. Gleich schlägt er der Länge nach hin. Zum zweiten Mal

Glück gehabt. Er fällt in einen großen Schneehaufen und nicht in dic dampfende Miste daneben. Er rappelt sich auf, spuckt ein Pfund Schnee und klopft sich Jacke und Hose ab.

Paula, sie hat ihn durchs Fenster beobachtet, saust besorgt hierbei. Wie er so geknickt dasteht, muss sie lachen. „Ist was kaputt, Majestät?"

Er schüttelt den Kopf.

„Tut's arg weh?"

Nikolaus winkt ab.

„Wenn das dem König passiert wär!" Erst in diesem Augenblick wird ihr bewusst, dass sie eine schwere Last zu tragen hat, wenn der Landesfürst kommt. „Ogottogott! Da wär jetzt die schöne Krone hin."

„Ich habe dir schon einmal erklärt, dass der König die Krone so gut wie nie aufsetzt."

„Und tät ich jetzt ins Zuchthaus kommen, weil ich nicht auf den König aufgepasst hab?"

„Fünf Jahre! Mindestens." Er kann sich ein süffisantes Lächeln nicht verkneifen. Die Fürsorge der Magd rührt ihn.

Entsetzen steht ihr im Gesicht. Sie schluckt trocken und will ihn am Ärmel packen. „Soll ich dich führen, Majestät?"

„So weit kommt's noch."

Er lässt sie stehen und stiefelt, die Hände in den Hosentaschen, an der Zehntscheuer vorbei zum Weinmarkt. Erfreulich, dass die Frauen bei ihrem geschäftigen Hin und Her überall gespurt haben und der

Scharwächter, unterstützt vom Amtsboten, Asche auf die öffentlichen Trampelpfade gestreut hat.

Er bleibt mal hier stehen, schaut sich mal da ein Gehöft an. Das Städtchen wirkt wie aus Zuckerguss. Die Häuser sind in glitzerndem Weiß verpackt. Schneeflocken wirbeln. Viele Bäume tragen hohe Mützen.

So gelangt er in die Habsburgerstraße, die beim Rathaus in die Burgunderstraße übergeht. Zwei Querstraßen weiter sieht er Burschen beim Wintervergnügen. Das interessiert ihn. Er eilt hin.

Der Aberzwang, ein abschüssiges Gässchen zwischen Schlossmauer und Burgunderstraße, ist vereist. Ein Rudel junger Männer macht sich einen Spaß daraus, auf seltsamen Geräten bis zur Kirche hinabzusausen. Sie kauern auf kleinen Brettern und halten einen Stiel wie eine Deichsel zwischen den Beinen. Beim genaueren Hinsehen entpuppt sich das Gefährt als schieberähnliche Schaufel.

Nikolaus schaut ein Weilchen zu. Eine wilde Lust packt ihn, auch einmal zu Tal zu reiten. Er fragt ein Milchgesicht, das ihn wiederholt angestarrt hat, ob er das Gerät für eine Probefahrt ausleihen kann.

Der junge Mann ist entgegenkommend. Er begleitet den Fremden den Aberzwang hinauf bis zur Mauer und hält ihm dort die Schaufel hin, dass Nikolaus bequem aufsitzen kann. „Das Lenken nicht vergessen!“, mahnt er, „und auf den Stiel aufpassen!“ Er schiebt ihn kräftig an.

Zunächst etwas ängstlich, mit beiden Schuhen bremsend, schlittert Nikolaus bergab. Unten vor der

Kirche angekommen, schleppt er die Schaufel wieder zur Mauer hinauf und bittet um eine weitere Fahrt.

„Also gut“, sagt der junge Mann freundlich, „noch zweimal, weil du’s bist. Dann bin ich dran.“

Nikolaus dankt und legt eine Talfahrt hin, dass die Burschen staunend hinterherschauen. Sie bewundern den älteren Herrn, der sich traut, einen solchen Höllenritt zu wagen.

Beim dritten Mal hat unser Schaufelritter den Bogen raus. Jetzt donnert er ungebremst und nach beiden Seiten freundlich nickend durchs applaudierende Spalier. Da, wo die Rodelbahn in die Burgunderstraße einmündet, nimmt er eine Hand von der Deichsel, um mit einer jovialen Geste seine Bewunderer zu grüßen. In dieser Sekunde bleibt das Schaufelbrett an einem vorstehenden Pflasterstein hängen. Nikolaus versucht noch gegenzusteuern. Zu spät. Das Brett rutscht an die Kandel. Die Deichsel bäumt sich auf, schnalzt dem fidelen Eiskutscher ans Hirn und schleudert ihn rücklings von der Schaufel.

Die Mütze segelt in hohem Bogen in ein Gestrüpp. Das Eis knistert. Nikolaus schlägt mit dem Hinterkopf auf die Gasse und rutscht noch ein paar Meter abwärts. Er, der sich auf des Lebens Schlachtfeld bisher wacker geschlagen hat, bleibt mit glasigen Augen vor dem Pfarrhaus liegen.

Gleich springen ein paar Kerle hinzu. Neugierig die einen, hilfsbereit die anderen.

„Ist der hin?“

„Spinnst du? Dem ist bloß ein bissele durmelig *[schwindelig]*.“

„Aber der tut keinen Schnaufer mehr!“

„Wart’s ab, gleich zappelt er wieder.“

Doch Nikolaus zappelt nicht, und er strampelt nicht. Er ist nicht bei Sinnen und träumt wohl von herrlichem Eisvergnügen im hohen Norden.

„Weg da! Auf die Seite!“ Die Pfarrersköchin bahnt sich mit breiten Ellbogen einen Weg durch die gaffende Menge. Sie beugt sich über den Bewusstlosen und tätschelt ihm die Wange.

Keine Reaktion.

„Tragt ihn zu mir ins Haus!“, befiehlt sie.

Vier Burschen schnappen Nikolaus an Armen und Beinen und schleppen ihn ins Haus neben dem Pfarramt.

„Weiter, weiter!“, drängelt sie und hält die Tür zu ihrem Schlafzimmer auf.

Sie legen den lädierten Schaufelreiter auf Bett.

„Schuh raus! Kittel und Hos runter!“

Die Vier gehorchen aufs Wort. Und sie staunen nicht schlecht. Der Verunglückte trägt unter der Hose noch eine Hose aus Kattun, vorn mit Bändern verschnürt, knielang und grau meliert. Zwei Hosen übereinander, so etwas haben sie noch nie gesehen.

„Jetzt macht, dass ihr weiterkommt!“

Geschrei, Gelächter und entsetzliches Quieken erfüllen den Lindenhof. Der Schultes steht wie ein Feldherr neben einem Dampf speienden Kessel und schreit sich die Seele aus dem Leib. Der Wurstkessel ist fürs Landvolk das, was die Dampfmaschine den gerade überall im Ländle aufkommenden Fabriken bedeutet: ein Holz und Kohle verschlingendes Ungetüm. Der Lindenwirt spielt den Lokomotivführer, der Oberknecht den Heizer, und der Schweizer ist der Kondukteur; er haut den Viechern mit der langstieligen Axt vor den Schädel und stellt ihnen den Fahrschein ins Jenseits aus.

Die Knechte und Mägde wuseln um den Schreihals und die brodelnde Brühe herum und sind dem Heizer ständig im Weg. Sie lachen und schaffen in einem: Därme putzen und auswaschen, Zwiebeln klein hacken, Gewürze herbeitragen und abwiegen, Blut rühren, Speck durch den Fleischwolf drehen, Knochen zersägen, Därme füllen und abbinden, Wurst einwecken und vieles mehr.

Als wäre das nicht genug, schwitzt die Lindenwirtin vor dem Backhäusle neben der Scheuer. Zusammen mit der Obermagd und der Milchmagd hat sie Teig für vierzig Laibe geknetet, die sie jetzt Stück für Stück, knusprig gebacken und nach leckerem Vesper duftend, aus dem Ofen zieht.

Zu all dem Durcheinander im Städtle ist heute auch noch Schlachttag und Backtag, denn morgen benötigt man in der Linde nicht nur Torten und Kuchen, sondern vor allem Unmengen an Fleisch, Wurst und Brot. Damit jeder bei dieser Jenseitshochzeit das aufgetischte Quantum bewältigen kann, gibt es vielerlei zu trinken, kostenlos und reichlich.

Bis heute ist in Linnfurt der Streit nicht entschieden, ob man so viel essen muss, damit der Magen die vielen Getränke verschaffen kann. Oder ob man so viel trinken muss, weil sonst die Mengen an Fleisch, Wurst, Kuchen und Brot nicht zu verdauen wären. Der Verdauungstrakt der Linnfurter ist bekanntlich, ehrwürdige Professoren der Landesuniversität Tübingen haben das eruiert, im Lauf der Evolutionsgeschichte zum Stopfmagen mutiert, genau wie bei den Gänsen. Die Linnfurter leben also, was das Essen und Trinken betrifft, noch in der Eiszeit. Damals rannten sie wochenlang einem Mammut hinterher. War ihnen das Jagdglück hold, hielten sie ein Schlachtfest ab, das in einer tagelangen Fressorgie endete. Nach Tagen der Erschöpfung schlichen sie wieder durchs Unterholz, hockten auf Bäumen und hielten mit knurrendem Magen Ausschau nach einem Leckerbissen.

So haben die Linnfurter in Jahrtausenden ihren Arbeits- und Festrhythmus entwickelt, viele kluge Einsichten gewonnen und sich manch albernes Ritual angewöhnt. Eine fundamentale Erfahrung bewahrheitet sich bei jeder Hochzeit. Je jünger man ist, umso mehr lebt man in der Hoffnung, auf einem solchen Fest den Menschen fürs Leben zu finden. Je älter man wird, umso mehr schwinden solche Hoffnungen und häufen sich schmerzliche Einsichten. Die glücklose Pflicht des Alters verschmilzt an einem solchen Tag mit dem pflichtlosen Glück der Jugend zur glücklichen Pflicht aller, sich dem Essen und Trinken hinzugeben. Darum sind Hochzeiten im Städtchen an der Linn so beliebt. Sie markieren den Punkt, wo sich Hoffnungen und Erfahrungen die Waage halten und sich Enttäuschungen mit Wein und Lukullischem trösten lassen. Darum wird auf den großen Hochzeiten so jämmerlich gesoffen und gefressen. Der Weingeist lässt die Älteren das Elend der Kriegsjahre und die Scheußlichkeiten der napoleonischen Epoche vergessen machen. Und für die jungen Leute ist der Alkohol Arznei gegen die Wirbelstürme der noch hoffnungsfrohen Seele.

Die dampfende Wurstbrühe benebelt das Lindenvolk, wärmt zugleich Körper, Geist und Seele und schürt die Lust auf ein herzhaftes Abendessen. Ein rechts Stückle Fleisch wärmt den Geist, sagt man in Linnfurt. Der Schweizer freut sich und leckt die Lippen. „Ah“, stöhnt er genüsslich, „Metzelsupp und Schlachtplatte.“ Er reibt sich den Bauch. „Blut- und Leberwürste, Siedfleisch und Sauerkraut mit viel geriebenem Meerrettich und knusprigem Brot, dazu ein großes Bier. Gibt es etwas Besseres an einem kalten Wintertag?“

Während die Wirtin eine Schweinsblase mit Sülze füllt, setzt sich Magda aufs Bänkle neben dem Hinterausgang der Linde. Ihr ist schlecht, weil sie schwanger ist.

Der Schultes wirft seiner Minna einen besorgten Blick zu, doch die winkt ab. Sie hat bereits vor ein paar Tagen gemerkt, dass ihre Tochter nicht mehr so flink ist beim Bedienen in der Wirtsstube.

Sie bindet die Schweinsblase ab und geht hinüber zu ihrer Magda und hockt sich neben die Schwangere.

„Ich tät sagen, Mädle, du gehst jetzt heim.“

„Und morgen?“

„Mach dir keine Sorgen. Die Paula kann aushelfen. Notfalls müssen der Karl und der Schweizer ran.“

Magda hat Bedenken: „Der Karl versteht's mit den Gäulen und der Schweizer mit den Kühen. Zum Servieren sind beide zu blöd."

„Der Karl kann heut Abend die Lina mit der Kutsche abholen. Ein, zwei Tage wird ihr Mann wohl ohne seine Frau zurechtkommen."

Lina ist die zweitälteste Tochter der Wirtsleute; sie hat vor ein paar Jahren den Sohn des Posthalters im Nachbarort geheiratet.

„Oder der Karl holt den Wilhelm für ein paar Tage heim." Wilhelm ist Minnas Jüngster, er hat gerade seine Lehre als Mechaniker in Hohenburg begonnen.

„Vergiss es, Mutter. Außerdem, wie kommst du am übernächsten Wochenende zurecht?"

„Was ist da?"

„Jubiläumsfest vom Liederkranz."

Ogottogott, wir brauchen dringend Verstärkung, geht der Bäuerin durch den Kopf, und zwar sofort. Wenn sie an die viele Arbeit denkt, die morgen, am Wochenende und in den Tagen bis Ostern auf sie wartet, wird auch ihr schlecht.

Bereits heute Abend beginnt die Schufterei. Tische festlich decken und alles für das große Fest richten. Morgen früh ist keine Zeit dazu. Schon um halb neun in der Früh hocken hundertvierzig hungrige Hochzeitsgäste in der Linde und lauern auf das Morgenessen: Suppe mit Fleisch und Meerrettich, saure Gurken und rote Rüben. Dazu Brot, selbstverständlich Weißbrot aus Dinkel. Auf keinen Fall mit Gerste, Linsen und Ackerbohnen gestrecktes Brot, sonst furzen die Leute im Gottesdienst, dass es den Herrn Pfarrer graust. Wäre kein gutes Omen, denn eine alte Bauernweisheit besagt: Darmwinde am Hochzeitstag, großer Schrecken andern Tag.

Von zehn bis zwölf sind die Gäste dann zwar in der Kirche, doch in der Küche herrscht Alarm. Auf den Punkt muss alles fertig sein, weil um zwölf die hungrige Meute wieder da ist und bedient werden will. Jetzt muss es Schlag auf Schlag gehen: Hochzeitssuppe, Rindfleisch oder Kutteln mit Kartoffeln, Sauerkraut und eingelegten Bohnen. Dazu Brot und alles, was der Keller an Trinkbarem zu bieten hat. Bier, Wein, Schnaps, Most, Saft, Milch und für die ganz Kleinen ein Schoppen mit einem Spritzer Schnaps, damit die kleinen Schreihälse Ruhe geben. Und wenn irgend möglich, sollte alles zur gleichen Zeit auf dem Tisch stehen. Zum Dessert gibt's Weinkaltschale und Pudding, schon seit zwei Tagen im Keller kaltgestellt.

Um drei die nächste Schlacht. Dazu sind etliche Stellagen aufzubauen, damit man die vielen Torten und Kuchen zur Schau stellen kann. Denn jede Hausfrau im Städtle, die sich an den Festvorbereitungen beteiligt, will ihr Gebäck bestaunt sehen bei dieser Weltausstellung der Backkunst: Punschtorte, Mandeltorte, Möhrentorte, Linzer Torte, Schweizertorte, die Spezialität der Pfarrköchin, Johannisbeer-, Himbeer- und Kirchtorte, Sahnetorte, Zitronentorte mit Blätterteig und mittendrin, alles überragend, die vierstöckige Brauttorte. Dazu gedeckelter Apfelkuchen vom Mürbteig, Sandkuchen, diverse Rührkuchen, Schokoladekuchen, Vierfruchtkuchen, Butterkuchen und schwäbischer Speckkuchen. Dann verschiedene Hefezöpfe, mit und ohne Mandeln, Rosinen und gerösteten Nüssen. Schließlich leckeres kleines Naschwerk: Törtchen, gefüllte Fruchtkörbchen, Couverts, Golatschen, gefüllte Baisers und Mandelschnitten. Dazu werden Kaffee, Wein, Most und Saft gereicht. Sogar Tee, der selten auf den Tisch kommt.

Um sechs das nächste Magenstopfen. Zum Nachtessen sind Kartoffelsuppe, Schlachtplatte mit Kartoffeln, Sauerkraut und eingemachte Bohnen vorgesehen. Und wieder viel Brot.

Nach dem Nachtessen stoßen die ledigen Burschen und Mädchen zur Hochzeitsgesellschaft. Jetzt geht das Fest erst richtig los. Die Tische werden zusammengeschoben, damit Platz für die Kapelle und zum Tanzen frei wird. Der Raum ist eng, die Luft wird knapp, der Schweiß fließt in Strömen. Darum haben die Leute ständig Durst, der wiederum Hunger hervorruft. Deshalb sind die Mägde bis in die frühen Morgenstunden damit beschäftigt, Wurst- und Käseplatten herumzureichen und Getränke herbeizuschleppen.

Magda sieht, dass ihre Mutter zusammengesunken dasitzt und auf ihre Füße starrt. Die Lindenwirtin ist schließlich nicht mehr die Jüngste. Ihre Beine sind geschwollen, der Atem geht schnell. Sie ist abgeschafft und leidet am Steckfluss. Magda weiß, dass ihre Mutter sich Sorgen macht, wie es in der Linde in der Zeit ihrer Schwangerschaft weitergehen soll.

„Ich wüsst eine bessere Lösung, Mutter."

Die Lindenwirtin schaut überrascht auf, als fühle sie sich ertappt.

„Ida sucht eine Stelle."

„Die schafft doch beim Grafen.“

„Nicht mehr. Gestern war sie bei mir im Lädle. Der Graf hat allen gekündigt, bis auf seinen Leibdiener. Der noble Herr pfeift aus dem letzten Loch.“

„Soso, die Ida.“

„Die kennt sich in der Küche aus und hat viele Jahre im Schloss serviert.“

*

Als Nikolaus die Augen aufschlägt, ist es um ihn herum fast finster. Seine erste Wahrnehmung: höllische Kopfschmerzen. Wie er sich an die Stirn fasst, fühlt er einen feuchtkalten Verband und drunter eine große Beule.

„Pfui Teufel!“ Seine Finger stinken nach Schnaps.

Draußen verdämmert der Tag. Zum Glück sind die Fensterläden nicht geschlossen. Gerade noch kann er erkennen, dass er in einem beängstigend engen Zimmer ist, in einem Ehebett liegt, nein, eher sitzt, zwischen Bergen von Kissen, zugedeckt mit einer zentnerschweren Federdecke.

„Oha!“, entfährt es ihm, als er die Decke zurückwuchtet und an sich hinuntersieht. Jemand muss ihn entkleidet haben.

Er ist in ein wadenlanges Nachthemd aus Kattun gewandet, spitzenverziert, rüschenbesetzt und mit Blüten bunt bedruckt. Zweifellos ein Nachtgewand für Frauen. Seine eigenen Kleider liegen auf einem Stuhl neben dem Bett, die Mütze obenauf.

Mit einem Satz will er …

„Autsch! Mein Kopf!“ Langsam steigt er aus dem Bett, kleidet sich vorsichtig an und lauscht an der Tür.

Ein Mann und eine Frau unterhalten sich. Kein Wort ist zu verstehen. Schritte nähern sich, gleichzeitig fällt die Haustür ins Schloss.

Und schon steht ein Mann im Zimmer, einen Eimer in der Hand.

„Ernesto“, stellt er sich vor. „Was macken deine Kopf?“

Nikolaus verdreht die Augen und winkt ab.

„Muss wechseln Verband. Eis und Schnaps, gut für Kopf.“

Der Verwundete ist konsterniert. „Wo bin ich?“

„Ah, capito! Du nix wisse.“ Ernesto setzt sich auf die Bettkante und berichtet Nikolaus radebrechend und mit wilden Gesten vom Unglück und von den jungen Burschen, die ihn hierher zur Pfarrersköchin gebracht haben. Die Hausherrin sei gerade fortgegangen und komme bald zurück. So lange müsse er Krankenwache schieben.

„Bild! Bild! Und wer bist du?“

„Ich Barbier.“

Nikolaus zuckt zusammen. Ein Fremder in Linnfurt? Etwa einer, der dem König nach dem Leben trachtet? Der Sprache nach einer von der italienischen Halbinsel. Nervös fragt er: „Wo ist deine Heimat? Republik Venedig oder Großherzogtum Toskana?“

„Nix Toskana, nix Venezia! Ernesto von Sicilia. Palermo!“

„Seit wann bist du in Linnfurt?“

„Oh, lang, lang. Mehr wie zehn Jahr.“ Und schon erzählt er, wie er an der Linn gelandet ist.

Buchstäblich angeschwemmt habe es ihn. Zu Fuß sei er nach Erntedank im größten Wolkenbruch durchs Schlosstor marschiert, nur eine Bügeltasche in der Hand. ‚Bar-bi-e-re au-fe Stör‘, habe er sich einst dem Ochsenwirt vorgestellt. Sturzbäche von Wasser seien ihm durch den Kragen gestrudelt, durch seine Hosenbeine gerauscht und in die Gaststube geplätschert.

Der Wirt habe sich seiner erbarmt, ihm trockene Kleider geliehen und einen Gaisburger Marsch *[Nudel-Kartoffel-Eintopf]* serviert. Dafür habe er sich nach dem Essen revanchiert und die Männer rasiert und geschoren, den Wirt, dessen Sohn und die Knechte. Dann wollten die Damen auch bedient werden. Seine ganze Barbierkunst habe er aufbieten müssen: Haarspitzen schneiden, Zöpfe flechten, einbalsamieren und parfümieren, zuerst bei der Hausfrau, dann bei den Mägden. Alle seien mit seiner Arbeit sehr zufrieden gewesen. Darum sei er in Linnfurt an der Linn geblieben als sizilianischer Barbier auf der Stör.

„Und was hast du vorher gemacht, ich meine, bevor du nach Linnfurt gekommen bist?“

„Ernesto Soldat. Zack zack!“ Er salutiert und schneidet Grimassen.

„Wo?“

„Ludwigsburg.“

„Du warst mal bei den württembergischen Soldaten?“

Ernesto nickt und berichtet von seiner Zeit bei den Infanteristen in Ludwigsburg. Als junger Mann habe er

Sizilien verlassen und sei der Nase nach marschiert, immer auf der Suche nach Abenteuern und Arbeit. In Österreich habe er sich den napoleonischen Truppen angeschlossen und das Barbieren erlernt. Im Oktober 1805 sei er in Napoleons Gefolge in Ludwigsburg einmarschiert, begrüßt von Trommelwirbel, Glockengeläute und Kanonendonner. Die Garnisonsstadt sei nach seinem Geschmack gewesen. Aus diesem Grund sei er geblieben. Als Hoboist *[Trompeter]* bei den Württembergern. Zwanzig Jahre lang. Nebenbei habe er drei Jahre beim Regimentsbader hospitiert und danach die heilkundliche Approbation erhalten. Seither schneide er Haare, rasiere die Männer, ziehe Zähne, lasse zur Ader, setze Schröpfköpfe und könne auch den Star stechen. Im Zuge der neuen Militärordnung von 1825 habe er seinen Abschied von den Soldaten nehmen müssen. „Du wisse, was ich meine?"

„Bild! Bild!" Und ob Nikolaus Bescheid weiß. Zu jener Zeit wurde das Bundesheer umstrukturiert. Württemberg, Baden und Hessen hatten das neue VIII. Bundesarmeekorps aufzubauen.

„Jetzt neue Verband macke. Zack zack!" Ernesto besteht darauf. Die Beule am Kopf sei schlimm und das Gehirn doch arg durchgerüttelt. Wechsle man jedoch jede Stunde die Kompresse, sei in ein paar Tagen alles wieder heil.

Nikolaus muss sich aufs Bett setzen. Während Ernesto die Binde abnimmt, im Eimer ins Eiswasser taucht und Schnaps aus einer Flasche drauftäufelt, die er aus dem Hosensack zieht, erzählt er, dass ihm die Pfarrersköchin nachstellt.

Sie verzehre ein solides Vermögen. Den besten Teil, der ihr von ihrem verblichenen Mann geblieben sei. Trotzdem wolle sie wieder heiraten. Nichts liege ihr so am Herzen wie eine neue Ehe. Sie habe ein Auge auf ihn geworfen. Komische Kosenamen habe sie sich für ihn ausgedacht: ‚mei kräusleter Lustmolch' und ‚mei Stierle von Palermo', zuweilen auch ‚reingeschmeckter Sizilianer'. Und wenn sie besonders zärtlich sein wolle, rufe sie ihn ‚Ärschle'.

„Du wisse, was isse Ärschle?"

Nikolaus schaut verdutzt.

Ernesto grinst, klopft sich auf den Hintern und wehrt mit erhobenem Zeigefinger ab. „Ärschle nix schlimme Wort. Heiße Ernstle, isse schwäbisch von Ernesto."

„Und wie sagst du zu ihr?"

„Mei Bomberle."

„Was heißt das?"

„Isse kleine Bomb, wenn verschissen von Kanone. Capito?"

Nikolaus hat kapiert. Zum Dank umwickelt ihm Ernesto den lädierten Kopf.

Derweil denkt Nikolaus nach. Als Bader und Barbier kennt der kleine Italiener wahrscheinlich alle Linnfurter. Er weiß, wie die Leute ticken und vermutlich auch, wie sie zu Regierung und König stehen. Heimlich mustert er ihn. Ja, ein zugänglicher Mann, ihn auszuhorchen könnte sich lohnen. Und wie er ihn so taxiert, stellt er fest, dass Ernesto der Haushälterin figürlich ebenbürtig ist. Stämmig und rotwangig wie sie, dazu einen gelockten, pechschwarzen Haarschopf. Zwei, denkt er sich, die gut zusammenpassen würden.

„Und warum heiratest du sie nicht?“

Er lässt vor Schreck die Schnapsflasche fallen. Zum Glück bleibt sie ganz. „Heirat nix gut. Frau gut, aber nix für Heirat. Besser so, wenn allein.“

„Warum?“

„Warum, warum? Mamma mia! Frau sage, Ärschle macke so. Frau sage, du musse komme sofort, mei Stierle. Frau gebe Befehl wie Tambourmajor von ganze Infanterieregiment.“

Nikolaus hält sich den Bauch vor Vergnügen.

Ernesto kommt noch mehr in Fahrt: „Wann nix Heirat, ich kann aufsteh, wann will. Kann macke, was will. Essen genug, Geld reicht. Alles gut – nur Frau!!! Immer zack zack!!!“

Er wird laut und aggressiv: „Macke so – Frau reklamiert! Macke anders – Frau reklamiert. Macke nix – Frau reklamiert. Wie macken, is nix. Frau spinnt! Alle Fraue spinnt! Kanns mir glaube.“

„Bring mich zum Bürgermeister!“ Nikolaus wird energisch. „Au!“ Er fasst sich an die Stirn. Jede Kopfbewegung schmerzt, jeder Schritt sticht bis unter den Haarwurzeln.

„Nix geh! Du krank!“ Ernesto macht eine entschiedene Geste. „Du kaputte Kopf. Isse gefährlich, wenn du noch falle.“

Nikolaus wird ärgerlich. „Ich bleibe keine Minute länger! Ich will in mein Bett!“

Abschüssige Gassen, holpriges Pflaster, überall Glatteis. Wie das gefahrlos bewältigen?

„Momento, Ernesto müsse überlege." Der Barbier geht hin und her und denkt nach. Wie kann er den Kranken gefahrlos in die Linde schaffen?

Schließlich fällt ihm eine geniale Lösung ein. Und eine schlichte dazu. Geniale Lösungen sind fast immer einfach.

Er führt Nikolaus bis zur Haustür.

„Ach – tung!", kommandiert Ernesto. „Du nix Faxe macke!" Warnend hebt er den Zeigefinger. „Bleiben hier steh!" Im selben Augenblick ist er in der Nacht verschwunden.

Nach kurzer Zeit hört man es klappern und rütteln. Ernesto ist zurück samt einer Schubkarre, ausgepolstert mit Stroh.

Er hilft Nikolaus beim Aufsitzen, rennt ins Haus und kommt mit einer brennenden Laterne zurück. Die drückt er Nikolaus in die Hand.

„Zack zack!"

Schon rumpeln sie, hinten Ernesto als Lenker und vorn Nikolaus als Beleuchter und Bremser, die genagelten Stiefel am Boden schleifend, in Serpentinen durch weniger steile Gassen in die Unterstadt. Erst durchs Kirchgässle, dann die Luthergasse entlang in die Paul-Gerhardt-Gasse, von dort über die Münz- und die Lindengasse zur Linde.

Genau da steht, wie der Erzengel Gabriel vor der Himmelspforte, die Pfarrersköchin, die Fäuste in die Hüften gestemmt, direkt vor dem Wirtshaustor.

„Du Allmachtsdackel!", schreit sie von Weitem, als sie die Fuhre kommen sieht.

„Oh, oh, oh“, stöhnt der Bader, „Frau reklamiert. Ernesto musse macke ganz klein.“

„Na, na! Sei ein Mann, Ernesto! Ich steh dir bei. Auf in den Kampf!“

„Nix Kampf“, warnt der Bader, „wenn Frau isse wie Stier, du gucke, wo isse Baum.“

Ernesto setzt die Karre vor der Linde ab und will sich verdrückten.

Ein Schrei lässt ihn bis ins Mark gefrieren: „Dableiben! Du blöder Aff, du sizilianischer! Zack zack!!“

„Ernesto unschuldig, mei Bomberle.“

„Freilich“, höhnt sie, „Männer sind immer unschuldig.“

Nikolaus hält die Laterne hoch und leuchtet der Erzengelin direkt ins Gesicht: „Wahrlich, gnädige Frau, Ernesto kann nichts dafür. Ich habe ihm das befohlen. Und ich danke schön für Bett und Nachthemd.“

„Tu die Funzel weg!“

„Wir haben aus Finsternis Licht gemacht, und Sie wollen, dass aus Licht Finsternis wird? Jesaja 5, Vers 20.“

„Halt deine Gosch, du Hanswurst!“

„Gewiss, gnädige Frau. Ihr seid das Licht der Welt. Matthäus 5, Vers 14.“

„Einer ohne Hirn hat noch mehr Verstand wie so ein Dummschwätzer wie du!“

„Halleluja!“

Sie kapituliert ob dieser Sprachgewalt. „Komm, Ärschle“, sie packt ihren Ernesto am Ohr, „du gehst jetzt mit mir heim. Und das Rindviech soll gucken, wie’s in seinen Stall findet.“

Verpappte Hochzeit

Leopold war mit der Mittagspost wieder in Linnfurt eingetroffen und nach dem Abendläuten in die Obstwiesen hinterm Schlosstor geeilt, wo Siegmund und er auf ihn warteten.

Wie die Plakataktion verlaufen sei, wollte Leopold wissen.

Großer Erfolg, lautete Siegmunds Antwort wahrheitsgemäß.

Doch Leopold spielte sich auf. Davon habe er nichts bemerkt. Auf dem Weg hierher habe er kein einziges Plakat hängen sehen.

Auf den Hinweis, der Hilfspolizist habe alle abgerissen, brauste Leopold auf und warf mit wüsten Schimpfwörtern um sich.

Siegmund konnte nicht mehr an sich halten. Er lachte dreckig.

Jetzt sah Leopold nur noch rot. „Ihr habt gar keine geklebt“, schrie er, „ihr faules Pack!“

Siegmund konterte scharf, viele Leute hätten den Anschlag gelesen. Doch das tat der Besserwisser mit einer abfälligen Geste ab und bekam, als Koloman die Nase rümpfte und den Kopf schüttelte, einen Tobsuchtsanfall.

Daraufhin rieben die zwei als Knechte getarnten Ausspäher ihrem Anführer unter die Nase, er selber habe sie dazu verdonnert, nichts anderes zu machen als zu beobachten, die Goschn zu halten und die Hände in den Hosentaschen zu lassen. Und jetzt sei's wieder nicht recht.

Leopold befahl eine erneute Aktion und rannte wutschnaubend davon.

Siegmund schlug vor, gleich zu beginnen. „Du die Unterstadt, weil ich da wohne und mich viele Leute kennen. Und ich pick in der Oberstadt, weil du dort beim Oberschlaule zuhause bist."

Koloman macht sich sofort an die Arbeit. Er holt Picker *[Kleister]* und Plakate aus seinem Versteck. Doch anders als beim ersten Mal will er diesmal den angerührten Brei nicht in einem Topf mit sich führen und keinen Pinsel benützen. Er ist ein findiger Kopf und ein fingerfertiger Tüftler dazu. Darum schnallt er sich die Plakate mit einem Gürtel um den Leib, so kann er eines nach dem anderen unter seinem Kittel herausziehen. Den Verschluss einer alten Feldflasche mit platt gedrücktem Bauch und umlaufendem langem Lederriemen durchlöchert er mit einem Nagel und hängt sie unter seine Achsel. Kappe über dem Verschluss abziehen, Flasche umdrehen, mit dem Verschluss zweimal über die Rückseite des Plakats streichen, Plakat andrücken, Kappe drauf, Flasche loslassen, schon baumelt sie wieder unter dem Kittel. Hätte es damals ein amtliches Register für rationelles Arbeiten gegeben, Koloman wäre zweifellos in die Geschichtsbücher eingegangen als Erfinder der der schnellen Plakatwerbung.

Dermaßen präpariert witscht er bei Mondschein durchs Schlosstor und stapft im tiefen Schnee durch die

Obstwiesen hinunter zum Linngrund, immer an der Stadtmauer entlang. Alle paar Schritte pappt er Pickerl um Pickerl außen an die städtische Befestigungsanlage. Diese Zettel reißt bis morgen früh keiner ab, das weiß er bestimmt, weil sie erst in ein paar Tagen entdeckt werden.

Eben kommt er ans Linntor, da kocht sein Ärger wieder hoch. Er kann es nicht fassen, wie mit ihm umgesprungen wird.

„So lass i mi net z'sammenputzn", goscht er vor sich hin. „A guads Essen, des hamma uns verdient!" Aber nein, der Sauhund gönnt ihm nicht einmal eine Jausn. Mit knurrendem Magen muss er mitten in der Nacht bei klirrender Kälte Plakate kleben.

Die Aktion, er dreht sich um und schaut an der Mauer entlang, kann sich sehen lassen. Dem Dreckskerl wird er zeigen, dass die Schelte unberechtigt und unverschämt war. „Ich bin ein begnadeter Picker", murmelt er vor sich hin. Stolz klopft er sich selber auf die Schulter: „Gut gemacht, Koloman."

Er schaut unter den Kittel. Plakate gibt's noch genug, die Flasche ist noch mehr als halb voll. Was jetzt?

Mit dem Ellbogen lehnt er sich an die Stadtmauer und denkt scharf nach. Heute Nacht, beschließt er, wird er vor den Linnfurtern ein Zeugnis seiner Klebekunst ablegen, von der noch spätere Generationen schwärmen. Ausschließlich an den Stellen will er Plakate anbringen, wo sich selten jemand hinwagt. Schade nur, dass dann niemand weiß, wer das Kaff verschönert hat.

Das Städtchen liegt im tiefsten Schlaf. Während der Schultes von einem großen Sack voller Golddukaten träumt, wälzt sich seine Frau von einer Seite auf die andere und schnarcht. Nikolaus hingegen hat einen stinkenden Turban um den Kopf und ruselt, dass es nur so eine Art hat. Und die Pfarrersköchin ist im Traum an ihr Ärschle hingeschlupft, denn sie hat ihren kräusleten Lustmolch zur Strafe an den Ohren gepackt und in ihre Kammer abgeführt.

Somit ist der Weg frei für Koloman. Er schleicht zur Linde. Ein Plakat an die Eingangstür zum Wirtshaus, vier an die Fenster der Gaststube, zwei mit der Schrift nach außen, zwei nach innen, damit man beim Biertrinken durch die Scheibe lesen kann, dass es dem König an den Kragen geht. Im Schatten des Hauses traut er sich in den Hof. Es ist noch alles so, wie er es in Erinnerung hat. Rechter Hand die Gästelatrine, linker Hand der Stall, geradeaus die Scheune. Die Lokustür beklebt er von innen, das Scheunentor von außen. Fast wäre er über eine Leiter gestolpert, die neben dem Tor lehnt. Die trägt er vors Haus. Mit einem Pickerl pappt er das Wirtshausschild zu, ein zweites kleistert er acht Fuß über die Eingangstür und drei weitere an der Straßenseite in Höhe des zweiten Stocks, genau da, wo man von den Fenstern aus nicht hinlangen kann.

Wenn ich gerade bei dieser klebrigen Arbeit bin, denkt er sich, könnte man eigentlich, weil es Nacht ist, auch ein paar Zettel ins Geäst der Linde hängen. So kann man die Plakate bei Tag von Weitem sehen und nicht gleich abreißen. Gedacht, getan. Dann schmeißt er die Leiter in die Güllegrube. Die Grundlage jeder gesunden Ordnung ist ein großer Misthaufen und eine tiefe Güllegrube, hat sein Feldwebel einmal gesagt. Mit großen Schritten, stets im Schnee, damit sein Tritt nicht durch die leeren Gassen hallt, geht er absprachewidrig in die Oberstadt hinauf. Sein Ärger ist verraucht. Die Aktion beginnt, ihm Spaß zu machen.

Unterwegs fällt ihm ein, dass der Jenseits morgen Hochzeit feiert. Um zehn beginnt die Trauung, dann ist die Kirche bis auf den letzten Platz besetzt. Könnte man da nicht ein Zeichen setzen?

Die Kirchentür dürfte nicht abgeschlossen sein. Früher jedenfalls war sie das nie. Tatsächlich, alles wie damals. Die großen Kirchenfenster lassen genug Licht herein. Er hockt sich in die letzte Bank, schaut sich mit großen Augen um und überlegt. Der Pfarrer kommt durch die Sakristei, kurz bevor die Kirchenglocken verstummen. Und der Schulmeister muss die Glocken läuten, bestimmt helfen ihm dabei ein paar Buben. Mit dem letzten Glockenschlag spielt sich nach seiner Erinnerung das immer gleiche Ritual ab: Der Schulmeister stürmt durch die Kirchturmtür und hetzt mit wehendem Frack auf die Orgelempore hinauf.

Ein Lächeln huscht über Kolomans Gesicht. Morgen wird alles anders und viel Trubel in der Bude sein.

*

Der Winter ist eine stille Zeit. Kein Rattern und Knattern, kein Poltern und Dröhnen, kein Klirren und Sirren, kein Schreien und Johlen. Nachts hört man keinen Mucks, tags vielleicht die Hammerschläge aus der Schmiede und das Rumpeln der Postkutsche oder der Ochsenkarren und Pferdewagen; ab und zu das Sensen-

und Sicheldengeln eines Bauern, der das Frühjahr herbeihämmern will, weil er vom Winter genug hat. Fünfmal täglich lärmen die Kirchenglocken. Sie mahnen um sechs Uhr morgens zur Arbeit, um neun zum Vormittagsvespern, um zwölf zum Mittagessen, um drei zum Nachmittagsvespern und um sechs Uhr abends zum Feierabend und Abendbrot. Ansonsten herrscht von Sonnenaufgang bis Sonnenuntergang erhabene Ruhe, vom Pfeifen fideler Vögel und Muhen hungriger Kühe abgesehen.

Es ist nicht nur eine stille Zeit, sondern vor allem eine bedächtige und gemächliche. Man hat in Württemberg zwar davon gehört, dass es im Badischen schon Eisenbahnen geben soll, auf denen man schneller fahren kann, als der menschlichen Gesundheit zuträglich ist. Der Pfarrer hat neulich sogar über die dümmlichen Aufkleber auf Briefen gepredigt, die Schottland, England und jüngst die Schweiz in Aufruhr versetzten. Gewiss werde der Versand mit diesen sogenannten Briefmarken künftig einfacher und billiger, dafür gebe es allerdings viel mehr Post als bisher. Darum brauche jedes Haus bald einen Briefkasten. Doch jedem Brief, warnte Abel, folgten Aufregung, Unruhe und Ärger auf dem Fuß. Dann sei es mit der Beschaulichkeit im Flecken an der Linn schnell vorbei.

Hinzu komme, vollendete Abel sein Schreckensgemälde, dass Frankreich Papiergeld einführen wolle. Jawohl, statt mit kostbaren Gold- und Silbermünzen solle man künftig mit wertlosen Papierfetzen zahlen. Eine Schnapsidee, eine hirnverbrannte und gottlose dazu, höhnte er, denn diese Zettel könne jeder Hanswurst nachmachen. Anfangs habe er sich gefragt, warum ein solcher Unfug in Erwägung gezogen werde, bis ihm aufgegangen sei, dass damit die Herren da oben leichtes Spiel haben, die seit Jahren grassierende Geldentwertung zu kaschieren und die kleinen Leute um ihr bisschen Hab und Gut zu bescheißen. Brauche die Regierung mehr Geld, lasse sie im Handumdrehen neue Geldzettel drucken, was niemand auffalle. Bisher musste man die Münzen kleiner oder leichter machen oder neue Zahlen auf die Geldstücke prägen, wenn's Geld weniger wert war. Das hätten sogar die Dümmsten gemerkt.

Gerade weil das Volk arm ist, gibt es im Winter manch fröhlichen Schmaus. Man versteht zu feiern, wie niemals zuvor. Vor allem vergnügt man sich auf Hochzeiten, Jahrmärkten und Kirchenfesten. Dabei spielt die Musik eine herausragende Rolle. Die Schwaben lieben Melodie und Rhythmus, weil ihnen daraus Seelentrost für ihr hartes Leben entspringt. Darum verehren die schwäbischen Männergesangvereine ihren Musikdirektor Friedrich Silcher aus dem Remstal bei Stuttgart; alle jauchzen und schluchzen seine Weisen. Sogar ohne Dirigenten und Übung in Singstunden wird bei jedem Zusammensein viel gesungen, ob im Wirtshaus, auf Hochzeiten, beim abendlichen Treffen zur Winterszeit in einer Stube oder in einem Stall. Gleich holt einer seine Fiedel heraus und fordert zum Mitbrummen und Mitsummen auf. Natürlich wird zum Lobe Gottes in der Kirche und in den Bibelstunden viel gesungen. Während man in den großen Städten das Klavier schätzt, bevorzugt das Landvolk die Fiedel.

Fast in jedem Haus auf dem Land versteht sich einer oder eine auf die ergreifende und erfrischende Kunst, mit Saitenspiel Wogen zu glätten, Tränen zu trocknen und Hoffnung zu wecken. Nur die neue Tanzmusik, die wird auch auf den Dörfern nicht mehr gefiedelt, sondern geblasen.

Am heutigen Donnerstag herrscht in Linnfurt allerdings Ausnahmezustand. Der Jenseits hat hundertvierzig Leute eingeladen: Verwandte, Nachbarn, Freunde und Bekannte. Gekommen sind hundertsechzig, weil mancher Gast überlegt hat, wen er auf das Einladungsbillett mitreisen lassen könnte. Ein solches Ereignis lässt man sich nicht entgehen.

In der altehrwürdigen Metropole an der Linn gibt es dreierlei Hochzeiten. Die schmalen, von denen man hungrig und durstig heimkommt. Die öffentlichen, bei denen man sein Essen selber zahlen muss. Und die aushausigen, wo man auf Vorrat fressen und saufen kann, kostenlos natürlich. Zweifellos gehört die Jenseitshochzeit zur letzten Kategorie. Alles ist umsonst, sogar die Gaude von früh bis spät.

Es passt zum großen Fest, dass die Funken stieben, noch bevor es begonnen hat. Vor dem Gasthaus zur Linde steht der Schultes und speit Feuer. Die Fäuste in die Hüften gestemmt, brüllt er wie ein Stier.

„Den Rotzbuben les ich die Leviten, wenn ich's erwisch! Die wollen höher scheißen wie ihnen der Arsch gewachsen ist!! An der Saubagasch schlag ich hundert Zaunlatten ab!!!"

Wer bisher noch nicht wusste, dass etwas Verrücktes passiert sein muss, der weiß es jetzt. Der Hausherr brennt lichterloh, seine Wut hat sich zur Weißglut gesteigert, die Flammen schlagen ihm schon aus den Ohren. Als der Oberknecht Karl in der ersten Morgendämmerung das Plakat am Scheunentor entdeckte, war der Lindenwirt noch entspannt. „Mach‘s weg“, hat er nur gesagt und seinen Eierhaber verspeist. Als aber Ida, die auf Magdas Empfehlung gleich gestern Abend als Schankmagd engagiert wurde, kurz nach acht zu ihrer neuen Dienststelle eilte und die verpappten Fenster ihrem neuen Patron meldete, schäumte der Hausherr sofort über. Und bisher hat er sich nicht abgeregt.

Erst hat er seine gesamte Mannschaft angespitzt, die Leiter herbeizuschaffen. Vergeblich. Der Oberknecht Karl ist zum Nachbarn gerannt und hat sich eine ausgeliehen.

Eben steht der Karl auf dieser Leiter und versucht, mit einem Küchenmesser die Papierfetzen am Wirtshausschild abzukratzen, während sich Ida und Paula vor und hinter den Fenstern der Gaststube mühen, die Scheiben zu säubern.

Das Geschrei hat zahlreiche Zuschauer angelockt, Nachbarn und erste Hochzeitsgäste, die seit gestern Mittag extra nichts mehr gegessen haben, um das morgendliche Hochzeitsmahl und die nachfolgenden Genüsse mühelos verdrücken zu können.

„Hättest dein schönes altes Wirtshausschild nicht verhunzt, Schultes, dann müsstest‘s jetzt nicht putzen.“

„Vor dem Morgenessen ein solches Geschäft, das ist das helle Gift für den ganzen Tag.“

„Dein roter Möckel steht dir gut, Schultes. Solltest Wachtmeister bei den Dragonern werden.“

Mit jedem dummen Spruch gerät der Schultes mehr in Harnisch.

Eben schlendert der Knöpfles Paul, Inhaber vom Rebstöckle und eng mit dem Bräutigam verbandelt, die Hauptstraße herab und meint: „Sauglatt! Granatenmäßig, das Feschtle! Dass der Jenseits noch vor seiner Hochzeit die Sau rauslässt, hätt ich nicht denkt."

Der Schultes hat ein ‚rußiger Giftzwerg' auf den Lippen, da kommt ihm die Idee, die Plakataktion als Lausbubenstreich aus dem Umfeld des Hochzeiters hinzustellen.

Er glotzt, er schluckt, er kratzt sich am Hals und schiebt sich die Kappe ins Genick. Gott sei Dank neigen sich die Reinigungsarbeiten dem Ende zu. Das alles, beschließt er, kommt dem Jenseits auf die Rechnung.

„Komm, du abgebrühter Schrannenfurzer", grinst er den Wirtskollegen an und legt seinen Arm um dessen Schultern, „trinkst einen Schnaps mit mir. Dann verträgst du die Klostersupp besser."

„Sag bloß. Gibt's außer der Supp sonst noch was?"

„Kennst doch den Jenseits. Der Sauprotz will heut das größte Festle machen, seit die alten Germanen den ersten Feldweg durchs Ländle getrampelt haben. Natürlich gibt's noch was. Rindfleisch mit Kartoffeln und Meerrettich, saure Gurken und rote Rüben. Und zum Nachtisch Birnenschmarren. Reicht dir das bis um zwölf?"

„Brav, die beste Grundlage für einen gesunden Schlaf in der Kirch."

Im Wirtssaal sind bereits viele Tische besetzt. Die Männer lassen die Mode der letzten fünfzig Jahre Revue passieren. Alles, was sich einst am Hof und in der Stadt schickte, wird heute präsentiert. Leder-, Tuch- und Stegbundhosen, armselige Kittel und vornehme Gehröcke mit Rockschößen, Seiden- und Stoffwesten, rüschenbesetzte Plisseehemden und bestickte Blauhemden sowie diverse Halsbinden in allen erdenklichen Farben. Das Wichtigste, wie die Schwanzfeder beim Gockeler, ist der Kopfschmuck. Jedem Möckel seinen Deckel. Selbstverständlich behält man den im Wirtshaus auf. Nur in der Kirche nimmt man ihn ab. Wer die Linde betritt, der blickt auf ein Meer von Zylindern, Drei- und Zweispitz, Biber- und Reisehüte, Melonen und Kappen, Hauben und Tüchern. Hätten die Linnfurter Kunde von den Indianern gehabt, gut möglich, dass ein paar Eitle sich dem Jenseits zu Ehren Federn in die Ohren gesteckt hätten.

Während die Herren um die Höhe balzen, protzen die Damen in die Breite, bevorzugt mit weichen Stoffen, die zum Anfassen und Anschmiegen verleiten sollen, hauptsächlich Samt, Seide und Satin, auch Gaze, Popeline, Wolle und Barchant. Wenige Kleider sind zu sehen, dafür viele Röcke, Überröcke, Überüberröcke, Überüberüberröcke. Der Rock drüber ist jeweils zwei Fingerbreit kürzer als der drunter, damit sich knapp über dem Boden ein farbenprächtiger Saum zeigt, der weit ausschwingt und gerade noch die Schuhe hervorblitzen lässt. Dazu rüschige Blusen und Hemden, Überziehwestchen und bedruckte Tüchlein um den Hals.

Und auf dem Kopf eine Kappe, ein Kopftuch oder einen Krepphut mit Gazebändern.

Mägde zwängen sich durch die Tisch- und Stuhlreihen und servieren Getränke. Man darf wählen, was man möchte.

Auf einem kleinen Podest neben der Tür macht sich ein Mann zum Auftritt fertig. Der Jenseits hat ihn eigens für seine Hochzeit engagiert. Gestern reiste der Musikus an und übernachtete in einer Gästekammer hier in der Linde. Gerade setzt er das Kurbelrad ein, nimmt noch einen Schluck aus seinem Bierkrug, hockt sich breitbeinig hin und kurbelt aus einem Holzkasten, der vorn mit rotem Tuch bespannt ist, ein Liedchen heraus.

Schlagartig herrscht andächtige Stille im Raum, denn die Nachricht vom berühmten Leierkasten aus dem Schwarzwald hat sich schon herumgesprochen, aber gehört hat man die Drehorgelmusik noch selten. Die Melodie ist allen vertraut, der Klang neu und einzigartig! Als hätte der Jenseits die Orgel aus der Kirche hier in diesen Saal gezaubert. Die Leute sind gerührt und begeistert zugleich.

Die ersten Gäste singen mit, während die Mägde die Suppe aus großen Töpfen zu schöpfen beginnen.

„Mädle ruck, ruck, ruck an meine grüne Seite,
ich hab dich gar zu gern, ich kann dich leide.
Bist so lieb und gut,
schön wie Milch und Blut;
du musst bei mir bleiben,
mir die Zeit vertreiben.“

Eben prostet der Schultes dem Knöpfle zu, da streift Paula an ihm vorbei. Er packt sie an der Schürze und sagt: „Hol den Nikolaus her."

Wenige Augenblicke später, der Leierkastenmann orgelt gerade eine neue Weise, erscheint Nikolaus, einen großen Turban um die malträtierte Stirn, unter dem sich der Schmarren wölbt, und setzt sich auf den freien Platz neben den Schultes.

„Kennst das Liedchen?", fragt der Lindenwirt.

Nikolaus schüttelt den Kopf.

Der Knöpfle mustert den Fremden mit großen Augen. Ihm ist schon zu Ohren gekommen, dass sich der im Stadtrat angekündigte Diener im Städtle aufhalten soll. Gesehen hat er ihn aber noch nicht. „Ich bin der Knöpfle", stellt er sich vor, „kannst Paul zu mir sagen." Er reicht Nikolaus die Hand: „Hasch dir's Hirn angeschlagen?"

Statt einer Antwort wehrt Nikolaus mit der Hand ab. So weit kommt's noch, dass er jedem Rechenschaft ablegt.

„Auch wenn deine Dachrinne hin ist, kannst immer noch Wasser lassen", tröstet der Knöpfle und singt zur Aufheiterung den andächtigen Fünfzeiler zur gerade erklingenden Melodie:

„Wie machen's denn die Schneider?
Ah, so machen sie's:
Sie schneiden's Tuch in vier Eck
und schieben d' Hälfte in die Hosensäck.
Ja, so machen sie's."

„Zu jedem Handwerk gibt's einen Vers", erläutert der Schultes. Er platzt schier vor Stolz, dass in seinem Gasthaus eine Drehorgel aufspielt, eine Weltsensation, die in Stuttgart noch so gut wie unbekannt sein dürfte.

„Und wie machen's die Schreiner?", will Nikolaus wissen. Auch für ihn ist das Instrument neu, das vom Podest herab klingt. Er lauscht ergriffen, und der Knöpfle singt dazu:

„Wie machen's denn die Schreiner?
Ah, so machen sie's:
Sie hobeln alte Bretter aus
und geben's dann für neue aus.
Ja, so machen sie's."

*

An der Mauer des Pfarrhauses, einem alten Fachwerkbau direkt neben der Kirche aus Sandstein, lehnt der neue Knecht vom Oberschlaule. Koloman ist neugierig. Wer kommt zur Hochzeit? Er hat seine besten Kleider an und seine schönste Kappe auf.

Sobald die letzten Glockenschläge verklingen, will er durchs Kirchenportal schlüpfen und sich hinten im Kirchenschiff ein schattiges Plätzchen neben einer Säule suchen und mucksmäuschenstill sein. Was werden wohl die Leute zu seiner Kunst sagen?

Die Häfnerbäuerin naht, an ihrer Seite ein Unbekannter; Koloman hat sie sofort an ihrem schiefen Gang erkannt. Gleich drauf biegt der Ochsenwirt um die Ecke, noch so ein dummer Kerl, der über seine eigenen Füße stolpert. Zwei Schritte dahinter der Schmidlin, der das Linnfurter Intelligenz-Blatt herausgibt. Ihm folgt eine blonde Frau auf dem Fuß, allein, schwarz gekleidet. Hernach der Scharwächter, der klapperdürre Saufaus, mit seiner Agathe, und der Christian Finkenberger, der jetzt ein reicher Fuhrmann sein soll.

Wie er so fasziniert der Blonden hinterherstiert, schlägt ihm jemand auf die Schulter.

„Gell, die tät dir g'fallen, Koloman. Du bist doch der Koloman?"

Er hat den Mann nicht kommen sehen und ist zu Tode erschrocken. Mit großen Augen mustert er das Mopsgesicht neben sich. „Herrjemine, der … der …"

„Na, du alter Schlawiner?"

„Jesses na, der Jenseits-Franzi. Ich hab g'hört, du hast heut Hochzeit. Stimmt's?"

„Hoho", der Jenseits haut Koloman erneut auf die Schulter, „du bist gut. Bestimmt stehst deswegen da. Gib's zu. Willst gucken, wer heut alles kommt, gell?" Er gibt ihm die Hand und meint generös: „Kommst halt nachher in die Linde. Bist eingeladen."

„Dank dir schön."

„Weißt, ich habe nicht viel Zeit, sag mir geschwind, was du in deiner alten Heimat zu schaffen hast. Bist du nicht nach der vierten Klass zu deinem Onkel nach Wien? War's nicht so?"

„Knecht bin ich."

„Kerle, schwätz keinen Schmarrn! In der Schul warst du uns allen über. Du und Knecht, das glaubst selber nicht."

‚So ist es, Jenseits‘, denkt sich Koloman, ‚du warst in der Schul der Dümmste.‘ Schmerzlich erinnert er sich an die Zeit, als die Mutter starb und er von einem Tag auf den anderen allein auf der Welt war. Der Onkel ist gekommen, um ihn nach Wien zu holen. Am liebsten hätte er alles kurz und klein geschlagen. Er wollte nicht fort. Er flehte und schrie, es half nichts. Pfarrer Abel hatte kein Erbarmen und entschied, er müsse mit dem Onkel gehen. Gestern hat er es diesem Schwarzkittel heimgezahlt. Der wird heute Augen machen, der scheinheilige Maulaff. Geschieht ihm grad recht. Dass er in Wien nach der Schule zunächst zu den Soldaten ist, später zu den Gendarmen, das geht hier niemand etwas an.

Laut sagt er: „Beim Oberschlaule bin ich Knecht. Kannst ihn fragen."

„Bei dem Dummschwätzer?!" Der Jenseits denkt einen Augenblick nach. „Kannst bei mir als Oberknecht schaffen, Koloman. Wir reden nachher in der Linde drüber."

Der Bräutigam hakt Koloman unter. „Komm mit, dann erlebst eine schöne Hochzeit." Erst beim Betreten der Kirche lässt er seinen alten Schulkameraden los und eilt nach vorn in den Chor, wo die engsten Verwandten auf ihn warten.

Derweil sucht sich der verkappte Gendarm ein lauschiges Plätzchen, von wo aus er sein Werk und die Folgen genießen kann.

Als Erstes fällt ihm die Leiter auf, die an der linken Empore lehnt. Ein Mann steht auf der obersten Sprosse, einen Eimer in der Hand, und feuchtet mit einem nassen Tuch die drei Plakate an, die dort oben hängen. Man könnte die Zettel abkratzen. Offenbar will man die Bilder rund um die Empore nicht beschädigen. Deshalb lautet der Auftrag: das Papier einweichen und vorsichtig ablösen. Doch das dauert.

In der Zwischenzeit werden immer neue Plakate entdeckt und dem Pfarrer gemeldet, der wie eine Furie hin und her rennt und wirre Befehle erteilt. Offensichtlich hat er Mitglieder des Kirchenkonvents und ein paar ältere Schüler angeheuert, die gröbsten Sauereien zu beseitigen.

„Herr Pfarrer, Herr Pfarrer …!“ Ständig neue Schreckensmeldungen. Überall pappen Plakate. Auf den Bänken im Mittelschiff, an den Brüstungen der linken und rechten Empore, an den Bänken auf der Empore, an der Kirchturmtür, an den Strebepfeilern, an etlichen Fenstern im Seitenschiff, über der Tür zur Sakristei. Nur der Altar und die Vorderseite der Kanzel sind nicht verklebt.

Koloman schaut und erfreut sich am Spektakel. ‚Hättest damals die Gosch gehalten und mich dabehalten‘, höhnt er in sich hinein. ‚Scheißele, Herr Pfarrer!‘ Er schlägt die Beine übereinander und lehnt sich in der Bank zurück. ‚Pech für dich. Alle Zettel findest jetzt nicht. Wart‘s ab.‘

Neben ihn setzt sich einer in die Bank. Ist das nicht der Knöpfle? Der Neuankömmling winkt dem Kirchendusler, der mit seiner langen Stange durch die Reihen hinkt, um zu schauen, wo etwaige Dusler und Rusler sitzen. Wahrscheinlich gehen heute die Aufweckdienste schlecht. Wer kann denn bei dem Lärm ans Schlafen denken?

„Zwei Mal ruseln, Wilhelm.“

„Aber du schnarchst doch nicht, Paul.“

„Wart’s ab, Wilhelm, gleich leg ich los.“ Der Knöpfle zieht einen Sechser aus der Westentasche und steckt ihn dem Kirchendusler in den Hosensack.

Der hinkende Heinrich strahlt. Immerhin drei Bier verdient, wenn nichts mehr nachkommt.

„Stimmt so, Wilhelm. Dafür lässt du mich in Ruhe meinen Kirchenschlaf genießen! Weißt, wenn die Orgel so schön schmalzt, träumt sich’s ganz speziell.“

Heinrich legt zwei Finger an die imaginäre Dienstmütze, die er werktags trägt, und entfernt sich mit einem erleichterten Hüpfer.

In der Kirche summt’s und brummt’s wie in einem Bienenhaus. Die Kirchenglocken bimmeln weit über die übliche Zeit hinaus.

Schließlich sind die meisten Zettel abgelöst, oder es sitzt jemand drauf, dass man’s nicht lesen kann.

‚Zu spät, Freunde‘, reibt sich Koloman die Hände voller Schadenfreude. Alle Leute wissen jetzt, dass es dem König an den Kragen gehen soll.

Eben verklingen die letzten Glockenschläge, schon fliegt die Tür zum Kirchturm auf. Der Schulmeister hetzt durchs Seitenschiff und wetzt über die Wendeltreppe zur Orgelbank hinauf. Gleich strampelt der Schuster los. Er legt sich ins Zeug, bis sich die lederne Lunge der Orgel bläht und aus allen Nähten seufzt.

Der Schulmeister zieht die Register. Aber was ist das? Statt schmetternder Trompetenklänge nur ein

Keuchen und Husten, ein Röcheln und Pfeifen, ein brunnentiefes Aufseufzen, schließlich ein erleichtertes Plopp … Plopp … Plopp … Plopppploppplopp! Aus den großen Orgelpfeifen schießt etwas Weißes bis unter die Decke, segelt durchs Kirchenschiff und trudelt zu Boden. Die Orgel schreit befreit auf. Schon springen die ersten Hochzeitsgäste hoch und fangen die Flieger im Flug.

In der letzten Bank prustet einer los, dann noch einer, bis großes Gelächter das Kirchenschiff erfüllt, während die Männer vom Kirchenkonvent durch die Bankreihen hetzen und die Papiere einsammeln. Nicht wenige Zettel sind jedoch längst in Kitteltaschen verschwunden. Ein Andenken an einen denkwürdigen Hochzeitstag, das man sich hinter den Spiegel überm Spülstein stecken kann.

*

Beim Verklingen der letzten Orgeltöne öffnet sich die Kirchentür. Von draußen dringt Höllenlärm herein. Die Schießburschen böllern und verdienen sich ihr Schießbier, die Schulkameraden des Bräutigams johlen und juchzen; auch sie wollen Freibier.

Neugierig und zugleich beklommen tapsen vier Buben zur Tür herein, sie schauen sich mit großen Augen um. An ihren Kittelchen sind Sträußchen angeheftet. Einer schleppt eine schwere Kanne, mit bunten Bändern geschmückt. Ein anderer trägt einen in ein weißes Tuch gebundenen Laib Brot. Ihnen folgen die

Kränzeljungfern, vier Mädchen mit bestickten weißen Schürzen und Kränzchen im Haar.

Zwei Herren treten ein, der Pfarrer im Chorhemd und der schwarz gekleidete Bräutigam. Abel schaut grimmig drein, man merkt ihm deutlich an, dass er kocht. Ein krummes Wort, und er geht in die Luft. Der Jenseits dagegen scheint konsterniert zu sein. Gegen seine Art blickt er irritiert zu Boden.

Zwei Hochzeitsknechte, mit Degen bewaffnet, sind ihnen auf den Fersen, ein großer und ein kleiner, beide bester Laune. Die Zettelwirtschaft hat sie gaudiert. Sie feixen nach allen Seiten und nicken belustigt in die Bankreihen hinein.

Dagegen ist der Brautvater ernst. Er führt die Braut, die in ein schwarzes Kleid gewandet und den Tränen nahe ist. Vor der Türschwelle reißt er seine Tochter zurück und deutet auf ihre Füße. Im selben Augenblick erbraust die Orgel in mächtigen Akkorden. Die Hochzeitsgäste recken die Hälse. Mit welchem Fuß betritt die Jungfer die Kirche? Gott sei Dank, es ist der rechte, die bösen Geister sind gebannt. Hörbares Aufatmen bei der Verwandtschaft und allen Gästen. Die Hochzeiterin hält ein Blumensträußchen in der Hand, mit der sie sich beim Vater untergehakt hat. In der anderen trägt sie einen Zinnteller, auf dem ein großes Herz aus Lebkuchen liegt.

Jetzt sind die Hochzeitsmägde an der Reihe. Sie umringen die Brautmutter, die weinend die Kirche betritt, weil das Greinen zu ihren Pflichten am Ehrentag ihrer Tochter gehört.

Vater und Mutter des Bräutigams samt engsten Verwandten bilden den Schluss der Prozession.

Nikolaus sitzt neben dem Schultes im Chor. Von da hat er freie Sicht. In der Tasche verwahrt er den Zettel, den er aus der Luft geangelt hat. Obwohl er jeden Sonntag in die Kirche gehen muss, weil der König der oberste Dienstherr aller Pfarrer ist, durchschaut er diese von vielen Traditionen durchsetzte Hochzeitszeremonie nicht. So etwas hat er noch nie gesehen.

Wieder ertönt die Orgel. Das Brautpaar tritt vor den Altar, an den kleinen Fingern ineinander verhakt. Brautführer und Hochzeitsmägde stellen sich hinter dem Bräutigam auf, die Kränzeljungfern und die Hochzeitsknechte hinter der Braut.

Während der Trauung kreuzen die Hochzeitsknechte ihre Degen über dem Brautpaar. Die Braut hält das Gesangbuch fest unterm rechten Arm geklemmt, zum Schutz gegen böse Geister; das hat ihr die Mutter eingetrichtert. Um Himmels willen ja das Buch nicht fallen lassen, hat sie gemahnt, denn das bedeute für die Ehe nichts Gutes.

Pfarrer Abel weiß um die vielen abergläubischen Bräuche. Als er vor Jahren hierher nach Linnfurt versetzt wurde, stritten die Brautleute öfters beim Händereichen vor dem Altar. Wessen Hand obenauf ist, behauptete man vor seiner Zeit, habe angeblich künftig das Sagen im Haus. Darum fasst er die Brautleute beim Einsegnen an den Armen und legt ihre Hände so übereinander, dass seine Linke unten und seine Rechte oben sind.

Jetzt treten die Eltern von Braut und Bräutigam hinzu, trinken mit den Trauzeugen Wein aus dem mitgebrachten Krug und brechen das Brot, während die Frischvermählen das süße Lebkuchenherz verdrücken.

Dann wendet sich der Pfarrer der Kanzel zu.

Doch was ist das? Abel schreckt zurück, er bückt sich, nimmt die nächste Stufe, bückt sich wieder. Und das noch etliche Male. Endlich geht der hochrote Kopf des Predigers über der Kanzel auf wie die blutrote Sonne an einem klirrenden Frühlingsmorgen.

Koloman hat gebannt hingeschaut. Er zwingt sich zu einem ernsten Gesicht, auch wenn er vor Lachen schier zerspringen möchte. ‚Ja, ja, so ist's, Herr Pfarrer, wenn's anders kommt als man denkt'. Zufrieden schließt er die Augen und lauscht. ‚O Gott, Herr Pfarrer, was nun?'

Die Antwort folgt schneller als gedacht. Abel packt den unsichtbaren Stier bei den Hörnern und tobt sich aus.

„Schande!" Er schnappt nach Luft. „Frechheit!!" Er schmeißt die Arme in die Höhe, als wolle er den Beistand von oben erflehen. „Auf jeder Stufe pappt so ein liederlicher Zettel, und auf meinem Altarpult ist noch einer!"

Er lässt Dampf ab. So die Kirche zu verhunzen, das sei kein Lausbubenstreich mehr. Nein, das sei kriminell. Er werde den ungeheuerlichen Vorfall persönlich dem Kommandanten der Gendarmerie melden, nein, dem König höchstselbst. Diese Spitzbuben gehörten ins Zuchthaus.

Abel kann sich nicht beruhigen. Mit der Hand fährt er ein ums andere Mal über das Pult, als könne er den Zettel wegwischen. Doch weil der festgeklebt ist, kommt er noch mehr in Rage.

„Eine unverschämte Provokation!“, schimpft er. Der König sei sein oberster Dienstherr und als Bischof der oberste Repräsentant der evangelischen Christen in Württemberg. Solche Aktionen in der Kirche seien nicht nur eine Beleidigung des Königs, sondern ein frontaler Angriff auf die heilige Institution der Kirche.

Koloman ist bass erstaunt. ‚Nein, nein, Herr Pfarrer‘, hätte er am liebsten gerufen, ‚Sie müssen sich nicht hinter dem König verstecken. Dass ich dem König ans Leder muss, ist eine andere Geschichte. Das hier geht gegen Sie, Herr Pfarrer. Wären Sie damals nicht hartherzig gewesen, gäb’s heute keine Plakate. Ich müsste nicht dem König nachstellen und wäre heute ein braver württembergischer Untertan.‘

Sogar der sturmerprobte Nikolaus staunt nicht schlecht. Den Kopf in den Nacken gelegt, die Hand an der Beule auf seiner Stirn, verfolgt er jedes Wort und jede Geste des Wütenden. ‚Gut gebrüllt, Löwe‘, bilanziert er in Gedanken das Gehörte mit Genugtuung. ‚Aber‘, denkt er sich, ‚auch ein Landpfarrer muss sich zügeln. Immerhin feiern wir gerade eine Hochzeit.‘

Als hätte Abel das gehört, hält er unvermittelt inne und atmet mehrmals tief durch. Er senkt die Stimme und spricht nicht mehr von seiner eigenen Wut und Ohnmacht, sondern predigt, als wäre nichts gewesen. Er spricht von der Liebe als Orkan der Gefühle, der zwei junge Menschen durchbebe und für die gemeinsame Zukunft berausche. Die Liebe und der Respekt voreinander seien das beste Startkapital für jede glückliche Ehe.

Österreichisch-preußische Allianz

„Nun, Oberst, kommen Sie voran?"

„Danke der Nachfrage, Erlaucht, alles bestens. Und wie sind Sie mit der Arbeit unserer Trainsoldaten zufrieden?"

Graf Heinrich verrät mit einer jovialen Geste, dass ihm die große Hilfe behagt, die ihm, seiner Familie und seiner Residenz zuteilwird. Er ist auf den Geschmack gekommen. Derart umsorgt, verwöhnt und auf Rosen gebettet hat man ihn seit Ewigkeiten nicht mehr. Darum graut ihm vor dem Tag, an dem das alles zu Ende sein könnte. Folglich sucht er nach einem Weg, diesen Zeitpunkt möglichst weit hinauszuschieben.

„Sie wissen, Oberst, dass Ihre Unternehmungen mein Haus in Verruf bringen könnten."

„Ich dachte, Erlaucht, wir hätten das bei unserer ersten Begegnung geklärt."

„Gewiss, Oberst. Aber mich interessiert, was passiert, wenn Ihre Operation scheitert."

Der preußische Offizier sieht den Grafen mitleidig an. „Kann sie gar nicht."

„Warum?"

„Wir haben uns rückversichert."

„Verstehe. Sie haben sich verbündet."

„Der Feind unseres Feindes kann bisweilen auch uns nützlich sein. Man muss es nur richtig einfädeln."

„Lassen Sie mich raten, Oberst. Der Württemberger hat viele Freunde. An erster Stelle würde ich den russischen Zaren nennen. Feinde hingegen hat er nur wenige. Da würde ich zuerst auf den Habsburger tippen. Richtig?“

„Sei’s drum, Erlaucht, Ihr Haus ist nicht in Gefahr.“

„Das Haus nicht. Mein Ruf aber sehr wohl.“

„Wie das?“

„Gesetzt den Fall, Ihre geheime Mission scheitert …“

„… greift die Rückversicherung.“

„Ich bitte um Nachsicht, Oberst. Was wäre, wenn das Unternehmen ein Fehlschlag würde? Ich selbst habe in preußischen Diensten misslungene Operationen erlebt, sogar von Niederlagen und verlorenen Kriegen gehört.“

„Falls unsere Mission ganz wider Erwarten nicht erfolgreich wäre, würde das niemandem auffallen, denn sie ist streng geheim. Niemand weiß etwas darüber. Wie wir gekommen sind, werden wir wieder verschwinden. Wo ist das Problem?“

„Pardon, Oberst, ich habe auf Ihre Bitte hin mein Personal entlassen. Gründe habe ich nicht genannt. Sie können sich denken, dass sich das Volk drunten im Städtchen das Maul zerreißt.“

Der Oberst nickt. Mit Mühe unterdrückt er eine höhnische Grimasse. Er ahnt, was jetzt kommt.

„Ergo finde ich in nächster Zeit hier weder Magd, noch Knecht, noch Diener, weil die Leute davon ausgehen, ich müsste sie nach ein, zwei Monaten erneut entlassen."

‚Stimmt, Herr Graf pfeifen aus dem letzten Loch', kommt dem Oberst in den Sinn, nicht jedoch über die Lippen. Vielmehr gibt er sich ahnungslos: „Worauf wollen Sie hinaus, Erlaucht?"

„Nun, mein Haus könnte der preußischen Krone nicht nur dieses eine Mal nützlich sein."

„Verstehe. Sie wünschen eine Entente?"

„Besser eine Konvention."

„Auf Lebenszeit, wie ich vermute."

„Wenn möglich."

„Ich werde das an höherer Stelle vortragen. Und wie lautet Ihre Offerte, Erlaucht?"

„Mein Schloss wäre zweifellos ein vorzüglicher Stützpunkt für die preußische Armee."

„Stützpunkt wofür?"

„Ich habe die Landkarte sorgfältig studiert. Linnfurt liegt auf halbem Weg zwischen den preußischen Exklaven in Thüringen und den Hohenzollerischen Fürstentümern. Die sind doch durch verwandtschaftliche Bande und Verträge mit den Hohenzollern in Preußen liiert. Das ist allgemein bekannt. Außerdem wäre Neuenburg in der Schweiz besser angebunden, wo Preußen weiteren Besitz hat."

„Wünschen Sie, dass Ihre Residenz an die preußische Krone übergeht, Erlaucht?"

Graf Heinrich hebt abwehrend die Hände. „O Gott, nein, Herr im eigenen Haus möchte ich schon noch bleiben." Er zögert und wirft seinem Gegenüber einen lauernden Blick zu. „Aber ich könnte mir einen Vertrag vorstellen, der Preußen bestimmte Nutzungsrechte gewährt oder näher zu bezeichnende Erbrechte einräumt. Am besten würde man die Konvention öffentlich verkünden. Dann könnte mir niemand verwehren, durchreisenden preußischen Diplomaten und Soldaten auf meinem Grund und Boden Unterkunft zu gewähren. Und mein Ruf als zahlungskräftiger Schlossherr wäre wieder hergestellt."

„Kompensationsgeschäft." Der Oberst verzieht keine Miene. „Ich verstehe." Er muss neidlos anerkennen, dass der alte Graf ein schlauer Fuchs ist. Tatsächlich würde ein solcher Vertrag der gräflichen Familie auf Dauer die Unterstützung Preußens sichern. Preußen würde ebenfalls davon profitieren, denn auf dem weiten Weg zu den preußischen Besitzungen rund um den Neuenburger See könnte man hier eine Raststation und ein Zwischenlager einrichten.

„Was ich noch fragen wollte, Oberst, werden Sie von meiner Balustrade aus feuern lassen?

„Wie kommen Sie darauf?"

„Weil Sie die vier angrenzenden Räume für sich reklamiert haben."

Der Oberst weist das entschieden zurück. „Glauben Sie im Ernst, dass wir mit Haubitzen in die Menschenmenge schießen? Wir sind mit Württemberg nicht im Krieg!"

„Wie wollen Sie vorgehen?"

„Jedenfalls so, dass später niemand weiß, wer hinter der Sache steckt."

Graf Heinrich atmet sichtlich befreit auf: „Geheimes Kommando. Ich verstehe.“ Er stichelt süffisant. „Bum, bum, bum, und zufällig fällt ein König um.“

„Keine Sorge, Erlaucht“, antwortet der Oberst mit leicht spöttischem Unterton, „Ihr Schloss dient uns nur zu logistischen Zwecken. Wir werden Sie nicht in Misskredit bringen.“

„Sie gestatten, Oberst, dass ich einmal laut denke?“

„Nur zu.“

„Wenn keine Kanonen oder Haubitzen im Spiel sind, bleiben vier Möglichkeiten.“

„Die wären?“

„Vergiften, erdolchen, erschießen“, der Graf hebt eine Augenbraue und zögert einen Augenblick, „oder in die Luft jagen. Ein geschmackloses Ende. Sie werden mir doch beipflichten.“

Der Oberst sieht den Schlossherrn verschmitzt an, bleibt die Antwort aber schuldig.

„Sie wollen ihn also erschießen.“

„Wie kommen Sie auf diese Idee?“

„Vergiften oder feige von hinten erdolchen? Wohl eher nicht.“ Graf Heinrich zieht die Stirn kraus. „Wäre eines preußischen Soldaten unwürdig.“

Keine Antwort, nur ein feines Lächeln.

„Dachte ich‘s mir, Oberst. Sie planen eine Aktion, bei der man Schießpulver und vor allem einen tüchtigen Artilleristen braucht. Wozu sonst ist ein Rittmeister der reitenden Artillerie hier?“

„Je weniger Sie wissen, Erlaucht, umso besser für Sie. Sagten Sie nicht, dass Sie Ihr Haus nicht in Misskredit gebracht wissen wollen?“

Graf Heinrich blickt den jungen Offizier erstaunt an. Diese Replik hätte er ihm nicht zugetraut.

„Alles wird zu Ihrer Zufriedenheit sein, Erlaucht.“ Der Oberst wendet sich zum Gehen. „Und seien Sie versichert, dass ich Ihr Anliegen wohlwollend an höherer Stelle vorbringen werde.“

Unterdessen nähert sich drunten in Linnfurt das Hochzeitsfest seinem Höhepunkt. Das Mittagessen ist längst verdaut. Hundertsechzig hungrige Mäuler haben die Torten und Kuchen verputzt, bis auf wenige Trümmerstücke. Auch die Kartoffelsuppe und der Braten samt Salzkartoffeln, Sauerkraut und eingemachten Bohnen sind schon bald nach dem Abendläuten hinabgewürgt.

Ein vielstimmiges Rülpsen, Seufzen, Stöhnen, Jappsen und Keuchen erfüllt den geräumigen Wirtshaussaal. Hosenbünde werden gelockert, Hemdkragen gelüftet, Rocktaillen heimlich geweitet. Ermattete und abgerackerte Gäste duseln und ruseln in Winkeln und Ecken, auf der Ofenbank, auf dem Flur, auf der Kellertreppe, im Hof. Sogar auf der Latrine hockt einer und träumt das Märchen vom süßen Brei. Heimgehen? Um Gottes willen, wer denkt denn an so etwas. Noch warten viele Köstlichkeiten in Küche und Keller auf fressfreudige Abnehmer. Und jetzt stehen die Brauttänze an.

Der Leierkastenmann, der vom Mittag- bis zum Abendessen die schönsten Lieder georgelt hat, räumt das Podest. Direkt vor ihm geht einer schwer angeschlagen zu Boden und wird angezählt. Er atmet pfeifend und röchelnd, er furzt und rülpst in einem fort. Sieht man genauer hin, kann man ihn gerade noch als Onkel des Bräutigams identifizieren. Zwei Frauen stehen über ihm und fächeln ihm mit einem Leintuch Frischluft zu.

Jetzt kommt Bewegung in den Saal. Eine zweite Flut von Gästen rollt zur Tür herein. Es sind junge Ledige und alte Hagestolze, hungrig wie die Wölfe und auf ein Abenteuer aus. Sie fallen über die Essensreste her und räumen nebenbei Tische und Stühle samt den Ermatteten zur Seite.

Derweil setzen sich sieben Polkamusiker aufs Podest, vier Bauern, ein Maurer, ein Schneider und der Schulmeister, der die Blaskapelle gegründet hat. Bei allen freudigen und traurigen Ereignissen im Ort ist der Lehrer dabei. Als Mesner, Organist, Leichenbestatter, Totengräber, Dirigent des Gesangvereins und Kirchenchors, als Festorganisator, Mitarbeiter am Linnfurter Intelligenz-Blatt, als Ratsschreiber und Hochzeitsmusiker. Im Nebenerwerb werkelt er auch noch auf Äckerchen und Weiden, die Teil seiner Entlohnung sind.

Bis vor wenigen Jahren spielte man mit Fidel, Pfeife, Dudelsack und Hackbrett zu Hopser, Dreher und Reigen auf. Doch seit Kurzem wollen die jungen Leute nur noch Polka tanzen. Sie sind ganz verrückt nach dieser polnischen Musik, zu der man sich anfassen, drücken, anschmiegen darf und wild herumhopst. Wie die Sintflut stürzte dieser Seelenbalsam und Liebestrost vom Böhmischen her nach Deutschland herein und riss alles mit sich, was bisher auf Tanzböden üblich war. Die feinen Saiten- und Flötentöne gingen unter, ebenso der höfische Schwof und die zahmen Tanzschritte. Dafür kam eine laute, aufrüttelnde, ranschmeißerische Blechmusik auf, die zu wilden Hopsern und schlenkernden Verrenkungen verführt, von lebenslustigem Gejohle begleitet. Die Älteren konnten nicht genug vor diesen unsittlichen Bocksprüngen warnen. Aber der Lehrer, selber ein junger Mann, hatte den Bogen gleich raus. Er legte die Fidel beiseite, stellte auf Trompete um und gründete eine Tanzkapelle.

Hinten in der Gaststube sitzen die Witwe Anna Läpple und der Knecht respektive Gendarm Koloman Neumaier aus Wien beieinander. Nach der Kirche wurde ihnen zufällig ein Platz am Tisch der einsamen Herzen angewiesen. Sie kamen nebeneinander zu sitzen und machten sich miteinander bekannt. Mittlerweile wissen sie so viel voneinander, dass sie genug Gesprächsstoff für viele Abende haben. Träumt die schöne Anna schon von einem Miteinander?

Jedenfalls fürchtet die attraktive Blonde, dass sie heute niemand zum Tanzen auffordert. Oder sollte das eine weibliche List sein, um den jungen Mann an ihrer Seite zu testen?

Gleich beteuert Koloman, dass er sie nicht im Stich lassen wird. Verwundert fragt er: „Hat noch keiner um deine Hand angehalten?“

„Freilich, genug“, räumt die Witwe ein, „die einen sind mir zu blöd, die anderen schon zitterig, und die Übrigen haben nicht mich gewollt.“

„Sondern?“

„Mein Sach.“

„Ach so. Bist du eine gute Partie?"

„Könnt man schon sagen."

„Lebst vom Ersparten?"

„Auch, und ich hab einen Hof. Und was schaffst du?"

„Nach der Schule habe ich bei meinem Onkel in Wien Sattler und Polsterer gelernt."

„Au, das ist gut. Bei uns im Städtle ist keiner, der das kann.

„Ja, leider, sonst hätte ich bei dem angefragt, ob er einen Gesellen braucht."

„Hast unbedingt einmal wieder deine alte Heimat sehen wollen?"

Koloman sieht Anna nachdenklich an.

„Deswegen hast du dir ein Geschäft als Knecht suchen müssen?"

Er nickt betrübt.

„Wenn am Geschirr von den Gäulen was kaputt ist, dann müssen wir immer auswärts." Sie wirft Koloman einen prüfenden Blick zu, denn der scheint bedächtiger zu sein als manch anderer seines Alters. Auch hat er sich den ganzen Tag vom Alkohol ferngehalten.

„Grad ist was kaputt."

Er sagt nichts. In Annas Augen ein weiterer Pluspunkt. Der junge Mann stellt sich nicht als Leichtfuß dar.

„Koloman, wie alt bist du eigentlich?"

„Siebenundzwanzig."

„Bloß fünf Jährle weniger als ich."

„Hätte ich nicht gedacht."

„Ist das deiner Meinung nach schon alt?"

„Nein, nein. Du siehst aus wie ein junges Mädchen.“

„Ich habe aber zwei kleine Kinder.“

„Freut mich.“

„Meinst du das ehrlich?“ Sie sieht ihn mit großen Augen an. „Würdest du mich einmal abends besuchen und nach meinem kaputten Lederzeug schauen? Dann kannst du gleich meine Kinder sehen.“

In diesem Moment setzt ein musikalischer Sturm ein. Mit der Unterhaltung ist es vorbei. Siebenfach geblasen dröhnt diese beliebte Melodie durch den Saal:

Schwesterlein, Schwesterlein,
wann gehen wir nach Haus?
Morgen, wenn die Hähne krähn,
wollen wir nach Hause gehn.
Brüderlein, Brüderlein,
dann gehen wir nach Haus.

Die drei Brauttänze beginnen. Der erste gehört dem Brautpaar allein. Den zweiten tanzen die Hochzeitsknechte und Hochzeitsmägde, den letzten die Hochzeitseltern mit allen Anverwandten. Jetzt wartet der ganze Saal auf den Auftritt der Hüpfelsänger.

Jedes Städtchen, jedes Dorf hat seine Eigenheiten. Spezielle Sitten und Gebräuche, eigene Kleidung, besondere Ruf- und Locknamen, extra Feiertage, spezifische Speisen, sehenswerte Bauten, originelle Lieder, eigenwillige Gerätschaften und einschlägige Sagen und Legenden. Nur wer das alles kennt, hat ein vollständiges Bild von diesem Ort.

Wie die Polka zu Böhmen, gehört der Hüpfelgesang zu Linnfurt. Die ledigen Burschen und Mädchen tragen nach jeweils drei Tänzen lustige oder anzügliche Vierzeiler vor, eine Art Singsang, begleitet von der Kapelle. Nach jedem Vers fassen sich die Sängerinnen und Sänger an den Händen und hüpfen in die Höhe, was den Beifall der Zuhörer herausfordert.

Zuerst sind die Sänger dran:

„Jetzt hab ich geheiratet,
jetzt bin ich ein Mann,
und von heut in neun Monat
hängt eine Windel an mir dran.“

Johlen und Pfeifen zum Dank. Die Sänger verneigen sich und schnappen sich ein Mädchen, denn im selben Augenblick setzt die Tanzmusik wieder ein.

Nikolaus ist ärgerlich und fassungslos zugleich. Sein Gemütszustand schwankt zwischen Erbitterung und Befremden. Zunächst die Aufregung während des Gottesdienstes. Dann die Plakate in der Linde, von denen er erst im Verlauf des Tages erfahren hat. Er schüttelt den lädierten Kopf. Wie kann sich die Obrigkeit in einem so kleinen Nest derart vorführen lassen? Vermutlich wissen die Häscher längst, wo der König Quartier beziehen wird. Anders ist doch nicht zu erklären, dass ausgerechnet die Linde Ziel der Klebeaktion war.

Wütend ist er auch auf sich selbst. Auf die entscheidende Frage weiß er immer noch keine Antwort: Wer sind die Attentäter? Jede freie Minute ist er durchs Städtchen gestreift, hat mit den Leuten geschwätzt und sich umgehört, ob Ausländer hier Unterschlupf gefunden haben oder ob sich Einheimische königsfeindlich verhalten. Nichts, es ist zum Haare raufen. Dabei sind die Saukerle längst hier, da ist er sich ganz sicher. Reisen die mit getürkten Pässen durchs Königreich? Haben die sich mit gefälschten Arbeitspapieren verdingt? Er fährt sich mit der Hand übers Gesicht. Nicht die Nerven verlieren! Eines dürfte klar sein: Versammelt sich das halbe Städtchen in diesem Gasthaus, müssen nach Adam Riese auch ein paar Spitzbuben unter den Hochzeitsgästen sein, die in aller Seelenruhe ihre Mordpläne verfolgen.

Zudem ist Nikolaus wegen der Fress- und Sauforgien bestürzt. Bisher wusste er nicht, dass menschliche Gedärme so viel fassen können und die Haut derart dehnbar ist. Diese Mischung aus purer Lebensfreude und panischer Angst, morgen vielleicht am Hungertuch nagen zu müssen, ist für ihn schwer verständlich. Auch die vielen abergläubischen Bräuche irritieren ihn.

Der Schultes stößt ihn mit dem Ellbogen an und deutet mit dem Kinn auf sechs Jungfern, die sich neben den Musikern aufgestellt haben und nun zum Besten geben:

“Jetzt bin ich ein Weible,
jetzt hab ich einen Mann,
drum guckt mich meiner Lebtag
kein andrer mehr an.“

Die Sängerinnen hüpfen in die Höhe, knicksen und werfen sich ins Getümmel, das inzwischen auf der Tanzfläche herrscht.

„Fritz, wer ist das Paar, das da vor unserer Nase herumspringt? Die haben bisher noch keinen Tanz ausgelassen."

„Die Blonde, mein lieber Nikolaus, ist die Anna Läpple, eine ehrbare Witwe, drum ist sie in Schwarz. Ihr Mann ist letzten Herbst mit der Sichel erstochen worden. Vom eigenen Oberknecht, stell dir das vor! Wegen Weibergeschichten! Du verstehst?"

„Und der junge Mann?"

Der Schultes kneift einen Moment die Augen zu. „Nikolaus, den kenn ich nicht." Er wird nachdenklich. Wie kommt ein Wildfremder hierher? Ein auswärtiger Verwandter der Braut? Es lässt ihm keine Ruhe. Er schaut dem Tanzpaar ein paar Takte zu, steht auf und geht zum Jenseits hinüber.

„Guck mal, wer tanzt denn grad mit der schönen Anna?"

„Kennst den Koloman nimmer?"

Koloman? Koloman? Fritz Frank beschattet die Augen und sieht versonnen zu dem jungen Mann hinüber.

„Der Koloman, der nach Wien hat müssen. Weißt noch?"

Dem Lindenwirt dämmert's. Da war so eine ärgerliche Geschichte. Genaueres fällt ihm nicht ein.

„Und wie kommt der jetzt auf deine Hochzeit?"

„Heut Morgen ist er vor der Kirch g'standen und hat g'schaut, wer zur Hochzeit kommt", erklärt der

Jenseits leicht angesäuselt. „Da hab ich den armen Teufel halt eing'laden, weil er ein Schulkamerad von mir ist."

Der Schultes dankt mit einer jovialen Geste und berichtet Nikolaus: „Das ist der Koloman."

Nikolaus ist beunruhigt, lässt sich jedoch nichts anmerken. Koloman ist ein österreichischer Name. Den hat er zum ersten Mal gehört, als er kaiserlicher Generalmajor in Wien war. Sein eigener Stallbursche hieß so.

„Sag mal Fritz, kommt der Koloman zufällig aus Österreich?"

Der Schultes schaut verdutzt. „Ja, aus Wien. Sag, bist du ein Hellsichtiger?"

Jetzt bimmelt bei Nikolaus die Alarmglocke. „Wie lange ist dieser Koloman bereits in Linnfurt?"

„Der Jenseits hat ihn heute Morgen zum ersten Mal gesehen. Warum?"

Die Antwort geht im Lärm unter. Eben hat der Schulmeister Tanzliedchen angekündigt. Die sind gerade für die jungen Leute das Schönste am Abend, weil sie endlich das Polkatanzen lernen wollen. Auch etliche Hagestolze sehnen diese speziellen Lieder herbei. Sie können jetzt zeigen, wie's geht und was sie draufhaben. Die Tanzliedchen sind so etwas wie die Tanzschule im Städtchen.

Der Schulmeister muss die Regeln nicht erklären. Jedermann kennt sie. Im Übrigen lieben es die Leute nicht, dass man stundenlang an sie hinschwätzt wie ein aufgeblasener Studienrat. Man probiert's gleich aus. Fehler werden lachend toleriert, die gehören zum

Lernen dazu. Die Schuhe sind noch robust und halten viele Stolperer und Tritte aus. Und vor blauen Flecken fürchtet man sich nicht.

Die Paare nehmen Aufstellung, immer ein Polkakundiger und eine Anfängerin oder umgekehrt. Sie lauschen der Musik und wippen sich in Takt. Die Kapelle spielt die Melodie zweimal vor, grad wie bei den Kirchenliedern. Schon tanzen die Paare der ersten Reihe los, und die in der zweiten singen hinterher: „Wir werden euch schon kriegen!“ Darauf antworten die ersten lachend: „Aber langsam, aber langsam.“ Die zweiten, während auch sie hinterherstürmen: „Wir werden euch schon kriegen!“ Und wieder die Voraustanzenden: „Aber langsam kriegt ihr uns nicht.“

So wirbeln sie über den Tanzboden, dass die Röcke fliegen, was die Herumsitzenden ergötzt, weil bunt bestickte Kniebänder hervorblitzen.

Pfarrer Abel hat Nikolaus, den Schultes und den Schulmeister zu sich gebeten. Er hat noch nicht verdaut, dass man seine Kirche verhunzt hat. Darum will er sich mit den Herren abschließend beraten, bevor er ins Oberamt fährt, um eine Anzeige zu erstatten.

Diesmal empfängt die Köchin den Gast aus Stuttgart, der heute erstmals ohne Verband ist, mit beleidigtem Naserümpfen. Das gelbgrüne Horn, das auf seiner Stirn gewachsen ist, steht ihm gut. Sie zeigt ihm die kalte Schulter, nimmt keine Notiz von ihm, ja sie übersieht ihn. Nicht einmal die Hand gibt sie ihm. Nikolaus ist das gerade recht. Er kichert in sich hinein und denkt sich: ‚Halt dir deinen Barbier warm, wirst ihn noch brauchen.‘

Bei Kaffee und Kuchen zerbrechen sich die Herren den Kopf, wer für die drei Plakataktionen verantwortlich sein könnte. Ein verärgerter Bürger? Ein skrupelloser Erpresser? Radikaldemokratische Lotterbuben? Ein paar verirrte Anarchisten? Oder eine ausländische Macht?

Sie wägen die Alternativen ab und kommen zu folgenden Ergebnissen: Erstens handelt es sich wahrscheinlich nicht um einen Einzeltäter, sondern um politische Aufwiegler, hinter denen möglicherweise eine fremde Macht steht. Vermutlich sind es ein paar zu allem entschlossene Männer, keinesfalls Frauen, denn die hätten die Kanzel nicht verschandelt. Zweitens verfügen die Strolche über genügend Mittel, so viele Plakate herzustellen und anzubringen. Drittens sind die Spitzbuben schon seit geraumer Zeit hier. Anders lässt sich die zeitaufwendige Kleberei zu nachtschlafender Zeit und zu zwei verschiedenen Terminen nicht erklären. Auswärtige wären dem Nachtwächter aufgefallen. Doch der hat dem Schultes die Hand darauf gegeben, dass er niemand gesehen hat. Viertens verfügen die Schurken über detaillierte Ortskenntnisse. Hätten sie sich sonst in die Kirche und in den Lindenhof getraut? Sie mussten wissen, wo die Leiter steht, die noch nicht gefunden ist.

Nikolaus rutscht ärgerlich auf seinem Stuhl hin und her. Abel sieht es und will gerade etwas sagen, als es klopft.

Der hinkende Heinrich tritt ein, ohne Duslerstange, in der Uniform des Amtsboten, weil er heute für den Schultes schafft und nicht für den Pfarrer.

„Was ist?“ Abel ist ungehalten.

Der Mann mit der Dienstmütze sieht den Schultes direkt an und salutiert.

„Jetzt schwätz halt, Heinrich“, ermuntert der Stadtpräsident seinen werktäglichen Helfer.

„An der Stadtmauer hängen noch mehr solche Zettel.“

Abel schlägt die Hände vors Gesicht. Dem Schulmeister fällt der Kiefer herunter, und der Schultes stiert seinen getreuen Heinrich entgeistert an.

„Wo genau?“, will Nikolaus wissen.

„Nicht innen an der Mauer! Nein, außen! Vom Schlosstor hinunter bis ans Linntor.“

Jetzt ringt sogar der Kammerdiener um Fassung. Mit großen Augen schaut er von einem zum anderen. „Was nun, meine Herren?“

Der Schulmeister streckt auf, als sei er in der Schule. „Ich schlage vor, wir sehen uns das Ganze einmal an.“

„Das Ganze“, faucht Abel, „was soll das heißen?“

„Welchen Weg die Halunken gegangen sind.“

„Und was bringt das?“ Der Schultes ist ungehalten.

„Der Nachtwächter hat nicht gesehen, wie die Verbrecher durch unsere Stadt geschlichen sind“, verteidigt sich der Lehrer. „Also gibt es offensichtlich Straßen und Gassen, für die wir die absolute Sicherheit nicht garantieren können.“

„Bild, Bild“, pflichtet ihm Nikolaus bei, „gehen wir.“

„Der König“, wendet Abel ein, „kommt am hellichten Tag, niemals nachts. Es werden viele Leute am Straßenrand stehen. Wer, bitte schön, soll da wo herumschleichen?“

„Trotzdem müssen wird endlich Entscheidungen treffen“, beharrt Nikolaus auf der Ortsbesichtigung. „Als Erstes sollten wir die Straßen prüfen, auf denen du, mein lieber Fritz, den Besuch aus Stuttgart durch deine Stadt führen willst.“ Wenn schon die Mordbuben nicht auszumachen sind, denkt er sich dazu, dann muss der Besuch wenigstens so arrangiert werden, dass ein Mordanschlag ins Leere läuft.

Während sie sich warm anziehen, ist der Pfarrer immer noch nicht überzeugt. „Ich weiß nicht, was das bringen soll.“

Nikolaus legt seinen Arm beruhigend um Abels Schultern. „Ich würde mir auch wünschen, dass Sie recht haben, Herr Pfarrer. Genaueres werden wir jedoch erst wissen, wenn wir alle neuralgischen Punkte in Augenschein genommen haben.“

Vor dem Pfarrhaus dreht sich der Gehörnte langsam im Kreis und begutachtet die Burgunderstraße mit hellwachen Sinnen. „Was meinst du, Fritz, kommt der König auf dieser Straße?“

Der Schultes runzelt die Stirn. „Du bist doch Tag und Nacht um den König rum. Wahrscheinlich fährt er mit der Kutsche vor. Oder ist der jemals zu einem offiziellen Termin gewandert?“

Nikolaus misst verstohlen die füllige Gestalt des Lindenwirts. „Er könnte auch hoch zu Ross kommen. Hat er schon öfter gemacht.“

„Egal wie“, meint der Schulmeister und zeigt mit ausgestrecktem Arm die Burgunderstraße hinab, „in jedem Fall muss er durchs ….“ Abrupt dreht er sich um und murmelt vor sich hin: „Halt, durchs Wengerttor wär’s auch möglich.“ Er macht wieder kehrt und sagt laut und bestimmt: „Der hat den gleichen Weg wie die Postkutsche von Stuttgart. Der kutschiert durchs Schlosstor.“

Abel wirft ein: „So sicher wäre ich nicht. Falls er reitet, könnte er auch durchs Linntor …“

„Nein, nein, Herr Pfarrer“, unterbricht der Schultes und schüttelt energisch den Kopf, „der kommt durchs Schlosstor. Verlassen Sie sich drauf.“

Wie er sich dem Gast aus Stuttgart zuwendet, sieht er, dass dessen Gesichtsbarometer auf Tiefdruck fällt.

„Fehlt was, Nikolaus?“

„Das kann ich mir beim besten Willen nicht vorstellen, Fritz.“

„Was? Dass der König durchs Schlosstor in unsere Stadt einzieht?“

Der Vornehme aus Stuttgart winkt ab. „Viel schlimmer, Fritz, viel schlimmer.“

Abel sieht verdutzt drein. Der Schultes wird ungehalten: „Aberjetza, Nikolaus, was soll das heißen?! Was kannst du dir nicht vorstellen?“

„In Linnfurt ist der König in Gefahr.“

Der Schulmeister macht ein langes Gesicht, doch der Schultes giftet: „Schwätz keinen Blödsinn! Du bist noch nicht lang hier und kannst das nicht beurteilen."

„Reg dich nicht auf, Fritz. Tut mir ja leid, aber das sieht man auf den ersten Blick."

„Was?"

„Dass in diesen Straßen Attentäter leichtes Spiel haben."

„Fünf, sechs Männer sind ständig um den König rum", will der Schultes beruhigen. „Was kann da passieren?"

„Und wenn einer im ersten oder zweiten Stock hinterm Fenster lauert? Was dann, Fritz?"

Abel ist irritiert: „Meinen Sie etwa, mit einem Gewehr oder Karabiner?"

Als Nikolaus nickt, schüttelt der Schultes ärgerlich den Kopf. „Bis so ein alter Schießprügel geladen ist, haben das viele Leute gesehen und den Kerl kreuzlahm geprügelt."

Nikolaus bleibt skeptisch. „Viel gefährlicher als Gewehre sind die neumodischen Pistolen."

„Komm, komm, davon verstehst du doch nichts."

Nikolaus zieht missvergnügt die Nasenflügel hoch. „Mein lieber Fritz, du kannst dir gar nicht vorstellen, wie oft der König mit Militärs zu tun hat?"

„Und da bist du jedes Mal dabei?"

Nikolaus sieht ihn überlegen an.

Das Stadtoberhaupt schaut ungläubig und rollt die Augen, während den Schulmeister die Furcht packt, eine Absage des königlichen Besuchs könnte seinen Schwiegervater völlig aus der Fassung bringen.

„Weißt du, was eine Kavalleriepistole mit Percussion ist, Fritz?“

Der Schultes glotzt, der Pfarrer gluckst, der Lehrer verdreht die Augen. Die drei Herren sind nach wie vor der felsenfesten Meinung, dass der Wohlgekleidete keinen Schimmer von modernen Schießeisen hat und bloß blufft.

Nikolaus schaut vielsagend in die Runde. „Die neuen Reiterpistolen mit verbesserter Zündung, V-Kimme, Eisenkorn auf dem Lauf und modernem Abzug treffen unglaublich gut.“ Er warnt mit erhobenem Zeigefinger: „Auf 90 Fuß spielend einen Gulden. Bei diesen Pistolen fliegen die Kugeln mit unglaublicher Geschwindigkeit aus dem Lauf.“

„Was Sie alles wissen, Herr Nikolaus.“ Abel ist kleinlaut geworden, und der Schultes steht verdattert da und staunt Löcher in die Luft.

„Jetzt stellt euch vor, da lädt einer seelenruhig seine Pistole und steht“, Nikolaus deutet auf die gegenüberliegenden Häuser, „dort im ersten oder zweiten Stock hinter den Vorhang und zielt. Da bin ich … äh … da ist der König tot, bevor jemand merkt, dass geschossen worden ist.“

Der Schultes kriegt einen roten Möckel. Er stellt sich an die Kandel und setzt einen Fuß vor den anderen. Offenbar will er mit seinen Schuhen die Breite der Burgunderstraße ausmessen.

„Spar dir die Mühe, Fritz. Die meisten Staatsstraßen in Württemberg sind zwischen 18 und 24 Fuß breit.“

„Woher wissen Sie das?“ Abel kann’s nicht fassen. Ein Kammerdiener, der einem schwäbischen Pfarrer über ist? Kann nicht sein!

„Weil das in der Wegeordnung von 1808 geregelt ist, Herr Pfarrer. Die breitesten Straßen sind die Staatsstraßen, und die sind maximal 24 Fuß breit. Alle anderen sind schmäler.“

Dem Schultes quellen die Augen heraus. „Und auf 90 Fuß kann man genau treffen?“ In ihm arbeitet es schwer. Die schönen Pläne, Seite an Seite mit dem König durch Linnfurt zu schreiten, sind wohl perdu.

Nikolaus sieht seine Gastgeber voller Mitleid an. Er möchte sie nicht enttäuschen. „Ihr habt doch einen Marktplatz.“

Hoffnung keimt wieder. Der Schultes stürmt mit dem Lehrer voraus, der Vornehme schlingert an Abels Arm hinterher. Am Ochsen vorbei, die Hauptstraße gequert, schon sind sie da.

O weh! Zerknirscht blicken sich Pfarrer, Schultes und Schulmeister um. Zigmal haben sie den Platz vor dem Rathaus gesehen, aber noch nie das gepflasterte Viereck mit den Augen ausgemessen. Sie ahnen, was jetzt kommen wird.

Derweil dreht sich Nikolaus staunend im Kreis, auf der Suche nach einem Ausweg, nach einem Notbehelf. Er fühlt sich in der Zwickmühle. Das bezaubernde Gefüge von Altstadthäusern, das er bisher nicht eingehend gewürdigt hat, entzückt ihn. Und die Verehrung, die in den Gassen und von den Fenstern herab dem König gezollt werden dürfte, macht ihn schon jetzt stolz und verlegen. Aber wie auf diesem Platz vor Attentätern sicher sein? Der Besuch aus Stuttgart ist amtlich, vom Hof bestätigt, im Merkur angekündigt. Soll man die königliche Visite dennoch absagen? Außerdem hat der Schultes immens in ein standesgemäßes Nachtquartier investiert.

Wie es Nikolaus auch dreht und wendet, jeder Punkt des Platzes, von Gebäuden eng umstanden, liegt ungeschützt im Schussfeld möglicher Attentäter. Endlich schüttelt er betrübt den Kopf und fasst sich ein Herz. „Noch gefährlicher als in den Straßen und Gassen, lieber Fritz, weil man hier inmitten einer großen Menschenmenge eingekeilt und ein lohnendes Ziel für einen höher platzierten Schützen ist." Verlegen und zugleich befreit, weil er endlich eine Entscheidung getroffen hat, schlägt er dem Schultes auf die Schulter. „Tut mir leid."

Abel und der Schulmeister verabschieden sich kleinlaut und schleichen mit hängenden Köpfen heim.

Schweigend stapfen Schultes und der Kammerdiener auf Umwegen hinunter zur Linde, wo der Herr Stadtpräsident und Wirtshausbesitzer Fritz Frank stundein stundaus durchs Haus poltert.

*

Auf der Ruglerwiese, die dem Linntor vorgelagert ist und sich zur Linn hin erstreckt, findet im Februar der berühmte Linnfurter Rossmarkt statt. Er ist der erste von insgesamt vier bedeutenden Märkten. Im Mai und August locken die Linnfurter Viehmärkte viele Besucher an, weil es Rindviecher zu bestaunen und zu kaufen gibt und mit Schafen, Ziegen, Schweinen, Zuchtebern und Zuchtstieren gehandelt wird. Auch Bienenzüchter aus dem weiten Umland strömen herbei und bieten alles an, was man rund um die Imkerei braucht. Der Höhepunkt ist jedoch der Krämermarkt an Erntedank am 3. Sonntag im Oktober. Er ist *die* Attraktion im Unterland. Jeder Händler und Handwerker, der sein Geschäft versteht, will dann einen eigenen Stand auf der weitläufigen Festwiese.

Auf dem jährlichen Rossmarkt werden vor allem Pferde prämiert und verkauft. Mit sonstigem Vieh wird nur spärlich gehandelt. Allerdings ist für die Kinder, Knechte und Mägde etwas anderes viel wichtiger: die Stände der Kleinwarenhändler und Handwerker.

Jedoch muss jeder, der auf dem Markt Handel treiben will, zuvor beim hinkenden Heinrich blechen. So sagt man in Linnfurt, weil das Kleingeld, die Münzen zu ¼, ½, 1, 3 und 6 Kreuzern, im Gegensatz zum Großgeld aus Silber und Gold, längst nicht mehr aus edlem Metall geprägt wird. Für jedes verkaufte Stück Großvieh zahlen die Bauern einen Kreuzer Handelssteuer und für jedes verkaufte Kleinvieh einen halben. Und die Händler müssen pro Verkaufsbrett, das drei Fuß lang zu sein hat, einen Kreuzer entrichten, wenn der Stand ein Dach hat, und fünf Kreuzer, wenn er nicht überdacht ist. Damit will die Stadtverwaltung die Tandler anreizen, ihre Waren anständig zu präsentieren und Buden aufzuschlagen. Die Handwerker hingegen zahlen durchweg fünf Kreuzer, unabhängig von Länge und Ausstattung ihres Verkaufsstands oder ihrer Bude.

All diese Details hat Nikolaus erfragt, weil ihm als Hochzeitsgast schlagartig bewusst geworden ist, dass er nicht viel über das Leben und Leiden des Landvolks weiß. Vor allem nichts über die Feste und die wenigen Freuden. Als ihm der Jenseits vom Rossmarkt vorschwärmte, in den er am liebsten hineingefeiert hätte, nahm er sich vor, die Wintertage in Linnfurt auch in dieser Hinsicht zu nützen.

Das Cannstatter Volksfest mit der berühmten Fruchtsäule und dem landwirtschaftlichen Hauptfest kennt Nikolaus in- und auswendig. Dort hat er regelmäßig die Sensationen schwäbischen Erfindergeistes bewundert, aber so ein kleines, schnuckeliges Märktle hat er noch nie gesehen. Drum konnte er letzte Nacht vor lauter Aufregung nicht schlafen, zugegeben auch wegen der inneren Unruhe. Von der einen Seite auf die andere hat er sich geworfen und unablässig dieselben Fragen gewälzt: Wird sich hier in Linnfurt das Schicksal der württembergischen Monarchie entscheiden? Oder gelingt es noch rechtzeitig, die Mordbuben dingfest zu machen?

Auf dem Weg zur Ruglerwiese wischt er solche Gedanken ärgerlich beiseite. In einem überschaubaren Städtchen mit ungefähr tausend Menschen soll es nicht gelingen, ein paar Strolche einzufangen? Lächerlich! Im selben Augenblick fällt ihm ein, dass es höchste Zeit wird, sich mit Haudegen zu beraten. Zwar sind ihm die Dunkelmänner zuwider, die auf Haudegens Geheiß alles ausschnüffeln. Aber schaden kann's nicht, wenn zumindest der Adjutant vertraulich über die brenzlige Lage informiert ist.

Während sich Nikolaus nachdenklich dem Linntor nähert, flitzt ein junger Kerl an ihm vorbei. Ist das nicht der mit dem österreichischen Namen, dieser Koloman, den er beim Tanzen beobachtet hat? Er will ihm hinterher, will ihn im Auge behalten, doch jemand vertritt ihm den Weg.

„Na, du alter Schuhwichser, willst dir einen Gaul kaufen?“ Es ist der Knöpfles Paul. Seine Weinstube hat er bis zum Abend zugesperrt, weil vorher sowieso keiner kommt. Folglich kann er sich bis dahin unbeschwert auf dem Rossmarkt vergnügen.

Nikolaus macht ein erstauntes Gesicht.

„Ah, verstehe, du kannst gar nicht reiten.“

„Besser als du auf jeden Fall.“ Nikolaus zieht die Augenbrauen hoch. „Sag, warum nennst du mich einen Schuhwichser?“

„Ha, du bist gut. Bist du der Kammerdiener oder ich?“ Er feixt: „Vor lauter Türaufhalten, Schuhwichsen und Kleiderausbürsten kommst nicht zum Reiten, gell?“

Der Kammerdiener wirft den Kopf nach hinten. „In der Tat! Zum Reiten fehlt mir wahrhaftig die Zeit, auch wenn ich zum Schuhewichsen und Kleiderbürsten meine Leute habe.“

„Und was schaffst dann du?“

„Ich muss die gesamte Dienerschaft beaufsichtigen.“

„Bist du der Kapo?“

„Ganz recht.“

„Und was wuseln da für Leute umeinander?“

„Köchinnen, Konditoren, Bäcker, Zuckerbäcker, Fleischer, Kammerzofen, Kammerjäger, Kellermeister, Mundschenk, Oberkellner, Unterkellner, Kutscher …“

„… Ich glaub dir’s ja!“

„… Putzerinnen, Wäscherinnen, Friseure, Kuriere, Schreiber, Bibliothekare …“

„Hör auf!“ Dem Knöpfle ist schwindelig. „Und wer putzt jetzt die Schuh?“

„Der Dreckbürster ist für die Grundreinigung zuständig. Der Schmierer fettet die Schuhe ein …“

„… und der Glanzbürster poliert sie.“ Der Knöpfle ist empört und deutet sich an die Stirn. „Ich glaub, ich spinn!“ Grußlos verabschiedet er sich und taucht in der Menschenmenge unter.

Nikolaus lacht hell auf. Nun kann er ungestört durch die Standreihen streifen, die Auslagen bewundern und nebenbei nach dem Österreicher Ausschau halten kann.

Da gibt es Bürsten, Balsambüchsle *[silbernes Anhängsel ans Gesangbuch mit Riechsalz]*, Steingut-, Ton-, Porzellan- und Blechgeschirr, Besteck, Mausefallen, mancherlei Spanschachteln und Döschen, Marzipan, Draht, Schaumgold, Badeschwämme, Rebmesser, Aderlasseisele, Alraunliebestrunk, Siegellack, diverse feine Besen und Pinsel (die groben binden die Bauern selber), Blutspäne zum Blutstillen, Laternen und Fackeln für nächtliche Botengänge, verschiedene Fähnlein, Nadelbüchsen, Maßstäbe und Gewichte, Spiegel, Schachspiele, Kartenspiele fürs Gaigeln, Ramsen, Binockeln sowie für Einunddreißig und

Sechsundsechzig, Ringe, Samt- und Rosengürtel, Ketten und Armbänder, Pantoffeln, Hüte und Kappen, feine Kaffeetassen, seidene Halstüchlein, Tabakpfeifen und Tabakbeutel, Hosenträger, Schuhbändel, Steigbügel, Kupferkessel, Knöpfe aus Blech, Horn oder Silber, Hosenbändel, Schleifen und Schärpen, Fingerhüte, Holzmodeln, Scheren, Krebsaugen *[Schmucksteine]*, Latwerge in den verschiedensten Geschmacksrichtungen, Schreibfedern samt Federhalter, Papier und Schreibhefte, Miederröcke, hölzerne Klappern und Rätschen, Haarnadeln, Miederstecker, Rosenkränze, Schuhnägel, Lederhosen, Sensen und Sicheln, Gedenksprüche, Wachskerzen, Uhren jeglicher Art und noch vieles mehr.

Als er beim Lebzelter über die Vielfalt an Lebkuchen staunt, sieht er am Nachbarstand den Österreicher stehen. Der junge Mann schaut sich den Krimskrams an, aus dem man auswählen darf, wenn man beim Glückshäfner ein Los kauft und im Glückshafen einen der seltenen Glückstreffer erwischt.

„Grüß Gott, Koloman, bist auch da." Die schöne Blonde, die Nikolaus am Hochzeitsabend aufgefallen ist, steht unverhofft neben dem jungen Mann. Vermutlich hat sie ihn länger beobachtet und nur den richtigen Moment abgepasst, zu dem sie ihn ohne Gesichtsverlust ansprechen kann.

„Was meinst, Anna, soll ich mein Glück versuchen?"

„Freilich, wir probieren's. Da sind zwei halbe Kreuzer."

Dafür gibt es zwei Lose. Eine Niete und einen Treffer. Sie wählt aus der Auslage ein kariertes Sacktuch und überreicht es Koloman.

Der junge Mann errötet. „Das kann ich nicht annehmen."

„Freilich! Kannst du! Du musst mir aber versprechen, dass du bald nach meinem kaputten Lederzeug guckst." Sie streckt ihm die Hand hin. „Schlag ein!"

Er ist immer noch verwirrt, tut ihr dennoch den Gefallen. Worauf sie sich mit einem hingehauchten „Gilt! Kommst bald!" verabschiedet.

Nikolaus ist jetzt hellwach. Mit wem trifft sich der Österreicher noch?

Doch in all dem Gewurstel, Gelächter und Gegackere fällt es ihm schwer, den Überblick zu behalten. Er zwängt sich durch das Gewusel, rempelt Leute an, schubst einen älteren Herrn zur Seite, drückt einer Frau versehentlich das Kopftuch über die Augen – „Ich sehe nichts mehr!", schreit sie entsetzt – und erspäht gerade noch, wie Koloman einem Stand zustrebt, der mancherlei Gedrucktes feilbietet. Dort studiert ein junger Mann, der Kleidung nach ebenfalls ein Knecht, gerade die Auslagen. Neben ihn stellt sich Koloman, stößt ihm den Ellbogen in die Seite und flüstert ihm etwas zu.

Nikolaus weicht zwei kleinen Mädchen aus und drückt sich neben die beiden Tuschler. Gespielt gleichgültig mustert er die Auslagen am Stand, während er die Ohren in Richtung der Nebenstehenden dreht.

Laut, sodass Nikolaus mithören kann, unterhalten sie sich über die vor ihnen liegende Ware. Reutlinger Kalender, Zauberbüchlein, Heftchen über die Kunst der Liebe, Wahrsagebildchen, Bilddrucke, Flugblätter, Scherenschnittbilder, Gertraudenbüchlein, Andachtsbücher, Kathrinenbüchlein *[Gebetbüchlein für Flachsbauern und Spinnerinnen]*, Wetterbüchlein, Zauberbücher, Heiligenbildchen und Holgen *[ungefalzte Einblattdrucke]*.

Zwischendurch flüstern sie so leise, dass Nikolaus nichts versteht und genervt aufgibt. Auch den Anderen hat er schon einmal gesehen. Aber wo? Und mit wem? Stecken beide unter einer Decke? Er beruhigt sich schnell wieder. Zwei so harmlose Burschen können unmöglich die gesamten Vorbereitungen, die für ein Attentat notwendig sind, allein treffen, geschweige denn finanzieren. Außerdem sind die Plakate nicht in Linnfurt gedruckt worden. Bäckermeister und Zeitungsverleger Schmidlin hat ihm das ehrenwörtlich und glaubhaft versichert. Oder leisten die Kerle Handlangerdienste für eine ausländische Macht?

Über der nächsten Bude prangt ein großes Schild: ‚Michael Wertheimer, Optikus aus Sonnfurt, empfiehlt sich mit seinem gut sortierten optischen Warenlager‘.

Nikolaus bleibt stehen: „Und was empfehlen Sie mir?“

Der Optikus nimmt ihm die Brille ab und schaut ihm tief in die Augen. „Sie sehen grottenschlecht, mein Herr.“ Er betrachtet die abgenommene Brille mit Abscheu. „Ich empfehle Ihnen dringend eine meiner Konservationsbrillen.“

„Was bringt‘s?“

„Ihre Augen werden gestärkt, mein Herr. Bitte nehmen Sie Platz.“ Er weist auf einen Stuhl neben seinem

Stand, vor dem ein Spiegel steht. „Ich berechne Ihnen hier an Ort und Stelle, welche Brille für Sie die angemessenste ist."

„Erst möchte ich mich mal umgucken", wehrt Nikolaus ab, setzt seine Brille wieder auf und wendet sich den Auslagen zu: Brillen von Silber, Neusilber, Stahl und Bronze; Lorgnetten von Silber, und Perlmutt, Schildpatt und Horn. Dazu alle Sorten von Vergrößerungsgläsern sowie diverse optische Instrumente.

„Ich übernehme auch schadhafte optische Geräte zur Reparatur und versichere billigste Bedienung."

Nikolaus dankt mit einer jovialen Geste und entfernt sich. Noch heute will er beim Postwirt eine Depesche aufgeben.

Nichts als Ärger

Koloman bibbert vor Kälte und ist giftig. Wenn andere ihre Abendjause genießen, muss er in der Dunkelheit darben und bei Eis und Schnee auf diesen Kerl warten. Auch Siegmund ist noch nicht da.

Koloman tritt auf der Stelle, schlägt sich die Arme um den Leib und haucht in die Hände. Weitere Minuten verrinnen. Endlich sieht er zwei Gestalten auf sich zukommen.

Koloman beschleicht eine Ahnung, dass das heute kein erfreuliches Treffen werden könnte, denn Leopold scheint erregt zu sein. Eine knappe Begrüßung, gleich keift er: „Blöder geht‘s nimmer!“

„Was passt dir jetzt wieder nicht?“

„Die ganze Kirch zupappen! Ich glaub, du hast sie nicht mehr alle!“

Koloman schaut Siegmund an, der zuckt die Schultern und hebt genervt die Augenbrauen.

„Nicht zu glauben!“, giftet Koloman zurück. „Zuerst waren’s dir zu wenig Zettel, jetzt sind’s zu viel! Wie man’s macht, ist’s verkehrt. Papp deine Fetzen das nächste Mal selber!“ Ihm läuft die Galle über.

„Eine Kirch zum Saustall machen! Das hab ich dich net g’heißen! Wie schaut denn das aus! Die Leut werden uns für deppet halten! Lächerlich hast uns g’macht!“

Koloman winkt erregt ab und schweigt. Doch Siegmund verteidigt seinen Kollegen: „Jedenfalls wissen jetzt alle, dass der Kerl, der sich König heißt, ein Blutsauger ist. Plakat picken braucht's nimmer."

„Und weißt was über den Hofschranz?"

Siegmund feixt: „Der hat einen Dachschaden."

„Spinnt er?", will Leopold wissen.

„Nana, einen Turban hat er. Der Weinhauer hat g'sagt, dass er einen Schmarrn am Hirn hat. Auf den alten Narr müssen wir net Acht geben. Der rennt den ganzen Tag bloß rum und macht gar nix."

Leopold wendet sich an Koloman: „Und bei dir?"

„A nix Neu's."

„Gemma ham" *[„Gehen wir nach Hause"]*, sagt Leopold. „Am Sonntag wieder da. Gleiche Stund." Er macht auf dem Absatz kehrt, besinnt sich jedoch und meint zu Siegmund: „Komm mit, mir ham was zum Reden."

Siegmund sieht Koloman erstaunt und ratlos an, dreht sich um und ist bald mit Leopold in der Dunkelheit verschwunden.

Koloman bleibt perplex zurück. Was geht hier vor? Will Leopold ihn ausbooten? Oder ihn gar zum Sündenbock stempeln, falls die Aktion schiefgehen sollte?

Alles fing so harmonisch an. Siegmund und er waren Mitte Oktober letzten Jahres zu ihrer vorgesetzten Dienststelle beordert worden. Ob sie an einer geheimen Mission teilnehmen und viel Geld verdienen wollten, fragte man vorsichtig. Und als sie das bejahten, rückte man mit der Sprache heraus: König Wilhelm von Württemberg besuche, wie man aus absolut zuverlässiger

Quelle wisse, im kommenden Frühjahr das Städtchen Linnfurt an der Linn. Koloman kenne das Örtchen von Geburt an, und Siegmund stamme aus Siggen, einem Weiler im ehemals vorderösterreichischen Oberschwaben. Die zwei Freunde seien somit der schwäbischen Sprache mächtig und deshalb für gefahrloses Auskundschaften prädestiniert, zumal sie auch mit dem Leben auf dem Land mit all seinen Sitten und Gebräuchen vertraut seien. Ihre Aufgabe bestünde ausschließlich darin, Informationen zu sammeln und an einen Kontaktmann weiterzugeben. Dann stellte man ihnen Leopold vor. Also zogen Siegmund und Koloman an Martini in Linnfurt auf, verkleidet als Knechte, ausgestattet mit gefälschten Papieren.

Vor dem Linnfurter Rathaus standen die scheidenden Handwerksburschen, Knechte und Mägde Schlange. Der Schultes musste, wie in der Linnfurter Gemeindeordnung bestimmt, ihre Pässe unterschreiben, denn ohne das amtliche Dokument durfte keiner weiterziehen. Wer eine Stelle suchte, der stellte sich an Martini vors Rathaus und fragte die Ziehenden, bei welchem Bauern oder Meister sich das Vorstellen lohnen könnte. Gewitzte Haushälter, die neues Personal wollten, gingen am späten Vormittag auf den Rathausplatz. Sie warteten nicht, bis ein Arbeitssuchender anklopfte, sondern sondierten, an eine Mauer gelehnt oder auf einer Hausstaffel hockend, die ankommenden fremden Gesichter. Wer war kräftig und konnte zupacken? Welches Mädle strahlte Anmut aus und eignete sich als Kindsmagd? Welcher Bursch schaute pfiffig drein?

Der Oberschlaule zählt zu den Gewitztesten in Linnfurt, darum hat er ja diesen Spitznamen. Er bezog an Martini einen Ausguck nahe dem Rathaus und musterte die Neuankömmlinge. Just in dem Augenblick kamen zwei auf den Marktplatz, die sein Interesse weckten. Ein Kräftiger mit braunen Haaren und ein Blonder mit einem ehrlichen Gesicht.

Er schlenderte auf sie zu und fragte, wie viele Jahre sie schon als Knecht geschafft hätten. Als sie das zufriedenstellend beantworteten, wollte er ihre Arbeitsbüchlein sehen.

Der Oberschlaule las beide Zeugnisse sorgfältig und sagte zum Kräftigen: „Soso, Koloman heißt du.“ Er sah kurz auf und blätterte weiter. „Und bist sogar bei uns in Linnfurt geboren?“

„Ja, aber ich bin vor vielen Jahren fort von hier.“

„Drum.“ Er blickte dem jungen Mann prüfend ins Gesicht. „Sonst müsst ich dich doch kennen.“ Er schaute ins Büchle: „Oh, sogar Baumausschneiden kannst, steht da.“

„Ja, hab ich g'lernt. Mach ich gern.“

Der Bauer steckte das Büchlein ein und hielt ihm die Hand hin. „Schlag ein.“ Und den Anderen, Siegmund mit dem ehrlichen Gesicht, packte er am Ärmel und zeigte die Hauptstraße hinab. „Dort unten ist eine große Linde. Vor dem Baum steht das Gasthaus zur Linde, und danach ist ein großes Weingut mit grünen Fensterläden. Das gehört meinem Freund. Der sucht auch einen rechtschaffenen Knecht.“

Die Arbeit beim Oberschlaule ging Koloman flott von der Hand. Allerdings bereitete ihm die Begegnung mit der alten Heimat zuweilen Seelenpein. Die alten Gefühle flogen ihn immer wieder an. Der Hass auf den Pfarrer, der ihn damals fortschickte, obwohl ein gütiger Nachbar sich erbot, den kleinen Vollwaisen nach dem Tod der Mutter bei sich aufzunehmen. Die Vertrautheit mit Gassen, Häusern und Plätzen. Die Erinnerung an den früheren Schulmeister Hartmann, der sich um ihn kümmerte, als die Mutter erkrankte. Das Entsetzen über den Tod der Mutter. Die Bestürzung, als der Onkel darauf bestand, nach Wien mitzukommen, weil er einen billigen Handlanger für seine Sattlerwerkstatt wollte.

Krisensitzung in der Linde. Der Schultes ist am Boden zerstört. Es hat ihm die Sprache verschlagen. Seine schönsten Träume wähnt er zunichte gemacht. Nicht einmal der Rossmarkt, den er sonst in vollen Zügen genießt, hat ihn heuer aufheitern können. Kraftlos lässt er die Flügel hängen. Bleich, missvergnügt, übellaunig und verzagt schleicht er durchs Haus. In der letzten Nacht hat er kein Auge zugedrückt.

„Jetzt schwätz was“, hat ihn seine Minna wiederholt angefleht. Vergeblich. So hat sie ihren Fritz noch nie erlebt.

Dabei kennt sie ihn inzwischen in- und auswendig. Aus reichlicher Erfahrung weiß sie, dass der Haussegen schief hängt, wenn das Problem, an dem er zahnt, nicht bald auf den Tisch kommt. Längst ahnt sie, dass bei der letzten Begegnung mit Abel, Nikolaus und dem

Schwiegersohn etwas vorgefallen sein muss. Denn seit jenem Tag ist ihr Göttergatte durch den Wind.

Darum hat sie Magda samt Ehemann und den Gast aus der Königsstube zum Morgenessen eingeladen mit der Bemerkung, anschließend könne man gemeinsam den sonntäglichen Gottesdienst besuchen und schauen, ob sich der Pfarrer eingekriegt hat.

Gegen die Gewohnheit muss Paula nicht in der Küche decken, sondern in der Linde. Dem Hauspersonal, das in der Küche zurückbleibt, sagt die Bäuerin, es gehe um Familiäres. Nein, erklärt sie ihrer Obermagd, sie werde selber bedienen; Paula könne sich eine Pause gönnen und in aller Ruhe mit den anderen in der Küche frühstücken.

Muffig sitzt der Lindenwirt am Tisch, den Minna ständig umflattert. Kaffee? Milch? Most? Emsig bietet sie dies und das zu trinken an. Sogar Tee hat sie zubereitet. Sie müht sich, ihren Lieben und dem Gast alle Wünsche von den Augen abzulesen. Milchschmarren mit Dörrzwetschgen sowie Haferbrei mit Speck teilt sie den Schweigsamen ungefragt zu. Sie redet allen gut zu, kräftig zuzugreifen.

Trotzdem kommt kein Gespräch in Gang. Wortkarg verdrücken die Männer das sorgsam Zubereitete. Sogar Magda, die ewig Plappernde, sagt entgegen ihrer Gewohnheit keinen Mucks.

Minna verliert langsam die Geduld. Der vornehme Gast will ihr beistehen und gibt seine Zurückhaltung auf. „Wird schon werden, Fritz. Wart's ab."

„Was?" Der Schultes verliert die Beherrschung. Wie im Vulkan die Magma, steigen in ihm kochende

Kräfte auf und lösen eine unkontrollierte Eruption aus. Leise und tief setzt ein Grollen ein: „Jaja!“ Dann lauter, höher und ärgerlicher: „Soso!“ Schließlich polternd und weithin hörbar der Ausbruch: „Ja, was glaubst denn du! Das ganze Jahr im Schloss herumlehnen und das Maul aufreißen. Das ist doch kein Geschäft für einen ausgewachsenen Mann!“

„Oha!“ Mit einem solchen Frontalangriff hat Nikolaus nicht gerechnet. „So blöd sind die im Schloss auch wieder nicht“, versucht er sich zu verteidigen. „Wir wissen genau, wie's im Land zugeht.“

„Was verstehst du von der Landwirtschaft!“

„Einiges.“

„Aberjetza wird's Tag! Was weiß ein Zirkusgaul, wie ein Ackergaul schaffen muss?“

„Oho!“ Nikolaus berappelt sich. „Wenn du der Ackergaul bist und ich der Zirkusgaul, woher weißt du, dass es der Zirkusgaul bequem hat?“

Das bringt den Schultes noch mehr in Rage. Widerspruch hat er bisher, wenn überhaupt, nur von seinen Stadträten hingenommen. „Wenn die Schwalben im Kuhstall Junge kriegen, was werden das dann? … Nein, das werden immer noch Vögel und keine Küh!“ Er holt tief Luft. „Man weiß doch, wie's im Schloss zugeht. Den ganzen Tag die Leute ausschimpfen. Von morgens um neun bis abends um zehn hört man unsere Politiker nur plappern, kläffen, nörgeln und saudumm rausschwätzen.“

Nikolaus grinst seinen Gastgeber entwaffnend an.

Fritz Frank winkt ärgerlich ab. „Merk dir eins: Kuhfladen und Butter haben dieselbe Mutter. Das sag ich dir!“

„Genau das meine ich.“

„Nein, meinst du nicht. Du hast nämlich noch nicht verstanden, dass die da oben die Butter haben und wir da unten für euch die Kuhfladen wegputzen müssen.“

„Genug gestritten!“, geht die Lindenwirtin energisch dazwischen. Sie gibt ihrem angesäuerten Gemahl ein klares Signal. Als der zu einer Erwiderung ansetzen will, schnauzt sie ihn an: „Jetzt machst ein einziges Mal dein ungewaschenes Maul zu!“ Ruhig wendet sie sich an Nikolaus: „Weiß man endlich, wann der König kommt?“

„Die Sache ist die.“ Der Vornehme schluckt und legt seinen Löffel zur Seite. „Der exakte Termin kann noch nicht festgelegt werden.“

Der Lindenwirt tut zwar so, als gehe ihn das nichts mehr an. Seine zuckenden Ohrlappen verraten trotzdem, dass er die Löffel spitzt.

„Warum?“, will die Hausfrau wissen und nimmt Nikolaus in den Blick. „Was schmeckt dir nicht?“

Nikolaus lehnt sich zurück „Auch du, meine liebe Minna, kannst die vielen Plakate nicht mehr als Lausbubenstreiche abtun. Da braut sich etwas zusammen. Was, das weiß ich nicht. Für mich steht indessen fest, dass der König in Gefahr ist, wenn er nach Linnfurt kommt.“

„Also kein Besuch? Jetzt schwätz!“ Die Wirtin lässt sich nicht so leicht abschütteln.

„Doch.“

Augenblicklich kommt Leben in den Schultes. Er sieht Nikolaus fragend an.

„Wir müssen den Empfang so gestalten, dass der König nicht ins Städtchen muss.“

Jetzt verliert Minna die Fassung. „Was soll dann das für ein Besuch sein, wenn man nicht zu uns kommt? Wollt ihr Geizhälse uns einen Brief schicken, oder wie soll man das verstehen?“

„Langsam, langsam mit den Pferden.“ Nikolaus bleibt ruhig und sachlich. „Wenn Spitzbuben nachts unbehelligt durchs Städtchen streifen und Plakate kleben können, liegt eines klar auf der Hand.“ Er macht eine kleine Pause. „Der Feind ist längst hier.“

„Ha, jetzt komm, am End sind wir die Spitzbuben“, sagt Minna mit schneidendem Unterton.

„So meine ich das nicht.“

„Wie dann?“

„Die Verbrecher haben sich hier eingenistet. Verkleidet als Dienstboten, Handwerksgesellen oder fahrende Händler, was weiß ich. Jedenfalls haben sie jetzt in den engen Straßen und Gassen leichtes Spiel, den König aus dem Hinterhalt zu erschießen. Stellt euch vor, dem König stößt hier etwas zu …“

„… dann ist unser Renommee auf ewig beim Teufel“, mischt sich Magda ein.

Nikolaus nickt zustimmend.

„Wenn ich Sie richtig verstanden habe“, meldet sich der Schulmeister zu Wort, „meinen Sie, wir sollten den König vor dem Schlosstor empfangen. Zum Beispiel auf den Baumwiesen.“

„Zum Beispiel“, räumt Nikolaus ein.

Minna ist empört: „Jetzt kann ich gar nicht mehr, auf einer Baumwiese den König begrüßen! Ich glaub, ich spinn! Womöglich wollen dann ein paar Einfallspinsel, dass wir wie die Vögel auf die Bäume sitzen."

Nikolaus lacht, der Schultes verzieht das Gesicht.

„Wir könnten alle Gewehre und Pistolen einsammeln", schlägt der Schulmeister vor.

Nikolaus schüttelt den Kopf. „Ich glaube nicht, dass das erfolgreich ist. Erstens gibt es hier viele Waffen. Das habe ich selbst erlebt, und Fritz hat es mir bestätigt. Zweitens müssten wir alle Häuser und Scheunen vom Keller bis unters Dach durchsuchen und würden dennoch nicht alle finden. Die Leute sind einfallsreich, wenn sie anderen ein Schnippchen schlagen wollen."

„Wenn die Spitzbuben keine Einheimischen sind", sagt Magda, „ist's doch ganz einfach."

„Was?" Der Schultes hat das gefragt, weshalb ihn seine Minna überrascht anschaut.

„Man muss", gibt Magda pfiffig in die Runde, „bloß aufschreiben, wer neu in unserem Städtle ist."

„Schwätz keinen Mist!", braust ihr Vater auf und weist sie empört zurecht. „Glaubst du, die kommen zu mir aufs Rathaus und stellen sich vor? Gestatten, Oberhimpfele, Attentäter. Wo kann man hier am besten den König erschießen?"

*

Der Schultes amtet heute. Er sitzt in schwarzer Langhose aus Manchestertuch mit angenähten breiten

Hosenträgern, einem Blauhemd mit gelb gestickten Ähren auf den Achseln und Schnallenschuhen im Sitzungssaal des Rathauses. Der Stadtrat tagt. Einziges Thema: der bevorstehende Besuch des Königs.

Der Stadtpräsident stellt eingangs dar, dass es angesichts der Todesdrohungen schwierig sei, ein Programm zu gestalten, das Sicherheit und Unversehrtheit des hohen Gastes garantiert. Die Hauptgefahr gehe von den vielen Waffen aus, die im Städtchen offen und geheim gelagert werden.

„Wann soll der Besuch eigentlich sein?“, will der Knöpfle wissen.

„Kommt drauf an“, antwortet der Schultes ausweichend.

Der Wirt vom Rebstöckle lässt nicht locker: „Auf was?“

„Auf was, auf was? Aberjetza auf unser Programm.“

„Wenn er zur Fasnacht kommt“, meint der Knöpfle treuherzig, „könnt sich jeder Stadtrat als König verkleiden. Die Herren Attentäter sind dann so verwirrt, dass sie schleunigst das Weite suchen.“

„Du brauchst kein Fasnachtshäs, Paul“, lästert der Ledlein, „bei dir sieht man auch so, dass du ein königlicher Gockeler bist.“

Der Schultes ist nicht zu Späßen aufgelegt. Mit einer ärgerlichen Geste wischt er den Unsinn vom Tisch und fragt den Hofbauern vom Linngrund: „Aberjetza, Hannes, wie siehst du die Sache?“

Der Linnbauer, ein ernster, besonnener Mann, zögert einen Augenblick, bevor er das Kernproblem auf seine eigene, nachdenkliche Weise herauspräpariert: „Solange es in jedem Haus ein paar Schießprügel gibt, können wir nicht erwarten, dass sich unser König hier als Zielscheibe hinstellt. Somit gibt es nur drei Auswege: Wir bitten seine Majestät, nicht zu kommen …“

„Du spinnst!“ Das war der Oberschlaule, der Rettichkopf mit der Schwertgosch.

„Ein bissle dumm darf man schon sein“, gibt der Schöpflein seinen Senf dazu, weil er in der Sache nichts zu sagen hat. „Aber so riegeldumm wie du ist nicht einmal der größte Schnapsdackel!“

Der Ziegelbrenner Bierlein springt seinem Freund Hannes sogleich zur Seite. „Du solltest wenigstens zuhören. Drei Auswege, hat der Hannes gesagt, aber erst einen hat er aufgezählt. Also halt deine Gosch und horch zu.“

Der Linnbauer setzt seine Überlegungen unbeirrt fort: „Drei Auswege gibt es, denke ich. Den ersten, unseren König zu bitten, nicht zu kommen, habe ich der Vollständigkeit halber aufgezählt. Zweitens könnten wir überprüfen, und zwar Haus für Haus, wer seit Martini neu bei uns ist, woher derjenige stammt und was er bei uns macht. Die dritte Möglichkeit lässt sich ohne große Mühe durchführen: Wir empfangen seine Majestät auf der Ruglerwiese. Alle unsere Feste finden dort statt. Warum nicht auch der feierliche Empfang des Königs?“

Der Elferrat staunt nicht schlecht, nur der Nagelschmied runzelt bedenklich die Stirn. Der Oberschlaule kneift die Lippen zusammen. Der Knöpfle und der Ledlein feixen und albern herum, sind aber froh, dass es einen Ausweg gibt, während der Küferschorsch längst unter die Rusler gegangen ist und von einem saftigen Schweinebraten träumt.

Doch Willy Wöbbel, der neue Häfnerbauer, traut sich heute was. Er zieht und zieht an seiner langen Pfeife, bis er die innere Ruhe für seine erste Wortmeldung in diesem erlauchten Gremium hat: „Dank dir schön, Hannes. Wir könnten alle Waffen einzusammeln. Aber das wär für die Katz. Selbst wenn wir alle Häuser durchsuchen lassen, gäb‘s noch viele Verstecke, die wir nie und nimmer finden. In den Scheunen zum Beispiel, in alten Brunnen, im Wald oder anderswo. Ich meine, der Amtsbote und der Scharwächter sollten von Haus zu Haus gehen und aufschreiben, wer drin wohnt und arbeitet."

Der Schöpflein muss laut auflachen. „Seit wann kann der Scharwächter schreiben?"

Knöpfles Gesicht zerreißt es zu einem süffisanten Lächeln. „Und der Stangenheinrich kann, so viel ich weiß, bloß bis zehn zählen."

Der Schultes sitzt unschlüssig da und kratzt sich hinterm Ohr. Volkszählung oder Ruglerwiese? In der Sache rudert er nicht gern gegen den Strom. Trifft der Stadtrat die falsche Entscheidung, verrenken sich die Leute die Hälse und tuscheln hinter vorgehaltener Hand: ‚Unser Schultes hat uns die Suppe eingebrockt. Soll er sie auch auslöffeln.‘

Zum Glück meldet sich in diesem Augenblick der Bierlein zu Wort: „Feinde unseres Königs sind Widersacher unseres Vaterlandes und damit auch unsere Feinde. Darum müssen wir zunächst alles daransetzen, die Verbrecher ausfindig zu machen. Das ist Pflicht und Ehrensache. Es kann nicht sein, dass sie mitten unter uns sind, und wir schauen weg. Und dann empfangen wir unseren König auf der Ruglerwiese. Dort sind wir auf der sicheren Seite."

Der Ledlein stößt ins gleiche Horn: „Das ist auch meine Meinung, Johannes. Erst die Spitzbuben aus ihrem Versteck holen und zur Gendarmerie bringen, dann übers Programm auf der Ruglerwiese entscheiden. Außerdem beantrage ich, dass die Herren Schöpflein und Knöpfle die Hauskontrolle durchführen, sofern der eine lesen und der andere schreiben kann."

Der Wirt vom Rebstöckle pfeift leise durch die Zähne. Dass sogar der Ledlein einen Dachsparren offen hat, ist ihm neu. Verdrossen schweigt er.

Der Schultes lässt abstimmen. Die Mehrheit ist dafür, zunächst die Hausbesitzer zu befragen. Der Schulmeister müsse umgehend eine Liste fertigen, damit der Amtsbote und der Scharwächter spätestens übermorgen mit der Volkszählung beginnen können.

Befreit atmet der Vorsitzende durch. Die ersten Räte stehen auf und wollen gehen.

„Halt!", befiehlt der Schultes. „Eine Bekanntmachung noch. Albert, lies vor!"

Die Herren setzen sich wieder, und der Schulmeister trägt die jüngst im Rathaus eingegangene Verordnung vor:

„Mit dem 1. Mai beginnt heuer die Versicherungsaufnahme der Felderzeugnisse gegen Hagelschaden bei der Vaterländischen Versicherungsgesellschaft, welche durch die Abänderung einiger bestehender Bestimmungen den Teilnehmern weit größere Vorteile als früher verbürgt. Die Einlage für 100 Gulden Ertragswert von Hopfen, Flachs, Hanf, Ölgewächse und Obst beträgt 1 Gulden 30 Kreuzer, für alle anderen Felderzeugnisse 1 Gulden. Als Anwälte für Linnfurt sind von der Königlichen Versicherungsgesellschaft aufgestellt: Fritz Frank, Schultheiß; Otto Schäfer, Postwirt; Andreas Schmidlin, Bäcker und Zeitungsverleger."

Keiner hat etwas verstanden. Aber das schadet nichts. Denn der Amtsbote muss den Dreck in den nächsten Tagen zweimal ausschellen, und das Linnfurter Intelligenz-Blatt wird ihn sogar abdrucken. Dreifach genäht hält besser. Bei allem, was mit Geld zu tun hat, verfährt der Schultes nach diesem Grundsatz. Denn er hat in diesen Dingen öfters Lehrgeld zahlen müssen. Wenn's was kostet, klappen die Bauern und Handwerker gern die Ohren zu. Aber wenn sie die Geldkatz zücken müssen, regen sie sich mächtig auf.

Sie sitzen in einem frisch renovierten Raum hinter der Balustrade des Schlosses, der Oberst, der Einarmige mit dem Faschinenmesser und Leopold. Sie sprechen über den Württemberger und ziehen den Namen des viel gepriesenen Mannes in den Dreck. Kein Wunder, jeder Hass wurzelt in einem anderen Boden.

„Ja, ja", sagt der Oberst abschätzig, „erst haben sich die Württemberger über Generationen in Preußen den militärischen Schliff geholt. Jetzt paktieren sie gegen uns, obwohl sie mit dem preußischen Herrscherhaus eng verwandt sind. Vergessen wir nicht, dass Friedrich der Große seinen Großneffen, den dicken Friedrich, den Vater des jetzigen Württembergs, huldvollst in seinen engsten Stab aufgenommen hat. Und nun das."

„In unseren Augen ist er wortbrüchig und fahnenflüchtig dazu, der saubere Herr." Leopold, in Wahrheit ein Artillerieingenieur im Range eines Hauptmanns der kaiserlich-königlichen Armee, ausgebildet in einer Pulverfabrik bei Laibach, lässt an seiner Verachtung für König Wilhelm von Württemberg keinen Zweifel aufkommen. „Unser Kaiser Franz war sein Onkel, vermählt mit einer Schwester von Wilhelms Vater. Mehrfach hat unser Kaiser seinem Neffen aus der Patsche geholfen. Feldmarschall Radetzky hat ihm sogar das Kommando über ein österreichisches Armeekorps anvertraut. Und wie hat er's uns gedankt?" Eine wegwerfende Geste. „Jetzt arbeitet er gegen uns, dieser Schuft! Unfassbar!"

Der Einarmige zischt: „Eine württembergische Kugel hat mich zum Krüppel gemacht. An Napoleons Seite ist dieser Hundsfott gegen uns marschiert. Erst im letzten Augenblick, als jeder das Ende des Franzosenkaisers erkennen konnte, hat er die Seiten gewechselt. Ich hasse diese Kanaille!"

Ein paar Minuten sitzen sie da, ihr Hass köchelt. Dann entsteht eine Bewegung, als habe ein Hoboist zur Schlacht geblasen.

„Meine Herren, ich darf bitten. Betrachten wir die Chose von oben." Der Oberst steht auf und öffnet eine Tür zur vereisten Balustrade. Schneeverweht bis an den

Horizont ist die weite Landschaft, die sich ihnen in ihrer ganzen Pracht präsentiert. Unter ihnen schmiegt sich das Städtchen den Hang herauf, dahinter schlängelt sich, wie eine Kobra auf Beutezug, die Linn, danach weiße Äcker und Felder, schließlich am bläulichen Horizont die sanften Hügel der Stromberge.

Aus den Schornsteinen im Tal steigt grauer Qualm. In den Gassen sieht man Menschen. Soeben passiert die Postkutsche das Schlosstor. Hinter dem Linntor, wo Töpfermeister und Ziegelbrenner Johannes Bierlein seine Ziegelei hat, ziehen zwei Ochsen einen beladenen Leiterwagen.

„Da haben wir unser Problem, meine Herren“, erläutert der Oberst und deutet auf das Ochsengespann. „Für einen Büchsenschuss von hier oben ist der untere Teil des Ortes außer Reichweite.“

Leopold orakelt. „Darum werden wir ihn nicht mit der Büchse erlegen.“

„Sondern?“ Der Einarmige kneift die Augen zusammen.

„Wir pusten ihn in die Luft,“ sagt Artillerieingenieur Leopold lauernd. „Pfft! Weg ist er. Servus, adieu!“

„Dazu“, wendet der Oberst ein und erhebt Finger und Stimme, „müssen Sie erst an ihn rankommen.“

Leopold gestikuliert, als wische er etwas von einer Tafel ab. „Man könnte das Plätzchen, an dem sich der Lumpenhund huldigen lässt, ein wenig mit Pulver garnieren.“

Der Rittmeister, der die Trainsoldaten kommandiert, ist erstaunt. „Und Sie wissen schon, wo das sein wird?“

„Noch nicht, aber wir arbeiten daran."

„Nein, nein, wir bleiben bei unserer Entscheidung." Der Gardeoffizier macht eine entschlossene Geste. „Wir setzen unsere neuen Perkussionsgewehre ein."

„Reichweite?"

„Maximal 2100 Fuß."

„Erstaunlich." Der Österreicher ist beeindruckt. „Haben Sie bereits Erfahrung damit?"

„Wir sind noch in der Erprobung."

„Darf man Details wissen?"

„Leicht, knapp fünf Fuß lang, Zylinderverschluss, schnelles Nachladen." Der preußische Oberst wirft sich in die Brust, als habe er das neue Schießeisen selber erfunden. „Der größte Vorteil …", sagt er triumphierend und macht eine kleine Pause, „… man muss es nicht mehr im Knien oder Stehen laden. Das geht jetzt auch im Liegen."

Der Artillerieingenieur will weitere Einzelheiten wissen. „Ein Hinterlader?"

„Gewiss", der Oberst betrachtet den Feuerwerker mit distanzierter Skepsis. Mehr Informationen will er keinesfalls preisgeben. „Jetzt fehlt nur noch ein stilles Plätzchen da unten, von wo wir die Kanaille ins Visier nehmen können."

„Irgendwelche Vorstellungen?"

Der Trainoffizier wirft dem Oberst einen fragenden Blick zu, als wolle er sichergehen, dass er nicht zu viel ausplaudert. „Entweder ein Haus am Marktplatz oder einer der fünf Türme."

„Fünf?“ Der Österreicher runzelt die Stirn und schaut irritiert über die Brüstung.

„Vier Türme in der Stadtmauer …“, der Oberst macht eine kleine Pause, sondiert die Häuser unter ihm und zeigt mit dem Finger in die Stadtmitte: „… und der Kirchturm.“

Leopold pfeift anerkennend durch die Zähne. „Der Kirchturm“, wiederholt er nachdenklich, als habe er einen Fehler gemacht. Das hätte ihm früher einfallen können.

„An was haben denn Sie gedacht?“ Der Trainsoldat blickt dem Österreicher prüfend ins Gesicht.

„Rund um den Marktplatz wär’s für ein schönes Feuerwerk am besten. Dort sind die Häuser so dicht beieinander, dass die Explosion große Wirkung hätte. Doch keines steht derzeit leer. Und einen armen Teufel mit Gewalt aus seiner Wohnung vertreiben, damit wir unsere Knallbonbons sorgfältig installieren können, das würde Unruhe schaffen. Darum versuchen wir es mit einer List. Geht unser Plan auf, wird man um das Leben des Verräters fürchten und ihn außerhalb der Stadtmauern empfangen. Dann haben wir exzellente Bedingungen.“

Die Herren frieren und ziehen sich wieder in das angrenzende Gemach zurück. Sie vereinbaren, sich künftig besser abzustimmen. Man werde getrennt marschieren, jedoch koordiniert zuschlagen. Während die Österreicher auf eine Höllenmaschine setzen, wollen die Preußen ihren neuen Gewehren vertrauen.

*

Nikolaus muss noch vor Tagesanbruch aufstehen. Das hat er sich selbst eingebrockt, will er doch die geschärften Hauen im Wengert ausprobieren. Paula hat ihn wachgerüttelt. Der Schweizer, nach Größe und Figur ihm etwa gleich, hat ihm ein paar alte Sachen geliehen: eine abgeschabte Kniehose mit Knieriemen, ein gestopftes und mit Flicken besetztes Leinenhemd, einen abgewetzten Zwilchkittel, einen blauen Schurz und eine speckige Schildkappe. Dann hat der Gast aus der Landeshauptstadt zum ersten Mal in seinem Leben das Morgenessen inmitten des ganzen Hausgesindes in der Küche eingenommen.

Alsbald ist er, kraftstrotzend und frohgemut, mit dem Schultes losgestapft, die geschärfte Haue über der Schulter, die Mütze gegen die tief stehende Wintersonne ins Gesicht gezogen.

Bis zum Nachtwächterturm kann er noch gut mithalten. Sie erreichen die vielen Stäffele, die zum Schlossberg hinaufführen. Während er nach wenigen Tritten wie ein Brauereigaul schwitzt und schnaufen muss, hechelt der Schultes wie ein Mops.

Schließlich, bei beiden pfeift die Lunge wie bei einem Dampfross schon zu den Ohren hinaus, klettern sie die letzten Stufen zur prächtigen Trollingerlage hinauf, die gleich unterhalb des Schlosses liegt, genau nach Süden.

Der Schultes hat einen großen Lappen in der Hosentasche, den legt er auf die Trockenmauer. Sie hocken sich drauf, mit weichen Knien und außer Atem, wischen sich den Schweiß aus Genick und Gesicht und dampfen sich aus.

Nikolaus schaut und schaut. Einmalig, diese Aussicht. Der Schultes schweigt und genießt. Hier ist er schon oft gesessen, hat sich ausgeruht, in die Sonne geblinzelt und die metallisch schimmernden Eidechsen beobachtet, wie sie auf warmen Steinen ihre Lebensgeister aufheizen und beim kleinsten Schatten oder leisesten Geräusch blitzschnell in Mauerritzen huschen.

Ein heiseres Krächzen, Pfeifen und Schnurren ist in der Luft. Elstern ärgern sich über die Störenfriede und schäckern. Spatzen zetern und protestieren.

Der Schultes blinzelt zum Himmel hinauf. Von Westen her nähern sich weiße Linsen, dann ganze Wolkenfelder.

„Das Wetter ändert sich“, prophezeit er, „bald ist Frühling. Wird langsam Zeit.“

Nikolaus hängt seinen Gedanken nach. Bei Lichte besehen hat er vom Winter noch nicht viel gehabt. Schade. Hier oben ist das Weiße schon ausgeapert und hat Schneeglöckchen Platz gemacht. Gelbe Winterlinge und die ersten Gänseblümchen am Fuß der Mauer sehnen den Frühling herbei.

„Von da oben“, der Schultes stößt seinen Nebensitzer mit dem Ellbogen an, „siehst du tadellos, wo wir den König ohne Gefahr begrüßen könnten.“

„Mhm.“ Mehr gibt der Gast aus Stuttgart nicht von sich, weil es in seinem Kopf tickt.

„Du weißt, was ich meine?“

„Bild! Bild!“

Der Schultes weist mit langem Arm geradeaus: „Unterhalb vom Linntor.“

Nikolaus nickt. Er beschattet die Augen mit der Hand. „Wenn ich’s recht sehe“, er kneift die Lider zu schmalen Schlitzen zusammen, „sind dort keine Bäume?“ Er kommt ins Sinnieren. „Eine kleine Bühne drunten bei der Flößerlände“, er lehnt sich zurück und faltet die Hände im Nacken, „dann wär’s perfekt.“

In diesem Augenblick tapst es hinter ihnen. Sie drehen sich gleichzeitig um. Ein junger Mann kommt die Stäffele herunter.

„Das ist der Dubbeler“, flüstert der Schultes, „der Jüngste vom Grafen Heinrich.“ Er macht eine Kreisbewegung vor der Stirn, als wolle er einen Schwarm Mücken fangen.

„Musst Brötchen kaufen für deinen Vater?“

„Wir haben jetzt unseren eigenen Bäcker“, gibt der Dubbeler eher brav und redlich als großspurig zurück.

„Aberjetza! Ich hab gedacht, ihr habt kein Personal mehr.“

„Ach was, Schultes, Personal genug. Und noch einen Haufen Gäste dazu.“

Dem Schultes fällt der Kiefer runter, und bei Nikolaus rastet endgültig ein Gedanke ein.

„Ade, Schultes, ich muss gehen.“ Der Dubbeler steigt vorsichtig die Treppen hinab, denn sie sind an manchen Stellen noch vereist.

Nikolaus wendet sich seinem Nebensitzer zu. „Da stimmt doch etwas nicht?“

„Scheint so. Soll ich einen Besuch beim Grafen machen?“

„Nein, Fritz. Keine schlafenden Hunde wecken. Bitte lass mich das machen."

Der Lappen wird wieder eingesteckt. Sie schultern die scharfen Hauen und steigen zur obersten Schranne hinauf.

Der Südhang des Schlossbergs eignet sich vorzüglich für den Weinbau. Freilich kostet die Kultivierung der Reben viel Kraft und Schweiß, besonders wegen der schmalen, abschüssigen Schrannen und der steilen Lage. Kreuzlahm wird man dabei. Erst die wackligen Stufen, bis man ganz oben ist. Zudem die vielen Stäffele im Weinberg selber. Ständig treppauf treppab. Da ist man müd, bevor die Arbeit losgeht. Und dann die vielen Schindereien übers Jahr: Hacken, Pfählen, Binden, wieder Hacken, Schneiden, nochmals Hacken, Ausgeizen, abermals Hacken und Lesen, von Februar bis Oktober. Schließlich im Spätherbst die Pfähle aus dem Boden ziehen und die Reben mit Stroh und Erde zudecken. Darum steht noch vor den ersten warmen Tagen im zeitigen Frühjahr das Pfählen an, damit man die Reben ausgraben und aufrichten kann, bevor sie im Boden austreiben.

Christian, der Zweitälteste des Schultes, hat beim Onkel in Oberriexingen die neueste Kunst des sortenreinen Weinbaus erlernt und ist erst seit letztem Dezember auf dem elterlichen Hof zurück. Er wolle die Pfähle künftig über den Winter stehen lassen, hat er gestern angekündigt.

Dann werden sie schneller morsch, hielt der Schultes dagegen, neue kosteten fünf Kreuzer das Stück.

Lieber öfters neue, als sie jeden Herbst herausziehen und im Frühjahr wieder in den Boden schlagen müssen, beharrte der Junior: „Dieses unnötige, schwere Arbeit kann man sich sparen.“ Es sei schlimm genug, dass man die Reben pflegen, die Schrannen mehrmals hacken und die Trockenmauern ausbessern muss. Knurrend hat sich sein Vater gefügt.

Fritz und Nikolaus schwingen brüderlich vereint ihre Hauen und hacken Löcher in den harten Boden. Bald schwitzen sie, trotz der Kälte. Dem höfischen Sendboten, der ungeübt und ein paar Jährchen älter ist als sein bäuerlicher Gastgeber, beginnen die Kräfte zu schwinden. Aber er reißt sich zusammen, er will nicht schlappmachen. Eine Stunde später japst sogar der Jüngere. Als die Mittagsglocke zum Essen bimmelt, schmeißt der Schultes seine Haue hin. „Reicht für heute!“ Stolz betrachtet er die Reihen ellentiefer Kuhlen. „Morgen kann der Christian mit dem Pfählen beginnen. Hoffentlich das letzte Mal für viele Jahre.“

Mit zittrigen Knien kraxeln sie talwärts, die Haue als Halt, stützen sich ab, klammern sich bänglich hier an einem Stein fest, dort an einem Grasbüschel, da an einem Ast, dauernd in der Angst, gleich könnten sie auf einer Eisplatte ausrutschen und mit dem Kopf voraus die Stäffele hinabhoppeln.

Doch, o Wunder, sie kommen heil hinunter, atmen erleichtert auf, zotteln unter dem Nachtwächterturm durch, und …

„O verreck!“ Rums! Platsch! Der Schultes ist der Länge nach hingeschlagen. Wie ein Pfannkuchen, der sich in der Luft dreht, bevor er in die Pfanne klatscht, ist der Stadtpräsident nach einem mörderischen Überschlag aufs Pflaster geknallt.

„O weh!" Nikolaus ist der Schreck in die Glieder gefahren. „Sind Sie noch heil, Herr Bürgermeister?"

Nach ein paar Schrecksekunden linst der Gefallene, am Boden liegend, zu dem Stehenden auf: „Glaubst du an die Auferstehung?"

„Kommt drauf an."

„Auf was?"

„Ob du so lange liegen bleiben willst."

Der Schultes entscheidet sich fürs Aufrappeln. Nikolaus will ihm auf die Beine helfen. Ein Schmerzensschrei. Der Gefallene hockt am Boden und jammert.

Eine Frau kommt herbeigerannt. Sie hat das Malheur durchs Fenster beobachtet und packt mit an. Zu zweit stellen sie den Gestürzten wieder auf die Beine. Nikolaus klopft ihm Hose und Kittel sauber und drückt ihm die Kappe aufs störrische Haupthaar.

„Und jetzt?" Nikolaus ist ratlos.

Die Frau ist praktisch veranlagt. „Zum Bader!" Sie fordert Nikolaus auf, ihr zur Hand zu gehen. „Ist nicht weit."

Sie nehmen den Malträtierten in die Mitte und schleppen ihn zur Verwunderung und Gaude etlicher Passanten dorthin. „Ist er besoffen, unser Schultes?", fragt einer süffisant.

Ernesto ist zuhause. Er sitzt in seiner geräumigen Folterkammer. Sofort nimmt er sich des Stöhnenden an, tastet den schmerzenden Rücken ab und schlägt in einem großen Kräuterbuch nach.

Die Frau verabschiedet sich. „Dank dir schön, Erika“, ruft ihr der Schultes hinterher. „Ich bring dir morgen ein Fläschle Wein vorbei.“

Nikolaus schaut sich mit großen Augen in dem streng und undefinierbar riechenden Sammelsurium um.

An einer Wand stehen drei Regale, bis oben hin gefüllt mit Gläsern, Dosen und Flaschen. Er studiert die Aufschriften. Im ersten Regal sind es abenteuerliche Chemikalien und Mineralien: Silbernitrat, Blaues Vitriol, Spiritus Mindereri, Terpentin, Kalk, Schwefel, Salmiak, Quecksilber, Weinstein, blauer Schiefer und anderes mehr. Was das zweite Regal bietet, ist ihm eher vertraut: Lindenblüten, Anis, Malvenblüten, Malvenblätter und Malvenwurzeln, Eisenkraut, Beinwell, Minze, Enzianwurzeln, Kamillenblüten, Eukalyptus, Lavendelblüten, Fenchel, Salbeiblätter, Melisse, Johanniskraut, Süßholz und Thymian. Im letzten Regal gibt es Olivenöl, Franzbranntwein, Senf, Kampfer, Essig, Kaffee, Tee, Honig, Zucker und Brechsalz.

„Schultes, du habe Hexenschuss“, erklärt Ernesto.

Der Patient muss sich bäuchlings auf eine Pritsche legen. Der Bader massiert ihm den Rücken und steckt ihm einige Wacholderbeeren in den Mund. „Gut kaue, Schultes!“ Routiniert zerdrückt er eine Handvoll dieser heilträchtigen, blauen Beeren in einer Schale, gibt Olivenöl dazu und massiert die Paste in die schmerzende Stelle ein. Schließlich tränkt er ein Tuch mit Franzbranntwein, Kampfer und Lavendel und legt dieses dem Patienten auf den Rücken.

„Halbe Stund liege bleibe, Schultes!“, verordnet Ernesto mit erhobenem Zeigefinger. „Nix Faxe macke!“ Er wendet sich dem Begleiter des Patienten zu.

„Na, Nikolausi, du wolle Bad nehme? Isse gemackt zack zack.“ Der kleine, dicke Italiener deutet auf einen Badezuber. Daneben liegen auf einer Holzbank verschiedene Aderlasseisele, große und kleine Schröpfgläser, eine Klistierspritze und etliche Furcht einflößenden Geräte.

Nikolaus winkt den heilkundigen Bartscherer in eine ruhige Ecke und plaudert mit ihm über Gott und die Welt. Ganz nebenbei fragt er ihn auch über die Einstellung der Linnfurter zu ihrem König aus.

Ernesto weiß nur Gutes zu berichten. „Alle Leute liebe König. Ich genau wisse, kanns mir glaube.“ Auch rund um den Weinmarkt wohnten nur königstreue Leute, versichert er auf Nachfrage.

„Warum du wolle wisse?“, fragt Ernesto.

Glücklicherweise meldet sich genau in diesem Augenblick der Schultes zu Wort: „Da hast du anständig Glück gehabt, Bader, dass ich heut gekommen bin, sonst müsstest du am Hungertuch nagen.“

Der Herr Bürgermeister klopft schon wieder Sprüche. „Hast mich hinten wieder zugespachtelt?“, fragt er den italienischen Heilpraktiker.

Ernesto legt dem Patienten einen Verband an und wird umgehend mit einem halben Gulden entlohnt.

Nikolaus hakt den Schultes unter. Sie eiern die Hauptstraße hinunter und erreichen glücklich die Linde. Dort stolpern sie erschöpft, verdreckt und halb verhungert in die Gaststube und finden zu ihrer Überraschung die Wirtin ins Gespräch vertieft. Ihr gegenüber sitzt ein goldbetresster Offizier. Er hat es sich auf dem Heiligen Stuhl des Stadtoberhaupts bequem gemacht.

Der Schultes zieht die Nase kraus und ist verstimmt. Nikolaus prustet los, geht auf den Goldfasan zu und befiehlt ihm, auf der Stelle den Thron des Herrn Bürgermeisters zu räumen. Gleichzeitig setzt er ein maliziöses Lächeln auf und bedeutet dem hochrangigen Soldaten mit den Augen an, nicht aus der Rolle zu fallen. „Nun, Haudegen, wie geht es seiner Majestät?"

Haudegen verschluckt sich. „Das", er hüstelt, „könnte ich auch Sie fragen, Ma …"

Nikolaus tritt ihm unterm Tisch vors Schienbein.

„… Verzeihung, Verzeihung …", der Ankömmling ist verwirrt, „man weiß überhaupt nicht mehr …"

„Haudegen! Haudegen!" Nikolaus schneidet ihm mit einer knappen Geste das Wort ab, aus Sorge, der Verwirrte könnte Unheil anrichten. Das Bier, das ihm die Schankmagd in diesem Augenblick reicht, leert er in einem Zug. Er wischt sich mit dem Handrücken die Lippen und verabschiedet sich. „Dableiben und Mund halten", droht er mit erhobenem Zeigefinger, „ich komme gleich wieder."

Während sich der Schultes in der Küche Gesicht und Hände wäscht, macht sich Nikolaus in seiner Stube im ersten Stock frisch und zieht andere Kleider an.

Die drei Herren nehmen vor dem Ausschank Platz, am persönlichen Stammtisch des Herrn Stadtpräsidenten, doch nun in der richtigen Rangordnung. Der

Offizier zur Linken, der Schultes in der Mitte auf besagtem Stuhl mit Armlehnen, Nikolaus zur Rechten.

Ida serviert das Mittagessen.

„Ah, wie das duftet.“ Nikolaus ist entzückt. „Krautwickel. Ausgezeichnet. Habe ich seit vorletztem Frühjahr nicht mehr gegessen.“

Sie verspeisen köstliche Kohlrouladen mit Speck und Salzkartoffeln. Zum Nachtisch gibt es Mohnstrudel mit Kaffee.

„Haudegen …“

Der Angesprochene erstarrt augenblicklich und schlägt automatisch die Hacken unterm Tisch zusammen.

Nikolaus warnt mit erhobenem Zeigefinger: „Wenn Sie sich nicht zu benehmen wissen, Haudegen, petz ich’s dem König. Dann müssen Sie jeden Tag auf dem Hohenasperg strammstehen.“

Es klingt so überzeugend, dass der Offizier prompt erbleicht und vor Verlegenheit hüstelt. Der Schultes staunt, wie handzahm so ein hohes Tier sein kann.

„Kommen Sie, kommen Sie, Haudegen“, drängelt Nikolaus, „wir gehen ein Stückchen spazieren.“

Die beiden Stuttgarter schlendern zum Linntor hinaus, wo Nikolaus den Adjutanten knapp und präzise über die Lage informiert und drei brandeilige Geheimaufträge erteilt. Erstens: Wer ist Koloman Neumaier? Zweitens: Wer ist der neue Knecht vom Winzer-Johann? Und drittens: Was geht im Schloss des Grafen zu Linnfurt vor?

*

Endlich! Durchs Küchenfenster sieht sie ihn kommen. Jetzt muss alles schnell gehen. Lange genug hat sie sich auf diesen Augenblick vorbereitet. Seit sie auf der Hochzeit vom Jenseits den schlanken jungen Mann mit dem weichen Gesicht und den rehbraunen Augen kennengelernt hat, geht er ihr nicht mehr aus dem Sinn. Denn er ist anders als die jungen Kerle im Städtle. Kein Trunkenbold, kein Angeber, kein Gockeler und erst recht kein überzwercher Sonderling. Zwar ist Koloman ein Reingeschmeckter, weshalb sich der eine oder andere Neider das Maul zerreißen wird, doch das lässt sie kalt. Auch schwarze Kühe geben weiße Milch. Deshalb wird man sich schnell an den neuen Bauern auf dem Läpplehof gewöhnen, zumal er gelernter Sattler und Polsterer ist.

Abend für Abend hat sie gebrütet, wie sie es anstellen muss, dass er sie nicht mehr aus dem Kopf kriegt. Von Handarbeiten versteht sie eine Menge, aber diese Kunst reißt keinen Mann vom Hocker. Singen liegt ihr nicht, und zum Fiedeln hat sie keine Lust. Dafür nimmt sie es im Kochen und Backen mit den besten Küchenmeistern und Konditoren auf. Geht die Liebe nicht durch den Magen?

Also hat sie hin und her überlegt, womit sie ihn am schnellsten bezirzen könnte. Einen scheuen Bock muss man mit dem ersten Schuss erlegen, sonst verduftet er auf Nimmerwiedersehen, hat ihr Vater oft genug gepredigt.

Es muss etwas sein, das ihre Qualitäten ohne viel Worte im Nu offenbart. Dazuhin muss man es ein paar

Tage im Voraus für diesen einen Moment vorbereiten können, ohne dass es an Aroma und Wirkung verliert. Am besten ein paar Köstlichkeiten, die ihn auf den Geschmack nach mehr bringen.

Sie hat Mehl und Zucker fein gesiebt, geröstete Mandeln gehackt, dann Eier, Pomeranzenschale, Zitronat, Kardamom, Nelken und Zimt bei der Schulmeisterin besorgt. Daraus sind köstliche weiße, kleine Nürnberger Lebkuchen entstanden, verziert mit roten Herzchen. Und während sie den Zuckerguss gerührt hat, ist sie auf hinterlistige Einfälle gekommen.

Gerade sieht sie Koloman auf ihr Haus zusteuern, gleich verschwindet sie flugs in ihrer Kammer im ersten Stock und zieht ihr kornblumenblaues Kleid mit dem kaputten roten Gürtel an. Das Blau passt herrlich zu ihren blonden Haaren. Sie kämmt sich und tupft sich französisches Parfum hinter die Ohren und in ihren Ausschnitt.

Paula ruft, Besuch sei da.

„Gleich, gleich“, flötet sie zurück, „ich such grad was.“ Sie tänzelt die Treppe herab und mimt die atemlos Überraschte: „Ja was, Koloman, du? Das hätt ich nicht gedacht, dass du mich auch einmal besuchst.“

„Komme ich ungeschickt?“

„Nein, nein! Gut, dass du da bist.“

Er staunt sie mit offenem Mund an.

„Gerade heute habe ich gedacht, es wäre an der Zeit, dass ich nicht mehr in dem schwarzen Zeug herumlaufen muss.“

„Das Blau steht dir gut.“

„Meinst?“ Sie wendet sich mit treuherzigem Augenaufschlag an ihn: „Ist das nichts Unrechtes, wenn ich jetzt wieder farbige Kleider anziehen möchte?“

„Nein, Anna, du hast das Recht dazu.“

„Gell, das meine ich auch. Willst etwas zum Essen?“

„Eigentlich wollte ich bloß sehen, ob ich dein kaputtes Lederzeug reparieren kann, wie ich's versprochen habe.“

„Und dann?“

„Nehm ich's mit und bring's dir, wenn ich es repariert habe.“

Sie zieht eine klägliche Schnute. „Mit dem Lederzeug der Pferde kann man das schon machen.“ Gleich eine beschwörende Bitte hinterher: „Könntest du meine eigenen Sachen nicht hier bei mir reparieren? Weißt, ich brauch es jetzt dringend, da ich keine schwarzen Kleider mehr anziehe.“ Sie macht den roten Gürtel von ihrem Kleid ab und zeigt ihn Koloman.

„Ha, der ist gleich repariert.“

„Freilich, das meine ich auch.“ Sie bittet ihn, heimzulaufen und das nötige Werkzeug zu holen. Derweil werde sie für ihn etwas Schnelles zubereiten. Dann könnten sie gemeinsam essen und noch ein bisschen plaudern.

Erst sucht er vielerlei Ausflüchte, doch sie redet ihm gut zu, fleht ihn an und steckt ihm mit einem Mal eine Pfeffernuss in den Mund. „Die hab ich speziell für dich gebacken. Jetzt lauf halt und hol das Zeug.“

Er beißt, er kaut, er schluckt. „Au, die ist gut.“

Ja, denkt sie, das ist tatsächlich eine besondere Nuss. Laut sagt sie: „Da hab ich Ohrwürmer hineingetan. Spürst du sie nicht?“

Er erschrickt. Es knackt zwischen seinen Zähnen.

Sie kichert: „In den Pfeffernüssen sind ein paar Pfefferkörnle drin.“

Eine Schutzbehauptung, denn Krabbeltierchen sind wirklich drin. Getrocknete natürlich, fein gehackt und in den Teig geknetet. Altes Rezept aus ihrer Heimat. Die Ohrenzwicker oder Ohrenwusler, wie sie hierzulande heißen, erwachen nach volkstümlicher Heilkunde beim Backen zu neuem Leben und zwicken zum Dank den, der das süße Naschwerk verspeist, so lange ins Ohr, bis er den Namen der Bäckerin nicht mehr loswird. Ein Fuchs mit Handschuhen fängt keine Hühner, hat die Großmutter gemahnt.

Sie zieht noch ein paar Pfeffernüsse aus der Kitteltasche, gibt ihm eine direkt in den Mund und drückt ihm die restlichen in die Hand. „Was willst du zum Abendessen? Etwas Süßes oder etwas Herzhaftes?“

Er steht da und kaut, verlegen, schüchtern und irgendwie überwältigt.

Sie strahlt ihn liebevoll an. „Freilich! Ich seh schon, du brauchst etwas Süßes.“ Sie treibt ihn an: „Gell, kommst gleich wieder, bald ist nämlich das Abendessen fertig.“

Während Koloman seine Kammer beim Oberschlaule aufsucht, muss Frieda, die Kindsmagd, in der guten Stube decken. Anna begibt sich in die Küche und backt Ohrfeigen. Dazu rührt sie einen Pfannkuchenteig an, lässt ihn in der Pfanne goldgelb werden, bestreicht die eine Hälfte mit Preiselbeergelee, streut Zucker, Zimt und Zibeben drüber, schlägt die andere Hälfte über und … .

Koloman ist außer Atem zurück. Sein Werkzeug hat er in ein Tuch eingeschlagen.

„Wie schmecken dir meine Nüss?“

„Saugut!“ Koloman ist von den Pfeffernüssen begeistert. Offensichtlich sind die Ohrenzwicker zum Leben erwacht und wuseln durch sein Hirn.

„Das freut mich. Jetzt essen wir. Dann kannst du meinen Gürtel wieder ganz machen.“

Sie führt ihn in ihre Wohnstube und lauert, denn sie weiß, dass der Gast gleich die Augen verdrehen wird. Und da ist's schon passiert. Koloman hält sich am Türpfosten fest und kommt nicht aus dem Staunen heraus. Fast nimmt es ihm den Atem, so behaglich, andersartig und schön ist dieses Zimmer. Schrank, Truhe, Büffet, Tisch, Polsterstühle, Sofa, Standuhr, Lampe, ein paar gerahmte Bilder an der Wand. Und auf dem Tisch ist – eins, zwei, drei, vier, fünf! – für fünf Personen gedeckt. Ihm dämmert's. Jetzt gehörst der Katz.

„Setzt dich hin. Ich muss geschwind nochmal in die Küche.“

Während er Platz nimmt, eilt sie in die Küche, schickt Frieda samt den Kindern in die gute Stube und bestreut die Ohrfeigen mit Puderzucker. Das süße Backwerk serviert sie zusammen mit aromatischem, leicht säuerlichem Quittenkompott.

Lange Brautschaften, wie sie unter den Großstädtern und Gebildeten vorkommen, sind auf dem Land nicht üblich. Meist zwei bis sechs Wochen nach dem

Kennenlernen wird geheiratet. Ein Vierteljahr verstreichen lassen? Hehehe, das ist nicht die feine Art. Macht sich da ein Gockeler schon aus dem Staub? Und ist eine Beziehung erst einmal bekannt, gibt es kein Zurück mehr.

All das hat die schöne Anna vorausberechnet. Darum sitzt Frieda mit am Tisch. Sie soll überall herumerzählen, dass Koloman da gewesen und von der Hausherrin herzlich empfangen worden ist.

Und ein weiterer Vorteil dieses Arrangements liegt auf der Hand. Der Auserwählte lernt die Kinder kennen, denen er künftig den Vater ersetzen muss, wenn er deren Mutter freit, was sie will und er zu ahnen beginnt. Doch die vierjährige Marie und der zweijährige Johann machen es dem fremden Mann leicht. Sie plappern munter drauf los und erzählen vom Schneemann, den sie mit Frieda im Garten gebaut haben.

Nach dem Essen müssen die Kinder ins Bett. Willig folgen sie Frieda in ihre Kammer im ersten Stock. Derweil stellt Anna zwei Pokale auf den Tisch und schenkt Koloman und sich funkelnden Trollinger ein. Sie prosten sich zu, sie plaudern und erzählen von ihrer Jugend, tauschen Nettigkeiten aus, während Koloman nebenher den Gürtel näht.

Sie trinken Kaffee und genießen den Nusskuchen, mit Cognac saftig und lange haltbar gemacht. Und schon fliegen vertraute Blicke hin und her.

Koloman zwickt es im Ohr. Als er hinlangt, zappelt ein Ohrwusler zwischen seinen Fingern. „Wo kommt auch der her?!“

Anna lächelt vielsagend. Alles riecht nach Musik. Heiliger Bimbam! Sie bekommt Hitzewallungen, und in ihm quellen die Gefühle. Rührung und Leidenschaft steigern sich zu Taumel und Wollust. Den Entrückten will es scheinen, als schwebten sie im Polkatakt durch Raum und Zeit. Ein Gurren und Schäkern, ein Flöten und Schmeicheln liegt in der Luft. Sie verdreht ihm den Kopf. Er schmachtet sie an. Läuten schon die Hochzeitsglocken? Soeben streckt er die Hand nach ihr aus … .

Die Tür geht auf.

„Deine Kinder schlafen selig, und ich geh jetzt auch ins Bett. Gute Nacht."

Hastig packt Koloman sein Werkzeug zusammen, doch Anna legt ihre weiche, warme Hand auf seine Rechte. „Schad, dass du schon gehen musst."

Frieda, die Türklinke in der Hand, fallen die Augen aus dem Kopf.

Anna lockt mit verschleiertem Blick: „Mein Lieber lass das Zeug da. Musst morgen Abend noch meine anderen Ledersachen flicken."

Frieda verschlägt es den Atem. Errötend entschwindet sie in ihre Kammer.

An der Haustür streichelt Anna ihrem Koloman die Wangen und drückt ihm eine Spanschachtel in die Hand, gefüllt mit herzigen Lebküchlein, kleinen Baisers, Pfeffernüssen voller Ohrwusler und Springerle mit Liebesbildchen drauf. Sie schaut ihm tief in die Augen, denn sie weiß, dass er heute Abend am Boden der Schachtel einen Zettel finden wird, der ihn nicht mehr schlafen lässt:

Wann's dir ist,
wie's mir ist,
dann geht der Spaß an,
dann werd ich dein Weible
und du wirst mein Mann.

Seit Tagen taut es. Graue Wolken hängen über dem Linntal, die Luft ist diesig. Spatzen zetern penetrant. Und in Linnfurt veranstalten die zwanzigjährigen Burschen ein Höllenspektakel. Vielleicht müssen sie noch dieses Frühjahr einrücken, weil in Württemberg die Wehrpflicht gilt.

An den beiden letzten Mittwochen lag auf dem Rathaus eine Liste aus, in die musste sich jeder, der 1823 geboren ist, selbst eintragen oder vom Vater beziehungsweise – bei Waisen – vom Vormund einschreiben lassen, wenn der Junior verhindert war. Jeder, wirklich jeder, egal ob reich oder arm, ob Erbe eines Hofes oder Knecht. Wer sich bis Ende Februar nicht erfassen lässt, der muss Reisepass und Wanderbuch abgeben. Er verliert sogar das Recht, im Königreich Württemberg zu wohnen, wird verhaftet und auf jeden Fall, ohne Losverfahren, zu den Soldaten gepresst.

Begleitet von Pistolenschüssen, abgefeuert von Schulkameraden und Verwandten, randalieren die jungen Spunde durch die Gassen und sammeln sich vor dem Rathaus. Unterwegs fließt viel Branntwein, weshalb etliche angesäuselt, manche sturzbetrunken vor der Kommission erscheinen. Im Ratssaal steht ein Sack. Da drin sind durchnummerierte kleine Holzkugeln. In allen Orten von der Größe Linnfurts sind es fünfhundert. Jedem Burschen werden die Augen verbunden. Dann muss er aus dem Sack eine Loskugel ziehen, was Schultes und Schulmeister protokollieren. Letzterer ist heute vom Schuldienst befreit. Der neue Provisor versorgt deshalb alle acht Klassen.

Ist die Zahl auf der Holzkugel niedrig, kommt man zu den Soldaten, ist sie hoch, besteht die Möglichkeit, dass man außen vor bleibt. Die Höchstzahl, bis zu der man den bunten Rock tragen muss, ist vom Kriegsministerium vorab festgelegt worden. Wenn ein Gezogener nicht zum Militär will und reich ist, muss er augenblicklich vierhundert Gulden bar auf den Tisch legen und sich loskaufen.

Anderntags marschieren die Gelosten und nicht Freigekauften im Rudel in die Oberamtsstadt. Dort werden sie vom Regimentsarzt befragt, beklopft, vermessen, visitiert, kurz und gut: gemustert. Wer schlecht sieht, gehört zur Ausschussware, der dem Gespött anheimfällt. Wer keine Vorderzähne hat, kann keine Schwarzpulvertütchen aufbeißen und somit kein Gewehr laden. Er wird verächtlich des Saales verwiesen, ebenso wie die jungen Männer mit den verwachsenen Füßen, die nicht geradeaus marschieren können. Sie zählen zum Pfusch, wie man hier sagt. Den Übrigen setzt der Feldwebel eine Kappe mit farbigen Bändern auf. Im noch ungewohnten Gleichschritt ziehen die Geschmückten wieder in ihr Städtchen ein. Und am nächsten Sonntag sitzen sie in der Kirche in der ersten Reihe und haben schon weiße Soldatenhosen an.

Vier Wochen später wird eingerückt. Schultes, Gemeinderäte und Angehörige begleiten die Rekruten bis zur Markungsgrenze und geben ihnen Brot, Schinken, Zwiebeln, Winterrettiche, Most und Geld mit auf den Weg.

Während also in den Gassen und vor dem Rathaus Leute lärmen und die Burschen im Ratssaal losen, wer Rekrut werden muss, beginnen der Amtsbüttel und der Scharwächter am Linntor mit der Volkszählung.

Gleich im ersten Haus offenbart sich den beiden Dienstmännern, wie unklar ihr Auftrag ist. Schreinermeister Jäger hat zwar Verständnis für die amtliche Erhebung, schließlich wurde sie vom Stadtrat angeordnet und vom Amtsboten zweimal ausgeschellt. Doch wie sich die zwei Uniformierten anstellen, hält er für konfus.

„Wer bist du?“, fragt der Amtsbote.

„Hab ich vergessen.“

Der Scharwächter, heute mit einer alten Flinte bewaffnet, weil er vielleicht einen Spitzbuben verhaften muss, tritt zwei Schritte vor. „Franz, wir sind heut im Dienst. Wenn du uns nicht sagst, wer du bist, dann ist das Widerstand gegen die Staatsgewalt.“

„Mit den großen Hunden pinkeln wollen, aber das Bein nicht hochkriegen.“

Der Scharwächter droht mit der Flinte. „Noch ein einziges Wörtchen, und du bist gewesen.“

Der Schreiner hebt lachend die Hände. Er tut so, als denke er scharf nach, dann schlägt er sich mit der

Hand an die Stirn. „Jetzt weiß ich's wieder." Er deutet auf seine bemalte Hauswand. Neben einem großen Hobel, dem Zeichen seiner Zunft, steht: *Schreinerei Jäger, gegr. 1886*. „Da könnt ihr's abschreiben."

Der Scharwächter zeigt sich unbeeindruckt. Barsch setzt er seine Fragerei fort: „Wie viele Leute wohnen in deinem Haus?"

„Elf."

„Wer ist neu seit dem 1. November?"

„Drei."

„Kannst du nicht deutsch?" Heinrich ist ungehalten: „Wer, hat der Gottlob gefragt, nicht wie viele!"

„Soll ich die Drei nach dem Alphabet aufzählen oder nach dem Geburtsdatum? Wie hättet ihr's gern?"

Die beiden Amtsdiener ziehen sich zur Beratung zurück. Auf dem Formular, das der Schulmeister gefertigt und ihnen erläutert hat, gibt es vier Spalten: *Familienname? – Personen insgesamt? – seit 1. November neu? – Name und Herkunft des Neuen?* Was hat der Schulmeister gesagt? Es klang so simpel, dass sie sich nicht mehr erinnern können.

„Soll ich euch helfen?" Meister Jäger kann sich das Lachen nur mit Mühe verbeißen.

Der Scharwächter reicht ihm wortlos das Formular.

„Bleistift!"

Heinrich rückt das Schreibzeug heraus.

Der Schreiner hält das Papier mit der linken Hand gegen den Türpfosten, mit der rechten schreibt er in die erste Spalte *Jäger*, in die zweite *9*, in die dritte *3* und in die vierte *Margret (Klapperstorch), Joseph Hartmann (Hohenhaslach), Zyprian Striebel (Cleebronn).*

„Und was heißt das?“, will der Amtsbote wissen.

„Ich bin der Jäger.“ Der Handwerksmeister deutet bei jedem Satz mit der Bleistiftspitze auf den jeweiligen Eintrag. „In meinem Haus leben neun Leute. Drei wohnen erst seit dem 1. November hier. Und das sind die drei Neuen: Meine jüngste Tochter Margret, die hat an Martini der Klapperstorch gebracht. Mein neuer Gesell heißt Joseph Hartmann und ist aus Hohenhaslach. Und mein neuer Lehrbub, der Zyprian Striebel aus Cleebronn, ist der Sohn meiner Schwester.“

„Aha.“ Beim Heinrich gehen vier Laternen gleichzeitig an. Doch der Scharwächter kratzt sich im Genick. „Woher wissen wir, dass das richtig ist?“

„Das müsst ihr mir halt glauben.“

„Von wegen! Papiere will ich sehen!“

Heinrich ist das peinlich. „Jetzt komm, Gottlob!“

Der Scharwächter mault und überlegt. Schließlich reißt er dem Schreiner den Bleistift aus der Hand. „Auf geht‘s, Heinrich, dann gehen wir.“

Zwei Stunden später schlappen sie in den Hof des Weinguts, das der Linde gegenüberliegt. Es gehört Johann Klötzner, der gerade mit zwei seiner Knechte leere Fässer putzt.

„So, ihr Tagdieb“, begrüßt sie der Hausherr, „wollt ihr ehrliche Leut von der Arbeit abhalten?“

„Johann, pass auf, was du sagst. Wir sind dienstlich unterwegs“, belehrt ihn der Scharwächter.

Der Weinbauer gerät nicht leicht in Zorn und beantwortet lächelnd die Fragen, die Amtsbote Heinrich inzwischen auswendig kann. Dabei stellt sich heraus, dass beide Knechte neu am Hof sind. Dass Eugen, Oberknecht seit Martini, aus der Weinsberger Gegend stammt und vorher bei einem Wengerter in Besigheim geschafft hat, das weiß der Kötzner, weil er den Besigheimer Kollegen kennt. Woher Siegmund gekommen ist und bei wem er zuletzt Knecht war, das ist ihm entfallen. Er ruft ihn herbei.

„Wo bist her?“

„Von Siggen“, antwortet Siegmund.

„Und wo ist das?“

„Zwischen Wangen und Isny.“

„Das gehört aber nicht mehr zu unserem Königreich“, geht der Scharwächter dazwischen.

Siegmund spottet. „Jetzt wird’s Tag! Schon mal was vom Oberamt Wangen gehört?“

Der Scharwächter ärgert sich über den Besserwisser. „Dann will ich gleich dein Arbeitsbüchle sehen.“

Siegmund zeigt ihm einen Vogel, doch sein Bauer ruft ihn zur Ordnung. „Ich habe ihn eingestellt“, erklärt er den städtischen Bediensteten, „weil ihn mir der Oberschlaule empfohlen hat.“ Er befiehlt seinem Knecht, in Gottes Namen das Büchle zu holen, dass man weiterarbeiten kann.

Das Oktavheftchen ist wenige Augenblicke später da. Es bestätigt die Angaben des jungen Mannes: Siegmund Hiederer, gebürtig aus Siggen im Oberamt Wangen. Zugleich weist es aus, dass die letzte Arbeitsstelle in Reudern war.

„Na also“, knurrt der Wengerter.

Der Scharwächter gibt keine Ruhe. „Und wo ist Reudern?“

„Im Oberamt Nürtingen“, gibt Siegmund patzig zurück.

„Gibt’s da Wengert?“, fragt der Kötzner. „Ich hab noch nie einen Wein von dort oben getrunken.“

„Ja, ja“, versichert Siegmund. Überzeugend scheint er nicht zu klingen, denn der Hausherr runzelt die Stirn, sagt aber nichts, weil er die Amtsschimmel endlich loswerden will.

Heinrich schreibt seelenruhig die Angaben ab, während sich der Scharwächter langweilt.

Schwerer Fehler

Nikolaus hat schlecht geschlafen. Mal träumte er dummes Zeug, mal lag er wach und brütete über der Frage: Wie muss ich's anstellen? Die Entscheidung darf nicht länger hinausgeschoben werden, das weiß er wohl. Schließlich ist in fünf Wochen Ostern. Bis dahin muss der Besuch über die Bühne gegangen sein. Apropos Bühne, wo baut man die am besten auf? Wieder erregten ihn wilde Einfälle und raubten ihm den Schlaf. So sprang er von einem nächtlichen Gedanken zum nächsten und konnte das heillose Wirrwarr an Eingebungen, Erwägungen, Bedenken und Vorbehalten nicht entwirren. Erst gegen Morgen fiel er vor Erschöpfung in einen traumlosen Schlaf.

Als er aufwacht, ist er wie gerädert. Schreie, Lachen und Schüsse hallen in den Gassen. Er schüttelt verärgert den dröhnenden Kopf. Ein schießwütiges Volk ist das. Bei jeder sich bietenden Gelegenheit wird in die Luft geballert. Darum steht für Nikolaus fest: Das Militär muss beim königlichen Besuch alles absperren und jeden auf Waffen durchsuchen. Das geht nur auf den Wiesen an der Linn. Das Gelände ist wie geschaffen für Veranstaltungen. Außerdem kann man dort eine kleine Bühne errichten.

Linnwiesen. Da war doch etwas? Blitzte da nicht mitten in der Nacht eine Inspiration auf, die er sich merken wollte? War er im Halbdämmer nicht der

Lösung seines Problems ganz nahe gewesen? Oder träumte er das nur? Vergeblich zermartert er sich das Hirn. Unzuverlässig, diese Gedanken und Träume bei Nacht. Wenn man sie braucht, sind sie wie weggeblasen.

Schlecht gelaunt steht er auf und bittet Paula, die vor der Türe Wache hält, das Morgenessen in einer halben Stunde zu servieren. Er wäscht sich, kleidet sich und setzt sich an den Tisch.

Heute mache ich Nägel mit Köpfen, spricht er sich selber Mut zu. Auf das Ende der Volksbefragung zu warten, lohnt sich nicht. Das bisher vorliegende Zwischenergebnis ist negativ. Aber das kann nicht stimmen. Die Mordbuben sind definitiv schon hier. Folglich gibt es zu den Linnwiesen keine Alternative. Er ballt die Faust. Vorwärts Marsch! Nach dem Essen wird er den Platz für die Bühne festlegen und noch heute Nachmittag die beiden ortsansässigen Zimmerleute mit dem Bau beauftragen.

Paula merkt gleich, dass sich der hohe Herr heute anders gibt als sonst. Ist er schlecht gelaunt? Kaum dass er sie begrüßt, als sie ihm das Essen serviert. Er schaut durch sie hindurch, als hänge er schweren Gedanken nach.

„Braucht Majestät noch etwas?“

„Wie?“

Paula räuspert sich. „Ob du noch was brauchen tätest, sollte ich wissen, weil ich noch mehr Arbeit hab.“ Sie wartet auf Antwort.

„Ach so! Nein, ich brauche dich nicht mehr. Ich gehe nachher auf ein Stündchen spazieren.“

Kaum ist Paula weg, lässt er beim Kauen abrupt den Löffel fallen und tippt sich an die Stirn. Der nächtliche Geistesblitz ist wieder da. Das Gehirn vergisst doch nichts; bloß manchmal hat es Probleme beim Katalogisieren und Sortieren.

Er geht ans Fenster und schaut auf das bunte Treiben in den Gassen. Im Halbschlaf war ihm schlagartig bewusst geworden, dass die Plakate nicht bezwecken könnten, die Bevölkerung zu beunruhigen. Vielleicht wollten sie die Linnfurter so in die Enge treiben, dass sie ihren König auf den Linnwiesen außerhalb der Stadtmauern empfangen.

Nikolaus geht unruhig im Zimmer auf und ab, die Hände auf dem Rücken verschränkt. Was führen die Schurken im Schilde?

Er zerbricht sich den Kopf, überlegt hin und her und wägt ab. Und mit einem Schlag ist ihm alles klar. Die Bühne an der Linn ist optimal, nicht nur für den Veranstalter, nein, vor allem für die Attentäter. Freies Schussfeld! Und Höllenmaschinen kann man dort auch anbringen.

Nikolaus isst schnell zu Ende und eilt zum Pfarrhaus. Die Küchenfee nimmt ihn in Empfang. Hochnäsig fragt sie nach seinem Begehr und mustert ihn abweisend.

Aha, folgert Nikolaus, sie hat sich endgültig umorientiert. Der Barbier ist das Ziel ihrer Begierde. „Wie geht's dem Stier von Palermo? Lange nicht gesehen."

Sie zeigt ihm die kalte Schulter und geleitet ihn wortlos und erhobenen Hauptes zum Arbeitszimmer des Pfarrers.

Abel brütet gerade über einer Antwort an das Statistisch-Topographische Bureau in Stuttgart, einer staatlichen Behörde, die amtliche Landesvermessung und Landesstatistik betreibt, offizielle Landkarten und Jahrbücher herausgibt und im Auftrag des Königs Landeskunde und Vaterlandsliebe unter den Landeskindern fördert. Alljährlich bis 15. März ist die Entwicklung der Bevölkerung Linnfurts für das Vorjahr nach Haushaltungen, Geschlecht, Altersklassen, Familienstand, Staatsangehörigkeit sowie Rekruten, Ausgelosten, Ausgemusterten und Veteranen aufzulisten.

„Haben Sie Lust auf einen Spaziergang, Herr Pfarrer?"

„Mit Vergnügen, Herr Nikolaus, ich muss bloß noch geschwind …" Der Pfarrer rauft sich die Haare, weil die von ihm abgeforderte Statistik nicht stimmt.

„Kruzitürken! Irgendwo hab ich ein Fehler gemacht", seufzt Abel, „aber wo?" Er schmeißt den Bleistift weg und schiebt das Formular von sich, das er ausfüllen muss. „Wissen Sie, Herr Nikolaus, in Linnfurt wohnen gegenwärtig 1064 Menschen. Das steht fest. Aber wenn ich die Zahlen aus den einzelnen Rubriken addiere, komme ich nur auf 1061."

Entschlossen steht er auf. „Gehen wir. Die frische Luft wird mir guttun. Nachher finde ich den Fehler umso schneller."

Sie schlendern hinunter zur Flößerlände.

„Was ich Sie noch fragen wollte, Herr Nikolaus, was ist der tiefere Grund, dass man unserem König ans Leder will?"

„Nun, Herr Pfarrer, soweit ich es weiß, geht es um zwei getrennte politische Vorgänge. Auf der einen Seite gibt es Anarchisten und radikale Republikaner, die wollen alle Monarchien mit Stumpf und Stiel ausrotten. Und auf der anderen Seite spielt sich ein erbitterter Machtkampf zwischen Preußen und Österreich um die Vorherrschaft in Deutschland ab."

„Können Sie verstehen, was die Radikalen umtreibt?"

„Auf keinen Fall billige ich deren Politik. Sie setzen auf Bomben und Attentate. Gleichwohl kann ich sie verstehen. Immerhin verweisen sie zurecht darauf hin, dass man sie betrogen hat."

„Das sagen Sie? Ausgerechnet Sie? Dem König dürften solche Gedanken nicht zu Ohren kommen, schätze ich."

Nikolaus schmunzelt. „Das sehe ich anders. Gerade der jetzige König ist sich im Klaren, dass man bei den Deutschen nach der großen Revolution in Frankreich Hoffnungen auf Freiheit, Gleichheit und Brüderlichkeit geweckt hat. Zwar haben die Württemberger jetzt eine Verfassung, aber bis zur Freiheit und Gleichheit ist es noch ein langer, langer Weg. Darum fühlen sich gerade gebildete Leute von der Politik getäuscht und schließen sich radikalen Gruppen an."

Abel sieht den Mann an seiner Seite mit großen Augen an. Für einen Kammerdiener scheint er ziemlich beschlagen zu sein.

„Und um was geht es beim Machtkampf zwischen Preußen und Österreich?"

„Der Wiener Kongress wollte nach Napoleons endgültiger Niederlage die Machtverhältnisse in Europa neu ordnen. Das ist für Deutschland zum Teil gescheitert. Oldenburg, Waldeck, Dessau, Schaumburg-Lippe, Nassau, Hechingen, Sigmaringen, Reuß und viele andere deutsche Kleinstaaten blieben selbstständig. Seitdem versuchen Preußen und Österreich mit allen Mitteln, möglichst viele dieser Territorien auf ihre Seite zu ziehen. Um ein Gegengewicht gegen Preußen und Österreich zu schaffen und die Souveränität etlicher deutscher Staaten zu retten, will der württembergische König, wie ich Ihnen schon sagte, die Kleineren zu einem Bund vereinen, der die beiden Großen in Schach halten könnte."

Sie gehen schweigend, bis Nikolaus den Pfarrer in seine Überlegungen einweiht.

Abel hört aufmerksam zu und gibt zu bedenken, dass die Bühne zumindest so groß sein muss, dass die vierzig Sänger vom Liederkranz Platz haben.

„Wären dreißig Fuß im Quadrat genug?", nimmt Nikolaus den Gedanken auf.

Am Ufer in der Nähe der Flößerlände schreitet er ein Quadrat von dreißig auf dreißig großen Schritten ab. „Müsste reichen."

Abel nickt versonnen. Er schaut aufs Städtchen und stellt gerade andere Überlegungen an. „Sie können mir gewiss sagen, lieber Herr Nikolaus, wie weit man mit einem Gewehr schießen kann?"

„Normalerweise 1500 Fuß, allerdings ist die Zielgenauigkeit nicht mehr groß. Aber", Nikolaus räuspert sich, „ich habe gehört, dass es seit Kurzem neue Patente geben soll, die es gut und gern auf 2000 Fuß bringen und ordentlich treffen."

Abel stellt sich in die Mitte der abgeschrittenen Fläche. „Wenn wir die Bühne hier errichten, von wo könnten die Schüsse kommen?"

Nikolaus dreht sich im Kreis. Schließlich deutet er über den Fluss: „Der beste Platz für Scharfschützen ist am anderen Linnufer, insbesondere von dort drüben, wo die Boote liegen. Einen präzisen Schuss könnte man auch aus dem Linntor abgeben."

„Und was ist mit dem Kirchturm?"

„Wissen Sie, wie weit es bis dorthin ist?"

„1500 Fuß, vielleicht ein paar Schritte mehr, allerhöchstens 1800."

„Dann müssen wir auch den Kirchturm in unsere Überlegungen einbeziehen. Die Preußen experimentieren nämlich mit diesen neuen Perkussionsgewehren."

Abel fällt noch ein wichtiger Punkt ein: „Dass der Kirchturm unbewohnt ist, versteht sich von selbst." Er hebt warnend die Stimme: „Das Linntor ist es auch. Wussten Sie das?"

Nikolaus nickt vor sich hin. „Ja, ja", höhnt er, „die Schufte wollen uns an den Fluss locken, weil sich hier alles wie auf dem Präsentierteller abspielt. Und doch können wir gar nicht anders, als den Empfang hier zu machen." Nikolaus wirkt hart und entschlossen. „Aber jetzt zu unseren Konditionen."

Vom Schlosstor stapft ein Mann an der äußeren Stadtmauer entlang durch den ausgeaperten Schnee. Er geht am Waschplatz vorbei aufs Linntor zu, bleibt lange stehen und biegt zur Linn ab. Öfters dreht er sich zum Tor um, als erwarte er jemand.

Nikolaus beobachtet ihn die ganze Zeit. Ihm ist aufgefallen, dass der Unbekannte die rechte Hand nicht aus der Hosentasche nimmt und mit der linken schlenkert, als müsse er das Gleichgewicht halten. Darum eiert er beim Gehen, als habe er die Hosen voll.

Als der Mann näherkommt, die eine Hand immer noch in der Tasche, fragt Abel: „Wohin des Wegs, guter Mann?“

Der Fremde knurrt, er sei Flößer und wolle einmal prüfen, wie dick das Eis ist und wann man endlich wieder flößen kann.

„Wie misst man die Stärke des Eises“, fragt Abel neugierig, „interessiert mich.“

„Mit dem Sägemesser“, gibt der Fremde zurück, öffnet mit der Linken seinen Kittel und zieht umständlich ein Faschinenmesser aus der Gürtelscheide.

Nikolaus durchzuckt ein schrecklicher Gedanke. Seit wann sprechen biedere schwäbische Flößer hochdeutsch? Sollte das am Ende …? Den Gedanken behält er lieber für sich.

Kaum ist der Mann außer Hörweite, nimmt Nikolaus den Gesprächsfaden wieder auf: „Man könnte unter der Bühne eine Höllenmaschine anbringen. Sie wissen ja, dass mehrere Attentate in jüngster Zeit mit Pulver verübt worden sind. In der österreichischen Armee zum Beispiel gibt es vorzügliche Feuerwerker. Denen würde ich das zutrauen.“

„Keine Sorge, lieber Herr Nikolaus“, sagt Abel mit einem Anflug von Stolz und Zuversicht, „ab heute lasse ich dieses Gelände nicht mehr aus den Augen. Ich hocke mich jede Nacht in den Kirchturm, da bin ich sowieso gern. Mit meinem lichtstarken Fernrohr sehe ich von oben herab wie ein Adler, was sich um die Flößerlände tut. Sie sollen nur kommen, diese Strolche."

*

Gleich nach dem Abendvespern rennt Siegmund durchs Schlosstor zu den Baumwiesen. Leopold und Koloman sind bereits da. Noch außer Atem berichtet er, was am Vortag vorgefallen ist.

Leopold wirkt nachdenklich, Koloman dagegen schätzt das Risiko gering ein. „Ich bin hier geboren." Angesichts der liebreizenden Erfahrungen der letzten Tage fühlt er sich stark. „Mir kann nichts passieren."

„Bist du blöd?", fährt ihn Leopold an. „Wenn der Siegmund auffliegt, geht's dir erst recht an den Kragen."

„Wieso?"

„Wieso, wieso …", äfft Leopold nach, doch Siegmund kommt ihm mit seiner Antwort zuvor: „Weil sich mein Bauer noch daran erinnert, dass wir zusammen an Martini gekommen sind. Hat er mir heute selber gesagt."

Koloman zieht die Stirn kraus. „Bis die in Stuttgart kapieren, wer wir sind, wird's Ostern. Mindestens."

„Wart's ab! Ich hab noch eine Neuigkeit." Siegmund grinst. „Morgen fangen die Zimmerer an und bauen bei der Flößerlände eine Bühne aus Holz."

„Zwickt's mi, Burschen!" Leopold ist aus dem Häuschen. Er führt zur Überraschung seiner Kollegen ein Freudentänzchen auf. Vergnügt stellt er sich vor Siegmund und bohrt ihm den Zeigefinger in die Brust. „Woher weißt das?"

„Neben meinem Weinhauer ist eine Zimmerei. Und bei der Kirch ist noch eine. Die machen das zusammen."

„Steht das fest?"

„Der Zimmerer hat's heut selber meinem Weinhauer erzählt, weil er endlich wieder ein Geschäft hat."

„Weißt auch, wann's fertig sein soll?

„Spätestens in fünf Tagen."

Leopold reibt sich die Hände. „Dann tut's einen Schlag!" Diebische Freude überzieht sein Gesicht. „Peng! Futsch ist er. Und schon hat's ihn zermörsert! Dann kann er bei den Engeln sein Manna zuzeln." Er kichert. „Habt ihr gut g'macht, Burschen. Hat er sich doch anbrunzt, der noble Herr König, wie er von euren Plakaten g'hört hat."

Koloman und Siegmund sehen sich verwundert an.

„Geh, versteht ihr net." Leopold winkt ab. „Also, Kollegen, ihr macht den Servus und verschwindet. So war's eh ausg'macht."

Koloman muss sich zusammenreißen, damit man ihm nicht am Gesicht ablesen kann, was er von dieser Idee hält. Sich von einer Sekunde auf die andere aus dem Staub machen? Ohne Abschied und Lebewohl? Auf Nimmerwiedersehen?

Siegmund dagegen scheint dem Abgang eine positive Seite abzugewinnen, denn nach den ersten

Schrecksekunden plappert er munter drauf los und will wissen, ob er an seine alte Dienststelle zurückdarf.

Leopold verspricht, sich für ihn zu verwenden. Im Gegensatz zu Koloman habe er gute Arbeit geleistet und wichtige Informationen geliefert.

„Und wer hat die meisten Plakate geklebt?“, giftet Koloman. Die Arbeit bei den Kieberern mache ihm keinen Spaß mehr, sagt er, lieber kehre er in seinen erlernten Beruf als Sattler und Polsterer zurück. Der zischende Hass auf den Pfarrer ist verdampft. Immer öfter ist es ihm, als habe er Linnfurt nie verlassen, aber das behält er lieber für sich.

„Im Zuchthaus wirst enden, Koloman, wenn dich die Württemberger kriegen“, gibt Leopold bissig zurück. „Vielleicht machen sie faschierte Laiberl aus dir. Schließlich hast ihre Kirche verhunzt und ihre Lakritz blamiert. Da kennen die keinen Spaß.“

Koloman läuft rot an, schluckt und schweigt. Jetzt gilt es, kühlen Kopf zu bewahren und die Zunge im Zaum zu halten.

„Gehen wir ein Stück. Wir müssen noch ein paar Sachen besprechen.“ Leopold wendet sich der Linn zu.

Sie schlendern im Mondschein an der äußeren Stadtmauer entlang, erst in den letzten Schneeresten, hernach folgen sie dem breiten und trockenen Weg, den die Fuhrwerke zur Ziegelbrennerei nehmen.

„Bald sind die Feuerwerker da. Bis dahin gibt’s noch viel zu tun.“ Leopold redet mit Händen und Füßen. „Koloman, du gehst nachher zum Kirchturm. Und du, Siegmund, zum Linntor. Ab sofort treibt ihr euch dort abwechselnd rum. Mal einer bei der Kirch und der andere beim Torhäuserl, mal umgekehrt. Schreibt auf, wer reingeht und wann er rauskommt. Macht schöne Grundriss, wie's drinnen ausschaut im Turm und im Tor. Wir benötigen ein paar trockene Plätze fürs Pulver. Aber verratet's euch net."

„Was für Pulver?", fragt Koloman. Zum Glück ist es nicht hell genug, sonst könnte man auf seinem Gesicht einen tiefen Argwohn und einen aufkeimenden Abscheu lesen.

„Was für Pulver", äfft ihn Leopold nach, „Pulver halt für a zünftigs Blunzengröstl. Stell dich net so deppet an."

„Wum!", macht Siegmund und lacht.

Koloman hat längst kapiert, er will nur mehr wissen. Darum spielt er den Hanswurst, dem alles ein Rätsel ist. „Der Kirchturm hat unterm Dach drei Kammern auf zwei Stockwerk. Willst das Pulver da naufschaffen?"

„Woher weißt das mit den Kammern?"

„Als Schulbub bin ich mit den großen Buben oft hinauf, wenn sie die Glocken geläutet ham."

„Dann mach halt drei Pläne. Vergiss aber die Fenster net." Leopold wendet sich dem Weg zu. „Halt!", er droht mit dem Zeigefinger, „noch eins, Burschen: Schreibt in jeden Plan, wie lang und breit jede Stube ist. Bis morgen um acht will ich die Pläne haben."

Koloman fragt: „Soll ich aufmalen, wie man in den Kirchturm kommt?"

„Ja, ist die Tür zum Turm denn zu?"

„Meistens.“ Koloman schaut abschätzig. „Aber es gibt noch eine von innen, direkt neben der Sakristei, und die ist immer offen, so wie die Kirch auch.“

„Du machst dich“, sagt Leopold honigsüß. Koloman weiß, dass es eher spöttisch gemeint ist. Ungeduldig drängt Leopold seine Kollegen zum Weitergehen. „Auf geht's Burschen! Morgen Abend ist das Pulver da! In der Hosentaschn können wir's net rumtragen, bis wir's brauchen.“

„Aha“, bilanziert Koloman das Gehörte, „die Bühne sollen wir in die Luft sprengen.“

„Du net“, fährt ihn Leopold an, „du bist zu blöd dazu.“

Koloman nimmt's gelassen, weiß er doch jetzt, was an der Bühne passieren wird. Aber den ganzen Plan durchschaut er noch nicht. Drum fragt er ins Blaue hinein: „Was willst mit den Plänen vom Turm und vom Tor?“

Leopold höhnt. „Bist und bleibst ein dummes Tschapperl.“

„Kannst dir's net denken, Koloman?“, mischt sich Siegmund ein. „Glaubst, dass die Hofschranzen unter die Bühne kraxeln und das Pulver selber anzünden?“

Jetzt ist es an Koloman, hämisch zu bemerken: „Mit einem Schuss vom Kirchturm oder aus dem Linntor kann's leicht danebengehen.“

„Glaubst, meine Kollegen können net zielen, oder was?“ Leopold ist empört.

„Und wenn so viele Hofschranzen vor der Bühne rumstehen, dass sie das Pulver drunter net treffen können?“

„Weißt was Besseres?“

„Ja.“

„Dann red!“

„Zu Befehl, Herr Ingenieur!“

Leopold wird bleich. Wütend packt er Koloman am Kragen. „Woher weißt das?“

„Geh, wir wissen schon lang, dass du Artillerieingenieur bist und in Laibach bei den Pulverern g'lernt hast.“

„Du auch?“, fährt Leopold den neben ihm gehenden Siegmund an.

„Ja, mir hams g'wusst.“

„Wer noch?“

„Nana, in Linnfurt keiner, bloß ein paar Kieberer in Wien.“

Leopold holt tief Luft und wendet sich an Koloman. „Red! Was willst?“

„Als Kinder sind wir oft übers Wehr ans andere Ufer der Linn. Dort, wo der Schuppen ist, liegen sommers wie winters Boote.“

„Bist du wahnsinnig! Was glaubst, wenn drüben einer mit der Krachen *[Schießprügel]* steht, wie schnell die Wachsoldaten vom König den auf Himmelfahrt schicken!“

„Nein, Herr Ingenieur.“

„Was nein?“

„Ich glaub net, dass ich spinn“ gibt Koloman trotzig zurück. „Ich tät's anders machen.“

„Red! Kriegst die Goschen net auf?!“

„Drei oder vier liegen im Boot. Einer lauert mit seiner Flinte hinter einem Loch vorn am Boot. Sie lassen das Boot zur Bühne treiben und …“

Leopold fällt der Kiefer herunter. Ausgerechnet dieser Hanswurst muss ihn eines Besseren belehren? Er schluckt. Grantig fragt er, wie man an ein Boot kommt.

„Kein Problem“, sagt Koloman, „mieten oder kaufen.“

„Siegmund, du kümmerst dich drum. Vollzugsmeldung morgen Abend.“ Leopold ist wieder der harte Hund. „Vergesst net, Burschen, bevor sie euch einsperren, macht's in drei Tagen den Servus und geht's über einsame Wege ham, wie ihr gekommen seid. Keine Postkutsche, kein Wirtshaus! Verstanden! Gebt's die armen Wanderburschen auf der Walz!“

Sie sind vor dem Linntor angekommen. „Du bleibst da, Siegmund, und kundschaftest das alte Gemäuer aus. Zeichnung net vergessen! Und du, Koloman, gehst gleich nauf zum Kirchturm. Morgen früh seh ich euch wieder. Hier vor dem Tor. Dann schauen wir, ob die Zimmerer auch da sind.“

Wenn man an einem Schwaben kratzt, kommt ein großer Erfinder oder ein bedeutender Philosoph zum Vorschein. In nicht wenigen Fällen auch ein elender Tropf.

Über einen solchen stolpert Nikolaus, als er am Samstag nach dem Mittagessen die Gaststube der Linde betritt. Er hat geliehene Kleider und genagelte Stiefel an, weil er sich später am eisigen Linnufer vom

Fortschritt der Zimmererarbeiten überzeugen will. Auf dem Kopf trägt er eine Wollmütze. Sie ist unten rot und oben schwarz, entsprechend den Landesfarben des Königreichs Württemberg. Paula hat sie selber gestrickt und ihm heute Morgen mit den denkwürdigen Worten verehrt: „Dann friert Majestät nicht an die Ohren." Entschuldigend hat sie angefügt: „Das Wappen vom König hab ich nicht draufg'macht. Für die zwei Viecher und den Spruch *Furchtlos und treu* hab ich keinen goldenen Faden g'habt."

Wie aus dem Nichts baut sich ein eitler Gockeler vor Nikolaus auf. Einer, dem es in die Nasenlöcher regnet, weil er den Kopf hoch im Himmel trägt, dass er nicht mehr sieht, was auf Erden passiert.

„Hubert Schindler", stellt sich der Pfau vor, spreizt sich und streckt Nikolaus die Hand hin: „Künstler und Kreateur." Nikolaus bleibt nichts anderes übrig, als dem Lackaffen die Hand zu geben.

Ein großer Hund steht neben dem Blasierten, knurrt und fletscht die Zähne.

„Pfui, Michelangelo, still!" Affektiert streicht sich der Hochnäsige über sein langes Nackenhaar. „Wissen Sie, verehrter Kunstfreund, mein Schweißhund tut niemandem etwas zuleide."

Nikolaus nimmt den aufgeblasenen Kerl in Augenschein. Das W, das der Schweißhund im Namen zu viel hat, scheint seinem Herrchen im Namen zu fehlen. Das ist der erste Gedanke, der dem Gast aus Stuttgart durchs Hirn zwirbelt. Selten hat er einen so großkotzigen und unsympathischen Kerl getroffen. Und gleich eine zweite Eingebung hinterher: Dem Laffen ist nicht zu trauen. Koteletten bis unter die Mundwinkel, weißes Hemd mit blauer Halsschleife, blaue Wolljacke, sämtliche Säume mit gelber Borte besetzt. Drunter eine orangerote Weste mit dunkelroter Kanteneinfassung. Enge graue Tuchhose, weiße Strümpfe und spitze, weit ausgeschnittene Lackschuhe.

Nikolaus muss ein Lachen unterdrücken. Was hat die Lindenwirtin gesagt, als er ihr zum ersten Mal begegnet ist? „So affig tät keiner bei uns rumlaufen." Im Nachhinein gibt er ihr recht. Längst ist ihm die Erleuchtung gekommen, dass die Erlösung vom langweiligen Luxus in der Bescheidenheit zu finden ist.

„Verehrtester!" Nikolaus macht ein ernstes Gesicht. Absichtlich salbadert er scheinheilig, inwendig zerreißt es ihn vor Lachen. „Verehrtester, ihre ganze Erscheinung atmet Esprit und Eleganz. Darf ich's wagen, Sie nach ihrem Behufe zu fragen?"

„Kommen Sie, kommen Sie!" Der Wichtigtuer führt Nikolaus ins Nebenzimmer.

Hoppla! Der Dünkel hat tatsächlich in aller Herrgottsfrühe eine Panoramaschau aufgebaut. Hätte er dem Lackaffen gar nicht zugetraut.

„Einem verehrlichen Publikum biete ich heute und morgen ein einmaliges Spektakel."

Der Wichtigtuer fasst Nikolaus am Ärmel und führt ihn durch die Ausstellung. Im Mittelpunkt ist ein zehn Fuß langes Rundgemälde, das Luzern und seine Umgebung zeigt. Dann ein bemaltes Gipsmodell, es illustriert die Bergfeste Rovereto in Italien. An der nächsten Wand hängt ein Panorama von Venedig, ergänzt um eine Ansicht des Dogenpalasts und der Porta

Piazetta. Weiter geht's über Genf direkt in den Urwald von Südamerika. Den Schluss bilden ein Modell der heiligen Grabeskirche zu Jerusalem und Bilder von der Außen- und Innenansicht dieses weltbekannten Gotteshauses.

„Mein Kabinett ist 10 Uhr morgens bis abends 9 Uhr geöffnet."

„Bild! Bild!" Nikolaus dankt mit erhobener Hand und will gehen. Doch der Geck vertritt ihm den Weg. „Pardon, mein Herr, macht zwölf Kreuzer."

„Bitte?"

„Der Eintrittspreis für die Honoratioren beträgt zwölf Kreuzer, für die übrige Bevölkerung sechs Kreuzer und für Kinder drei Kreuzer."

„Aber …"

„Sie werden gewiss nicht leugnen wollen, Verehrtester, dass Sie meine Ausstellung gesehen haben." Der Großkotz setzt ein herablassendes Gesicht auf. „Bauer oder Handwerker sind Sie definitiv nicht."

„Aber …"

„Sich als Bauer verkleiden und brave Leute ums Geld bescheißen wollen! Ts, ts, ts! Miserabler Einfall! Pfui! Am Händedruck erkennt man den Landmann. Mit Ihren zarten Händen sind Sie allenfalls ein Sesselfurzer, stimmts?"

Nikolaus seufzt tief und nimmt zwei kupferne Sechser aus der Jackentasche, lässt sie dem Hämischen in die dargebotene Hand rieseln und geht grußlos. Er ärgert sich, am meisten über sich selbst, weil er den Lackel auf den ersten Blick als Schwindler eingestuft hat und trotzdem auf ihn hereingefallen ist.

„War mir eine Ehre, mein Herr“, ruft ihm der Pfau hinterher, „empfehlen Sie mich weiter.“

In der Wirtsstube wartet der Schulmeister. Nikolaus hat ihn vorgestern gebeten, ihm die Schule zu zeigen, weil er sehen will, ob das jüngst erlassene Schulgesetz hier in Linnfurt Wirkung zeigt.

Draußen ist es bitterkalt. Der Winter ist zurück. Das Wasser in den Brunnen und Trögen ist gefroren, das Straßenpflaster glatt.

Untergehakt stiefeln sie die Hauptstraße hinauf zur Oberstadt. In einem Hof faucht und zischt ein Kessel; eine Sau hat dran glauben müssen und wird gerade verwurstet. Aus einem Haus hört man ein Kind plärren. Zwei Burschen stapfen an ihnen vorbei, die Schlittschuhe um den Hals gehängt.

„Wohin gehen die?“, will Nikolaus wissen. Er liebt das Gleiten auf dem Eis.

„Zur Wette,“ der Schulmeister deutet nach rechts, „zu unserem Feuerlöschteich, gleich unterhalb vom Rathaus. Seit gestern trägt das Eis wieder.“ Schmunzelnd sagt er: „Aber Achtung! Wenn Pfarrer Abel die Kerle erwischt, gibt’s zwei Schläge für jeden.“

„Warum? Mag er das Eislaufen nicht?“

„Abel hält körperliche Ertüchtigung für ebenso gefährlich wie frische Luft. Er ist ein Stubenhocker. Drum sind die jungen Leute vom Turnverein für ihn lauter Simpel.“

Nikolaus lacht. „Was missfällt ihm?“

„Ein erwachsener Mensch, der sich auf dem Boden wälzt und Purzelbäume schlägt, sei nicht ganz dicht, hat er neulich gesagt. Das machten bloß kleine Kinder."

Nikolaus zieht die Augenbrauen hoch, sagt aber nichts. Denn eben sind sie an der Schule angekommen.

Im Erdgeschoss ist der Schulsaal für die unteren vier Jahrgänge, im ersten Stock der für die Fünft- bis Achtklässler. Unterm Dach haust die Witwe des ehemaligen Schulmeisters, der letztes Jahr gestorben ist. Das Mobiliar in beiden Klassenzimmern ist alt, dafür liegen genügend neue Schulbücher aus. Fibeln, Lesebücher und sogar Rechenbücher, was nur wenige Schulen im Land haben. Die Wandtafeln sind neu. Etliche Lithografien an den Wänden sollen zum Lernen anreizen: ein Porträt von König Wilhelm, Ansichten von Stuttgart, Tübingen und Ulm, vom Bodensee und von der Nordsee. Dazu handkolorierte Anschauungstafeln von einer Dampfmaschine, einem Dampfschiff und einer Lokomotive. Ferner Landkarten von Württemberg und vom Heiligen Land. Neben dem Pult hängen obendrein Rechen- und Lesetafeln.

„Kompliment, mein Lieber", lobt Nikolaus.

„Ja, mein Schwiegervater unterstützt mich, wo er kann. Im Dezember letzten Jahres haben wir Bücher, Bilder und Tafeln angeschafft. Nach und nach ersetzen wir in den kommenden Jahren das alte Mobiliar durch neue Tische und Bänke.

„Bild! Bild!" Nikolaus dankt mit Handschlag, er hat es mit einem Mal eilig. „Ich möchte zur Wette und den Eisläufern zuschauen."

„Soll ich Sie begleiten, Herr Nikolaus?"

„Wenn Sie Zeit und Lust haben, gern."

Auf dem Teich tummelt sich junges Volk. Am Samstagnachmittag ist bekanntlich keine Schule. Ein paar Buben haben Schlittschuhe untergeschnallt und drehen vergnügt ihre Runden und Pirouetten. Andere nehmen an Land großen Anlauf und segeln über die mit Zweigen abgesteckte Schleifbahn so weit, wie der Schwung reicht. Mit Steinen markieren sie die Höchstweiten.

Als einer seine Schlittschuhe abschnallt, leiht sie Nikolaus für einen Dreier auf ein Viertelstündchen. Die Mütze tief ins Gesicht gezogen, den Schal um Mund und Nase gewickelt, tastet sich Nikolaus aufs Eis. Anfangs ein, zwei Wackler, dann kurvt er zwischen den Burschen hindurch, als habe er seit Jahr und Tag geübt.

Doch das Vergnügen währt nicht lange. Jäh packt ihn jemand am Arm und schlägt ihm mehrmals ins Gesicht. Nikolaus ist so erschrocken, dass er sich nicht wehren kann. Mit Gewalt reißt er sich los und sieht, wie ein Schwarzgekleideter auch die anderen Läufer anfällt und brüllt: „Runter vom Eis! Saukerle!! Liederliches Volk!!!“ Die jungen Leute stieben auseinander, der Schwarze hinterher.

In einem Augenblick steht Nikolaus allein auf dem Teich. Auch der Schulmeister ist nicht mehr da.

Jetzt erst recht, denkt sich Nikolaus, und kreiselt übers Eis, fährt eine Acht und noch eine, mäandriert zwischen den Zweigen hindurch und probiert sogar das Rückwärtslaufen mit Erfolg.

Die Zimmerer warten. Haudegen dürfte inzwischen auch eingetroffen sein. Darum schnallt er rasch die Schlittschuhe ab, bindet sie an den Riemchen zusammen und hängt sie sich um den Hals. Vom Eigentümer ist weit und breit nichts mehr zu sehen.

Wie er von der Krummen Gasse in die Hauptstraße einbiegt, kommt ihm ein Trupp Soldaten vom Infanterie-Regiment Alt-Württemberg entgegen. In Zweierreihen marschieren acht königsblau Uniformierte zum Rathaus hinauf, angeführt von einem martialisch dreinschauenden Feldwebel.

Weil Nikolaus nicht rechtzeitig auf die Seite springt, schnauzt ihn der Unteroffizier an: „Aus dem Weg, du Bauerntrampel!"

Nikolaus höhnt ihm ins Gesicht: „Was für ein Haufen seid denn ihr? Platz für drei Fuhrwerke nebeneinander, und ihr kommt nicht an mir vorbei?"

Der Feldwebel lässt seinen Trupp Halt machen und baut sich vor Nikolaus auf: „Name? Hast gedient, du Drecksack?"

„Bei dir nicht, du Hanswurst!"

Der so Gewürdigte brüllt, als spieße ihn ein Elefant auf: „Frechheit! Beleidigung des Militärs!! …" Vor lauter Wut fehlen ihm offensichtlich die Worte.

„Aufgeblasener Ochsenfrosch", gibt Nikolaus ruhig zurück. Bevor er noch etwas sagen kann, wird er von zwei Soldaten zu Boden geworfen und an Händen und Füßen gefesselt.

Glücklicherweise nähert sich Haudegen, der auf dem Weg von der Linde zum Bauplatz an der Linn ist. „Was geht hier vor?"

Der Feldwebel nimmt Haltung an und berichtet. Haudegen will sich den am Boden Liegenden vorknöpfen, da wird er schlagartig blass und weicht entsetzt zurück. „Losbinden!“, schreit er, kniet jedoch selber nieder. Den Tränen nahe stammelt er: „Verzeihung, Ma …“

„Haudegen!“, ruft ihn Nikolaus scharf zur Ordnung.

„Verzeihung … Ma … Mann … guter Mann … bester Mann.“ Der Offizier ist untröstlich. Er bindet Nikolaus los, hilft ihm auf die Beine, klopft ihm die Kleider ab und hängt ihm die Schlittschuhe um. Dabei stammelt er in einem fort, wie unendlich leid ihm das alles tue.

Kaum ist Nikolaus von den Fesseln befreit, verliert Haudegen die Fassung: „In Linie … an – trrre – ten!!!“

Die neun Männer trappeln sich an der Straßenkandel zurecht, das Gewehr in Habachtstellung vor der Brust.

Dann liest Haudegen dem Feldwebel die Leviten, dass es nur so eine Art hat. Nikolaus verfolgt das Spektakel mit wachsender Verwunderung. Derart entschlossen hat er Haudegen noch nicht erlebt.

„Darf ich bitten?“, sagt Haudegen, jetzt ganz gefasst, und erweist Nikolaus mit einer servilen Handbewegung seine Reverenz, denn strammstehen darf er nicht.

Auf dem Weg zur Linn bittet Haudegen abermals um Verzeihung. Er habe den Trupp heute beim Ochsenwirt einquartiert, damit die Bevölkerung erkennt, dass der Königsbesuch unmittelbar bevorsteht. Außerdem solle das Militär mit seiner Präsenz Attentäter einschüchtern. Zudem spiele morgen um vier Uhr das

Musikkorps des ersten Infanterie-Regiments auf dem Marktplatz. Der hier bereits einquartierte Trupp Soldaten werde dabei für Ordnung sorgen.

„Bild! Bild!“ Nikolaus legt dankend die Hand an die Mütze, auch wenn er bezweifelt, dass die Soldaten abschreckend auf Bösewichte und Verbrecher wirken. „Gut gemacht, Haudegen.“ Dann berichtet er von dem Merkwürdigen mit dem Faschinenmesser, der nur mit der linken Hand hantiert. Vermutlich sei der Mann einarmig. Es könnte sich um einen preußischen Trainoffizier handeln, die trügen solche Sägemesser. Bevor sie die Flößerlände erreichen, informiert er Haudegen umfassend über seine Überlegungen und Abels Ausguck im Kirchturm.

Der Bühnenbau am Fluss ist weit fortgeschritten. Der Schultes hat ganze Arbeit geleistet. Seit zwei Tagen steht er morgens ab acht, die Fäuste in die Seiten gestemmt, inmitten der Zimmerer, treibt sie an und kontrolliert jeden ihrer Schritte.

„Aufpassen!!“ Als Nikolaus und Haudegen eintreffen, macht er gerade einen Gesellen zur Schnecke. „Das Brett ist krumm!! Hast keine Augen im Kopf? Wenn da unser König drüberstolpert, dann schlag ich dich an die Wand, dass dich der Gipser gleich verschaffen kann!!“

*

Seit gestern strahlt die Sonne vom wolkenlosen Himmel. Vögel zwitschern, Lämmer blöken. Violette Krokusse und weiße Märzenbecher zeigen sich. Gelbe

Narzissen wecken Lust auf Lachen, Leben, Licht und Luft. Es duftet nach Wasser und Erde.

Jetzt hält die Bauern und Wengerter nichts mehr. Von früh bis spät wühlen sie mit Wonne in der Erde. Wegen des miserablen Wetters konnten sie bisher nur Gülle ausbringen und Mist streuen. Die Alten hocken schon vor ihrem Ausgeding, hoffen auf ein Schwätzchen oder machen sich im Gärtle ums Haus nützlich. Und in der Schule singen die Kinder lauthals das beliebte Frühlingslied:

„Bei schöner Frühlingszeit
da ist alles voller Freud.
Die Vöglein tun schön singen,
tun sich in die Höhe schwingen.
Das ist eine große Freud
bei schöner Frühlingszeit.

Kaum bricht das Frühjahr an,
hört man das Wachtlein schon.
Ganz lieblich tut es schlagen,
ich kann's euch nicht versagen.
Das ist eine große Freud
bei schöner Frühlingszeit."

Der Markplatz ist schon vor vier rappelvoll. Alle sind auf den Beinen. Männer und Frauen, Junge und Alte, Große und Kleine, Dicke und Dünne, rechtschaffene Bürger und miese Kerle. Wirklich alle, vom Pfarrer bis zum letzten Armenhäusler. Niemand hält es mehr zuhause, weil ein noch nie da gewesenes Spektakel bevorsteht: Das berühmte Musik-Korps des königlich-württembergischen Ersten Infanterie-Regiments gibt sich die Ehre. Seine Majestät hat es in einem höchstpersönlichen Anschreiben beauftragt, die hiesige Bevölkerung mit seinem musikalischen Können zu beeindrucken. Der König werde sich von seinem Kammerdiener aufs Genaueste berichten lassen. Also blitzen die Epauletten und Ketten, die Stiefel und vor allem die Instrumente in der Abendsonne.

Der Schultes ist in seinem Element. Er dirigiert und disputiert, katzbuckelt und kommandiert in einem. Herr Kapellmeister hier, Herr Nikolaus da, Herr Pfarrer dort. Zum Donnerwetter! Dem Zimbalist ist der Trägerriemen gerissen. Du liebe Güte! Einen der Hoboisten plagt ein dringendes Bedürfnis. Amtsbote Heinrich begleitet den Leibgeplagten zum Abtritt im nahen Ochsen. Der Schulmeister flitzt, um einen Ersatzriemen zu besorgen.

Gewusel und Geschrei vor dem Rathaus sind unbeschreiblich. Mädchen kokettieren, Burschen balzen, Hagestolze promenieren vor den Zuschauern, und Klatschweiber lästern ohne Punkt und Komma.

Endlich ist es soweit. Die Trompeter blasen das Signal zur Attacke, und die Männer auf dem Platz wissen sofort Bescheid: Maul halten und zuhören!

Der Schultes spricht zu seinem Volk. Er freue sich, dass er den Landesvater am nächsten Samstag namens der gesamten Einwohnerschaft begrüßen darf. Die Bühne an der Linn sei fertig und bleibe der Stadt für künftige Veranstaltungen erhalten. Heute Abend heiße er, sozusagen als Vorgeschmack auf das anstehende

Ereignis, die berühmtesten Militärmusiker Württembergs willkommen, das Musikkorps vom Ersten Infanterie-Regiment.

Kapellmeister Schrank steht auf den Eingangsstufen zum Rathaus und gibt das Zeichen zum Einsatz.

Anfangs erklingen württembergische Märsche. Der Hohenburger Grenadiermarsch, der mit einer Dreiklangfanfare einsetzt. Der schnelle Ulmer Sturmmarsch. Der aus jeweils acht Takten zusammengesetzte Parademarsch König Friedrich. Der feierliche, von Hörnern dominierte Kavalleriemarsch Alt-Württemberg.

Dann folgen diverse altdeutsche Kriegsmärsche. Der Hohenfriedberger, der an den Sieg der Preußen über die verbündeten Österreicher und Sachsen erinnert. Der Pappenheimer, der Torgauer Marsch, der Rheinströmer und andere.

Nach einer kurzen Pause begeistert das Musikkorps mit beliebten Volksliedern. Beim allseits bekannten württembergischen Soldatenlied fordert der Kapellmeister zum Mitsingen auf:

„O ihr lustigen Soldaten,
sind wir all beisammen?
Wir müssen marschieren!
Von drei bis halb viere.
Wir müssen marschieren!
Hinaus aus der Stadt.
Wir müssen marschieren!
Wo's der Feind mit uns hat.

Wenn einer ein lustger
Soldate will sein,
das Herz und Kurasche
muss auch dabei sein.
Auf Gott muss er trauen,
auf unsre lieben Frauen
alle Tag und alle Stund,
und so leben gesund."

Zum Schluss, die Dämmerung ist längst hereingebrochen, ertönt der beschwingte Präsentiermarsch König Wilhelm, der erstmals beim 25-jährigen Thronjubiläum aufgeführt worden ist.

Koloman hat sich im Verlauf des Konzerts immer näher an Nikolaus herangepirscht. Als der Schlussapplaus losbricht, stupft er ihn von hinten: „Hat der Herr Kammerdiener einen Augenblick Zeit für mich?", flüstert er und schaut sich ängstlich um. „Ich muss Ihnen dringend etwas sagen und Sie auch etwas fragen."

„In ein paar Minuten, einverstanden?", raunt ihm Nikolaus zu. Er überlegt kurz. „Am besten warten Sie vor dem Ochsen auf mich."

Wie der vor ein paar Tagen angekommene Trupp Soldaten sind auch die Musiker im Ochsen einquartiert. Dort will Nikolaus mit ihnen zu Abend essen.

Als er Viertel vor sechs am Ochsen ist, wispert ihm jemand zu: „Hier bin ich, Herr Kammerdiener. " Koloman steht in der dunklen Hofeinfahrt.

Nikolaus geht zu ihm hin. „Wo brennt's?"

Koloman erzählt, er wolle die verwitwete Anna Läpple heiraten und sich hier in Linnfurt niederlassen.

Doch dazu benötige er als Österreicher die württembergische Staatsbürgerschaft.

„Österreicher?“ Nikolaus hebt die Augenbrauen und macht ein bedenkliches Gesicht. Zum Glück sieht es Koloman in der Dunkelheit nicht, sonst würde ihn der Mut verlassen, das zu sagen, was er auf dem Herzen hat.

Eigentlich sei er Württemberger, hier in Linnfurt geboren. Sein Onkel habe ihn nach dem Tod der Mutter gegen seinen Willen nach Österreich verschleppt. Pfarrer Abel trage daran eine große Mitschuld.

„So, so, der Herr Pfarrer!“ Nikolaus erinnert sich an den Schwarzgekleideten, der wie eine Furie übers Eis gefegt ist und Ohrfeigen verteilt hat. „Nach Württemberg zurückgekehrt, sagten Sie? Gefällt's Ihnen wenigstens in der alten Heimat?“

„Ja, und mit der Anna noch mehr.“ Und dann beichtet er rückhaltlos, dass er Sattler und Polsterer gelernt, in der österreichischen Armee gedient und bei der Wiener Polizei gearbeitet hat. Er verschweigt auch nicht, mit welchem Auftrag er hier ist. Er berichtet von den Recherchen, die er zusammen mit Siegmund anstellte, der sich heute befehlsgemäß wieder nach Österreich abgesetzt habe. Das sei ihm verwehrt. Erstens habe er sich mit seinem Vorgesetzten überworfen, einem in der Pulverfabrik Laibach ausgebildeten Artillerieingenieur. Zweitens wolle er hier als Sattler und Polsterer an Annas Seite bleiben, weil es in Linnfurt und Umgebung keinen derartigen Handwerker gibt. Und zum Schluss verrät er alles, was er auskundschaften musste. Die geplante Höllenmaschine unter der neuen Bühne an der Linn, das präparierte Boot am gegenüberliegenden Ufer, die Observierung des Kirchturms und des Linntors, von wo aus vermutlich Scharfschützen die Bühne unter Feuer nehmen wollen.

Nikolaus hat schweigend zugehört. In ihm arbeitet es. War er nicht selbst mal als hoher Offizier in der österreichischen Armee? Obwohl … einen Verrat billigen? Man könnte dem jungen Mann Unredlichkeit, Amtsmissbrauch, Illoyalität und Schurkerei vorwerfen. Andererseits muss man ihm Reue, Beichte, Gewissensbisse und vor allem Liebe zugutehalten. Auch dem Württemberger werfen die Österreicher ja Vertragsbruch, Treulosigkeit und Verrat vor, fällt Nikolaus ein. Darum trachten sie ihm nach dem Leben. Wohingegen dieser verliebte Bursche offenbar ihm vertraut und ihm das Leben sichern hilft.

Nikolaus atmet tief durch. „Zuerst müssen Sie Linnfurter Bürger werden. Dann werden Sie automatisch württembergischer Staatsbürger."

„Das weiß ich, Herr Kammerdiener. Auch um Heiratserlaubnis muss ich bitten und einen zureichenden Nahrungsstand nachweisen, weil die Linnfurter keine Armen aufnehmen. Außerdem muss ich zwanzig Gulden Bürgergeld zahlen, der Feuerwehr einen ledernen Feuereimer stiften und drei Obstbäume auf der Allmendwiese pflanzen."

„Warum kommen Sie dann zu mir? Sie wissen doch schon alles."

„Weil Sie dem König ausrichten sollen, dass ein Attentat auf ihn geplant ist und was er dagegen tun kann."

„Der König ist dir zu Dank verpflichtet.“

„Darum muss er mir auch helfen.“

„Wie?“

„Der Pfarrer und der Bürgermeister hocken Tag und Nacht zusammen. Ohne den König krieg ich vom Schultes kein Bürgerrecht und keine Heiratserlaubnis.“

„Hast ihn schon gefragt?“

„Um Himmels willen! Wenn der zum Pfarrer geht, ist alles aus.“

„Ja, weiß denn Pfarrer Abel nicht, dass du wieder in Linnfurt bist?“

„Der Pfarrer frisst mich, wenn er erfährt, dass ich wieder da bin. Und der Pulverer schießt mich über den Haufen, weil ich nicht mit dem Siegmund abgehauen bin.“

„Wo ist der Artillerist jetzt?“

„Hier in Linnfurt. Er ist mit Ihnen in der Postkutsche gekommen und hat anfangs im Ochsen übernachtet. Jetzt logiert er im Schloss.“

Nikolaus ist blass geworden. Er denkt kurz nach, dann gibt er Koloman die Hand. „Das mit dem Bürgerrecht und der Heiratserlaubnis geht in Ordnung. Wirst schon sehen. Der König wird mit dem Pfarrer und dem Schultes reden. Verlass dich drauf. Musst dich nicht mehr verstecken.“

Der Bart ist ab

Durchs Schlosstor rumpelt ein geschlossener Wagen, rot lackiert und mit goldenem Zierrat geschmückt, gezogen von zwei Schimmeln. Vorn drehen sich kleinere Räder als hinten. Der Soldat auf dem Kutschbock trägt die Farben des vierten Reiterregiments: königsblaue Kutka, Kragen und Aufschläge ebenfalls blau und mit roten Biesen, goldene Achselklappen, lange blaue Hosen, seitlich breite rote Biesen. Sein roter Tschako mit schwarz-roter Kokarde und Halteketten aus Messing, die unterm Kinn verhakt sind, hat einen schwarzen Lackschirm und am oberen Rand einen blauen Streifen. Quer über die Brust des Mannes spannt sich weißes Lederzeug. Er hält eine lange Peitsche in der rechten Hand, die Zügel in der linken. Durch die Glasscheiben der Kutschkabine ist schemenhaft eine Offiziersmütze zu erkennen. Auf dem Gepäckkasten hinter der Kabine rüttelt es einen zweiten Soldaten durch, gekleidet wie der Kutscher. Ängstlich krallt er sich an der Kabine fest, fürchtet er doch, während der holperigen Fahrt von seinem wackligen Podest zu fallen.

Nur wenige Leute stehen an der Straße. Eine junge Frau verfolgt gespannt, fast schadenfroh den Balanceakt des Soldaten, der die Kabine umklammert, als müsse er sie zusammenhalten. Ein paar Kinder rennen der Kutsche hinterher und versuchen, sie einzuholen.

Der Wagen biegt vor dem Rathaus in die abschüssige Hauptstraße ein. Blitzschnell kurbelt der Kutscher die Bremse zu und reißt die Pferde mit den Zügeln zurück.

„Brrr!"

Knirschend kommt das Gefährt zum Stehen. Die Gäule haben kapiert. Vorsicht! Langsam ziehen sie wieder an. Im Schneckentempo rutschen die Räder übers Pflaster.

Menschenleer ist die sonst so lebhafte Linnfurter Hauptstraße. Doch von Ferne hört man ein Pfeifen und Johlen. Der Wind zerreißt zwar die Laute und flickt sie anders zusammen. Klar und deutlich ist aber zu verstehen, dass die Menschen ausgelassen sind.

Als die Berline, das bequeme Reisegefährt des Königs, durch das Linntor rappelt, geht ein Aufschrei durch die Menge, die seit zwei Stunden auf der Ruglerwiese ausharrt, um ihrem König zu huldigen. Die Linnauen sind von Soldaten abgesperrt. Beidseits des Weges vom unteren Stadttor zur Bühne bei der Flößerlände steht eine uniformierte Postenkette und schirmt die Anfahrt des Königs ab. Dragoner zu Pferd, halb Infanteristen, halb Kavalleristen, halten die Zuschauer in Schach. Sie sind die mobile Eingreiftruppe des Herrschers. Auf ihrer Fahne ist ein Drache, der Feuer speit. Mit Messing beschlagenen Pistolen und krummen Säbeln fuchteln sie wild über die Köpfe der Leute hinweg.

Sogar das Podest ist von Soldaten des königlichen Leibregiments umzingelt. Schulter an Schulter riegeln große, Furcht einflößende Kerle den Auftritt seiner Majestät ab. Ihre modernen, vier Fuß langen

Perkussionsgewehre mit brüniertem Damastlauf, Kimme und Korn haben sie schussbereit vor sich auf den Boden gestemmt, die Bajonette schon aufgepflanzt.

Jeder auf der Wiese, gleichgültig ob Mann oder Frau, ist beim Zutritt streng kontrolliert worden. Wer ein Gewehr, eine Pistole und ein Messer stecken hatte, wurde entwaffnet und musste umkehren.

Die Botschaft der finster dreinschauenden Krieger zu Fuß und zu Pferde ist klar: Keine Fisimatenten! Keine unerlaubte Annäherung an den Landesherrn! Die martialischen Gesellen mit ihrer schweren Armatur aus Gewehr, Bajonett, Pistole, Säbel, Patronentasche und Tornister haben das ganze Volk im Blick. Sie reagieren auf jeden Knall, achten auf jede Regung und sind stets auf dem Sprung.

Die Kutsche rollt durchs Soldatenspalier, beifallumtost, von vielen Ahs und Ohs begleitet, und hält direkt vor den Stufen zum Podest. Von dort oben bestaunen die Sänger vom Liederkranz das Spektakel mit offenem Mund. Der Schulmeister vor ihnen verzwatzelt schier vor Aufregung; er lauert auf die Anweisung zum Einsatz, die Nikolaus geben soll.

Der plaudert seelenruhig und bester Laune mit Haudegen, dem Schultes und dem Pfarrer in der ersten Reihe und wartet, bis ein Soldat die Einstiegsleiter vor der Kabine ausgeklappt hat. Haudegen tritt vor und öffnet den Schlag der Kutsche. Ein Offizier streckt seinen Kopf heraus. Verwirrt und verlegen blickt er auf Haudegen. Der strahlt ihn aufmunternd an. Zögernd steigt der Irritierte aus.

In diesem Augenblick gibt Nikolaus dem Schulmeister das Zeichen zum Einsatz. Und schon tönt von der Bühne dreistimmig die alte Weise:

„Wie hab ich doch so gern die Zeit,
wenn's Frühjahr wieder kummt,
wenn alles grünt in Herrlichkeit
und alles singt und summt."

Die Sänger haben den Auftrag, die Linnfurter mit einer Auswahl ihrer schönsten Lieder bei Laune zu halten und sich um nichts zu kümmern, ganz gleich, was auch immer kommen mag. Erst wenn Nikolaus dem Dirigenten bedeute, Schluss zu machen, haben Seine Majestät genug gehört.

Die Herren im Sonntagsstaat tragen beliebte Weisen dreistimmig vor. Handbreit reißen sie das Maul auf, blecken ihre wenigen Zähne und beobachten alles aus weit aufgerissenen Augen. Sie platzen vor Stolz und Neugier. Was geht hier vor? Zuerst schmettern sie das *Weinlied*, dann schmachten sie vom *Ännchen von Tharau,* und schließlich säuseln sie mit schmelzendem Vibrato: *Jetzt gang i ans Brünnele*, *Ein Sträußchen am Hute …*

Derweil tut sich Merkwürdiges auf beiden Ufern der Linn. Diesseits stehen die Zuschauer dicht an dicht den Abhang zur Stadtmauer hinauf. Sie sind in heller Aufregung. Das soll Seine Majestät sein? Unmöglich! Der da eben der Kutsche entstieg, ist viel zu jung. Man weiß doch, wie der König aussieht und hat Bilder von ihm gesehen. Sogar im Rathaus hängt eines. Noch eines in der Schule. Überall wispert und flüstert es: „Wo ist Seine Majestät?“ Die ersten kritischen Stimmen werden laut: „Unser allseits geliebter Landesvater hat uns versetzt.“

Von der anderen Seite der Linn löst sich ein Kahn. Die Leute auf der hiesigen Seite sind verdutzt. Schon beginnen die direkt vor der Stadtmauer Stehenden, die den besten Überblick haben, zu deuten und zu rufen. Gebannt verfolgen mehr als zweitausend Augen, was sich auf dem Fluss tut. Gerade richtet sich einer im Boot auf. Wo kommt auch der her?

Koloman und Anna haben ein nettes Plätzchen mit guter Aussicht ergattert, gleich neben dem Linntor. Koloman blickt starr auf die Linn hinaus und wird weiß wie eine Wand. Anna schaut ihn besorgt an. „Fehlt was?“ Am liebsten würde sie ihm die Wangen streicheln. Aber das schickt sich nicht. Dass sie dicht beieinanderstehen, ist vielen im Städtchen schon zu viel. Koloman wehrt ab: „Alles in Ordnung.“ Dass der im Boot Stehende kein anderer als Leopold ist, behält er für sich.

Da! Ein Ruck geht durch das Boot. Der Aufrechte verliert das Gleichgewicht, wedelt mit den Armen und fällt ins Wasser. Ein Aufschrei diesseits und auf der Linn. Das Boot schlingert, dreht sich flussabwärts auf das Wehr unterhalb der Flößerlände zu. Offensichtlich leckt es, läuft schnell voll. Urplötzlich sind noch drei Köpfe zu sehen. Wenige Augenblicke später versinkt der Kahn im Fluss. Verzweifelte Schreie und heftiges Winken. Die Vier treiben im eiskalten Wasser. Einen scheinen die Kräfte zu verlassen. Sein Kopf taucht mehrmals unter.

Das Publikum verfolgt das Spektakel wie gelähmt. Nikolaus handelt. Er sagt etwas zu Haudegen, worauf der ein paar Soldaten ans Wehr beordert. Dort ziehen sie die vor Kälte Schlotternden aus dem Wasser.

*

Oh wie herbe ist das Scheiden, tönt's vom Podium, und davor reichen sich Pfarrer, Schultes und Nikolaus triumphierenden Blickes die Hände. Dann besteigt Nikolaus die Bühne und erlöst den Schulmeister von seinem musikalischen Auftrag.

Der Stier von Palermo schreit hinauf: „Ah, Nikolausi, musst heute heirate? Oder was du macken da oben?"

Der Bärtige schmunzelt und lässt sich vom Oberstleutnant ein Sprachrohr reichen. Damit kann man ihn in einer Entfernung von über vierhundert Fuß gut verstehen, wenn er langsam, laut und deutlich spricht. Und so hält er eine kleine Ansprache ans Publikum: „Liebe Linnfurter! Ihr alle seid gerade Zeugen geworden, wie man die Männer aus dem Wasser gefischt hat. In den letzten Tagen konnten wir auskundschaften, dass sie in ihrem Kahn ein Gewehr und unter dieser Bühne eine Höllenmaschine installiert haben. Außerdem wollten sich feindselige Scharfschützen im Linntor und im Kirchturm breitmachen. Den König auf diesem Podest erschießen oder in die Luft sprengen, das war ihr Auftrag."

Die Angst um das Leben der Schiffbrüchigen schlägt in Entsetzen und Wut um. Zornige Schreie aus dem Publikum.

„Die juckt's am Hals!“

„An den Galgen mit den Spitzbuben!“

„Sofort in der Linn ersäufen!“

Nikolaus hebt beruhigend die Hand. „Wir haben, wie Ihr wisst, in Württemberg ein neues Strafrecht. Darum kommen die Vier vor ein ordentliches Gericht.“ Ihm scheint die Stimme zu versagen. Er räuspert sich.

Paula springt dicht an die Postenkette vor der Bühne heran und ruft besorgt: „Dein Moggele hat dir einen Most! Trinkst was! Gleich geht's leichter!“ Sie streckt ihrem Herzbuben eine Steingutflasche entgegen.

Nikolaus gibt den Soldaten ein Zeichen, ihm die Flasche zu reichen. Er nimmt einen kräftigen Schluck, nickt Paula dankbar zu und fährt fort: „Ja, liebe Linnfurter, jetzt haben wir ein Problem: Wo ist der König?“

Er winkt Haudegen und den der Kutsche Entstiegenen auf die Bühne und stellt sich zwischen sie: „Liebe Landsleute! Der Mann auf meiner linken Seite, eben erst angekommen, ist General von Mikler, General-Quartiermeister seiner Majestät. Und den Herrn auf meiner rechten Seite habt ihr in den letzten Tagen oft im Städtchen gesehen. Er ist Adjutant des Königs. Sein Name: Oberstleutnant von Haudegen.“ Er nimmt noch einen Schluck aus der Flasche, tritt vor bis an den Rand der Bühne und winkt Haudegen zu sich heran. „Also, Oberstleutnant, wo bleibt der König?“

Zurufe aus dem Publikum unterbinden zunächst die Antwort.

„Der kneift!“

„Hat er Angst vor den Mordbuben?“

„Nein, er hat sich verspätet!“

Nikolaus zwinkert dem Offizier zu: „Nun, Oberstleutnant, was meinen Sie? Ist der König ein Angsthase?“

Schweigen.

„Oder kommt er noch?“

Haudegen windet sich wie ein Aal. Er ist kreidebleich. Gequält sieht er den Frager an.

„Oberstleutnant, auf Ehr und Gewissen, ist der König im Anmarsch?“

Kopfschütteln.

„Kommt er am Ende gar nicht?“

Erneutes Kopfschütteln. Haudegen schnappt nach Luft, als wolle er etwas sagen, könne es aber nicht.

„Wird er bald da sein?“

Erneutes Kopfschütteln.

Ein Raunen wogt durch die Menschenmenge. Erste Laute des Unmuts sind zu hören.

„Wie sollen wir das verstehen, Oberstleutnant? Der König kommt, deuten Sie an. Und gleich darauf meinen Sie, er sei weder im Anmarsch, noch treffe er später ein. Merken Sie nicht, dass sich das nicht zusammenreimt?“

Schweigen. Der Offizier schwitzt Blut und Wasser.

Nikolaus sieht Haudegen streng an: „Nun, Oberstleutnant, hat es Ihnen die Sprache verschlagen? Wir bestehen auf einer ehrlichen Antwort. Kommt nämlich der König heute nicht mehr, wollen die Leute jetzt heim. Also, was ist?“

Ein ängstlicher Blick, eine leise Antwort: „Er ist schon da.“

„Wie bitte? Sagen Sie das noch einmal laut und deutlich!“

Nikolaus hält ihm das Sprachrohr vor den Mund. Jetzt versteht man überall auf der Ruglerwiese: „Er ist schon da!“

Ein Tuscheln, Zischen, Klatschen und Tratschen schaukelt die Menge auf. Die Leute recken die Hälse, beäugen misstrauisch, wer neben und hinter ihnen steht. Jedes fremde Gesicht wird gemustert: „Herr Nachbar, sind Sie der König?“

Nikolaus schaut eine Weile belustigt zu, dann fragt er den Oberstleutnant: „Haudegen, wie sieht der König aus?“

„Das wissen Eu… – ups – … Sie doch selber.“

„Natürlich kenne ich den König. Aber Sie, Oberstleutnant, Sie kennen ihn auch. Beschreiben Sie ihn.“ Er stellt sich vor ihn in Pose und hält ihm das Sprachrohr hin.

„Schlank ist er … und …“

„Und? Jetzt reden Sie schon!“

„62 Jahre alt.“

„Weiter! Lassen Sie sich nicht jedes Wort aus der Nase ziehen!“

„Seine Haare sind …“

„Wie?“

Von Haudegen macht ein leidendes Gesicht und klappt die Lider zu, als könne er die Welt nicht mehr ertragen.

„Nun? Wir warten auf Antwort!“

„Seine Haare sind kurz. Normalerweise. Und … gewöhnlich … hat er keinen Bart.“

„Normalerweise? Gewöhnlich? Ja, sieht er gegenwärtig anders aus?“

Haudegen nickt gottergeben. Man sieht ihm an, dass er sich windet wie ein Aal und leidet wie ein Hund.

Der Stier von Palermo kapiert als Erster. „Isse klar wie gute Wein aus Sicilia!“, schreit er heraus. „König isse alt und habe jetze Bart und lange Haar. Musse alte Männer mit Bart lasse rasiere, Nikolausi! Zack zack! Bin ich Spezialist! Bin ich Barbier!“

Ernesto ist der Liebling der Gesellschaft. Nicht nur, weil er Haare schneiden und rasieren kann. Auch auf Auszehrung, Schwindel, Aussatz und andere Krankheiten versteht er sich. Vor allem lieben ihn die Linnfurter wegen seines Humors und seiner famosen Gaigelkunst. Manche heißen ihn den laufenden Fünfer, weil er nur fünf Fuß hoch ist.

„Ganz recht, Ernesto. Du bist der Barbier. Komm herauf zu mir. Zack zack!“

Kaum ist Ernesto oben, erteilt Haudegen auf einen Wink von Nikolaus einen Befehl. Zwei Soldaten packen den Barbier und drücken ihn auf einen Hocker.

„Macke keine Mist, Nikolausi!“

„Keine Angst, Ernesto, der Kopf bleibt drauf. Wirst bloß rasiert. Hast doch selber gesagt, man muss den Männern den Bart scheren.“

„Du habe auch Bart“, schreit der Barbier, „musse dich selber rasiere!“

Nikolaus lacht. Die Zuschauer juxen und glucksen.

Ernesto ist verzweifelt. „Alle in Städtle wisse, io sono Siciliano! Nix König!“

Alles Reden ist umsonst. Der königliche Figaro, der von den Zuschauern unbemerkt in der Kutsche mitgereist ist, tritt vor. Er hat soeben sein Barbierzeug auf einem herbeigeschleppten Tisch ausbreitet. Ein emailliertes Becken, eine Blechflasche mit warmem Wasser, Bartseife, einen Pinsel, ein Blechnäpfchen zum Schaumschlagen, das Rasiermesser, einen ledernen Streichriemen zum Schärfen des Messers, Vortuch und Servietten. Dazu Scheren und Kämme sowie Puder und Pomaden.

Während der zerzauste Tausendsassa aus Palermo von zwei Soldaten auf einen Hocker gedrückt und vom königlichen Bartscherer und Perückenmacher höchstpersönlich auf offener Bühne balbiert und geschoren wird, schiebt sich vom Linntor her ein Berg von einem Mann durchs Soldatenspalier. Er ist gewandet wie ein Tombourist: blaue Uniform mit goldenen, fransenbehängten Schwalbennestern *[Epauletten der Militärmusiker]* und weißledernem Bandelier *[ein über Schulter und Brust gespanntes Wehrgehenk]*, das über die rechte

Achsel hängt und mit Tressen und Troddeln besetzt ist. Auf beiden Ärmeln vier weiße Streifen übereinander. Auf der schwarzen Kutka wippt ein roter Federbusch, mittig mit einem schwarzen Band geschnürt. Hände und Gesicht des Musikanten sind schwarz wie Ebenholz. Im Takt seiner Schritte schlägt er nicht das Tambour, sondern zwei Becken.

Die Leute recken die Hälse. Überall im Ländle hat sich längst die Kunde vom rabenschwarzen Beckenschläger der königlichen Janitscharenmusik verbreitet.

Der Knöpfles Paul war selber in der Landeshauptstadt. Er weiß alles über den Riesen: „Erst hat er im Urwald Löwen und Affen gefangen und gekocht. Jetzt mag er lieber Spätzle mit Soß und schwätzt schwäbisch."

Diese Nachricht zieht schnell große Kreise: Der Knöpfle kenne den Riesen aus Afrika persönlich, der Spätzlesmusik für den König machen muss.

Man weiß nicht mehr, wo man hinschauen soll. Auf die Bühne, wo der Stier von Palermo zu einem kreuzbraven Linnfurter geschniegelt wird. Zu Abels Küchenfee, die vor der Bühne ein Freudentänzchen aufführt. Oder auf den schwarzen Riesen, der ein Höllenspektakel macht.

Die Tänzerin hält es nicht mehr an ihrem Platz. „Ernesto, mein Ärschle!" Sie stürmt die Bühne und herzt den Herausgeputzten, der nicht weiß, wie ihm geschieht.

Nikolaus sieht den Pfarrer fragend an und verkündet, als Abel zustimmend nickt, demnächst finde in Linnfurt wohl eine Hochzeit statt.

„Nix heirate!“ Der Mann aus Sizilien spuckt Gift und Galle.

„Ärschle, du hältst jetzt auf der Stell deine Gosch!“, schnauzt ihn die Köchin an.

Nikolaus fragt belustigt den Entrüsteten: „Und wenn’s der König befiehlt?“

„Hoho! Erst du müsse rasiere!“

„Und dann?“

Ernesto denkt kurz nach und grinst. Ihm ist eingefallen, wie er seine Freiheit retten kann: „Wenn du habe rasiert“, er holt Luft, denn er ist erregt, „und wenn gefunden König“, er macht eine kleine Pause, „und wenn König zahle Hochzeit“, er nickt, „Ernesto macke Hochzeit mit Frau.“

„Einverstanden“, sagt Nikolaus. „Alle sind Zeugen. Jetzt wird ein älterer Bartträger nach dem andern rasiert, bis wir den König gefunden haben. Und wenn der deine Hochzeit zahlt, heiratest du übernächste Woche. Einverstanden?“ Er hält ihm seine Hand hin. „Schlag ein!“

Ernesto kichert siegessicher und ergreift die dargebotene Rechte.

Das Publikum ist entzückt. Es kann ja nicht ahnen, dass dies erst das Vorspiel ist und das fulminante Spektakel noch kommt. Wie im Theater wird auch diese Vorstellung zweieinhalb bis drei Stunden dauern.

„Jetzt du, Nikolausi, zack zack!“, befiehlt der geschniegelte Barbier aus Palermo.

Nikolaus gehorcht. Eben nimmt er auf dem Barbierstuhl Platz, setzt die Brille ab und bekommt das

Vortuch umgehängt, da hört man ein Pfeifen und Trommeln, das sich rasch nähert.

Schon marschieren Spielleute aus dem Linntor heraus. Vorweg der prächtig herausgeputzte Tambourmajor mit erhobenem Tambourstock. Dann die zum Regiment gehörenden Tamboure und Hornisten, in gleicher Weise in schmucken blauen Uniformen. Alle Aufmerksamkeit ziehen sie auf sich, besonders den Damen verschlägt es den Atem. Wenn Mannsbilder protzen wie die Pfauen, so die Philosophie der Militärs, fallen die Weibsbilder reihenweise in Ohnmacht infolge des Gebalzes, der klirrenden und blitzenden Säbel, der Pracht der aufgezwirbelten Schnurrbärte und des schauderlichen Lärms von so viel Blech.

Die Männer juckt es in den Füßen. Ihnen kommt ihre eigene Militärzeit in den Sinn. Sie wippen im Takt, trampeln auf den Boden oder blasen „ufda, ufda“ aus geblähten Backen.

„Wie viele sind's denn?“, schreit einer. Gleich sind sie alle am Zählen.

„Vierzig!“, schallt es über die Wiese.

Tatsächlich. Zwanzig Trommler, zehn Becken-, Tambourin- und Tamtamschläger sowie zehn Hornisten und Signalhornbläser marschieren mit nervenzerfetzendem Krach zum Podest.

Sie haben noch nicht einmal den halben Weg zurückgelegt, da setzt ein Geraune, Geschwurbel und Geschnatter ein.

Schnipp-schnapp. Was ist bloß auf der Bühne los?

„Du lieber Himmel!“

Staunen, Verblüffung, Verwirrung.

Oho! Herrjemine! Juchhe!

Ächzen, Frohlocken, Johlen, Kichern, Kreischen, Lachen, Schluchzen, Schreien. Schließlich ein ohrenbetäubendes Gebrüll.

„Heiliger Strohsack!“

„Mein lieber Herr Gesangverein!“

„Ich glaub, mein Ochs ferklet!“

„Um Gottes Wilhelm!“

Das Volk stutzt, ist betroffen, verwirrt, fassungslos, schließlich ergriffen. Figaros sorgsame Hände modeln, schnipp-schnapp, schnipp-schnapp, aus dem bärtigen, zauseligen Nikolaus, der in den letzten Wochen Teil ihres Lebens war, einen schnurrbärtigen Mann mit kurzhaariger Cäsarenfrisur. Schon erhebt sich der Gestutzte und reckt grüßend die Arme in die Höhe. Jubel brandet auf, während Haudegen mit einem goldbetressten Uniformrock herbeieilt. Oberstleutnant und General helfen Seiner Majestät beim Überziehen, schnallen ihr den goldenen Gürtel und das Wehrgehänge samt Säbel um.

Er steht da, wie ihn sein Volk von allen Gemälden kennt: König Wilhelm, der Hochgeachtete, der Neuerer, der vielgeliebte Landesvater.

„Bravo!“

„Ein dreifach donnerndes Hoch!“

„Hoch! Hoch! Hoch!“

Ein Plumps, ein Schrei. Paula ist in Ohnmacht gefallen.

Abel sinkt auf die Knie und bedeckt sein Gesicht mit den Händen. Schande über mich, zuckt es ihm durchs Hirn. Wie kann ich ihm je wieder unter die

Augen treten. Niemals wird er mir die Ohrfeigen auf dem Eis verzeihen.

Der Schultes steht mit offenem Mund da, er schaut und reibt sich verwundert die Augen. „Kann nicht sein! Kann nicht sein!“ Dann zieht er seinen Flachmann aus dem Kittel und nimmt einen großen Schluck, starrt erneut, schüttelt den Kopf und leert die ganze Flasche. Sein glasiger Blick bleibt auf das Wunder geheftet, das vor seinen eigenen Augen geschieht und das er nicht fassen kann.

Seine Minna, direkt hinter ihm, strahlt wie ein Honigkuchen. Sie gackert und gluckst, haut ihrem Fritz von hinten auf die Schulter, reißt sich ihre Bändelhaube vom Kopf und setzt sie dem schräg vor ihr knienden Pfarrer auf. In Überschwang der Gefühle allerdings verkehrt herum, sodass der Gottesmann blind wird wie ein Maulwurf. „Heidenei“, schreit sie, als sie wieder Luft schnappen kann, „hab ich mir gleich denkt!“

Die Schulmeisterin neben ihr bricht in Freudentränen aus, wischt sich mit dem Ärmel über die Augen und formt mit ihren Händen einen Trichter: „Albert!“ Doch ihr Mann hört nichts. Er begreift nicht, was er sieht, obwohl er mit seinem Chor auf der Bühne steht, keine zehn Schritte vom König entfernt. Magda schreit und schreit, aber ihr Albert ist taub. Bis ihn einer der Sänger stupft und auf seine Frau deutet. Sie dirigiert beidhändig in die Luft. Da springt ihn ein Gedanke an. Gleich stellt er sich vor seine Männer in Positur, gibt den Ton vor, und schon ertönt des Königs Lieblingslied:

„Es löscht das Meer die Sonne aus,
kühlendes Mondlicht ist erwacht.
Der gold'ne Adler lässt sein Haus
müde dem Silberschwan in der Nacht.
Flüsternd am Kahne glitzt der Brandung Lauf,
leise der Wind die Saiten rührt,
die Liebe zieht ihr Segel auf,
Sehnsucht das Ruder sicher führt."

Der altgediente Soldat im Festornat lauscht ergriffen der beliebten Weise. Umständlich zieht er sein Schnupftuch aus dem Hosensack und schneuzt sich. Jedes Mal, wenn er diese wunderbare Harmonie aus Poesie und Tonkunst hört, die es so nur in seinem Schwabenland gibt, laufen ihm die Augen über, ob er will oder nicht. Heute ist's besonders schlimm. Er heult Rotz und Wasser, und alle Linnfurter fangen zu schluchzen an. In einem Meer von Tränen versinkt der letzte Ton.

Doch horch! Mit einem Schlag, einem Paukenschlag, klingt's wieder fidel.

„Trara trara! Tätärätätä! Schnedderengteng!"

Die Brigademusik zieht im Ordinariatschritt *[schneller Gleichschritt]* auf. Gekleidet in Paradeuniform, reich bestückt mit Litzen, Borten, Kordeln, Ketten, Schnüren und blitzenden Gold- und Silbertressen. Der schneidige Kapellmeister dirigiert den Hohenburger Regimentsmarsch, vom Stuttgarter Kapellmeister Richter komponiert, eigens zum Defilieren vor dem König und Erweisen der Honneurs. Alle anderen Musiker stimmen mit ein.

*

„Meinen Sie, Herr Lehrer, wir kriegen's noch hin?" Abel und der Schultes haben Majestät versprochen, bis Weihnachten das Schlittschuhlaufen zu lernen. Unter dieser Voraussetzung hat der König augenzwinkernd dem Pfarrer die Ohrfeigen verziehen und dem Schultes versprochen, im nächsten Winter wiederzukommen.

„Es gibt nichts, was württembergische Pfarrer und schwäbische Schultheißen nicht können", plustert sich Fritz Frank auf.

Der Schulmeister muss ein hämisches Grinsen unterdrücken. Ihm ist längst klar, dass ein schweres Stück Arbeit auf ihn wartet. Zwei so steife und massige Körper auf schmalen Kufen? Im Grunde genommen nach allen physikalischen Gesetzen unmöglich. Oder kann man die Anziehungs- und Fliehkräfte überlisten? Jedenfalls wird er, nein, muss er sein Bestes geben. Einen kleinen Weiher linnabwärts hat er ausgeguckt. Der friert schnell zu und liegt abseits, dass man tage- und wochenlang heimlich üben kann. Für alle Fälle tüftelt er schon an Schlittschuhen mit vier Kufen oder Rädern.

Abel prostet seinen Gästen zu. „Glauben Sie, Herr Bürgermeister, dass die Paula unsere Mützen bald fertig hat?"

Der Schultes zuckt die Achseln. „Wir wollen's hoffen."

Paula ist inzwischen königliche Hoflieferantin. Alle Welt will eine schwarz-rote Pudelmütze, wie sie Majestät tagaus tagein bei kaltem Wetter trägt. Sie schützt die Ohren, auch das dahinter liegende Hirn friert nicht mehr ein. Paula hat beim Schultes vorgefühlt, ob er sie vorzeitig aus dem Dienstvertrag entlässt. Doch der Herr Stadtpräsident ist gnadenlos. Wer sonst soll denn dem Landesvater bei künftigen Besuchen als Hofdame dienen? Kein Dienst als Hofdame, kein regelmäßiger Kontakt zum König, warnt er sie eindringlich, schnell käme die gerade aufblühende Mützenfabrikation wieder zum Erliegen. Paula hat das sofort eingeleuchtet. Seitdem sucht sie händeringend vertrauenswürdige Damen mittleren Alters, die fehlerlos stricken können und mit kleinem Lohn zufrieden sind, zumal sie neuerdings schwarz-rote Schals in ihre Produktpalette aufgenommen hat. Aber zum Ausmisten bleibe ihr keine Zeit mehr, hat sie den Schultes angeblafft und ertrotzt, dass sie nur noch in Haus und Hof zugange sein muss.

„Die Menschen sind wie die Affen“, räsoniert Abel, „was einer hat, will jeder haben.“ Dass ihn auch nach einem solchen Mützchen gelüstet, gibt er freimütig zu. Aber er ist doch nicht jeder.

Bleibt den Herren noch die Nachlese zum grandiosen Königsfest. Noch in hundert Jahren werde man bei der bloßen Erwähnung feuchte Augen bekommen, da ist sich die örtliche Dreifaltigkeit einig. Beispiellos! Exorbitant!!

Erst der wunderbare Tag an der Linn, als aus Nikolaus der König wurde. Abends der Empfang im Rathaus. Anderntags das übermütige Treiben in den Gassen, das neuerliche Konzert dreier Militärkapellen auf dem Marktplatz und zum Abschluss Tanz in allen drei Gasthäusern.

„Dem König hat's gefallen", stellt der Schultes zufrieden fest.

„Gefallen? Der war hin und weg, weil ihm vorher ein großer Stein vom Herzen geplumpst ist." Abel kennt sich aus mit Seelenqualen. „Der Einfall, den Kahn unten anzubohren, war grandios."

Der Schultes pflichtet ihm bei: „Das war Haudegens Idee. Gewiss hat er großes Lob geerntet."

„Dass die preußischen Scharfschützen in die Falle getappt sind, wundert mich", sagt der Schulmeister. „Haben Sie, Herr Pfarrer, davon etwas mitgekriegt?"

Abel kichert. „Haudegen ist in den Nächten vor dem Fest neben mir im Kirchturm gehockt. Durch mein Fernrohr haben wir vier Männern zugeschaut, offensichtlich Österreicher. Sie hatten sich einige Tage vorher in der verlassenen Hütte auf der anderen Linnseite eingenistet. In der vorletzten Nacht bohrten sie vorn ein Loch in den Kahn, und in der letzten Nacht ruderten sie mit einem kleineren Boot direkt unter die Bühne und montierten dort ihre Höllenmaschine. Derweil haben Haudegens Leute in den präparierten Kahn noch ein Loch gemacht, dieses Mal in den Boden, es mit einem Pfropfen aus Holz und Hanf abgedichtet und diesen unter Wasser angekettet. Dann sind die vier Männer zurück und haben vom Schuppen aus Lichtzeichen gegeben. Gleich schlichen ein paar finstere Gestalten mit langen Gewehren die Schlosssteige herab. Haudegen hat mich zwar heimgeschickt, doch hinterm Vorhang habe ich gesehen, wie sieben, acht Dragoner den Turm hinaufstürmten, während andere hinter der Kirche in Deckung gingen. Eine halbe Stunde später haben sie die Preußen auf der Treppe zum Turm in die Zange genommen und abgeführt. So muss es auch am Linntor gewesen sein."

„Eines verstehe ich nicht." Der Schulmeister schüttelt den Kopf. „Warum zieht der König unseren Grafen nicht zur Rechenschaft?"

„Ach", winkt der Schultes ab, „der ist auf ewige Zeiten blamiert. Gerade sucht er eine Dienstmagd."

Sie lachen und prosten sich zu. Abel reicht einen Teller mit Naschwerk herum. „Hat meine neue Haushälterin gebacken." Die Nachbarin habe letzte Woche gekündigt. Als Frau eines Barbiers könne sie nicht mehr anderen zu Diensten sein, das sei mit ihrem neuen Stand nicht vereinbar.

„Richtig, nächsten Donnerstag ist Doppelhochzeit." Der Schultes kratzt sich im Genick. „Der Stier von Palermo kommt endlich unter die Haube. Und mit Anna Läpples Neuem kriegt unser Städtchen einen Sattler und Polsterer."

„Wissen Sie, Herr Bürgermeister, warum unser König will, dass der Koloman und die Anna heiraten?"

Der Schultes weiß es und schweigt. Er hat dem König sein Ehrenwort gegeben.

Die kleine Pause nützt der Schulmeister für ein eigenes Anliegen. Schon lange brennt ihm etwas unter den Nägeln. Trau dich, dass was wirst, hat ihn seine Magda in den Senkel gestellt. Jetzt ist der Augenblick da. Er fasst sich ein Herz: „Bei den Hochzeiten am Donnerstag bin ich gleich zweimal dreifach gefordert.

Als Mesner, als Organist und als Dirigent. Darum kann ich bei der Leich am Freitag nicht auch noch Totengräber sein. Ich kann doch das Schulehalten nicht ständig dem Provisor überlassen."

Der Stadtpräsident sieht das ein: „Eigentlich ist es an der Zeit, dass wir einem armen Teufel aus unserer Gemeinde ein paar Kreuzer fürs Grabschaufeln gönnen. Meinen Sie nicht auch, Herr Pfarrer?"

„Ganz meine Meinung, Herr Bürgermeister. Wenn Majestät künftig öfters bei uns weilt, kommen bald andere hohe Persönlichkeiten ins Städtchen. Wir müssen investieren. Die Sauberkeit im Ort verbessern. Spazierwege rund um Linnfurt anlegen. Konzerte, Matineen und Soireen ausrichten. Ich jedenfalls werde Stadtführungen bei Tag und Himmelserkundungen bei Nacht anbieten."

„Vordringlich wäre eine Straßenbeleuchtung", empfiehlt der Schulmeister. „Nach Einbruch der Dunkelheit kann man sich in unseren Gassen den Hals brechen."

„Ausgezeichnet, mein Lieber!" Der Schultes greift den Vorschlag seines Schwiegersohns sofort auf. „Noch vor dem nächsten Winter werden wir die Burgunder Straße, die Hohenberger Straße und die Hauptstraße beleuchten."

„Am besten vom 1. November bis zum 1. März." Pfarrer Abel ist begeistert. „Auch zwischen Kirche und Pfarrhaus wäre eine Laterne zweckmäßig, weil sie den Weg zum Kirchenportal weisen würde."

„Albert, du rechnest bis übermorgen aus, wie viel Brennöl und Dochte man für vier Wintermonate braucht.“ Der Schultes ist augenblicklich am Regieren. „Die Stadt stellt zehn Laternen auf. Die Beleuchtung schreiben wir aus und übertragen sie dem billigsten Anbieter.“

„Wo Licht ist, da ist Leben. Wo viel Leben ist, wollen alle hin“, bilanziert Abel und prophezeit: „Feine Damen und Herren werden wie die Motten das Licht der Laternen umschwirren. Ein goldenes Zeitalter bricht an.“

Die drei Herren starren, von so viel Glanz überwältigt, zur Decke hinauf, wo sich die erste Fliege dieses Jahres im matten Schein der Lampe die Flügel putzt. Jäh springt Abel auf: „Aber vorher müssen wir die Misthäufen und Jauchegruben unter Brettern verschwinden lassen.“

LITERATUR VON GERD FRIEDERICH

Fachliteratur

26 Bücher, rund 100 Fachaufsätze, etliche Artikel in Handbüchern und Lexika sowie rund 300 Rezensionen zu pädagogischen, geschichtlichen und landeskundlichen Themen. Das vorletzte Fachbuch, 2015 zusammen mit Magda Krapp veröffentlicht: *Schulleitung kompakt – Schule leiten und gestalten.*

Romane

Der Dorfschulmeister. 2008.
Der Kainsmaler. 2009.
Kälberstrick. 2010.
Schwabenbomber. 2011.
Sichelhenke. 2012.
Tod dem König. 2013.
Fräulein Lehrerin. 2015.
Verlorene Jahre. 2018.
LandLebenLiebe. 2020.
Der Glücksritter. 2022.
Die Reise. 2023.
Kleines Paradies für alle. 2024.
Mit allen Wassern gewaschen. 2024.
Ein einziger Tag. 2025.